The Fiftieth Gate

ליקוטי תפילות

Likutey Tefilot

The Fiftieth Gate

ליקוטי תפילות
Likutey Tefilot

Reb Noson's Prayers
Volume 7
Part Two: Prayers 30-59

Translated by Yaacov David Shulman

BRESLOV RESEARCH INSTITUTE
Jerusalem / New York

First edition

For further information:

Breslov Research Institute
POB 5370
Jerusalem, Israel

or:

Breslov Research Institute
POB 587
Monsey, NY 10952-0587
USA

Breslov Research Institute
POB 11
Lakewood, NJ 08701
USA

Printed in Israel

Daily reading of this
seven-volume series
enables the faithful to enjoy
the seven days of Shabbat

Ovadiah ben Avraham

A Tribute to
Reb Noson and His Prayers

After Reb Noson published his *Likutey Tefilot*, his followers suggested that he should be known as the Master of Prayer after the main character in Rebbe Nachman's story, "The Master of Prayer" (*Rabbi Nachman's Stories* #12). Reb Noson replied, "The Master of Prayer is Rebbe Nachman himself. If I am to be considered as one of the King's men, I am the Bard, the singer of praises. This is because I can find merit even in a person who has transgressed the entire Torah 800 times!" (*Siach Sarfey Kodesh* I-591).

In Rebbe Nachman's story, the Master of Prayer relates that during his travels, he passed a sea of wine. He knew for certain that this was made from the words of the Bard, who consoled the King and Queen and then consoled the Queen's Daughter. His words produced the sea of wine, as it is written, "The roof of your mouth is like the finest wine" (Song of Songs 7:10; see *Rabbi Nachman's Stories*, pp. 325-326).

Through his prayers, Reb Noson eloquently enables and allows a person to feel there is hope through the faculty of prayer.

In tribute to Reb Noson's "wine," we have given this, the final volume in the *Likutey Tefilot* series, a wine-colored cover.

This series, begun in 1992, represents the first-ever English translation of Reb Noson's prayers. We extend our sincere thanks and blessings to Yossi Lanton, who through his desire and initiative enabled the project to resume after a sixteen-year hiatus, resulting in the completion of all seven volumes. May the merit of Reb Noson, and all those who have merited entering the Garden of Eden through these prayers, stand by him and his family for eternity. Amen.

Contents

A Basic Guide

What is *Likutey Tefilot*?

Likutey Tefilot is a collection of personal prayers composed by Reb Noson of Breslov (1780-1844), the leading disciple of the outstanding Chassidic luminary, Rebbe Nachman of Breslov (1772-1810). The Hebrew original of *Likutey Tefilot* consists of two parts containing 152 and 58 prayers respectively—a total of 210 prayers. This work is a free translation of Part Two of *Likutey Tefilot* (Prayers 30-59).

For complete details about *Likutey Tefilot* and Reb Noson, see "The Power of Prayer: A General Introduction to *The Fiftieth Gate*" by Avraham Greenbaum, in *The Fiftieth Gate*, Vol. 1.

Personal Prayer

Rebbe Nachman taught that besides reciting the mandatory daily prayer services contained in the *siddur*, we should supplement them with our own individual prayers. In *Likutey Tefilot*, Reb Noson made his personal prayers available to us to use at our discretion in our own sessions of private prayer. *Likutey Tefilot* is not a book to read through for information. The prayers were written to be *said* rather than *read*. This is an inspirational text for use when we wish to reach out to God and express our personal needs and spiritual yearnings—whether at home, in the synagogue, in the office, in a quiet park or out in the countryside.

How to Find What You Want in This Book

Each of Reb Noson's prayers in *Likutey Tefilot* is based on one of Rebbe Nachman's lessons in *Likutey Moharan*.

The prayer is a request for God's help in achieving the spiritual ideals explained in Rebbe Nachman's lesson. It is not necessary to study the relevant lesson before reciting the prayer. Nevertheless, it is helpful to realize that the structure of each prayer and the way its themes are developed are governed by Rebbe Nachman's treatment in the corresponding lesson.

• **Index of Topics (pp. *xv-xxi*)**

This is an alphabetical listing of all the main topics covered in the prayers in this volume. Consult this index to find the prayers dealing with the themes you want to pray about. If you cannot find a listing for a given topic, can you think of a synonymous term or related idea that is included?

• **Contents of the Prayers**

Each prayer is headed by a list of its main topics. Note: Topics are not necessarily listed in the order they appear in the prayer, nor does the list indicate which are the central themes of the prayer and which are subsidiary topics.

• **Synopses of the Lessons in *Likutey Moharan***

At the start of each prayer appears a synopsis of the corresponding lesson in *Likutey Moharan*. This is not intended to be an abstract of the lesson as such, but rather a guide to the way the main concepts found in Reb Noson's prayer relate to one another; how key ideas may be understood; and how these concepts are explained and developed in Rebbe Nachman's original lesson. Readers who seek the connection between the concepts of the prayers may refer to the English translation of the *Likutey Moharan*, published by the Breslov Research Institute, which contains full explanatory notes.

- **Section Headings**

These have been introduced in the longer prayers to indicate a transition in the development of the prayer, or the introduction of a fresh topic.

Numbering of Prayers

Many of the prayers in Part Two of *Likutey Tefilot* correspond to the lessons in Part Two of the *Likutey Moharan*. We have indicated in parentheses those cases where the lesson number in *Likutey Moharan* II differs from the prayer number. Several lessons also correspond to lessons in *Sichot HaRan* (translated into English as *Rebbe Nachman's Wisdom*); we have also included the latter lesson numbers in parentheses.

About this Translation

This is a free rendition of *Likutey Tefilot*, aimed at conveying the content and spirit of the original in readable, idiomatic English, so that English-speaking readers may recite the prayers meaningfully. This does not purport to be a definitive scholarly translation. The facing Hebrew text has been provided for the benefit of those who wish to say all or part of the prayers in the original, but readers should not expect to find a direct English equivalent for every single Hebrew word and phrase.

Tefilot ve-Tachanunim

Selections from the work of Rabbi Nachman Goldstein, best known as the Rav of Tcherin, a disciple of Reb Noson, also appear in this collection. In his *Tefilot ve-Tachanunim* (Prayers and Supplications), Rabbi Goldstein wrote prayers for certain passages of Rebbe Nachman's lessons upon which Reb Noson did not write a prayer, and inserted them at the appropriate places in the *Likutey Tefilot*. These selections have been inserted directly into the prayers.

How to Say the Prayers

You are free to choose sections of a prayer according to your personal needs and preferences, time constraints, etc. Nevertheless, each of Reb Noson's prayers is an organic whole and there is a benefit in reciting it in its entirety. It is perfectly in order to improvise and add your own personal prayers and requests at any point during your recital of these prayers.

Brokenheartedness versus Depression

Reb Noson gives profoundly honest expression to the awe of a mortal creature approaching the Infinite Creator, his sense of his own smallness, and his shame at his shortcomings, failures and transgressions. Rebbe Nachman taught that true brokenheartedness leads to ultimate joy. For some people, however, dwelling on such feelings can be counterproductive, engendering negativity and depression. If this happens, Reb Noson would have been the first to say: Turn to something more positive!

Contents of the Prayers

Index of Topics

(Numbers refer to the prayers)

The following index will enable students of the *Likutey Moharan* and *Sichot HaRan* (*Rebbe Nachman's Wisdom*) to match Rebbe Nachman's lesson to the corresponding prayer in Reb Noson's *Likutey Tefilot*.

Likutey Moharan

Lesson#	Prayer#	Lesson#	Prayer#
I, Prologue	II, 47	II, 74	II, 37
II, 29	II, 50	II, 76	II, 55
II, 44	II, 51	II, 77	II, 38
II, 46	II, 30	II, 78	II, 39
II, 50	II, 31	II, 81	II, 40
II, 56	II, 52	II, 82	II, 41
II, 60	II, 53	II, 83	II, 42
II, 61	II, 32	II, 84	II, 43
II, 66	II, 54	II, 87, 88	II, 44
II, 67	II, 33	II, 89	II, 45
II, 71	II, 34	II, 90	II, 46
II, 72	II, 35	II, 91	II, 56
II, 73	II, 36		

Sichot HaRan

Lesson#	Prayer#	Lesson#	Prayer#
12	II, 58	89	II, 48
87	II, 57	96	II, 49

ליקוטי תפילות

Likutey Tefilot

Part Two
Prayers 30-59

30 (II, 46)

A Person's Greatest Obstacles are Those of His Mind / The Obstacles Contain God Himself

Every Jew serves God with devotion and self-sacrifice every day of his life, and even at every moment. For instance, a person's money is related to his soul, in that he dedicates so much effort and risks so much danger to earn it. Yet, having done so, he surrenders it to God when he gives charity. That act is analogous to giving up his soul.

Prayer, too, is an act of self-sacrifice, because a person must invest so much effort in his struggle with distracting thoughts, implementing different stratagems so that he will be able to concentrate.

Every person thinks that his obstacles to serving God—such as traveling to a true Tzaddik—are greater than anyone else's. And he thinks that they are overwhelming. But a person only has obstacles that he can deal with. In fact, there are no obstacles at all, because the obstacles themselves contain God.

A person's greatest obstacle is that generated by his own mind, which is divided from God or from the Tzaddik.

For instance, he may overcome the practical obstacles that had kept him from traveling to the true Tzaddik. But if his mind remains unpersuaded and he entertains doubts and suspicions about the Tzaddik, that keeps him away from the Tzaddik more than anything else could.

In prayer as well a person has to overcome a number of obstacles before he can engage in the act of prayer. But if his heart is wrestling with God, if he is filled with questions and doubts about God, that is the greatest obstacle to prayer.

In such a situation, a person must cry out to his Father in Heaven from the depths of his heart. Then God listens to his voice, and that is his salvation.

The Baal Shem Tov tells of a king who had a great treasury that he surrounded with a series of concentric walls whose existence was an illusion. A few people who came to gain the treasure turned back immediately. Some broke through one wall but couldn't breach the second. Some broke more walls but couldn't break them all. Then the king's son came and said, "I know that all of these walls are an illusion, that there is no wall at all." He walked forward confidently and passed through all of them.

All of a person's obstacles, distractions and enticements are walls around the treasury of the fear of Heaven. They are really nothing. The principal factor in overcoming them is a strong heart. Then there are no obstacles, such as concerns about money or the objections raised by one's wife, children, parents or in-laws. All of these obstacles are nullified before a person whose heart is strong for God, just as the might of the greatest warrior is due only to his eagerness to leap into battle.

"נִכְסְפָה וְגַם כָּלְתָה נַפְשִׁי לְחַצְרוֹת יְהֹוָה לִבִּי וּבְשָׂרִי יְרַנְּנוּ אֶל אֵל חָי.

כָּלָה שְׁאֵרִי וּלְבָבִי, צוּר לְבָבִי וְחֶלְקִי אֱלֹהִים לְעוֹלָם.

צָמְאָה נַפְשִׁי לֵאלֹהִים לְאֵל חָי, מָתַי אָבוֹא וְאֵרָאֶה פְּנֵי אֱלֹהִים.

הִשְׁבַּעְתִּי אֶתְכֶם בְּנוֹת יְרוּשָׁלָיִם אִם תִּמְצְאוּ אֶת דּוֹדִי מַה תַּגִּידוּ לוֹ, שֶׁחוֹלַת אַהֲבָה אָנִי. הִשְׁבַּעְתִּי אֶתְכֶם בְּנוֹת יְרוּשָׁלָיִם, מַה תָּעִירוּ וּמַה תְּעֹרְרוּ, אֶת הָאַהֲבָה עַד שֶׁתֶּחְפָּץ".

רִבּוֹנוֹ שֶׁל עוֹלָם, מָלֵא רַחֲמִים, אוֹהֵב עַמּוֹ יִשְׂרָאֵל, "גְּדֹל הָעֵצָה וְרַב הָעֲלִילִיָּה", אַתָּה יוֹדֵעַ אֶת עֹצֶם רִבּוּי הַמְּנִיעוֹת הַמּוֹנְעִין אוֹתָנוּ מִדֶּרֶךְ הַחַיִּים.

אֲשֶׁר עָמְדוּ כְּנֶגְדֵּנוּ כְּנֶגֶד כָּל אֶחָד וְאֶחָד בִּפְרָטִיּוּת, כְּחוֹמוֹת בַּרְזֶל וְכִנְחָלִים שׁוֹטְפִים וְנַהֲרֵי אֵשׁ סַבּוּנוּ גַם סְבָבוּנוּ מִכָּל צַד. "סַבּוּנִי כַמַּיִם כָּל הַיּוֹם הִקִּיפוּ עָלַי יָחַד".

וּמֵרִבּוּי הַמְּנִיעוֹת נִתְרַחַקְנוּ מִמְּךָ כְּמוֹ שֶׁנִּתְרַחַקְנוּ, אֲבָל אַתָּה הוֹדַעְתָּנוּ בְּרַחֲמֶיךָ הָרַבִּים, שֶׁגַּם בְּהַמְּנִיעוֹת בְּעַצְמָן,

Passing by and Leaping over All Obstacles

"**M**y soul yearns to exhaustion for the court-yards of HaShem. My heart and flesh sing to the God of my life."

"My flesh and heart have all but expired, Rock of my heart. My portion is God forever."

"My spirit thirsts for God, for the Living God. When will I come and see the face of God?"

"I adjure you, daughters of Jerusalem, if you find my beloved, what should you tell him? That I am lovesick." "I adjure you, daughters of Jerusalem, why should you awaken and why should you arouse love before it is ripe?"

Master of the world, You Who are filled with compassion, You Who love Your nation, the Jewish people, You are "great in counsel and mighty in deed." You know the myriad obstacles that keep us from the path of life.

These obstacles stand against every one of us like walls of iron, like rushing rivers and streams of fire. They surround us, they encompass us all around. "They surrounded me like water the entire day; they have all encircled me."

Because of the multitude of these obstacles, we have been distanced from You tremendously. But in Your vast compassion, You have informed

אַתָּה בְּעַצְמְךָ נִסְתָּר בָּהֶם מֵרֹב אַהֲבָתְךָ אֶת כָּל זֶרַע יִשְׂרָאֵל עַמֶּךָ.

וּמִי שֶׁהוּא בַּר דַּעַת יָכֹל לָגֶשֶׁת לְתוֹךְ חֶשְׁכַת הֶעָנָן וְהָעֲרָפֶל, דְּהַיְנוּ לְתוֹךְ תֹּקֶף הִתְגַּבְּרוּת הַמְּנִיעוֹת, וְלִמְצֹא שָׁם אֶת הַשֵּׁם יִתְבָּרַךְ, כִּי שָׁם בְּהַמְּנִיעָה בְּעַצְמָהּ נִסְתָּר וְנֶעְלָם הַשֵּׁם יִתְבָּרַךְ.

אֲבָל מָה אֶעֱשֶׂה אָנֹכִי הֶחָסֵר דֵּעָה, אֲשֶׁר מֵעֹצֶם חֶסְרוֹן דַּעְתִּי אֲנִי עוֹמֵד מֵרָחוֹק זֶה כַּמָּה זְמַנִּים, שֶׁאֵינִי מִתְגַּבֵּר לְהִתְקָרֵב אֵלֶיךָ מֵחֲמַת רִבּוּי הַמְּנִיעוֹת הַמַּפְסִיקִים לִפְנֵי כַּחוֹמוֹת מַמָּשׁ.

וּבֶאֱמֶת אֲנִי יוֹדֵעַ קְצָת וַאֲנִי מַאֲמִין בֶּאֱמוּנָה שְׁלֵמָה שֶׁיֵּשׁ בְּיָדִי לְשַׁבְּרָם וּלְבַטְּלָם, כִּי בֶּאֱמֶת אֵינָם מְנִיעוֹת כְּלָל.

אֲבָל אַף עַל פִּי כֵן הֵם מִתְגַּבְּרִים כְּנֶגְדִּי וּמִשְׁתַּטְּחִים לְפָנַי כָּל כָּךְ שֶׁאֵינִי יוֹדֵעַ אֵיךְ לְשַׁבְּרָם וּלְבַטְּלָם.

עַל כֵּן בָּאתִי לְפָנֶיךָ מָלֵא רַחֲמִים, הַחוֹנֵן לְאָדָם דַּעַת, שֶׁתּוֹרֵנִי וּתְלַמְּדֵנִי וְתוֹדִיעֵנִי דַּעַת וּתְבוּנָה וְחָכְמָה וְשֵׂכֶל אֲמִתִּי וְעֵצוֹת אֲמִתִּיּוֹת בְּכָל עֵת.

us that You are hidden in the obstacles themselves, due to Your great love for all of the children of Israel, Your nation.

Whoever possesses awareness can enter into the darkness of the cloud and mist—that is, into the very core of the obstacles—and find You there, HaShem, because You, HaShem, are concealed and hidden in the obstacles themselves.

But what shall I do? My lack of awareness is so great that I stand far away from You for so long, unable to overcome the many obstacles that stand in my way like walls and draw close to You.

In truth, I know to some degree and believe with complete faith that I can break and nullify these obstacles—because, in truth, they are not obstacles at all.

Nevertheless, they grow in strength against me and spread out before me, so that I do not know how to break them and nullify them.

Therefore, I come to You Who are filled with compassion, Who grant awareness to every human being, to guide me, teach me and give me awareness, understanding, wisdom, true intelligence and true counsel at every moment.

בְּאֹפֶן שֶׁאֶזְכֶּה לְהִתְקָרֵב אֵלֶיךָ בֶּאֱמֶת מִמָּקוֹם שֶׁאֲנִי שָׁם עַתָּה, וְלַעֲבֹר וּלְדַלֵּג עַל כָּל הַמְּנִיעוֹת הַמִּשְׁתַּטְּחִים לְפָנַי.

וְאֶזְכֶּה לֵידַע וּלְהַאֲמִין בֶּאֱמֶת שֶׁכָּל הַמְּנִיעוֹת הֵם רַק בַּאֲחִיזַת עֵינַיִם וּבְדִמְיוֹן בְּעַלְמָא, וּמִי שֶׁמְּחַזֵּק לִבּוֹ וּמִתְגַּבֵּר כְּנֶגְדָּם בִּתְשׁוּקָה גְּדוֹלָה וְרָצוֹן חָזָק לְהַשֵּׁם יִתְבָּרַךְ הֵם מִתְבַּטְּלִים כְּנֶגְדּוֹ לְגַמְרֵי.

עַד שֶׁאֶזְכֶּה לְבַטֵּל וּלְשַׁבֵּר כָּל הַמְּנִיעוֹת שֶׁבָּעוֹלָם, הֵן הַמְּנִיעוֹת מֵאֲחֵרִים, הֵן הַמְּנִיעוֹת מִתַּאֲווֹת גּוּפִי הַמְגֻשָּׁם, הֵן כָּל מִינֵי מְנִיעוֹת שֶׁבָּעוֹלָם, הַמּוֹנְעִין מִדֶּרֶךְ הַקֹּדֶשׁ, מִדֶּרֶךְ הָאֱמֶת.

כֻּלָּם אֶזְכֶּה לְשַׁבֵּר וּלְבַטֵּל וּלְסַלֵּק לְגַמְרֵי, עַל יְדֵי שֶׁתִּתֵּן בְּלִבִּי כֹּחַ וּגְבוּרָה לִכְבֹּשׁ אֶת יִצְרִי וּלְהִתְחַזֵּק בְּלִבִּי בִּגְבוּרָה גְדוֹלָה וּבְהִתְחַזְּקוּת גָּדוֹל לַעֲמֹד כְּנֶגְדָּם, וְלִבְלִי לִירָא וְלִפְחֹד מֵהֶם כְּלָל, וְאֶזְכֶּה לְנַצֵּחַ הַמִּלְחָמָה בְּשָׁלוֹם.

וּתְרַחֵם עָלַי וְתוֹשִׁיעֵנִי וְתַצִּילֵנִי מִמְּנִיעוֹת הַמֹּחַ, שֶׁהֵם כָּל

May I truly come close to You from where I am now. May I pass by and leap over all of the obstacles that are spread out before me.

May I truly know and understand that all of these obstacles are but an illusion, a mirage, and that when a person bolsters his heart and strengthens himself against them by summoning great yearning and a powerful desire for You, HaShem, they are completely nullified before him.

May I nullify and break all obstacles in the world—whether those caused by others, or by the desires of my own coarse body, or any other type of obstacle—that hold a person back from the way of holiness and truth.

As a result of Your placing power and might in my heart to conquer my evil inclination and strengthen my heart with tremendous encouragement to withstand these obstacles, may I break, nullify and remove them all entirely. May I not be afraid of them at all. May I be victorious in the war and unharmed.

Overcoming Obstacles of the Mind

Have compassion on me. Save me and rescue me from the obstacles of my mind—all of the

הַקֻשְׁיוֹת וְהַסְפֵקוֹת וְהַבִּלְבּוּלִים הַבָּאִים עַל הַמֹּחַ לְהַרְהֵר אַחֲרֵי הַצַּדִּיקִים וְהַכְּשֵׁרִים שֶׁבַּדּוֹר, אוֹ לְהַרְהֵר חַס וְשָׁלוֹם אַחֲרֵי מִדּוֹתֶיךָ.

שֶׁאֵלּוּ הַמְּנִיעוֹת שֶׁל הַמֹּחַ הֵם גְּדוֹלִים מִכָּל הַמְּנִיעוֹת שֶׁבָּעוֹלָם, כִּי מִי שֶׁמֹּחוֹ וְלִבּוֹ חָזָק בֶּאֱמוּנָה שְׁלֵמָה בְּהַשֵּׁם יִתְבָּרַךְ וּבְצַדִּיקִים אֲמִתִּיִּים אֵין שׁוּם מְנִיעָה שֶׁתִּמְנָעֵהוּ.

אֲבָל כְּשֶׁחַס וְשָׁלוֹם מֹחוֹ וְלִבּוֹ חֲלוּקִים מֵהַשֵּׁם יִתְבָּרַךְ וּמֵהַצַּדִּיקִים וְנוֹפְלִים בַּלֵּב קֻשְׁיוֹת עֲלֵיהֶם, אֵלּוּ הַמְּנִיעוֹת קָשִׁים מִכֻּלָּם.

וְעַל זֶה בָּאתִי לִצְעֹק וְלִזְעֹק וְלִקְרֹא אֵלֶיךָ, כִּי אֵין לִי שׁוּם תִּקְוָה לְהִנָּצֵל מֵהֶם כִּי אִם לִצְעֹק אֵלֶיךָ. "אֵלֶיךָ יְהֹוָה, אֶקְרָא וְאֶל יְהֹוָה אֶתְחַנָּן, שְׁמַע יְהֹוָה קוֹלִי אֶקְרָא, וְחָנֵּנִי וַעֲנֵנִי".

וְעָזְרֵנִי וְהוֹשִׁיעֵנִי, וְהַצִּילֵנִי וּמַלְּטֵנִי וּפְדֵנִי מִכָּל מִינֵי קֻשְׁיוֹת וּסְפֵקוֹת וּבִלְבּוּלִים וּמְנִיעוֹת הַמֹּחַ, לְבַל אֶסְתַּכֵּל עֲלֵיהֶם כְּלָל, וְלֹא יַעֲלוּ וְלֹא יָבוֹאוּ עוֹד עַל לִבִּי וְדַעְתִּי וּמֹחִי כְּלָל.

doubts and confusions in my mind that cause me to question the Tzaddikim and worthy people of the generation, or to question Your traits, Heaven forbid.

The obstacles of the mind are greater than any other obstacle in the world. When a person's mind and heart possess a strong, complete faith in You, HaShem, and in the true Tzaddikim, no obstacle can stop him.

But when, Heaven forbid, one's mind and heart are divided from You, HaShem, and from the Tzaddikim, and questions about them arise in his heart, these obstacles are more overwhelming than all others.

Therefore, I have come to cry out and call out to You, because my only hope to be saved from these questions is to call out to You. "To You, HaShem, I call, and to HaShem, I plead." "HaShem, hear my voice when I call out; be gracious to me and answer me."

Help me, save me, rescue me. Extricate me and deliver me from every type of question, doubt, confusion and obstacle in my mind, so that I will pay them no heed, and they will no longer arise and enter my heart, mind and consciousness at all.

רַק אֶזְכֶּה תָּמִיד לֵידַע וּלְהַאֲמִין בְּהָאֱמֶת, בֶּאֱמוּנָה שְׁלֵמָה וַחֲזָקָה וּנְכוֹנָה בְּלִי שׁוּם סָפֵק וּבִלְבּוּל וּנְטִיָּה אֶל הַצַּד כְּלָל.

עַד שֶׁאֶזְכֶּה לְהִתְחַזֵּק וּלְהִתְגַּבֵּר גַּם עַל הַמְּנִיעוֹת וְהַמְּסַכִּים הַגַּשְׁמִיִּים מִבְּנֵי אָדָם אֲחֵרִים, אוֹ מִתַּאֲווֹת גּוּפִי לְהִתְחַזֵּק וּלְהִתְגַּבֵּר לַעֲמֹד כְּנֶגֶד כֻּלָּם.

וְלִכְנֹס בְּדַרְכֵי יְהֹוָה בֶּאֱמֶת, לְהִתְקָרֵב אֵלֶיךָ וּלְהַצַּדִּיקִים וּכְשֵׁרִים הָאֲמִתִּיִּים, וּלְעָבְדְךָ בֶּאֱמֶת בְּיִרְאָה וּבְאַהֲבָה לָסוּר מֵרָע וְלַעֲשׂוֹת טוֹב, וּלְהַתְחִיל וְלִגְמֹר כָּל הַדְּבָרִים שֶׁבִּקְדֻשָּׁה שֶׁהֵם רְצוֹנְךָ בֶּאֱמֶת חִישׁ קַל מְהֵרָה.

וּתְרַחֵם עָלַי בְּכָל עֵת שֶׁיָּבוֹאוּ עַל לִבִּי חַס וְשָׁלוֹם קֻשְׁיוֹת וּסְפֵקוֹת לְהַרְהֵר אַחַר הָאֱמֶת חַס וְשָׁלוֹם, שֶׁתֵּכֶף אֶזְעַק וְאֶצְעַק וְאֶקְרָא אֵלֶיךָ בְּקוֹל חָזָק מֵעִמְקֵי הַלֵּב, וְאַתָּה תַעֲנֵנִי מִיָּד בְּרַחֲמֶיךָ הָרַבִּים.

אֲשַׁוַּע וְתֹאמַר הִנֵּנִי. כִּי אֵין לִי עַל מִי לְהִשָּׁעֵן לַעֲמֹד כְּנֶגֶד

May I always possess knowledge and understanding together with complete, robust and proper faith, without any doubt or confusion, and may I never go the least bit astray.

Relying on God Alone

May I strengthen myself to overcome the obstacles and physical barriers erected by other human beings, or those created by the desires of my own body. May I empower myself and grow stronger to withstand them all.

May I truly enter into Your ways, HaShem. May I come close to You, to the Tzaddikim, and to truly worthy people. May I truly serve You with fear and love, turning away from evil and doing good. May I truly begin and complete all holy matters in accordance with Your will— quickly, swiftly and speedily.

Should any questions or doubts about the truth enter my heart, Heaven forbid, have compassion on me. May I immediately cry out and call out to You with a strong voice from the depths of my heart. And may You, in Your vast compassion, answer me immediately.

I cry out, "Here I am!" For I have no one on whom to rely to withstand all obstacles—in

כָּל הַמְּנִיעוֹת, בִּפְרָט כְּנֶגֶד מְנִיעוֹת הַמֹּחַ כִּי אִם עָלֶיךָ אָבִינוּ שֶׁבַּשָּׁמַיִם.

עָלֶיךָ לְבַד אֲנִי נִשְׁעָן וְעַל חַסְדְּךָ הַגָּדוֹל אֲנִי בּוֹטֵחַ, שֶׁתּוֹרֵנִי וּתְלַמְּדֵנִי אֵיךְ לְהִתְגַּבֵּר לִכְנֹס לְתוֹךְ תֹּקֶף הִתְגַּבְּרוּת הַמְּנִיעוֹת וּלְהִתְקָרֵב אֵלֶיךָ עַל יְדֵי הַמְּנִיעוֹת דַּיְקָא.

כִּי גַּם בָּהֶם עַצְמָן נִסְתָּר הַשֵּׁם יִתְבָּרַךְ בְּעַצְמוֹ, כִּי לִגְדֻלָּתוֹ אֵין חֵקֶר, וּמְאֹד עָמְקוּ מַחְשְׁבוֹתֶיךָ, "וְאַתָּה מָרוֹם לְעוֹלָם יְהֹוָה".

וְכָל מַה שֶּׁאַתָּה מְסַבֵּב עִם הָאָדָם אֲפִלּוּ מַה שֶּׁנִּדְמֶה לִמְנִיעוֹת וְעִכּוּבִים מִדֶּרֶךְ הַקֹּדֶשׁ הַכֹּל לְטוֹבָה וִישׁוּעָה נִפְלָאָה.

רַחֵם עָלֵינוּ וְלַמְּדֵנוּ וְהוֹרֵנוּ וְחַזְּקֵנוּ וְאַמְּצֵנוּ, וְתֵן לִי וּלְכָל יִשְׂרָאֵל כֹּחַ וּגְבוּרָה בַּלֵּב מִן הַשָּׁמַיִם, שֶׁמֵּעַתָּה לֹא אִירָא וְלֹא אֶפְחַד עוֹד מִשּׁוּם דָּבָר שֶׁבָּעוֹלָם.

רַק אֶהְיֶה בְּכָל עֵת כְּגִבּוֹר עֱרוּךְ מִלְחָמָה, בְּלִי שׁוּם פַּחַד מִשּׁוּם תַּאֲוָה וּמִשּׁוּם מַחֲשָׁבָה וּבִלְבּוּל, וּמִשּׁוּם אָדָם וּמִשּׁוּם דָּבָר שֶׁבָּעוֹלָם כְּלָל.

particular, the obstacles in my mind—except You, my Father in Heaven.

I rely on You alone. I trust in Your great lovingkindness: that You will guide me and teach me how to prevail, how to enter the essence of the obstacles in order to come close to You—specifically, by means of those obstacles themselves.

HaShem, You Yourself are hidden in the obstacles. There is no end to Your greatness, and Your thoughts are extremely deep. "You are elevated forever, HaShem."

All that You make a person experience—even that which appears to consist of obstacles and barriers that stand in the way of holiness—is for the good and for wondrous salvation.

Have compassion on us. Teach us, guide us, strengthen us and fortify us. Send me and all Jews power and might in our heart from Heaven, so that from now on I will no longer fear anything in the world.

Instead, at every moment may I be like a warrior ready for battle, not fearing any worldly desire, thought or confusion, and not fearing anyone or anything in the world.

בְּאֹפֶן שֶׁאֶזְכֶּה לְהִנָּצֵל וּלְהִמָּלֵט מִכָּל מַה שֶּׁאֲנִי צָרִיךְ לְהִנָּצֵל וּלְהִמָּלֵט וְלֹא אָשׁוּב עוֹד לְכִסְלָה, וְלֹא אֶפְגֹּם שׁוּם פְּגַם כְּלָל, לֹא בְּמַחֲשָׁבָה דִּבּוּר וּמַעֲשֶׂה, וְלֹא בִּרְאִיַּת עֵינַיִם וּבִשְׁאָר חוּשִׁים.

וּתְחַזְּקֵנִי וּתְאַמְּצֵנִי לְדַלֵּג עַל כָּל הַמְּנִיעוֹת וּלְשַׁבֵּר וּלְבַטֵּל כֻּלָּם וְלִכְנֹס לְתוֹךְ הַקְּדֻשָּׁה בֶּאֱמֶת, וּלְהַתְחִיל מֵעַתָּה לְהִתְקָרֵב אֵלֶיךָ בֶּאֱמֶת לַאֲמִתּוֹ כִּרְצוֹנְךָ הַטּוֹב.

אָבִי שֶׁבַּשָּׁמַיִם, רַחֵם עָלַי, מַלֵּא מִשְׁאֲלוֹתַי בְּרַחֲמִים, כִּי אֵין לִי שׁוּם תִּקְוָה כִּי אִם עַל תְּפִלָּה וְתַחֲנוּנִים, וְעַל כֹּחָם הַגָּדוֹל שֶׁל הַצַּדִּיקִים אֲמִתִּיִּים, וְאַתָּה הַטּוֹב בְּעֵינֶיךָ עֲשֵׂה עִמִּי.

רַחֵם עָלַי לְמַעַן שְׁמֶךָ וְאַל תִּטְּשֵׁנִי וְאַל תַּעַזְבֵנִי, עָזְרֵנִי הוֹשִׁיעֵנִי מָלֵא רַחֲמִים "פֹּעֵל יְשׁוּעוֹת בְּקֶרֶב הָאָרֶץ", וַעֲשֵׂה אֶת אֲשֶׁר בְּחֻקֶּיךָ אֵלֵךְ וְאֶת מִצְוֹתֶיךָ אֶשְׁמֹר מֵעַתָּה וְעַד עוֹלָם.

עֲנֵנוּ יְהֹוָה עֲנֵנוּ כִּי בְצָרָה גְדוֹלָה אֲנַחְנוּ בְּתֹקֶף הַגָּלוּת הַמַּר הַזֶּה, וְעִקָּר הוּא גָּלוּת הַנֶּפֶשׁ, מַה שֶּׁתַּאֲוֹת הַגּוּף וּבִלְבּוּלֵי

May I be rescued and delivered from everything that I need to be rescued and delivered from. May I no longer return to my foolishness. May I not incur any blemishes at all in thought, speech or deed, in eyesight or in any of the other senses.

Strengthen me and support me so that I can leap over all of the barriers and break and nullify them all, and truly enter into holiness. From now on may I begin to truly come close to You, in accordance with Your good will.

My Father in Heaven, have compassion on me. Fulfill my requests with compassion, because my only hope is in prayer and beseeching You, and in the great power of the true Tzaddikim. Treat me in the way that is good in Your eyes.

Have compassion on me for the sake of Your Name. Do not reject or abandon me. You Who are filled with compassion, help me, save me. "Bring about salvations in the midst of the earth." Help me follow Your laws. May I guard Your commandments from now and forever.

Answer us, HaShem, for we are in great difficulty in the midst of this bitter exile—which is principally the exile of the soul. The desires of the body, confused consciousness, and the

הַמֹּחַ וְרִבּוּי הַמּוֹנְעִים מִבְּנֵי אָדָם, כֻּלָּם הִשְׁתָּרְגוּ עָלוּ עַל צַוָּארֵנוּ לְמָנְעֵנוּ חַס וְשָׁלוֹם מִדֶּרֶךְ הַחַיִּים.

חָנֵּנוּ מֵאִתְּךָ חָכְמָה בִּינָה וָדַעַת אֲמִתִּי, בְּאֹפֶן שֶׁנִּזְכֶּה לַעֲמֹד כְּנֶגֶד כֻּלָּם, וְלִבְלִי לְהִסְתַּכֵּל עֲלֵיהֶם כְּלָל, וּלְהִתְקָרֵב אֶל הַקְּדֻשָּׁה בֶּאֱמֶת.

וְלִמְצֹא אוֹתְךָ תָּמִיד בְּתוֹךְ כָּל תֹּקֶף הִתְגַּבְּרוּת הַמְּנִיעוֹת, כִּי בָּהֶן אַתָּה נִסְתָּר וְנֶעְלָם בְּרַחֲמֶיךָ הָרַבִּים וּבְאַהֲבָתְךָ הַגְּדוֹלָה אוֹתָנוּ עַמְּךָ בֵּית יִשְׂרָאֵל.

עָזְרֵנוּ לִמְצֹא אוֹתְךָ תָּמִיד בְּתוֹךְ תֹּקֶף הַהַסְתָּרָה וְהַמְּנִיעָה "אַל תַּסְתֵּר פָּנֶיךָ מִמֶּנִּי בְּיוֹם צַר לִי, הַטֵּה אֵלַי אָזְנֶךָ בְּיוֹם אֶקְרָא מַהֵר עֲנֵנִי, קָרְבָה אֶל נַפְשִׁי גְּאָלָהּ לְמַעַן אוֹיְבַי פְּדֵנִי.

וְעַתָּה יָרוּם רֹאשִׁי עַל אוֹיְבַי סְבִיבוֹתַי, וְאֶזְבְּחָה בְאָהֳלוֹ זִבְחֵי תְרוּעָה, אָשִׁירָה וַאֲזַמְּרָה לַיהֹוָה. שְׁמַע יְהֹוָה קוֹלִי אֶקְרָא וְחָנֵּנִי וַעֲנֵנִי.

multitude of obstacles created by other people have all multiplied and risen to our necks, threatening to keep us from the way of life, Heaven forbid.

Graciously grant us wisdom, understanding and true awareness so that we will withstand all of these and pay them no mind, but truly come close to holiness.

May we always find You in the midst of the multiplying obstacles, because You are hidden and concealed in them in Your vast compassion and great love for us, Your nation, the House of Israel.

Help us always find You within the conceal-ments and obstacles themselves. "Do not hide Your face from me on my day of trouble; incline Your ear to me; on the day that I call, quickly answer me." "Approach my soul, redeem it against my enemies, deliver me."

"And now my head will be raised over my enemies around me, and in His tent I will offer sacrifices with joyous song. I will sing and chant praises to HaShem. HaShem, hear my voice when I call out; be gracious to me and answer me."

פְּנֵה אֵלַי וְחָנֵּנִי, תְּנָה עֻזְּךָ לְעַבְדֶּךָ, וְהוֹשִׁיעָה לְבֶן אֲמָתֶךָ. עֲשֵׂה עִמִּי אוֹת לְטוֹבָה, וְיִרְאוּ שׂנְאַי וְיֵבשׁוּ, כִּי אַתָּה יְהוָֹה עֲזַרְתַּנִי וְנִחַמְתָּנִי.

יִהְיוּ לְרָצוֹן אִמְרֵי פִי וְהֶגְיוֹן לִבִּי לְפָנֶיךָ יְהוָֹה צוּרִי וְגוֹאֲלִי", אָמֵן וְאָמֵן:

"Turn to me and be gracious to me. Grant Your might to Your servant; save the son of Your maidservant. Send me a sign for the good; let my enemies see it and be ashamed, for You, HaShem, help me and console me."

"May the words of my mouth and the meditation of my heart be pleasing before You, HaShem, my Rock and my Redeemer." Amen and amen.

31 (II, 50)

A Person Has the Power to Direct His Thoughts as He Wishes / One Can Always Bring His Mind Back to the Right Path

A person has the power to direct his thoughts as he wishes.

For instance, since a person cannot have two thoughts at the same time, to get rid of a troublesome thought, he should focus on another thought.

Even if a person's thoughts are out of control, he can force his mind back to the right path. His mind may be compared to a horse that has run off the road. He can grab it by the reins and pull it back against its will to where it belongs.

חוֹשֵׁב מַחֲשָׁבוֹת לְבַל יִדַּח מִמְּךָ נִדָּח, רַחֵם עָלַי לְמַעַן שְׁמֶךָ וֶהְיֵה בְּעֶזְרִי מֵעַתָּה שֶׁאֶזְכֶּה לְקַדֵּשׁ וּלְטַהֵר אֶת מַחֲשַׁבְתִּי.

שֶׁלֹּא אֶחְשֹׁב עוֹד מֵעַתָּה שׁוּם מַחֲשָׁבָה חִיצוֹנָה וְזָרָה כְּלָל, מִכָּל שֶׁכֵּן שֶׁלֹּא אֲהַרְהֵר חַס וְשָׁלוֹם שׁוּם הִרְהוּר רָע כְּלָל.

כִּי אַתָּה גִּלִּיתָ לָנוּ בְּתוֹרָתְךָ הַקְּדוֹשָׁה שֶׁהַמַּחֲשָׁבָה בְּיַד הָאָדָם לְהַטּוֹתָהּ כִּרְצוֹנוֹ, וְאִי אֶפְשָׁר שֶׁיִּהְיוּ שְׁנֵי מַחֲשָׁבוֹת בְּיַחַד בְּשׁוּם אֹפֶן כְּלָל.

וְזֶה כַּמָּה שֶׁאֲנִי חוֹתֵר לַעֲצֹר מַחֲשַׁבְתִּי לְתָפְשָׂהּ וּלְאָחֳזָהּ שֶׁלֹּא תַטֶּה מִן הַדֶּרֶךְ הַיָּשָׁר לַחוּץ חַס וְשָׁלוֹם, וַעֲדַיִן לֹא עָלְתָה בְּיָדִי.

וְלֹא דַי שֶׁלֹּא זָכִיתִי לָזֶה לְקַדֵּשׁ אֶת מַחֲשַׁבְתִּי כָּרָאוּי, אַף גַּם פָּגַמְתִּי בְּמַחֲשַׁבְתִּי הַרְבֵּה מְאֹד מֵהֶפֶךְ אֶל הֵפֶךְ.

כִּי חָשַׁבְתִּי מַחֲשָׁבוֹת רָעוֹת וְהִרְהוּרִים רָעִים הַרְבֵּה מְאֹד בְּכָל יוֹם, וְכִלִּיתִי שָׁעוֹת וְעִתִּים הַרְבֵּה וְיָמִים וְשָׁנִים

Sanctifying Our Thoughts

You Who think thoughts so that no one will be cast aside from You, have compassion on me for the sake of Your Name. Help me sanctify and purify my thoughts from this moment on.

May I no longer experience any extraneous, foreign thoughts at all, and may I certainly never indulge in any evil fantasies, Heaven forbid.

Controlling Our Thoughts

In Your holy Torah, You revealed to us that thought is in a person's hands and that he can direct it as he wishes. Moreover, it is completely impossible for two thoughts to exist at the same time.

I have been striving so long to stop my thoughts, to grasp them and seize them so that they will not turn aside from the straight path, Heaven forbid—but I have not yet succeeded.

And not only have I not succeeded in properly sanctifying my thoughts, but to the contrary, they have caused a great deal of damage.

Every day I experience a profusion of evil thoughts and fantasies. Over the days and years, I have wasted hours upon hours in a profusion

בְּמַחֲשָׁבוֹת וְרַעְיוֹנוֹת רָעִים וְזָרִים הַרְבֵּה מְאֹד, וּבִלְבַּלְתִּי וְעָכַרְתִּי אֶת דַּעְתִּי מְאֹד.

אֲשֶׁר עַל יְדֵי זֶה בָּאוּ כָּל הַקִּלְקוּלִים וְהַמִּכְשׁוֹלוֹת שֶׁלִּי, וְכָל הַחֲטָאִים וְהָעֲווֹנוֹת וְהַפְּשָׁעִים שֶׁלִּי, שֶׁחָטָאתִי וְשֶׁעָוִיתִי וְשֶׁפָּשַׁעְתִּי לְפָנֶיךָ מֵעוֹדִי עַד הַיּוֹם הַזֶּה.

אֲשֶׁר בְּכֻלָּם לֹא נִכְשַׁלְתִּי כִּי אִם עַל יְדֵי פְּגַם הַמַּחֲשָׁבָה שֶׁלֹּא נִזְהַרְתִּי לְתָפְסָהּ וּלְשָׁמְרָהּ כָּרָאוּי, אֲשֶׁר רַק עַל יְדֵי זֶה בָּאתִי לְמַה שֶּׁבָּאתִי וְנִכְשַׁלְתִּי בְּמַה שֶּׁנִּכְשַׁלְתִּי, בְּשׁוֹגֵג וּבְמֵזִיד בְּאֹנֶס וּבְרָצוֹן.

עַל כֵּן בָּאתִי לְפָנֶיךָ מָלֵא רַחֲמִים, שֶׁתַּעַזְרֵנִי בְּעֶזְרָתְךָ וִישׁוּעָתְךָ הַגְּדוֹלָה שֶׁאֶזְכֶּה מֵעַתָּה לִשְׁמֹר אֶת מַחְשְׁבוֹתַי הֵיטֵב הֵיטֵב בְּכָל מִינֵי שְׁמִירוֹת מְעֻלּוֹת.

וְאֶזָּהֵר מֵעַתָּה לְבִלְתִּי לְהַנִּיחַ אֶת מַחְשְׁבוֹתַי כְּלָל לָצֵאת חוּץ לַשִּׁטָּה חַס וְשָׁלוֹם אֲפִלּוּ כְּחוּט הַשַּׂעֲרָה, וַאֲפִלּוּ בַּקְּדֻשָּׁה אֶזְכֶּה לְשָׁמְרָהּ מִבִּלְבּוּלִים.

וּבְכָל עֵת וְעִנְיָן שֶׁאֶרְאֶה אֵיזֶה בִּלְבּוּל הַדַּעַת אֶבְרַח וְאֶמָּלֵט

of evil and foreign thoughts and ideas, and in doing so, I have tremendously unsettled and befouled my mind.

This has created all of my flaws and impediments, all of my transgressions, sins and offenses that I have committed before You from my beginning until this day.

I have floundered in all of these only because I was not careful to seize my thoughts and guard them properly. Only because of that did I come to what I came and floundered as I floundered—whether inadvertently or purposefully, whether against my will or intentionally.

Therefore, I have come to You Who are filled with compassion, to assist me with Your great salvation. From now on may I guard my thoughts exceptionally well, with every sort of exemplary care.

From now on may I be sure not to allow my thoughts to stray beyond the border in the least, Heaven forbid—not even by a hairsbreadth. Even within the realm of holiness, may I guard my thoughts from becoming disoriented.

Whenever and wherever I note any confusion of mind, may I quickly flee and take refuge—and,

מִשָּׁם מְהֵרָה, מִכָּל שֶׁכֵּן שֶׁלֹּא תֵצֵא מַחֲשַׁבְתִּי חוּץ לִגְבוּל הַקְּדֻשָּׁה חַס וְשָׁלוֹם אֲפִלּוּ רֶגַע קַלָּה.

וַאֲפִלּוּ אִם חַס וְשָׁלוֹם לִפְעָמִים עַל יְדֵי אֵיזֶה הֶסַּח הַדַּעַת תִּפְרַח וְתֵצֵא פִּתְאֹם מַחֲשַׁבְתִּי לַחוּץ מֵחֲמַת גֹּדֶל הַהֶרְגֵּל מִכְּבָר, תִּהְיֶה בְּעֶזְרִי תָמִיד וְתַזְכִּירֵנִי תֵּכֶף וּמִיָּד בְּלִי שֶׁהִיָּה וְחִמּוּץ הַמֹּחַ כְּלָל, שֶׁאֶתְפֹּס אֶת מַחֲשַׁבְתִּי מִיָּד לַהֲשִׁיבָהּ לְדֶרֶךְ הַיָּשָׁר מִחוּץ לִפְנִים וּלְהַטּוֹתָהּ מִיָּד מֵרַע לְטוֹב מֵחֹל לְקֹדֶשׁ.

רִבּוֹנוֹ שֶׁל עוֹלָם, רִבּוֹנוֹ שֶׁל עוֹלָם, רִבּוֹנוֹ שֶׁל עוֹלָם, זְכֹר וְרַחֵם וְהוֹשִׁיעָה מְהֵרָה, כִּי זֶה כַּמָּה נִכְסוֹף נִכְסַפְתִּי לְכָל זֶה וַעֲדַיִן לֹא עָלְתָה בְּיָדִי.

אֲבָל בֶּאֱמֶת אֲנִי יוֹדֵעַ וּמַאֲמִין שֶׁעֲדַיִן הַבְּחִירָה בְּיָדִי, וַעֲדַיִן אֲנִי יָכֹל לִתְפֹּס מַחֲשַׁבְתִּי וּלְהַטּוֹתָהּ בְּכָל פַּעַם לְדֶרֶךְ הַיָּשָׁר.

אַף עַל פִּי שֶׁכְּבָר הִרְגַּלְתִּי בְּמַחֲשַׁבְתִּי כְּמוֹ שֶׁהִרְגַּלְתִּי, עַד שֶׁהַהֶרְגֵּל נַעֲשָׂה כְּמוֹ טֶבַע אֶצְלִי, עַד שֶׁנִּדְמֶה לִי שֶׁאִי אֶפְשָׁר לְהִמָּלֵט מֵהֶם חַס וְשָׁלוֹם.

how much more, may my thoughts never stray beyond the boundary of holiness for even the slightest moment, Heaven forbid.

Even if sometimes, Heaven forbid, because of some inattention on my part, my thoughts should suddenly swell and stray outside—since I am so used to that from the past—always help me and remind me instantly, without any hesitation or mental indulgence at all, to immediately grasp my thoughts and bring them back to the straight path, back in from the outside, bringing them immediately from evil to good, from the mundane to the holy.

Master of the world, Master of the world, Master of the world! Remember, have compassion and save me quickly! I have yearned for all of this so powerfully for so long, yet I have not yet attained it.

But I truly know and believe that the choice is mine, and that I can grasp my thoughts and at every instant turn them the right way.

I am so used to letting my thoughts go where they may that this habit has become second nature, and it seems to me that I cannot escape it, Heaven forbid.

אֲבָל הָאֱמֶת אֵינוֹ כֵן, כִּי הַבְּחִירָה חָפְשִׁיִּת לְעוֹלָם וַעֲדַיִן עֲדַיִן אֲנִי יָכֹל לִתְפֹּס אֶת מַחֲשַׁבְתִּי בְּכָל עֵת, וּלְהִזָּהֵר לְשָׁמְרָהּ הֵיטֵב מִמַּחֲשָׁבוֹת חוּץ וּלְהַטּוֹתָהּ אֶל הַקְּדֻשָּׁה תָּמִיד.

עַל כֵּן בָּאתִי לִשְׁטֹחַ כַּפַּי אֵלֶיךָ, שֶׁתְּחַזֵּק וּתְאַמֵּץ אוֹתִי, וּתְזַכֵּנִי בְּרַחֲמֶיךָ לְקַדֵּשׁ וּלְטַהֵר אֶת מַחֲשַׁבְתִּי מֵעַתָּה בֶּאֱמֶת.

עָזְרֵנִי בַּעַל הַיְשׁוּעוֹת בִּזְכוּת וְכֹחַ הַצַּדִּיקִים הַגְּדוֹלִים הָאֲמִתִּיִּים אֲשֶׁר קְדֻשַּׁת מַחֲשַׁבְתָּם נוֹדַעַת לְךָ לְבַד. כִּי אַתָּה לְבַד יוֹדֵעַ הַמָּקוֹם שֶׁעָלוּ לְשָׁם בְּמַחֲשַׁבְתָּם הַקְּדוֹשָׁה וְהַנּוֹרָאָה מְאֹד.

בְּכֹחַ עֲלִיַּת מַחֲשָׁבוֹת קְדוֹשׁוֹת כָּאֵלּוּ בָּאתִי לְפָנֶיךָ. כִּי כֹּחָם וּזְכוּתָם כְּדַאי לְהָגֵן גַּם עָלַי, לְהוֹצִיא מַחֲשַׁבְתִּי וְדַעְתִּי מִכָּל הַמְּקוֹמוֹת שֶׁנָּפְלוּ וְנִתְפַּזְּרוּ וְנָפוֹצוּ לְשָׁם, וּלְהַעֲלוֹתִי מִכָּל מִינֵי רְגִילוּת רָעִים שֶׁהֻרְגַּלְתִּי בָּהֶם.

וּלְטַהֲרֵנִי מִכָּל מִינֵי טֻמְאוֹת וְזֻהֲמוֹת שֶׁנֶּאֱחֲזוּ בִּי חַס וְשָׁלוֹם, עַל יְדֵי פְּגַם הַמַּחֲשָׁבוֹת רָעוֹת וּמְבֻלְבָּלוֹת שֶׁחָשַׁבְתִּי בָּהֶם הַרְבֵּה.

But that is not the case, because I always have free will. I can always grasp my thoughts at every moment and carefully guard them well from outside thoughts and always turn them to holiness.

Therefore, I have come to spread my hands out to You, so You will strengthen me and sustain me. In Your compassion, help me truly sanctify and purify my thoughts from now on.

Help me, Master of salvation, in the merit and power of the great, true Tzaddikim, whose holiness of thought You alone know. You alone know the place to which they rose in their exceedingly holy and awesome thoughts.

I have come to You aided by the power of the ascent of such holy thoughts—because their power and merit are sufficient to shield me as well—to extricate my thoughts and mind from all of the places into which they fell and were scattered and dispersed, and raise me from every type of evil habit to which I have grown accustomed.

Purify me of every type of uncleanness and pollution that has taken hold of me, Heaven forbid, as a result of the blemish of evil and confused thoughts in which I have so thoroughly engaged.

וּלְקַדְּשֵׁנִי וּלְטַהֲרֵנִי בְּכָל מִינֵי קְדֻשּׁוֹת שֶׁכֻּלָּם תְּלוּיִים בִּקְדֻשַּׁת הַמַּחֲשָׁבָה.

כִּי קְדֻשַּׁת הַמַּחֲשָׁבָה שֶׁל הַצַּדִּיקִים עוֹלָה עַל הַכֹּל, וְיֵשׁ לָהּ כֹּחַ לֵירֵד לְתוֹךְ כָּל הַמְּקוֹמוֹת שֶׁיָּרַדְתִּי בָּהֶם עַל יְדֵי פִּזּוּר דַּעְתִּי וּמַחְשְׁבוֹתַי חוּץ לִגְבוּל הַקְּדֻשָּׁה, וּלְהַעֲלוֹת אוֹתִי מֵרַע לְטוֹב.

וּלְלַמְּדֵנִי בְּכָל עֵת אֵיךְ לְמַלֵּט מַחֲשַׁבְתִּי מֵעַתָּה מִלָּצֵאת חוּץ חַס וְשָׁלוֹם, וּלְטַהֲרָהּ וּלְקַדְּשָׁהּ בְּכָל מִינֵי קְדֻשּׁוֹת.

וְעַל זֶה לְבַד תָּמַכְתִּי יְתֵדוֹתַי עֲדַיִן לְהִתְפַּלֵּל לְפָנֶיךָ וּלְצַפּוֹת לִישׁוּעָה, שֶׁאֶזְכֶּה מֵעַתָּה לְהַתְחִיל לְחַזֵּק עַצְמִי לְקַדֵּשׁ אֶת מַחֲשַׁבְתִּי.

וְאַתָּה תְּסַיְּעֵנִי מִן הַשָּׁמַיִם לְהַתְחִיל וְלִגְמֹר, עַד שֶׁאֶזְכֶּה לִקְדֻשַּׁת הַמַּחֲשָׁבָה בֶּאֱמֶת כִּרְצוֹנְךָ הַטּוֹב. וְתִהְיֶה מַחֲשַׁבְתִּי דְּבוּקָה בְּךָ וּבְתוֹרָתְךָ הַקְּדוֹשָׁה וּבְצַדִּיקֶיךָ הָאֲמִתִּיִּים מֵעַתָּה וְעַד עוֹלָם אָמֵן סֶלָה:

Sanctify me and purify me with every sort of holiness, each of which depends on the holiness of thought.

The holiness of thought of the Tzaddikim is greater than anything else. It has the power to descend into all of the places in which I fell as a result of the dispersal of my consciousness and thoughts beyond the boundary of holiness, and to raise me from evil to good.

Always teach me how to extricate my thoughts—beginning now—from straying outside, Heaven forbid, and how to purify and sanctify my thoughts with every sort of holiness.

Regarding this alone I have stood firm to pray to You and hope in Your salvation, so that that from now on I will begin to strengthen myself to sanctify my thoughts.

Help me from Heaven to begin this process and bring it to completion, until I truly attain holiness of thought, in accordance with Your good will. May my thoughts cling to You, to Your holy Torah, and to Your true Tzaddikim from now and forever. Amen, selah.

32 (II, 61)

Time Exists Only Because We Lack Understanding / To the Highest Intellect, Time Does Not Exist / On the Highest Level, Spatiality Does Not Exist

---

God transcends time.

Time exists only because we lack understanding—that is, our intellect is so small. This may be illustrated by dreaming. When a person dreams, he possesses only the power of imagination and lacks that of intellect. Thus, a quarter-hour can seem to him like seventy years. Conversely, the more expansive a person's intellect, the smaller time is.

Thus, to an intellect that transcends ours, that which we consider to be seventy years is no more than a quarter-hour. And so does there exist intellect upon intellect, until one reaches an intellect so elevated that it does not consider time to be anything at all.

We see this exemplified by the Mashiach. He has existed since the beginning of Creation, during which time he has suffered a great deal. Yet when the messianic era will begin, God will tell him, "*Today* I brought you into being" (Psalms 2:7). At that time, the Mashiach's mind will be so vast that all of the time that had passed since Creation will literally be as nothing to him—as though he had been born today.

The same idea applies to spatiality. To a strong person, space is relatively small, as he can traverse a large expanse quickly; while for a weak person, space is considered large, as it takes him a long time to traverse it. The greater the strength, the more space contracts for him.

Similarly, the higher one rises in the upper realms, the less reality does spatiality possess—until on the highest level, it does not exist at all.

"אֲסַפְּרָה אֶל חֹק, יְהֹוָה אָמַר אֵלַי בְּנִי אַתָּה, אֲנִי הַיּוֹם יְלִדְתִּיךָ".

רִבּוֹנוֹ שֶׁל עוֹלָם, חַי לָעַד וְקַיָּם לָנֶצַח, אַתָּה הוּא קֹדֶם שֶׁבָּרָאתָ הָעוֹלָם וְאַתָּה הוּא לְאַחַר שֶׁבָּרָאתָ הָעוֹלָם.

כִּי אַתָּה לְמַעְלָה מֵהַזְּמַן, וְכָל הַזְּמַן כֻּלּוֹ מַה שֶּׁהָיָה וּמַה שֶּׁיִּהְיֶה אֵינוֹ עוֹלֶה אֶצְלְךָ אֲפִלּוּ כְּהֶרֶף עַיִן.

רַחֵם עָלַי בְּרַחֲמֶיךָ הָרַבִּים, וְתֵן לִי דַּעַת וְשֵׂכֶל אֲמִתִּי וְשָׁלֵם, בְּאֹפֶן שֶׁאֶזְכֶּה לָצֵאת מִתַּחַת הַזְּמַן, שֶׁאֶזְכֶּה לֵידַע וּלְהָבִין וּלְהַשִּׂיג שֶׁכָּל הַזְּמַן אֵינוֹ כְלוּם.

"כִּי הַכֹּל הָבֶל", וְיָמֵינוּ כְּצֵל עוֹבֵר, וּבֶאֱמֶת אֵין שׁוּם זְמַן כְּלָל, לְמִי שֶׁיֵּשׁ לוֹ שֵׂכֶל וְדַעַת אֲמִתִּי.

רַק כָּל הַזְּמַן הוּא מֵהֶעְדֵּר הַדַּעַת, אֲשֶׁר בְּנִפְלְאוֹתֶיךָ הַנּוֹרָאוֹת אַתָּה מַעֲלִים הַדַּעַת מִבְּנֵי אָדָם כְּדֵי שֶׁיִּתְקַיֵּם הַזְּמַן, וְהַכֹּל בִּשְׁבִיל הַבְּחִירָה, אֲבָל בֶּאֱמֶת בַּדַּעַת הָאֲמִתִּי אֵין שׁוּם זְמַן כְּלָל.

Time is Nothing

"I must proclaim: HaShem has told me, 'You are My son. Today I brought You into being.'"

Master of the world, You Who live and exist forever and ever, You have remained unchanging from before You created the world and after You created it.

Because You transcend all time, that which was and that which will be does not even constitute the blink of an eye for You.

In Your vast compassion, give me the awareness and true, perfected consciousness to emerge from beneath time and know, understand and realize that all of time is nothing.

"It is all vanity," and our days are like a passing shadow. In truth, there is no time at all for a person who possesses true awareness and mindfulness.

All of time results from the absence of consciousness. With Your awesome wonders, You remove people's awareness so that time will exist—all for the sake of their free will. But in truth, there is no time at all in true consciousness.

זַכֵּנוּ לְקַשֵּׁר עַצְמֵנוּ וּלְהִכָּלֵל בֶּאֱמֶת בְּהַצַּדִּיקִים הָאֲמִתִּיִּים, שֶׁזָּכוּ לָזֶה בִּשְׁלֵמוּת לְהִכָּלֵל בְּדַעְתָּם הַשָּׁלֵם בִּבְחִינַת לְמַעְלָה מֵהַזְּמַן, וְיָצְאוּ מֵהַזְּמַן לְגַמְרֵי, וְנִצְּלוּ בִּשְׁלֵמוּת מִכָּל הַמַּעֲשֶׂה הָרַע הַנַּעֲשָׂה תַּחַת הַשֶּׁמֶשׁ וְהַזְּמַן.

זַכֵּנוּ לֵילֵךְ בְּעִקְבוֹתֵיהֶם וְלִדְרֹךְ בִּנְתִיבוֹתֵיהֶם וּלְקַיֵּם עֲצוֹתֵיהֶם, לְבַל נִסְתַּכֵּל כְּלָל עַל כָּל הַדְּבָרִים שֶׁהֵם תַּחַת הַזְּמַן שֶׁבָּהֶם כְּלוּלִים כָּל הַתַּאֲוֹת וּמִדּוֹת רָעוֹת, וְאַל יְבַהֲלוּנוּ פִּגְעֵי הַזְּמַן כְּלָל.

רַק נִזְכֶּה בְּכָל יוֹם וּבְכָל עֵת וּבְכָל שָׁעָה לְהַזְכִּיר עַצְמֵנוּ בְּבִטּוּל הַזְּמַן, שֶׁבֶּאֱמֶת הַזְּמַן בָּטֵל וּמְבֻטָּל.

וּלְקַשֵּׁר עַצְמֵנוּ בְּכָל עֵת בִּבְחִינַת לְמַעְלָה מֵהַזְּמַן, שֶׁשָּׁם נִתְבַּטְּלִים כָּל הַתַּאֲוֹת וְהַמִּדּוֹת וְכָל הַבִּלְבּוּלִים הַבָּאִים כֻּלָּם מִפִּגְעֵי הַזְּמַן.

רִבּוֹנוֹ שֶׁל עוֹלָם, רִבּוֹנוֹ שֶׁל עוֹלָם, קַדְמוֹן לְכָל הַקַּדְמוֹנִים רִאשׁוֹן לָרִאשׁוֹנִים וְאַחֲרוֹן לָאַחֲרוֹנִים, אַתָּה הוֹדַעְתָּנוּ

The Tzaddikim Who Transcend Time

Help us truly attach ourselves to and be bound to the true Tzaddikim, who succeeded with their perfected consciousness to be totally subsumed into the level of existence that transcends time. They emerged from time entirely and were completely saved from all of the evil deeds performed below the sun and within time.

Help us follow in their footsteps, walk upon their pathways, and keep their advice not to consider anything that is below time, where all lusts and evil traits exist. May the casualties of time not bewilder me at all.

Instead, every day and at every moment, may we remind ourselves of the eradication of time: that, in truth, time is null and nonexistent.

At every moment may we connect ourselves to the level that transcends time—where all lusts, evil traits and perplexities, all of which come from the circumstances of time, cease to exist.

Emerging from Terrible Exile

Master of the world, Master of the world, You Who are Primal, the first and the last—You

מֵרָחוֹק דְּבָרִים גְּבוֹהִים כָּאֵלֶּה, רְמָזִים נוֹרָאִים כָּאֵלֶּה.

וְרָמַזְתָּ לָנוּ מֵרָחוֹק דַּרְכֵי נִפְלְאוֹתֶיךָ הַנּוֹרָאוֹת לְחַיּוֹתֵנוּ כְּהַיּוֹם הַזֶּה, לְהָשִׁיב נַפְשֵׁנוּ בְּעֹמֶק מְרִירוּת הַגָּלוּת הָאָרוֹךְ הַזֶּה, לְהַזְכִּירֵנוּ גְּדֻלַּת נוֹרְאוֹתֶיךָ, לְחַזְּקֵנוּ וּלְאַמְּצֵנוּ וּלְנַחֲמֵנוּ בְּכָל צָרוֹתֵינוּ.

אֲשֶׁר כְּבָר סָבַלְנוּ צָרוֹת רַבּוֹת וְרָעוֹת בְּלִי מִסְפָּר מִיּוֹם הַחֻרְבָּן עַד הֵנָּה, אֲשֶׁר כִּמְעַט "כָּשַׁל כֹּחַ הַסַּבָּל".

כִּי אָרַךְ עָלֵינוּ הַגָּלוּת מְאֹד מְאֹד, וּכְבָר כָּלוּ כָּל הַקִּצִּין וְאֵין אִתָּנוּ יוֹדֵעַ עַד מָה, עַד מָתַי קֵץ הַפְּלָאוֹת. וְרַבִּים מִבְּנֵי עַמְּךָ נִכְשְׁלוּ וְנָפְלוּ עַל יְדֵי זֶה, עַל יְדֵי אֲרִיכַת הַגָּלוּת הַמַּר הַזֶּה כָּל כָּךְ.

אֲבָל בֶּאֱמֶת אַתָּה חוֹשֵׁב מֵרָחוֹק לְהֵטִיב אַחֲרִיתֵנוּ בְּטוֹבוֹת נוֹרָאוֹת וְנִפְלָאוֹת אֲשֶׁר לֹא נִשְׁמְעוּ מֵעוֹלָם, וְיֵשׁ תִּקְוָה לְאַחֲרִיתֵנוּ.

עַל כֵּן רָמַזְתָּ לָנוּ מֵרָחוֹק וְהוֹדַעְתָּנוּ גַּם עַתָּה הִתְנוֹצְצוּת נִפְלָא מִבְּחִינַת לְמַעְלָה מֵהַזְּמַן.

taught us these elevated matters, these awesome glimmerings, from a distance.

From afar, You indicated the ways of Your awesome wonders to us in order to give us life as on this day; to restore our souls in the depth of the bitterness of this long exile; to remind us of Your tremendous awesomeness; to strengthen us, bolster us and console us in all of our troubles.

We have borne evil sufferings without number from the day of the destruction of the Temple until now, so that it is almost the case that "the strength of the porter has collapsed."

Our exile has been so terribly long. All of the final signposts have passed, and no one knows how much longer it will be until the wondrous end arrives. Many of the people of Your nation have stumbled and fallen because of that, because of the length of this bitter exile.

But You plan from a distance to bring us to a good conclusion with awesome and wondrous favors that never existed before, and there is hope for our end.

Therefore, You indicated to us from afar, and You have informed us now as well, of the wondrous light of the level that transcends time.

לְמַעַן נֵדַע וְנַאֲמִין שֶׁכָּל אֲרִיכַת הַזְּמַן שֶׁל כָּל הַגָּלֻיּוֹת וְהַצָּרוֹת מַה שֶּׁעוֹבְרִים עַל יִשְׂרָאֵל מִיּוֹם הַגָּלֻיּוֹת, בִּכְלָלִיּוּת, וּבִפְרָטִיּוּת כָּל מַה שֶּׁעוֹבֵר עַל כָּל אֶחָד וְאֶחָד, הַכֹּל אֵינוֹ נֶחְשָׁב לִכְלוּם.

וְהַכֹּל יִשְׁתַּכַּח וְיִתְבַּטֵּל לְגַמְרֵי בָּעֵת שֶׁיִּתְגַּלֶּה הַדַּעַת הַשָּׁלֵם עַל יְדֵי מְשִׁיחַ צִדְקֵנוּ שֶׁיָּבֹא בִּמְהֵרָה בְּיָמֵינוּ, שֶׁנִּזְכֶּה לְהַשִּׂיג הַדַּעַת שֶׁל בְּחִינַת לְמַעְלָה מֵהַזְּמַן.

עַל כֵּן רַחֵם עָלֵינוּ גַּם עַתָּה, וְהָאֵר עָלֵינוּ הֶאָרַת הַדַּעַת הַקָּדוֹשׁ הַזֶּה שֶׁהוּא אוֹרוֹ שֶׁל מָשִׁיחַ, בְּאֹפֶן שֶׁנִּזְכֶּה לְהַכְנִיעַ וּלְבַטֵּל כָּל הַתַּאֲווֹת וְהַמִּדּוֹת רָעוֹת עַל יְדֵי שֶׁנִּזְכֹּר תָּמִיד בְּבִטּוּל הַזְּמַן.

כִּי הַזְּמַן רָץ וְשָׁט וּפוֹרֵחַ מְאֹד, וְאֵינוֹ מִתְמַהְמֵהַּ וּמִתְעַכֵּב אֲפִלּוּ רֶגַע אַחַת, וְאֵין בּוֹ שׁוּם תְּפִיסָה כְּלָל, כִּי בֶּאֱמֶת אֵין שׁוּם זְמַן כְּלָל.

חֲמֹל עָלֵינוּ בְּחֶמְלָתְךָ הַגְּדוֹלָה וְהַצִּילֵנוּ מִפִּגְעֵי הַזְּמַן, וְאַל נַחֲלִיף עוֹלָם עוֹמֵד לָנֶצַח בְּעוֹלָם עוֹבֵר חַס וְשָׁלוֹם.

חָנֵּנוּ מֵאִתְּךָ דַּעַת וְשֵׂכֶל אֲמִתִּי בְּאֹפֶן שֶׁנִּזְכֶּה לְהָבִין וְלִרְאוֹת

May we may know and believe that the entire length of time of all of the exiles and sufferings that the Jewish people have endured from the day of their exiles as a nation—and everything that every individual has undergone—is considered as nothing.

When our righteous Mashiach will reveal perfect awareness, may all that time be entirely forgotten and nullified. May he come quickly and in our days, so that we will attain the awareness of the level that transcends time.

Have compassion on us now as well. Shine the light of this holy awareness—which is the light of the Mashiach—onto us so that we will subdue and nullify all of our lusts and evil traits by always recalling the nullification of time.

Time rushes by, gliding and soaring by swiftly. It does not hesitate or pause even for a moment. And it cannot be grasped—because, in truth, there is no such thing as time at all.

In Your great mercy, rescue us from the misadventures of time. May we not abandon the world that exists forever for this temporary world, Heaven forbid.

Grant us awareness and true mindfulness so that we will understand and experience the

בִּטּוּל הַזְּמַן, וְאַל יַטְעֶה אוֹתָנוּ הַזְּמַן כְּלָל.

וְנִזְכֶּה לְהַתְחִיל בַּעֲבוֹדָתְךָ בְּכָל יוֹם וּבְכָל עֵת מֵחָדָשׁ, וְאַל יְבַלְבֵּל אוֹתָנוּ כְּלָל כָּל מַה שֶּׁעָבַר עָלֵינוּ עַד אוֹתָהּ הַשָּׁעָה.

וְנִזְכֶּה בְּכָל עֵת לְקַדֵּשׁ עַצְמֵנוּ בֶּאֱמֶת, וּלְקַשֵּׁר וְלִכְלֹל כָּל הַזְּמַן בִּבְחִינַת לְמַעְלָה מֵהַזְּמַן, עַד שֶׁנִּזְכֶּה לָצֵאת מִתַּחַת הַזְּמַן וְהַמָּקוֹם, לִבְחִינַת לְמַעְלָה מֵהַזְּמַן, לְמַעְלָה מֵהַמָּקוֹם.

כִּרְצוֹנְךָ וְכִרְצוֹן צַדִּיקֶיךָ הָאֲמִתִּיִּים אֲשֶׁר זָכוּ לָזֶה בִּשְׁלֵמוּת בֶּאֱמֶת.

"הֲשִׁיבֵנוּ יְהוָֹה אֵלֶיךָ וְנָשׁוּבָה חַדֵּשׁ יָמֵינוּ כְּקֶדֶם.

יִהְיוּ לְרָצוֹן אִמְרֵי פִי וְהֶגְיוֹן לִבִּי לְפָנֶיךָ יְהוָֹה צוּרִי וְגוֹאֲלִי":

nullification of time. May the appearance of time not fool us at all.

May we serve You anew every day and at every moment. May everything that we have undergone until then not becloud us at all.

At all times may we truly sanctify ourselves. May we connect ourselves and bring all of time to the level that transcends time, until we will emerge from below time and space and come to a level that transcends time and space.

May this be in accordance with Your will and the will of Your true Tzaddikim who truly attained this in full.

"Return us to You, HaShem, and we will return; renew our days as of old."

"May the words of my mouth and the meditation of my heart be pleasing before You, HaShem, my Rock and my Redeemer."

33 (II, 67)

The Four Letters of God's Name Correspond to the Eye / The Power of Sight is a Light That Corresponds to the Shabbat / The Tzaddik Also Corresponds to Sight / When the Tzaddik's Beauty is Revealed, People's Eyes are Opened / A Person Who Comes to a Tzaddik Can Analyze His Own Character Traits / The Light of the Shabbat Shines into the Temple / The Bright Lights of Spirituality Overcome the Fiery Lights That Can be Destructive / Weeping Removes the Light of a Person's Eyes / When an Unworthy Person Gains Fame as a Leader, the Fiery Lights Can Cause Fires / We Must Rise at Midnight to Mourn over the Destruction of the Temple

"HaShem is One and His Name is One" (Zekhariah 14:9). God's Name is a Simple Oneness.

The four letters of God's Name[1] may be conceptualized as the sight provided by the eye, which can be seen as having four components: three colors (cornea, rim of the iris, and iris) and the black pupil. Thus, the power of sight is drawn from God's Name.

---

1   That is, *Y-H-V-H*.

That power of sight is a bright light that corresponds to the Shabbat. The Hebrew word *ShaBbaT* can be remade as the phrase *Shin BaT*.[2] The letter *Shin* (ש) has three heads (i.e., legs) corresponding to the three colors of the eye. The *bat* is short for *bat ayin*, "pupil of the eye" (i.e., the base of the *shin*).

The sight of the eye corresponds to a single primal element from which descend the four principal elements with which this world was created.

A true Tzaddik corresponds to that primal element. Such a Tzaddik is the beauty of the world. When his beauty is revealed, people's eyes are opened.

After that primal element develops into the four basic elements, they go on to develop into a person's traits. Thus, when a person comes close to such a Tzaddik, he is able to examine his traits because they are drawn from the four elements, which in turn are drawn from the primal element: that Tzaddik.

God's Name is clothed and partnered in the name of the true Tzaddik. Thus, when the Tzaddik's name is expanded, God's Name is expanded.

When such a Tzaddik is revealed and a person bonds with his beauty, the person's eyes are opened. Then he can evaluate his traits and he can see the greatness of God.

Therefore, the Tzaddikim are called the "eyes of

2 That is, *ShaBbaT* (שבת) can be spelled *Shin BaT* (ש-בת).

the community," for through them, people's eyes are opened.

*

The Torah starts with the word *Bereishit* (In the beginning) and ends with "in the eyes of all Israel."

The letters of *BeREIShYT* (בראשית) may be rearranged to form the phrase *ROSh BaYiT* (ראש בית, head of the house). *Bereishit* is the landlord, the Tzaddik, the beauty of the world. Through him, the eyes of all Israel are opened.

*

The Shabbat is the power of sight that illuminates the Temple. The Shabbat shines its colors—the colors of higher consciousness—into the Temple. The eye itself corresponds to the Temple.

In the phrase *rosh bayit* (head of the house), *rosh* (head) corresponds to consciousness and *bayit* (house) is the Temple.

*

There are two types of light: "bright lights," which are beneficial, and "fiery lights," which represent the destruction of the Temple. When the power of the bright lights increases, the fiery lights are subdued, and vice versa.

*

Weeping removes the light of a person's eyes, like the sun setting in the west.

At that time, "Rachel weeps for her children" (Jeremiah 31:14). "Rachel" represents the Divine Presence. The Divine Presence weeps, as it were, for the suffering of the Jewish people scattered among the gentiles. And the Divine Presence weeps for the destruction of the Temple at the Western Wall.

When there is weeping, there are no bright lights. The beauty of the world is concealed.

*

When a person who does not possess the Name of God gains fame, God's Name is, as it were, diminished. Then unclean names come into the world. The bright lights—the light of the eyes drawn from the Name of God—are distanced and subdued. Then the fiery lights grow stronger, and that causes fires.

*

Our Temple was destroyed in fire. Now that God looks forward to returning to us and rebuilding our Temple, we should not delay its building but assist it.

To that end, a person must rise at midnight and mourn over the destruction of the Temple. Perhaps in a previous incarnation, he caused it to be destroyed. Even if not, he might be delaying its rebuilding now, which is also considered as though he caused its destruction. So a person must be careful to rise at midnight and mourn for the Temple. When he does so, God turns the "ashes" from the fiery lights into "beauty."[3]

---

3 In Hebrew, the letters of the word *AiPheR* (אפר, ashes) are rearranged to form the word *Pe'ER* (פאר, beauty).

לבין המצרים

"קוֹל בְּרָמָה נִשְׁמָע נְהִי בְּכִי תַמְרוּרִים, רָחֵל מְבַכָּה עַל בָּנֶיהָ, מֵאֲנָה לְהִנָּחֵם עַל בָּנֶיהָ כִּי אֵינֶנּוּ.

עַל אֵלֶּה אֲנִי בוֹכִיָּה עֵינִי עֵינִי יֹרְדָה מַּיִם, כִּי רָחַק מִמֶּנִּי מְנַחֵם מֵשִׁיב נַפְשִׁי, הָיוּ בָנַי שׁוֹמֵמִים כִּי גָבַר אוֹיֵב".

רִבּוֹנוֹ שֶׁל עוֹלָם, רִבּוֹנוֹ שֶׁל עוֹלָם, לַמְּדֵנוּ אֵיךְ לְסַדֵּר הֶסְפֵּדוֹת מָרִים עַל גֹּדֶל שִׁבְרֵנוּ אֲשֶׁר נִשְׁבַּרְנוּ עַל יְדֵי לִבֵּנוּ הַזּוֹנֶה.

כִּי נִלְקְחוּ מֵאִתָּנוּ כָּל מַחֲמַדֵּי עֵינֵינוּ גְּאוֹנֵי עֻזֵּנוּ עַטְרוֹת רֹאשֵׁנוּ, הוֹדֵנוּ זִיוֵנוּ פְּאֵרֵנוּ, חַיֵּינוּ וְאֹרֶךְ יָמֵינוּ, שָׁרְשֵׁי נַפְשֵׁנוּ וְרוּחֵנוּ וְנִשְׁמוֹתֵנוּ.

הֲלֹא הֵמָּה אֲדוֹנֵנוּ מוֹרֵנוּ וְרַבּוֹתֵינוּ, אוֹרוֹתֵינוּ גְּדֻלָּתֵנוּ קְדֻשָּׁתֵנוּ, תִּקְוָתֵינוּ תַּכְלִיתֵנוּ, נֶחָמוֹתֵינוּ וְשִׂמְחָתֵנוּ, תּוֹרוֹתֵינוּ תְּפִלּוֹתֵינוּ.

סָעוּ הֵמָּה לִמְנוּחוֹת עָזְבוּ אוֹתָנוּ לַאֲנָחוֹת. אוֹי מֶה הָיָה לָנוּ, מַה נֹּאמַר מַה נְּדַבֵּר.

For the Three Weeks

Lamenting the Absence of the Tzaddikim

"**A** voice of lamentation, of bitter weeping, is heard on high. Rachel weeps for her children; she refuses to be consoled for her children, because they are no more."

"For these I weep; my eye, my eye sheds tears, because the consoler who restores my spirit is far from me. My children are desolate, because the enemy has prevailed."

Master of the world, Master of the world, teach me how to compose bitter lamentations over the magnitude of our broken state, which has come as a result of our heart straying.

The delight of our eyes, the elevation of our strength, the crown of our heads, our splendor, our radiance, our beauty, our life, the length of our days, the root of our souls and our spirits—all have been taken away from us.

This refers to our masters, our teachers and rabbis. They are our light, our greatness, our holiness, our hope, our purpose, our consolation and our joy, our Torah, our prayer.

They have gone to their rest and left us to our grief. Woe, what has become of us? What can we say? How shall we speak?

מִי יוּכַל לְהַעֲרִיךְ לָנוּ הֶסְפֵּדוֹת מָרִים וּמְרוּרִים כָּרָאוּי לָנוּ לְהַסְפִּיד וְלִבְכּוֹת עַל שְׁבָרִים מָרִים כָּאֵלֶּה הַנּוֹגְעִים לְכָל יִשְׂרָאֵל וּלְכָל הָעוֹלָמוֹת כֻּלָּם מֵרֹאשׁ וְעַד סוֹף, אוֹי אוֹי וַאֲבוֹי.

רִבּוֹנוֹ שֶׁל עוֹלָם, גָּלוּי וְיָדוּעַ לְפָנֶיךָ שֶׁאֵין כֹּחַ בְּיַד אֱנוֹשִׁי לְסַדֵּר הֶסְפֵּדוֹת כָּרָאוּי עַל הִסְתַּלְּקוּת צַדִּיקִים כָּאֵלֶּה, אֲשֶׁר נִסְתַּלְּקוּ בְּדוֹרוֹתֵינוּ בַּעֲווֹנוֹתֵינוּ.

אֲבָל עַל דָּא וַדַּאי קָא בָּכִינָא, עַל הַנּוֹגֵעַ לִי וּלְכָל יִשְׂרָאֵל.

כִּי לְהַצַּדִּיקִים הַקְּדוֹשִׁים בְּעַצְמָם שֶׁנִּסְתַּלְּקוּ לְמַעְלָה לְמַעְלָה אֵין הֶפְסֵד כְּלָל, כִּי הֵם גְּדוֹלִים וּמְפֹאָרִים שָׁם בָּעוֹלָמוֹת עֶלְיוֹנִים, וְעוֹמְדִים וּמְשַׁמְּשִׁים בַּמָּרוֹם, אַשְׁרֵי לָהֶם אַשְׁרֵי חֶלְקָם.

אֲבָל עָלֵינוּ עָלֵינוּ הַדּוֹר הַיָּתוֹם הַזֶּה, הַדּוֹר הֶעָנִי הַזֶּה, עָלֵינוּ הָרַחֲמָנוּת גָּדוֹל וְעָצוּם מְאֹד, עָלֵינוּ עָלֵינוּ יִדְווּ כָּל הַדְּוּיִם.

"אוֹי לָנוּ כִּי שֻׁדָּדְנוּ", אֲהָהּ יְהוָֹה הַכְרֵעַ הִכְרַעְתָּנוּ, וְרָפוּ הַיָּדַיִם וְכָשְׁלוּ כָּל בִּרְכַּיִם וְנָמֵס כָּל לֵב וַיְהִי לְמַיִם, בְּיוֹם בֹּא

Who will compose bitter, doubly-bitter lamentations that are fitting for us to lament and weep because of the bitter brokenness that affects each Jew and all worlds from beginning to end? Woe! Woe! Woe!

Master of the world, You know that human hands lack the power to compose proper lamentations over the death of the Tzaddikim who passed away in our generations because of our sins.

I weep over this, which affects me and the entire Jewish people.

This is not a lament for the holy Tzaddikim themselves who passed away and rose very high, because they are ennobled and beautified in the upper worlds, and stand and serve in the heights. Fortunate are they and fortunate is their portion.

But on us, on us, this orphaned and poor generation, it is a very great pity, and all those who are ill grow increasingly ill.

"Woe to us, for we have been plundered." HaShem, You have overcome us. Our hands have grown weak. All knees have collapsed and every heart melted like water on the day

הַשֶּׁמֶשׁ בַּצָּהֳרַיִם. תָּעָה לְבָבֵנוּ, פַּלָּצוּת בְּעָתַתְנוּ, צִירִים אֲחָזוּנוּ, כַּיּוֹלֵדָה נִפְעֶה.

אָבִינוּ שֶׁבַּשָּׁמַיִם אָבִינוּ אָב הָרַחֲמָן, "יְהֹוָה אֱלֹהִים אֱמֶת", לְהֵיכָן נֵלֵךְ לְהֵיכָן נִפְנֶה לְעֶזְרָה, מִי יַעְזוֹר לָנוּ מִי יַעֲמֹד בַּעֲדֵנוּ, אָנָה פָּנָה דוֹדֵנוּ, אָנָה פָּנָה דוֹדֵנוּ וּנְבַקְשֶׁנּוּ עִמָּךְ.

עַל כֵּן גַּם הַיּוֹם מְרִי שִׂיחֵנוּ, יָדֵנוּ כָּבְדָה עַל אַנְחוֹתֵינוּ, מִי יִתֵּן רֹאשֵׁנוּ מַיִם וְעֵינֵינוּ מְקוֹר דִּמְעָה, וְנִבְכֶּה יוֹמָם וָלַיְלָה עַל גֹּדֶל שִׁבְרֵנוּ. "עַל זֶה הָיָה דָוֶה לִבֵּנוּ, עַל אֵלֶּה חָשְׁכוּ עֵינֵינוּ".

רִבּוֹנוֹ שֶׁל עוֹלָם אָב הָרַחֲמָן הָאֱמֶת, אַתָּה יוֹדֵעַ שֶׁכָּל חַיּוּתֵנוּ תָּלוּי בְּהַצַּדִּיקִים רַבּוֹתֵינוּ הַקְּדוֹשִׁים זִכְרוֹנָם לִבְרָכָה.

וַאֲנַחְנוּ צְרִיכִים לְדַבֵּר עִמָּהֶם בְּכָל פַּעַם וּלְקַבֵּל מֵהֶם דִּבּוּרִים קְדוֹשִׁים חֲדָשִׁים בְּכָל פַּעַם, וְלִרְאוֹת אוֹתָם בְּכָל פַּעַם.

וְעַתָּה מַה נַּעֲשֶׂה, מַה יַּעֲשׂוּ קְטַנֵּי עֵרֶךְ אֱזוֹבֵי קִיר כָּמוֹנוּ, מַה נַּעֲשֶׂה מַה נִּפְעַל.

that the sun set at noon. Our heart went astray, horrors terrified us, pangs seized us like those of a woman crying out in childbirth.

Our Father in Heaven, our compassionate Father, "HaShem God Who is true," where shall we go? Where shall we turn for help? Who will assist us? Who will stand up for us? Where has our Beloved gone? We will search for Him together.

Today our speech is bitter, our hands heavy from our sighs. "Who will make our head water and our eye a source of tears? Then we would weep day and night" because we are so broken. "Regarding this, our heart has been ill. Our eyes have grown dim for these things."

Master of the world, compassionate, true Father, You know that our lives depend entirely on the Tzaddikim, our holy rabbis, may their memory be for a blessing.

We need to constantly speak with them and constantly receive new, holy words from them, and constantly see them.

And now, what shall we do? What will we do, we who are of such little worth, like vines on a wall? What will we do? How will we act?

רִבּוֹנוֹ שֶׁל עוֹלָם, רִבּוֹנוֹ שֶׁל עוֹלָם, אַתָּה לְבַד יוֹדֵעַ מְרִירוּת נַפְשִׁי בִּפְנִימִיּוּת, אֵיךְ נַפְשִׁי מָרָה לִי עַל כָּל זֶה, אַךְ בַּעֲווֹנוֹתַי הָרַבִּים, אֵינִי יָכֹל לְפָרֵשׁ שִׂיחָתִי הֵיטֵב לְפָנֶיךָ מָלֵא רַחֲמִים.

רִבּוֹנוֹ שֶׁל עוֹלָם, מַה שֶּׁעָבַר עָבַר. עַתָּה עַתָּה, לַמְּדֵנִי וְהוֹרֵנִי אֵיךְ לִצְעֹק וְלִזְעֹק וּלְהִתְחַנֵּן בְּאֹפֶן שֶׁאֶזְכֶּה גַּם עַתָּה לְהַמְשִׁיךְ קְדֻשָּׁתָם הָעֲצוּמָה עָלַי.

עַל יְדֵי קְדֻשַּׁת הָרְשִׁימוּ שֶׁלָּהֶם שֶׁהִשְׁאִירוּ בָּעוֹלָם עַל יְדֵי סִפְרֵיהֶם הַקְּדוֹשִׁים וְתַלְמִידֵיהֶם הַיְקָרִים.

וְגַם עַתָּה הֵמָּה שְׁכִיחֵי יַתִּיר בְּעָלְמָא, כְּמוֹ שֶׁכָּתוּב בְּזֹהַר הַקָּדוֹשׁ וּבִשְׁאָר סְפָרִים קְדוֹשִׁים, שֶׁעִקַּר שְׁלֵמוּת הַנְּשָׁמָה הִיא שֶׁכַּאֲשֶׁר נִסְתַּלֶּקֶת לְמַעְלָה לְמַעְלָה לְמָקוֹם שֶׁנִּסְתַּלֶּקֶת תִּהְיֶה גַם לְמַטָּה לְמַטָּה.

לְעוֹרֵר וּלְהָקִיץ וּלְהַחֲיוֹת כָּל הַנְּפָשׁוֹת אֲפִלּוּ הַמֻּנָּחִים בִּשְׁאוֹל תַּחְתִּיּוֹת וּמִתַּחְתָּיו, לְעוֹרְרָם וּלְהַחֲיוֹתָם שֶׁלֹּא יִתְיָאֲשׁוּ בְּשׁוּם אֹפֶן בָּעוֹלָם.

רִבּוֹנוֹ שֶׁל עוֹלָם חֲמֹל וְרַחֵם עַל הַדְּמָעוֹת וְהַבְּכִיּוֹת שֶׁל רָחֵל

Master of the world, Master of the world, only You know the bitterness of my spirit because of all of this. Due to my many sins, I cannot express my speech clearly to You Who are filled with compassion.

Master of the world, what has past is past. Now teach me and show me how to call out, cry and beg so that even now I will draw their mighty holiness onto myself.

Maintaining a Connection with the Tzaddikim

May I do so by means of the holy impression that they left behind in their holy books and precious students.

Now they are more accessible to the world. As it is written in the Zohar and other holy books, the soul attains its essential perfection when, even as it rises high, it also remains extremely low.

Such a soul can arouse, awaken and revive all souls—even those lying in the lowest Sheol and lower, arousing them and reviving them so that they will never give up in any way.

Master of the world, have mercy and compassion on the tears and weeping of Rachel

אִמֵּנוּ שֶׁהִיא הַשְּׁכִינָה וּכְנֶסֶת יִשְׂרָאֵל, אֲשֶׁר הִיא בּוֹכָה בִּדְמָעוֹת שָׁלִישׁ עַל גֹּדֶל צַעֲרֵנוּ וְצָרוֹת נַפְשֵׁנוּ.

"רָחֵל מְבַכָּה עַל בָּנֶיהָ" שֶׁגָּלוּ מֵעַל שֻׁלְחַן אֲבִיהֶם וּמֵאַרְצָם יָצְאוּ. "בָּכוֹ תִבְכֶּה בַּלַּיְלָה וְדִמְעָתָהּ עַל לֶחֱיָהּ, אֵין לָהּ מְנַחֵם מִכָּל אוֹהֲבֶיהָ".

כִּי כָּל רֵעֶיהָ שֶׁהֵם הַצַּדִּיקִים שֶׁבְּכָל דּוֹר וָדוֹר נִסְתַּלְּקוּ בַּעֲווֹנוֹתֵינוּ הָרַבִּים, עַד אֲשֶׁר נִשְׁאַרְנוּ כַּתֹּרֶן בְּרֹאשׁ הָהָר וְכַנֵּס עַל הַגִּבְעָה. "יְתוֹמִים הָיִינוּ וְאֵין אָב אִמּוֹתֵינוּ כְּאַלְמָנוֹת", וְאֵין לָנוּ מְנַחֵם.

רִבּוֹנוֹ שֶׁל עוֹלָם, מִי יַחְמֹל עָלֵינוּ, וּמִי יָחוּס עָלֵינוּ וּמִי יָנוּד לָנוּ, וּמִי יָסוּר לִשְׁאֹל לְשָׁלוֹם לָנוּ, מִי יִגְדֹּר גָּדֵר וּמִי יַעֲמֹד בַּפֶּרֶץ, מִי יְתַקֵּן דְּרָכִים וּמִי יְיַשֵּׁר מְסִלּוֹת, מִי יְתַקֵּן נַפְשֵׁנוּ.

מִי יַחֲזִירֵנוּ בִּתְשׁוּבָה שְׁלֵמָה לְפָנֶיךָ, מִי יְעוֹרֵר אוֹתָנוּ מִשְּׁנָתֵנוּ לָשׁוּב אֵלֶיךָ בֶּאֱמֶת.

our mother, who represents the Divine Presence and the Congregation of Israel, crying with a profusion of tears over the magnitude of our sorrow and the troubles of our soul.

"Rachel weeps for her children" who were exiled from their Father's table and left their land. "She weeps at night and her tear is upon her cheek; she has no comforter among all of her friends."

All of her friends—who are the Tzaddikim in every generation—died for our many sins, leaving us alone like a mast at the top of a mountain and a banner upon a hill. "We have become orphans without a father; our mothers are like widows," with no one to console us.

Master of the world, who will have mercy on us? Who will have pity on us and nod graciously to us? Who will turn aside to inquire about our well-being? Who will erect a boundary and who will stand in the breach? Who will repair the roads and who will straighten the highways? Who will rectify our souls?

Who will bring us back to You in perfect repentance? Who will arouse us from our sleep to truly return to You?

אוֹי מֶה הָיָה לָנוּ בַּדּוֹרוֹת הָאֵלֶּה, אֲשֶׁר זָכִינוּ בַּדּוֹרוֹת הָאֵלֶּה לְאוֹרוֹת נִפְלָאִים וְנוֹרָאִים כָּאֵלֶּה, אוֹרוֹת צַחִים וּמְצֻחְצָחִים כָּאֵלֶּה.

אֲשֶׁר אָפְסוּ הַדִּבּוּרִים וְהַצֵּרוּפֵי אוֹתִיּוֹת לְסַפֵּר בְּשִׁבְחָם וּגְדֻלָּתָם וְתָקְפָּם וְגָבְהָם וּמַעֲלָתָם וְתִפְאַרְתָּם.

וְכַמָּה גִּלְגּוּלִים סִבַּבְתָּ בְּעוֹלָמֶךָ, וְכַמָּה עַלְמִין אִתְהֲפִיכוּ בְּגִינֵיהוּ, וְכַמָּה נִסִּים וְנִפְלָאוֹת בְּלִי שִׁעוּר וָעֵרֶךְ עָשִׂיתָ, עַד אֲשֶׁר הֵבֵאתָ לָעוֹלָם אוֹרוֹת כָּאֵלֶּה, צַדִּיקִים קְדוֹשִׁים כָּאֵלֶּה, מוֹרֵי דֶרֶךְ כָּאֵלֶּה, מְלַמְּדֵי דַעַת מְבִינֵי מַדָּע כָּאֵלֶּה, בַּעֲלֵי עֵצוֹת כָּאֵלֶּה.

וְהָיִיתָ עִמָּהֶם כָּל יְמֵי חַיֵּיהֶם הַקְּדוֹשִׁים, וְהִרְבֵּיתָ נִפְלְאוֹתֶיךָ עִמָּהֶם בְּלִי שִׁעוּר.

כִּי רַבִּים קָמוּ עֲלֵיהֶם בְּכָל יוֹם, וְאַתָּה הִצַּלְתָּ אוֹתָם מִיַּד כָּל אוֹיְבֵיהֶם וְרוֹדְפֵיהֶם, וְעָשִׂיתָ מַה שֶּׁעָשִׂיתָ בְּדַרְכֵי נִפְלְאוֹתֶיךָ הַנֶּעְלָמִים מְאֹד מְאֹד.

וְקִיַּמְתָּ אוֹתָם בְּרַחֲמֶיךָ, עַד אֲשֶׁר פָּעֲלוּ וְעָשׂוּ וְהִתְחִילוּ

Holy Lights

Woe! What has become of us in these generations? We were given such wondrous and awesome lights, such pure, polished, clean lights.

Words in every combination of letters are exhausted in attempting to express the praise, greatness, might, height, elevation and glory of these lights.

How many chains of events did You bring about and how many worlds were overturned for their sake! How many miracles and wonders without measure or scope did You perform to bring the world such lights, such holy Tzaddikim, such masters of the way, such people who taught awareness and disseminated knowledge, such masters of counsel!

You were with them all the days of their holy lives, and You increased Your wonders on their behalf beyond measure.

Many rose against them every day. You rescued them from the hand of all of their enemies and persecutors. You did what You did in Your extremely wondrous and hidden ways.

You sustained them in Your compassion until they acted and performed, undertook and

וְגָמְרוּ וְהִפְלִיאוּ לַעֲשׂוֹת תִּקּוּנִים חֲדָשִׁים נִפְלָאִים וְנוֹרָאִים בְּכָל הָעוֹלָמוֹת מֵרֹאשׁ וְעַד סוֹף. וְתִקְּנוּ נְפָשׁוֹת רַבּוֹת בְּלִי שִׁעוּר, נַפְשׁוֹת הַחַיִּים וְהַמֵּתִים.

כַּאֲשֶׁר אַתָּה יָדַעְתָּ אֶת כָּל הַתִּקּוּנִים וְהַשַּׁעֲשׁוּעִים שֶׁקִּבַּלְתָּ מֵהַצַּדִּיקִים שֶׁהָיוּ בַּדּוֹרוֹת הָאֵלֶּה, מִיּוֹם שֶׁנִּתְגַּלָּה אוֹר הַגָּנוּז, אוֹר יִשְׂרָאֵל וּקְדוֹשׁוֹ, רַב רַבָּנָן, אִישׁ אֱלֹהִים נוֹרָא מְאֹד, מוֹרֵנוּ וְרַבֵּנוּ הָרַב רַבִּי יִשְׂרָאֵל בַּעַל שֵׁם טוֹב זִכְרוֹנוֹ לִבְרָכָה.

אֲשֶׁר הֵאִיר פְּנֵי תֵבֵל, וְהֶעֱמִיד תַּלְמִידִים הַרְבֵּה, צַדִּיקִים וַחֲסִידִים קְדוֹשִׁים וְנוֹרָאִים, וְהִשְׁאִיר אַחֲרָיו בְּרָכָה נֶטַע שַׁעֲשׁוּעָיו זֶרַע קֹדֶשׁ מַצַּבְתּוֹ, יוֹצְאֵי חֲלָצָיו הַקְּדוֹשִׁים הַיְקָרִים מִפָּז וּפְנִינִים וְכָל חֲפָצִים לֹא יִשְׁווּ בָהֶם.

אֲשֶׁר הוּא וְתַלְמִידָיו וְיוֹצְאֵי חֲלָצָיו גִּלּוּ אֱלֹהוּתְךָ בַּדּוֹרוֹת הָאֵלֶּה וְהִרְבִּיצוּ תוֹרָה בְּיִשְׂרָאֵל. הֵמָּה הֵאִירוּ עֵינֵינוּ וּפָתְחוּ לִבֵּנוּ, לָמְדוּ וְלִמְּדוּ דְרָכִים יְשָׁרִים וְעֵצוֹת נִפְלָאוֹת לְהִתְקָרֵב אֵלֶיךָ בֶּאֱמֶת.

accomplished. They engaged in wondrously new, marvelous and awesome rectifications in all of the worlds, from beginning to end. They rectified innumerable souls: the souls of the living and the dead.

You know all of the rectifications and delights that You received from the Tzaddikim in these generations, since the day that You revealed the hidden light: the light of Israel and its holy rabbi of rabbis, the awesome man of God, our master, Rabbi Israel Baal Shem Tov, may his memory be for a blessing.

He illumined the face of the world and established many students, holy and awesome Tzaddikim and Chassidim. He left behind him a blessing, his delightful offshoots, his holy offspring, his holy descendants, more precious than fine gold and pearls, men who had no equal.

He, his students and his descendants revealed Your Godliness in these generations and spread Torah among the people of Israel. They illumined our eyes, opened our hearts, and taught straight ways and wondrous advice on how to truly come close to You.

אַשְׁרֵי עַיִן רָאֲתָה כָּל אֵלֶּה, הֲלֹא לְמִשְׁמַע אֹזֶן דָּאֲבָה נַפְשֵׁנוּ.

כִּי כָּל תִּקְוָתֵנוּ הָיָה שֶׁיַּאֲרִיכוּ יָמִים וְשָׁנִים בָּזֶה הָעוֹלָם, וְנִזְכֶּה לַעֲמֹד עוֹד לִפְנֵי הַדְרַת קְדֻשָּׁתָם וְלִשְׁמֹעַ מִפִּיהֶם הַנּוֹרָא עוֹד דִּבְרֵי אֱלֹהִים חַיִּים בְּכָל פַּעַם חֲדָשִׁים וְנִפְלָאִים, כַּאֲשֶׁר זָכִינוּ כָּל יְמֵי חַיֵּיהֶם הַקְּדוֹשִׁים.

וּבַעֲווֹנוֹתֵינוּ הָרַבִּים וּבִפְשָׁעֵינוּ הָעֲצוּמִים נֶחְשַׁךְ מֵאִתָּנוּ מְאוֹרֵי עֵינֵינוּ, מַחֲמַדֵּי נַפְשֵׁנוּ.

אוֹי כִּי גָבְרוּ הָאֶרְאֶלִּים עַל הַמְּצוּקִים, וְתָפְסוּ מֵאִתָּנוּ לִפְנֵי הַזְּמַן אֶת הָאֲרוֹנוֹת הַקְּדוֹשִׁים וְהַנּוֹרָאִים הָאֵלֶּה. "אוֹי מֶה הָיָה לָנוּ, נָפְלָה עֲטֶרֶת רֹאשֵׁנוּ, אוֹי נָא לָנוּ כִּי חָטָאנוּ".

וְאִם אָמְנָם יָדַעְנוּ גַּם יָדַעְנוּ כִּי גַם עַתָּה הֵם עוֹסְקִים בְּתִקּוּן נַפְשׁוֹתֵינוּ, אַךְ מַר לָנוּ מַר, כִּי אֵין אָנוּ זוֹכִים לִרְאוֹת פְּנֵיהֶם הַקְּדוֹשִׁים, וְלִשְׁמֹעַ דִּבּוּרֵיהֶם הַנּוֹרָאִים, וְלִשְׁאֹב הֶבֶל פִּיהֶם הַקָּדוֹשׁ, וּלְהִסְתַּכֵּל עַל פְּאֵרָם וְיָפְיָם וְזִיוָם וְהַדְרַת פְּנֵיהֶם הַקָּדוֹשׁ וְהַנּוֹרָא, וּלְהִכָּלֵל בְּחֵן הָאֱמֶת שֶׁלָּהֶם.

Fortunate is the eye that saw all of these things. But then our souls grew weak because of what our ears heard.

Our entire hope was that that they would live long days and years in this world, and that we would stand before their glorious holiness and hear more words of the Living God, constantly new and wondrous things from their awesome mouths, as we had heard all of the days of their holy lives.

But for our many sins and grave offenses, the light of our eyes and the delight of our souls was darkened.

Woe, for the angels have defeated the Tzaddikim and seized these holy and awesome Torah arks from us prematurely. Woe, what has become of us? "The crown of our head has fallen. Woe to us, for we have sinned."

Indeed, we know that even now they are engaged in rectifying our souls. But it is bitter for us, so bitter, because we cannot see their holy faces, hear their awesome words, draw the breath of their holy mouths, look at the beauty, loveliness, radiance and glory of their holy and awesome faces, and bind ourselves to their true grace.

כִּי הֵן הֵמָּה הָיוּ הַפְּאֵר וְהַיֹּפִי וְהַחֵן שֶׁל כָּל הָעוֹלָם כֻּלּוֹ, אֲשֶׁר כָּל מִי שֶׁהָיָה נִכְלָל בְּהַחֵן שֶׁלָּהֶם הַקָּדוֹשׁ, בְּהַפְּאֵר שֶׁלָּהֶם, בִּשְׁמָם הַקָּדוֹשׁ, הִסְתַּכֵּל עַל עַצְמוֹ וְנִתְעוֹרֵר בִּתְשׁוּבָה בֶּאֱמֶת.

וְעַתָּה עַתָּה בַּעֲווֹנוֹתֵינוּ אִבַּדְנוּ מַה שֶּׁאִבַּדְנוּ, אוֹי לָנוּ מַה שֶּׁגָּרַמְנוּ לָנוּ בַּעֲווֹנוֹתֵנוּ, אוֹי כַּמָּה הֶעָוֹן גּוֹרֵם.

אוֹי מַה נַּעֲשֶׂה עַתָּה, מַה יַּעֲשׂוּ נִרְדָּפִים כָּאֵלּוּ, עֲנִיִּים וְאֶבְיוֹנִים כָּאֵלּוּ, עִם מְמֻשָּׁךְ וּמְמֹרָט כָּזֶה, עַם עָנִי וְאֶבְיוֹן כָּמוֹנוּ.

"עַל כֵּן אָמַרְתִּי שְׁעוּ מִנִּי אֲמָרֵר בַּבֶּכִי". מַר רוּחִי אֲקָרֵר, קוֹלִי כַּיָּם יֶהֱמֶה, אָשִׂיחָה וְיִרְוַח לִי, אֲדַבְּרָה אֶל יְהֹוָה אֵל עֶלְיוֹן וְיַעֲבֹר עָלַי מָה.

רִבּוֹנוֹ שֶׁל עוֹלָם, רִבּוֹנוֹ שֶׁל עוֹלָם, רִבּוֹנוֹ שֶׁל עוֹלָם, קָדוֹשׁ אַתָּה וְנוֹרָא שְׁמֶךָ, וְשִׁמְךָ מְשֻׁתָּף בְּשֵׁם הַצַּדִּיקִים הָאֲמִתִּיִּים, עֲשֵׂה לְמַעַן שְׁמֶךָ, וְקַדֵּשׁ אֶת שִׁמְךָ, וְגַלֵּה הָאֱמֶת בָּעוֹלָם.

They were the beauty, loveliness and grace of the entire world. Whoever was bound to their holy grace, beauty and holy name looked at himself and was truly aroused to repent.

But now, due to our sins, we lost what we have lost. Woe to us for what we did to ourselves because of our sins. Woe, how much does sin cause!

Woe, what will we do now? What will such a persecuted people do, such a poor and impoverished people, such a tormented and tortured people, a nation as poor and impoverished as we are?

"Therefore, I said, 'Leave me alone, I will weep bitterly.'" I will soften the bitterness of my spirit and my voice will moan like the sea as I speak and gain relief by talking to HaShem, the supernal God, no matter what.

Master of the world, Master of the world, Master of the world! You are holy and Your Name is awesome. And Your Name is partnered with the name of the true Tzaddikim. Act for the sake of Your Name. Sanctify Your Name and reveal the truth to the world.

וְזַכֵּנוּ בְּרַחֲמֶיךָ הָעֲצוּמִים, שֶׁנִּזְכֶּה לֵידַע בֶּאֱמֶת מִי הוּא הָרֹאשׁ בַּיִת שֶׁל הָעוֹלָם עַתָּה, אֲשֶׁר מְקַבֵּל כֹּחַ מֵהַצַּדִּיקִים הָאֲמִתִּיִּים הָאֵלֶּה שֶׁהִזְכַּרְתִּי לְפָנֶיךָ.

וְזַכֵּנוּ בְּחֶמְלָתְךָ הַגְּדוֹלָה לְהִתְקָרֵב אֵלָיו בֶּאֱמֶת, וְלִהְיוֹת נִכְלָל תָּמִיד בֶּאֱמֶת בְּהַשֵּׁם וְהַפְּאֵר וְהַחֵן הָאֲמִתִּי שֶׁל הַצַּדִּיקִים הָאֲמִתִּיִּים, וּלְהִתְקַשֵּׁר וּלְהִתְדַּבֵּק בָּהֶם בֶּאֱמֶת בְּקֶשֶׁר אַמִּיץ וְחָזָק בַּל יִמּוֹט לְעוֹלָם.

בְּאֹפֶן שֶׁנִּזְכֶּה עַל יְדֵי זֶה לְהִסְתַּכֵּל עַל עַצְמֵנוּ מֵעַתָּה בְּכָל הַמִּדּוֹת וְהַתַּאֲווֹת שֶׁל כָּל הָאַרְבַּע יְסוֹדוֹת לְזַכֵּךְ וּלְטַהֵר אוֹתָם מִכָּל רָע, וְלָשׁוּב בִּתְשׁוּבָה שְׁלֵמָה בֶּאֱמֶת עַל הֶעָבָר.

וּלְהִתְחַזֵּק מֵעַתָּה בֶּאֱמֶת בְּכָל עֹז וְתַעֲצוּמוֹת לְשַׁבֵּר וּלְבַטֵּל כָּל הַמִּדּוֹת רָעוֹת וְכָל הַתַּאֲווֹת רָעוֹת שֶׁל כָּל הָאַרְבַּע יְסוֹדוֹת, וְלִזְכּוֹת לְכָל הַמִּדּוֹת טוֹבוֹת, וְלַעֲסֹק תָּמִיד בַּעֲבוֹדָתְךָ בֶּאֱמֶת בְּכָל כֹּחֵנוּ בְּכָל לְבָבֵנוּ וּבְכָל נַפְשֵׁנוּ וּבְכָל מְאֹדֵנוּ.

עַד שֶׁנִּזְכֶּה שֶׁכָּל הָאַרְבָּעָה יְסוֹדוֹת שֶׁבְּגוּפֵנוּ יִזְדַּכְּכוּ בֶּאֱמֶת, וְיִהְיוּ כֻּלָּם טוֹב בְּלִי שׁוּם אֲחִיזַת הָרַע כְּלָל. עַד אֲשֶׁר נִזְכֶּה

Seeking the True Tzaddik

In Your mighty compassion, may we truly know who the head of the house of the world is at present, as he receives power from these true Tzaddikim that I have mentioned before You.

In Your great mercy, help me truly come close to him. May I always be included in the true name, beauty and grace of the true Tzaddikim, and truly be attached and cling to them with a firm and strong connection that will never be shaken.

In this way, may we look from now on at all of our traits and desires connected to the four basic elements, so that we may refine and purify them of all evil, and engage in true, complete repentance for our past.

May we truly strengthen ourselves from now on with all strength and power to break and nullify all of the evil traits and evil lusts of the four basic elements, and attain all good traits. May we always truly serve You with all our might, all our heart, all our spirit and all our vigor.

May all of the four elements in our body truly be refined. May they all be good without any

שֶׁיִּכְלְלוּ כָּל הָאַרְבַּע יְסוֹדוֹת בְּשָׁרְשָׁם הָעֶלְיוֹן, שֶׁהֵם אַרְבַּע אוֹתִיּוֹת שֶׁל שִׁמְךָ הַקָּדוֹשׁ יִתְבָּרַךְ.

וְנִזְכֶּה לְהִסְתַּכֵּל עַל עַצְמֵנוּ הֵיטֵב הֵיטֵב בְּכָל עֵת, עַל מָה אֲתֵינָא לְהַאי עַלְמָא שְׁפָלָה.

וּלְהִסְתַּכֵּל בְּכָל הַמִּדּוֹת לְזַכְּכָם וּלְטַהֲרָם וּלְקַדְּשָׁם בְּתַכְלִית הַשְּׁלֵמוּת.

וּלְהִסְתַּכֵּל בִּגְדֻלַּת הַבּוֹרֵא יִתְבָּרַךְ, וּבְנִפְלְאוֹתָיו הַנּוֹרָאִים, אֲשֶׁר הוּא עוֹשֶׂה חֲדָשׁוֹת וְנִפְלָאוֹת בְּכָל עֵת וָעֵת, וּלְהִסְתַּכֵּל בְּתִקּוּן הָעוֹלָם.

וְנִזְכֶּה שֶׁיִּמְשְׁכוּ עָלֵינוּ מֹחִין קְדוֹשִׁים וּטְהוֹרִים מֵהַשֵּׁם הַקָּדוֹשׁ הַזֶּה שֶׁל הַצַּדִּיקֵי אֱמֶת.

וְנִזְכֶּה מֵעַתָּה לְקַדֵּשׁ אֶת מֹחֵנוּ וְדַעְתֵּנוּ, וְלֹא נַחְשֹׁב עוֹד שׁוּם מַחֲשָׁבָה חִיצוֹנָה כְּלָל, מִכָּל שֶׁכֵּן שֶׁלֹּא נְהַרְהֵר חַס וְשָׁלוֹם שׁוּם הִרְהוּר בָּעוֹלָם כְּלָל.

וְנִזְכֶּה לַחְשֹׁב בַּתּוֹרָה הַרְבֵּה, וּלְחַדֵּשׁ בְּכָל פַּעַם חִדּוּשִׁין דְּאוֹרַיְיתָא אֲמִתִּיִּים הַרְבֵּה כִּרְצוֹנְךָ הַטּוֹב.

trace of evil at all, until all four elements—which correspond to the four letters of Your holy Name—will be subsumed into their supernal root.

May we always examine ourselves carefully on how we came to this lowly world.

May we look at all of our traits in order to refine, purify and sanctify them with utter perfection.

May we look at the greatness of the Creator and at His awesome wonders, as He performs new matters and wonders at every moment, and may we look toward the rectification of the world.

May holy and pure consciousness coming from the holy name of the true Tzaddikim be drawn onto us.

Sanctifying Our Thoughts and Sight

From now on may we sanctify our minds and awareness. May we no longer have any extraneous thoughts, and certainly not engage in any fantasies at all, Heaven forbid.

May we engage in many Torah thoughts, and constantly create many true Torah insights, in accordance with Your good will.

וּתְזַכֵּנִי לְקַדֵּשׁ אֶת עֵינַי מֵעַתָּה שֶׁלֹּא אֶסְתַּכֵּל עוֹד בַּמֶּה שֶׁאָסוּר לְהִסְתַּכֵּל, מִכָּל שֶׁכֵּן שֶׁלֹּא אֶסְתַּכֵּל שׁוּם הִסְתַּכְּלוּת הַמֵּבִיא לִידֵי הִרְהוּר חַס וְשָׁלוֹם.

וְאֶזְכֶּה לֵידַע בְּכָל עֵת אֵיךְ לְהִתְנַהֵג בָּזֶה, לְבַל יִתְגַּבְּרוּ הַהִרְהוּרִים חַס וְשָׁלוֹם יוֹתֵר עַל יְדֵי הַפַּחַד בְּיוֹתֵר, וְעַל יְדֵי נִעְנוּעַ הָרֹאשׁ וַעֲצִימַת הָעֵינַיִם יוֹתֵר מֵהַמִּדָּה, כַּאֲשֶׁר נִגְלֶה לְפָנֶיךָ כָּל זֶה.

רַק אֶזְכֶּה לְשֵׂכֶל אֲמִתִּי לֵידַע אֵיךְ לְהִתְנַהֵג בְּעֵינַי בִּקְדֻשָּׁה וּבְטָהֳרָה בֶּאֱמֶת כִּרְצוֹנְךָ הַטּוֹב, בְּאֹפֶן שֶׁאֶזְכֶּה לְהִנָּצֵל וּלְהִשָּׁמֵר מִכָּל דָּבָר רָע.

וּתְקַדֵּשׁ אֶת עֵינַי מֵעַתָּה בֶּאֱמֶת בַּחֲסָדֶיךָ הָעֲצוּמִים, וּתְזַכֵּנִי לְקַדֵּשׁ וּלְטַהֵר אֶת כָּל הָאַרְבַּע יְסוֹדוֹת בִּקְדֻשָּׁה גְדוֹלָה.

וְאֶזְכֶּה לְהוֹסִיף בְּכָל פַּעַם קְדֻשָּׁה עַל קְדֻשָּׁה, עַד שֶׁאֶזְכֶּה לִהְיוֹת כֻּלּוֹ טוֹב, עַד אֲשֶׁר לֹא יַזִּיק עוֹד לְעֵינַי שׁוּם הִסְתַּכְּלוּת בָּעוֹלָם כְּלָל.

וַאֲפִלּוּ אִם אֶרְאֶה בְּעֵינַי מַה שֶּׁאֶרְאֶה, לֹא יַגִּיעַ לְדַעְתִּי וּמֹחִי שׁוּם צַד הִרְהוּר וּמַחֲשָׁבָה חִיצוֹנָה כְּלָל, וְלֹא יְבַלְבֵּל שׁוּם

May I sanctify my eyes from now on so that I will no longer look at forbidden sights—and, how much more, never gaze in a way that leads to fantasizing, Heaven forbid.

May I always know how to act in regard to this matter. May I not experience fear that would lead me to engage in exaggerated behavior—such as shaking my head back and forth and squeezing my eyes shut, which can actually lead to more fantasizing—as all of this is revealed to You.

Instead, may I attain true awareness and know how to direct my eyes with true holiness and purity, in accordance with Your good will, so that I will be rescued and guarded from every evil matter.

In Your mighty kindness, truly sanctify my eyes from now on. May I sanctify and purify all of the four basic elements within me with great holiness.

May I always add holiness to holiness, until I will be entirely good and no sights in the world will ever harm my eyes again.

No matter what I see with my eyes, may no fantasies or extraneous thoughts enter my consciousness and mind at all. May no sight or

רְאִיָּה וְהִסְתַּכְּלוּת אֶת דַּעְתִּי כְּלָל, רַק אֶזְכֶּה לִהְיוֹת דָּבוּק בִּקְדֻשָּׁתְךָ תָּמִיד.

מָרֵיהּ דְּעַלְמָא כֹּלָּא זַכֵּנִי לָבֹא לְכָל זֶה מְהֵרָה, אַף עַל פִּי שֶׁאֲנִי רָחוֹק עַתָּה מִכָּל זֶה כְּמוֹ שֶׁאֲנִי רָחוֹק, עַד אֲשֶׁר קָשֶׁה עָלַי לְבַקֵּשׁ אוֹתְךָ עַל כָּל אֵלֶּה.

אַךְ עַל רַחֲמֶיךָ הָרַבִּים אֲנִי בוֹטֵחַ, וְעַל כֹּחַ הַצַּדִּיקִים הָאֲמִתִּיִּים אֲנִי נִשְׁעָן, שֶׁתְּזַכֵּנִי מְהֵרָה לָבוֹא לְכָל זֶה, כִּי הֵן "כֹּל תּוּכָל וְלֹא יִבָּצֵר מִמְּךָ מְזִמָּה" וְאַתָּה עוֹשֶׂה נִפְלָאוֹת בְּכָל דּוֹר וָדוֹר וּמִמְּךָ לֹא יִפָּלֵא כָּל דָּבָר.

וּבְכֵן תְּרַחֵם עָלַי מָלֵא רַחֲמִים, רַב חֶסֶד וֶאֱמֶת, מַרְבֶּה לְהֵיטִיב, מַרְבֶּה לְהֵיטִיב מַרְבֶּה מְחִילָה לַחֲטָאִים וּסְלִיחָה לַפּוֹשְׁעִים, עוֹשֶׂה צְדָקוֹת עִם כָּל בָּשָׂר וְרוּחַ.

וּתְזַכֵּנִי בַּחֲסָדֶיךָ הָעֲצוּמִים, וְתַעַזְרֵנִי וְתוֹשִׁיעֵנִי וּתְחַזְּקֵנִי וּתְאַמְּצֵנִי בִּדְרָכֶיךָ הַנִּפְלָאִים, שֶׁאֶזְכֶּה מֵעַתָּה לָקוּם בְּכָל לַיְלָה וְלַיְלָה בַּחֲצוֹת מַמָּשׁ וּלְסַדֵּר תִּקּוּן חֲצוֹת.

vision confuse my mind at all. Instead, may I always cling to Your holiness.

Master of the entire world, refine me so that I will attain all of this quickly, even though at present I am so far from it all that even making this request of You is difficult for me.

Nonetheless, I trust and rely that in Your vast compassion and in the power of the true Tzaddikim, You will help me attain all of this quickly, because "You can do everything; no purpose can be withheld from You." You perform wonders in every generation, and nothing is beyond You.

Have compassion on me, You Who are filled with compassion, mighty in lovingkindness and truth, performing much good, generously forgiving sinners and absolving offenders, performing righteousness for all flesh and spirit.

The Midnight Rectification

In Your mighty kindness, help me, save me, strengthen me and bolster me in Your wondrous ways, so that from now on I will arise every night at midnight to recite the *Tikkun Chatzot*, the Midnight Rectification.

לְאוֹנֵן וּלְקוֹנֵן וְלִבְכּוֹת הַרְבֵּה עַל חֻרְבַּן בֵּית הַמִּקְדָּשׁ עַל בֵּית קָדְשֵׁנוּ וְתִפְאַרְתֵּנוּ, בֵּית חַיֵּינוּ וְאֹרֶךְ יָמֵינוּ, בֵּית חֶמְדָּתֵנוּ, צְבִי עֶדְיֵנוּ גְּאוֹן עֻזֵּנוּ, הוֹדֵנוּ זִיוֵנוּ הַדְרָתֵנוּ וּקְדֻשָּׁתֵנוּ.

אוֹי מֶה הָיָה לָנוּ שֶׁגָּרַמְנוּ בַּעֲווֹנוֹתֵינוּ לְהַחֲרִיב בֵּית מִקְדָּשֵׁנוּ, מְקוֹם שְׁכִינַת עֻזְּךָ, מְקוֹם הַתּוֹרָה וְהַתְּפִלָּה.

מְקוֹם הִתְגַּלּוּת אֱלֹהוּתְךָ, אֲשֶׁר שָׁם הָיִינוּ יְכוֹלִים לְהַמְשִׁיךְ עָלֵינוּ הַשָּׂגַת אֱלֹהוּתְךָ, לָדַעַת וּלְהַכִּיר אוֹתְךָ גַּם בָּזֶה הָעוֹלָם הַגַּשְׁמִי, וּלְהִתְדַּבֵּק בְּךָ לְעוֹלָם וָעֶד.

רִבּוֹנוֹ שֶׁל עוֹלָם, רִבּוֹנוֹ שֶׁל עוֹלָם, מַה שֶּׁעָבַר עָבַר, כִּי כְּבָר נֶחֱרַב בֵּית מִקְדָּשֵׁנוּ וּכְבָר נִסְתַּלְּקוּ הַצַּדִּיקִים בַּעֲווֹנוֹתֵינוּ, וּמַה דַּהֲוָה הֲוָה.

אַךְ עַל דָּא וַדַּאי קָא בָּכִינָא, "עַל אֵלֶּה אֲנִי בוֹכִיָּה עֵינִי עֵינִי יֹרְדָה מַּיִם". כִּי בַּעֲווֹנוֹתַי הָרַבִּים וְהָעֲצוּמִים וְהַכְּבֵדִים מְאֹד מְאֹד בְּמַהוּת וְכַמּוּת וְאֵיכוּת, גָּרַמְתִּי לְעַכֵּב בִּנְיַן בֵּית הַמִּקְדָּשׁ.

May I mourn, lament and weep a great deal over the destruction of the Temple—our holy and beautiful Temple, the House of our life and length of our days, our beautiful Temple, our lovely adornment, our exalted strength, our splendor, our radiance, our magnificence and our holiness.

Woe, what happened to us? With our sins, we caused our Temple, the place of Your mighty Presence, the place of Torah and prayer, to be destroyed.

It was the place of the revelation of Your Godliness, where we were able to draw the comprehension of Your Godliness onto ourselves, so that we might know and recognize You even in this physical world, and cling to You forever.

Master of the world, Master of the world, what has happened has happened. Our Temple was destroyed and the Tzaddikim died for our sins, and what has been has been.

For this I weep. "For these I weep—my eye, my eye sheds tears." Because of my sins that are multitudinous, intense and grave in character, quantity and quality, I have delayed the rebuilding of the Temple.

וּמִי יוֹדֵעַ אוּלַי גַּם בַּגִּלְגּוּל הָרִאשׁוֹן הָיִיתִי גּוֹרֵם לְהַחֲרִיב אֶת בֵּית הַמִּקְדָּשׁ. אוֹי לִי עַל חֲטָאַי, אוֹי לִי עַל עֲווֹנוֹתַי, אוֹי לִי עַל פְּשָׁעַי אֲשֶׁר עָשִׂיתִי בְּגִלְגּוּל זֶה וּבְגִלְגּוּלִים אֲחֵרִים.

אוֹי מֶה עָשִׂיתִי, אֲשֶׁר סְחִי וּמָאוֹס כָּמוֹנִי גָּרַם לְהַחֲרִיב וּלְעַכֵּב בִּנְיַן בֵּית הַמִּקְדָּשׁ וּגְאֻלַּת יִשְׂרָאֵל לַהֲשִׁיבָם לְאַרְצָם.

אוֹי לִי שֶׁהֶחֱרַבְתִּי אֶת בֵּית הַמִּקְדָּשׁ בַּעֲווֹנוֹתַי, וְשָׂרַפְתִּי אֶת הַהֵיכָל הַקֹּדֶשׁ, וְהִגְלֵיתִי אֶת בְּנֵי יִשְׂרָאֵל לְבֵין הָעַמִּים, וְהֶאֱרַכְתִּי אֶת הַגָּלוּת כָּל כַּךְ עַל יְדֵי תַאֲוֹתַי הָרָעוֹת וְהַמָּרוֹת.

רִבּוֹנוֹ שֶׁל עוֹלָם, רִבּוֹנוֹ שֶׁל עוֹלָם, מָלֵא רַחֲמִים, לַמְּדֵנִי אֵיךְ לִצְעֹק לְפָנֶיךָ עַתָּה, אֵיךְ לִזְעֹק עַל שִׁבְרֵי הַמַּר וְהַמָּרוֹר עַתָּה, אֵיךְ לִתְלוֹת עֵינַי אֵלֶיךָ עַתָּה, אֵיךְ לְבַלּוֹת הַיּוֹם בְּטוֹב אֲמִתִּי עַתָּה.

הֵיכָן אֶבְרַח הֵיכָן אָנוּס לְעֶזְרָה, מָה אֶעֱשֶׂה וּמָה אֶפְעַל, בַּמֶּה אֶזְכֶּה לְבַלּוֹת הַיּוֹם בְּחַיִּים אֲמִתִּיִּים בִּקְדֻשָּׁה אֲמִתִּיִּית.

And who knows? Perhaps in my first incarnation, I literally caused the destruction of the Temple. Woe to me for my transgressions, woe to me for my sins, woe to me for my offenses that I committed in my present and previous incarnations!

Woe, what have I done? A being as filthy and foul as myself caused the destruction of the Temple, and delayed its rebuilding and the redemption of the Jewish people, their restoration to their land.

Woe to me, that with my sins, with my evil and bitter lusts, I destroyed the Temple, burned the holy palace, exiled the children of Israel among the nations, and lengthened the exile.

Master of the world, Master of the world, You Who are filled with compassion, teach me how to call out to You now, how to cry out for my bitter and embittered, broken state now, how to raise my eyes to You now, how to spend each day in true goodness now.

Where shall I flee? Where shall I run for help? What shall I do? How should I act? How can I deserve to spend my day with true life, with true holiness?

בַּמֶּה אֶזְכֶּה לְהַצִּיל אֶת נַפְשִׁי מִנֵּי שַׁחַת, לְהַצִּיל נַפְשִׁי לְשָׁלָל מִיַּד דִּינְךָ וְזַעְמֶךָ, מִיַּד עֳנָשֶׁיךָ הַקָּשִׁים וְהַמָּרִים רַחֲמָנָא לִצְלָן, וְאֵיךְ לְהַצִּיל עַצְמִי מֵחֶרְפּוֹת וּבוּשׁוֹת וּבִזְיוֹנוֹת בָּזֶה וּבַבָּא.

רִבּוֹנוֹ שֶׁל עוֹלָם, רִבּוֹנוֹ שֶׁל עוֹלָם, עֲשֵׂה לְמַעַן שְׁמֶךָ, וְקַדֵּשׁ אֶת שִׁמְךָ בַּעֲבוּר כְּבוֹד שְׁמֶךָ, וְזַכֵּנוּ שֶׁיִּתְגַּדֵּל וְיִתְקַדֵּשׁ שִׁמְךָ הַגָּדוֹל בָּעוֹלָם עַל יָדֵינוּ.

מָלֵא רַחֲמִים אֲדוֹן כֹּל, יוֹדֵעַ תַּעֲלוּמוֹת, אַתָּה יוֹדֵעַ "אֶת כָּל הַמַּעֲשֶׂה אֲשֶׁר נַעֲשָׂה תַּחַת הַשֶּׁמֶשׁ" עַתָּה בְּדוֹרוֹתֵינוּ אֵלֶּה. וְאֵיךְ בַּעֲווֹנוֹתֵינוּ הָרַבִּים נִתְעַרְבֵּב וְנִתְבַּלְבֵּל הָעוֹלָם עַתָּה מְאֹד מְאֹד בְּלִי שִׁעוּר וָעֵרֶךְ.

כִּי כָל הַצַּדִּיקִים הָאֲמִתִּיִּים פְּאֵרֵי הַדּוֹרוֹת נִסְתַּלְּקוּ בְּיָמֵינוּ בַּעֲווֹנוֹתֵינוּ הָרַבִּים.

אֲשֶׁר אַתָּה לְבַד יָדַעְתָּ גֹּדֶל עֹצֶם מַעֲלָתָם וְתָקְפָּם וּקְדֻשָּׁתָם אֲשֶׁר שִׁמְךָ מְשֻׁתָּף בִּשְׁמָם, וְכָל מַה שֶּׁנִּגְדַּל שְׁמָם בְּיוֹתֵר נִגְדַּל שִׁמְךָ בְּיוֹתֵר.

וּבַעֲווֹנוֹתֵינוּ הָרַבִּים נִסְתַּלְּקוּ קֹדֶם הַזְּמַן, אוֹי מֶה הָיָה לָנוּ בַּדּוֹרוֹת הָאֵלֶּה.

How will I save my soul from destruction? How will I save my soul as a refugee from Your judgment and anger, from Your harsh and bitter punishment, may the Compassionate One protect us! How will I save myself from curses, insults and disgrace in this world and the next?

Master of the world, Master of the world, act for the sake of Your Name. Sanctify Your Name for the sake of its glory. May we magnify and sanctify Your great Name in the world.

You Who are filled with compassion, Master of all, You Who know hidden things, You know "all of the work that is performed under the sun" now, in our generations—and how, because of our many sins, the world has been disordered and disrupted beyond measure or estimate.

All of the true Tzaddikim, who constitute the beauty of the generations, have passed away in our days, due to our many sins.

You alone know their great stature, strength and holiness. Your Name is partnered with their name, and when their name is magnified, Your Name is magnified.

Because of our many sins, they died prematurely. Woe! What has happened to us in these generations?

וּמִגֹּדֶל עֲכִירַת דַּעְתֵּנוּ אֵין מִי שֶׁיֵּדַע כְּאֵב צָרָה וְצוּקָה הַזֹּאת, עַד הֵיכָן הַדָּבָר מַגִּיעַ, עַד הֵיכָן שָׁלְטָה הַמַּכָּה הַגְּדוֹלָה הַזֹּאת, מַכּוֹת מֻפְלָאוֹת כָּאֵלּוּ הַפְלֵא וָפֶלֶא.

מַכָּה אֲשֶׁר לֹא כְתוּבָה בַּתּוֹרָה, זוֹ מִיתַת הַצַּדִּיקִים הָאֲמִתִּיִּים אֲשֶׁר נִסְתַּלְּקוּ בְּדוֹרוֹתֵינוּ, בַּעֲווֹנוֹתֵינוּ וּבַחֲטָאֵינוּ וּבִפְשָׁעֵינוּ.

אוֹי אוֹי וַאֲבוֹי, אוֹי לָנוּ מַה שֶּׁאִבַּדְנוּ בַּעֲווֹנוֹתֵינוּ, חֲבָל עַל דְּאָבְדִין וְלָא מִשְׁתַּכְחִין, "הַצַּדִּיק אָבָד, וְאֵין אִישׁ שָׂם עַל לֵב, וְאַנְשֵׁי חֶסֶד נֶאֱסָפִים בְּאֵין מֵבִין, כִּי מִפְּנֵי הָרָעָה נֶאֱסַף הַצַּדִּיק".

רִבּוֹנוֹ שֶׁל עוֹלָם, אֲדוֹן כֹּל, אַחֲרֵי אֲשֶׁר כְּבָר גָּרַמְנוּ בַּעֲווֹנוֹתֵינוּ מַה שֶּׁגָּרַמְנוּ, וְהֶחֱרַבְנוּ בֵּית מִקְדָּשֵׁנוּ, וְנִסְתַּלְּקוּ הַצַּדִּיקִים הָאֲמִתִּיִּים בַּעֲווֹנוֹתֵינוּ.

עָזְרֵנוּ מֵעַתָּה שֶׁנִּזְכֶּה עַל כָּל פָּנִים לָקוּם בְּכָל לַיְלָה בַּחֲצוֹת מַמָּשׁ, וּלְשַׁבֵּר לִבֵּנוּ לִבְכּוֹת הַרְבֵּה בִּדְמָעוֹת שָׁלִישׁ עַל עֲווֹנוֹתֵינוּ הָעֲצוּמִים שֶׁגָּרְמוּ כָּל זֶה, עַד אֲשֶׁר נִשְׁאַרְנוּ כִּיתוֹמִים וְאֵין אָב, כְּתוֹעִים וְאֵין לְבַקֵּשׁ, כִּרְחוֹקִים וְאֵין

Because of the cloudiness of our awareness, no one realizes the hardship of this distress and adversity, how far it reaches, the effect of this great blow, these deeply concealed blows.

"A blow that is not written in the Torah"—our sages teach that this refers to the death of the true Tzaddikim. They died in our generations due to our sins, transgressions and offenses.

Woe! Woe! Woe! Woe to us for what we have lost because of our sins. Woe for what has been lost and no longer exists. "The righteous man has died and no one takes it to heart. Men of kindness are gathered in, and no one understands that the righteous man has been gathered in due to the evil."

Master of the world, Master of all, we caused what we caused with our sins. We destroyed our Temple, and the true Tzaddikim died for our sins.

Help us—from now on, at any rate—arise every night at midnight and break our hearts as we weep profusely with many tears for our grave sins that caused all of this—so that we have been left like orphans without a father, like those who go astray with no one to seek them, like those who are far away with no one to bring

לְקָרֵב, וְאֵין מִי שֶׁיַּעֲמֹד בַּעֲדֵנוּ.

רִבּוֹנוֹ שֶׁל עוֹלָם רַחֵם עָלֵינוּ לְמַעַן שְׁמֶךָ, וּרְאֵה שִׁפְלוּתֵינוּ וּבִזְיוֹנֵנוּ, "הַבֵּט מִשָּׁמַיִם וּרְאֵה" כִּי הָיִינוּ לַעַג וָקֶלֶס.

וְלֹא דַי לָנוּ מַה שֶּׁאָנוּ נִבְזִים וּשְׁפָלִים בֵּין הָעַמִּים, אֲשֶׁר בְּכָל יוֹם עוֹמְדִים עָלֵינוּ לְכַלּוֹתֵנוּ וְאַתָּה מַצִּילֵנוּ מִיָּדָם.

אַף גַּם בֵּין עַמְּךָ יִשְׂרָאֵל בְּעַצְמָם נִתְרַבֶּה הַמַּחֲלֹקֶת מְאֹד, וְנַעֲשָׂה קַטֵּגוֹרְיָא גְּדוֹלָה בֵּין הַתַּלְמִידֵי חֲכָמִים, עַד אֲשֶׁר חָלַק לִבָּם זֶה מִזֶּה, וְכָל אֶחָד נִבְזֶה וְנִמְאָס בְּעֵינֵי חֲבֵרוֹ עַד אֲשֶׁר "כָּשַׁל כֹּחַ הַסַּבָּל".

רִבּוֹנוֹ שֶׁל עוֹלָם, מָלֵא רַחֲמִים, יְעוֹרְרוּ רַחֲמֶיךָ עַל בָּנֶיךָ, יֶהֱמוּ מֵעֶיךָ עָלֵינוּ, חוּס וַחֲמֹל וְרַחֵם עַל שְׁאֵרִית פְּלֵיטַת עַמְּךָ בֵּית יִשְׂרָאֵל.

them close. There is no one to stand up on our behalf.

Master of the world, have compassion on us for the sake of Your Name. See our lowliness and disgrace. "Look from Heaven and see" that we have become an object of derision and scorn.

The Plague of Dispute

It is not enough that we are disgraced and lowly among the nations that every day stand against us to destroy us, and You rescue us from their hand.

But within Your nation of Israel itself, dispute has greatly increased. Great discord has arisen among the Torah sages, until their hearts are divided against each other and each one is disgraced and foul in the eyes of the other, until "the strength of the porter has collapsed."

Treasured Souls

Master of the world, filled with compassion, arouse Your compassion for Your children. May Your insides moan for us. Have pity, mercy and compassion for the remnant of the refugees of Your nation, the House of Israel.

מָלֵא רַחֲמִים אֵיךְ תּוּכַל לְהִתְאַפֵּק מִלְּרַחֵם עַל נְפָשׁוֹת הָעֲשׁוּקוֹת, עַל נַפְשׁוֹת עַמְּךָ יִשְׂרָאֵל הַמִּתְגּוֹלְלִים בַּחוּצוֹת וּבַשְּׁוָקִים וּבָרְחוֹבוֹת, שֶׁהֵם נְפָשׁוֹת יְקָרִים מְאֹד מְאֹד, וְהֵם נִשְׁפָּכִים בְּרֹאשׁ כָּל חוּצוֹת.

אֲשֶׁר עֲלֵיהֶם קוֹנֵן יִרְמְיָה הַנָּבִיא קִינוֹת הַרְבֵּה עַל כָּל נֶפֶשׁ וָנֶפֶשׁ, כְּמוֹ שֶׁכָּתוּב: "אֵיכָה יוּעַם זָהָב, יִשְׁנֶא הַכֶּתֶם הַטּוֹב, תִּשְׁתַּפֵּכְנָה אַבְנֵי קֹדֶשׁ, בְּרֹאשׁ כָּל חוּצוֹת. בְּנֵי צִיּוֹן הַיְקָרִים הַמְסֻלָּאִים בַּפָּז, אֵיכָה נֶחְשְׁבוּ לְנִבְלֵי חֶרֶשׂ, מַעֲשֵׂה יְדֵי יוֹצֵר".

רִבּוֹנוֹ שֶׁל עוֹלָם, רִבּוֹנוֹ דְעַלְמָא כֻּלָּא, אַתָּה לְבַד יָדַעְתָּ עֹצֶם יִקְרַת תִּפְאֶרֶת קְדֻשַּׁת הַנְּפָשׁוֹת הַיְקָרִים הָאֵלֶּה, אַבְנֵי קֹדֶשׁ הָאֵלֶּה, הַנִּשְׁפָּכִים עַתָּה בְּרֹאשׁ כָּל חוּצוֹת, "וְאֵין אִישׁ מְאַסֵּף אוֹתָם הַבַּיְתָה".

כִּי נִסְתַּלְּקוּ בַּעֲווֹנוֹתֵינוּ הַצַּדִּיקִים הָאֲמִתִּיִּים הַנִּקְרָאִים רֹאשׁ בַּיִת שֶׁהֵם הַבַּעֲלֵי בַּיִת שֶׁל הָעוֹלָם, אֲשֶׁר אָז בִּהְיוֹתָם בָּעוֹלָם וּשְׁמָם נִתְגַּדֵּל בָּעוֹלָם, אָז הָיָה לְהָעוֹלָם בַּעַל הַבַּיִת, וְאָז הָיִינוּ אֲנַחְנוּ כֻּלָּנוּ נִקְרָאִים בְּנֵי בַיִת.

You Who are filled with compassion, how can You refrain from having compassion on these oppressed souls, the souls of Your nation of Israel who roll in the avenues, marketplaces and streets, these exceedingly precious souls who are spilled out at the head of all of the avenues?

The prophet Jeremiah lamented repeatedly for every soul, as it is written, "How has the gold dimmed! How has the finest gold changed! The holy stones are spilled out at the head of every street. The precious children of Zion, comparable to fine gold—how they are regarded as earthen pitchers, the work of the potter's hands!"

Master of the world, Master of the entire world, You alone know the mighty, precious, beautiful holiness of these treasured souls, these holy stones, that now are spilled out at the head of every avenue. "And no one gathers them into the house."

Because of our sins, the true Tzaddikim, who are called the "head of the house," who are the masters of the house of the world, passed away. When they were in the world and their names were magnified in the world, the world had a master of the house, and then we were all called the children of the house.

וּמִיּוֹם שֶׁנִּסְתַּלְּקוּ בַּחֲטָאֵינוּ, וְנִתְעַלֵּם פְּאֵרָם וַהֲדָרָם וְחִנָּם הַקָּדוֹשׁ וְהַנּוֹרָא, אֲנַחְנוּ נָעִים וְנָדִים וּמְטֻלְטָלִים, וּנְפָשׁוֹת יְקָרוֹת מֵעַמְּךָ בֵּית יִשְׂרָאֵל מִתְגּוֹלְלִים בְּרֹאשׁ כָּל חוּצוֹת.

כִּי נִסְתַּלְּקוּ מִן הָעוֹלָם הַבַּעֲלֵי בַּיִת שֶׁל הָעוֹלָם, שֶׁהֵם הַצַּדִּיקִים הַגְּדוֹלִים הַנִּקְרָאִים רֹאשׁ בַּיִת.

וַאֲפִלּוּ מְעַט הָרְשִׁימוּ שֶׁנִּשְׁאַר מִשְּׁמָם עַל יְדֵי סִפְרֵיהֶם הַקְּדוֹשִׁים וְתַלְמִידֵיהֶם הַיְקָרִים, מַעֲלִימִים גַּם כֵּן מְאֹד מְאֹד בְּכַמָּה מִינֵי הַעְלָמוֹת וְהַסְתָּרוֹת בְּלִי שִׁעוּר.

כִּי בְּכָל פַּעַם נִתְגַּדְּלִים בָּעוֹלָם בַּעֲלֵי שֵׁם וּפִרְסוּם שֶׁאֵין שְׁמָם נִמְשָׁךְ כְּלָל מִשֵּׁם יְהוָֹה, אַדְּרַבָּא עַל יָדָם נִתְעַלֵּם שֵׁם יְהוָֹה וּמִתְגַּבְּרִים שְׁמוֹת הַחִיצוֹנִים חַס וְשָׁלוֹם.

וּבַעֲווֹנוֹתֵינוּ הָרַבִּים נִתְעַרְבֵּב הָעוֹלָם מְאֹד, עַד אֲשֶׁר אֵין אִתָּנוּ יוֹדֵעַ עַד מָה.

מִי וָמִי הַהוֹלְכִים בְּתוֹרַת יְהוָֹה בֶּאֱמֶת, אֲשֶׁר שְׁמָם נִמְשָׁךְ

But from the day that they died for our sins, and their holy and awesome beauty, glory and grace were hidden away, we have wandered and been unsettled, and the precious souls of Your nation, the House of Israel, roll about at the head of every avenue.

For the masters of the world, the great Tzaddikim who are called the "head of the house," have left the world.

Even the faint impression that remains of their fame because of their holy books and precious students is deeply hidden behind every sort of immeasurable obscurity and concealment.

Revealing the True Leaders

Every time that people become known and famous but their name is not at all drawn from the Name of God—and, in fact, the contrary is true—the Name of God is hidden and the names of the outside forces grow stronger, Heaven forbid.

Due to our many sins, the world has become deeply confused, until no one knows the truth.

Who is truly following the Torah of HaShem, so that his name is drawn from the Name of God?

מִשֵּׁם יְהֹוָה, וּמִי לְהֵפֶךְ, וּמִי מְעֹרָב מִשְּׁנֵיהֶם מִטּוֹב וָרַע, מִמְּאוֹרֵי אוֹר וּמְאוֹרֵי אֵשׁ. "וַאֲנַחְנוּ לֹא נֵדַע מַה נַּעֲשֶׂה כִּי עָלֶיךָ עֵינֵינוּ".

זַכֵּנוּ בְּרַחֲמֶיךָ לָקוּם בְּכָל לַיְלָה בַּחֲצוֹת מַמָּשׁ, וּלְהִתְאַבֵּל עַל חֻרְבַּן בֵּית הַמִּקְדָּשׁ שֶׁנֶּחֱרַב בַּעֲווֹנוֹתֵינוּ.

וְעַל יְדֵי זֶה נִזְכֶּה לְעוֹרֵר רַחֲמֶיךָ שֶׁתְּנַחֵם וּתְשַׂמַּח אוֹתָנוּ מְהֵרָה, וְתָשִׂים לַאֲבֵלֵי צִיּוֹן פְּאֵ"ר תַּחַת אֵפֶ"ר.

וְנִזְכֶּה לְהַכְנִיעַ הַמְּאוֹרֵי אֵשׁ כְּנֶגֶד הַמְּאוֹרֵי אוֹר. וְיִתְגַּבֵּר שֵׁם הַקֹּדֶשׁ, שֵׁם יְהֹוָה, שֵׁם הַצַּדִּיקִים הָאֲמִתִּיִּים, עַל שֵׁם הַטֻּמְאָה, שְׁמוֹת הַחִיצוֹנִים, וְיִתְבַּטֵּל הַשֶּׁקֶר לְגַבֵּי הָאֱמֶת.

וְיִתְגַּלֶּה וְיִתְגַּדֵּל וְיִתְפַּרְסֵם בְּכָל הָעוֹלָם, שֵׁם הַצַּדִּיקִים הָאֲמִתִּיִּים וּפְאֵרָם וַהֲדָרָם וְחִנָּם הַקָּדוֹשׁ וְהַנּוֹרָא. וְנִזְכֶּה לְהִכָּלֵל בִּשְׁמָם וּבִפְאֵר הַדְרַת קְדֻשָּׁתָם.

עַד אֲשֶׁר יִפָּתְחוּ עֵינֵינוּ בֶּאֱמֶת, וְנִסְתַּכֵּל עַל עַצְמֵנוּ הֵיטֵב בֶּאֱמֶת, בְּכָל הָאַרְבַּע יְסוֹדוֹת, לְזַכְּכָם וּלְטַהֲרָם וּלְקַדְּשָׁם

And who is the opposite? And who confuses the two: good and evil, the "bright lights" and the "fiery lights"? "We do not know what to do, and our eyes turn to You."

In Your compassion, help us rise every night, exactly at midnight, to mourn for the Temple that was destroyed for our sins.

As a result, may we arouse Your compassion so that You will console us and gladden us soon, and give the mourners of Zion beauty in place of ashes.

May we subdue the fiery lights to the bright lights. May the holy name—the Name of God, the name of the true Tzaddikim—overcome the name of uncleanness, the names of the outside forces. May falsehood be nullified before truth.

May the name of the true Tzaddikim and their holy and awesome beauty, splendor and grace be revealed, magnified and known throughout the world. May we be included in their name and in their glorious, beautiful holiness.

May our eyes truly be opened so that we will truly look at ourselves clearly, at all of the four basic elements within us, in order to refine, purify and sanctify them. May we look at all evil

מִכָּל הַתַּאֲוֹת רָעוֹת וּמִדּוֹת רָעוֹת הַנִּמְשָׁכִים מֵהֶם, וּלְבָרְרָם מֵרַע לְטוֹב, וְלִזְכּוֹת לְכָל הַמִּדּוֹת טוֹבוֹת וּמַעֲשִׂים טוֹבִים.

וְנִזְכֶּה שֶׁיִּמְשַׁךְ עָלֵינוּ עַל יְדֵי הַצַּדִּיקִים אֲמִתִּיִּים מֹחִין קְדוֹשִׁים וּטְהוֹרִים, עַד שֶׁיִּכָּלְלוּ כָּל הָאַרְבַּע מֹחִין שֶׁלָּנוּ וְכָל הָאַרְבַּע יְסוֹדוֹת, בְּתוֹךְ הַיְסוֹד הַפָּשׁוּט הַקָּדוֹשׁ וְהַנּוֹרָא, שֶׁהוּא הַצַּדִּיק יְסוֹד עוֹלָם, שֶׁהוּא הַנָּהָר הַיּוֹצֵא מֵעֵדֶן לְהַשְׁקוֹת אֶת הַגָּן. וִיהְיֶה הַכֹּל נִכְלָל בְּשִׁמְךָ הַמְיֻחָד הַגָּדוֹל וְהַקָּדוֹשׁ וְהַנּוֹרָא.

וּתְמַהֵר וְתָחִישׁ לְגָאֳלֵנוּ, וְתִבְנֶה בֵּית קָדְשֵׁנוּ וְתִפְאַרְתֵּנוּ. וְיִתְגַּדֵּל וְיִתְקַדֵּשׁ וְיִתְבָּרֵךְ וְיִשְׁתַּבַּח וְיִתְפָּאַר וְיִתְרוֹמֵם וְיִתְנַשֵּׂא שִׁמְךָ מַלְכֵּנוּ בְּפִי כָּל חַי תָּמִיד לְעוֹלָם וָעֶד.

וְזַכֵּנוּ לְקַיֵּם מִצְוַת תְּפִלִּין בִּשְׁלֵמוּת, בִּקְדֻשָּׁה וּבְטָהֳרָה גְדוֹלָה, בְּיִרְאָה וּבְאַהֲבָה, בְּשִׂמְחָה וּבְטוּב לֵבָב.

עַד שֶׁיִּמְשַׁךְ עָלֵינוּ עַל יְדֵי פְּאֵר הַתְּפִלִּין הַקְּדוֹשִׁים וְהַנּוֹרָאִים, קְדֻשַּׁת הַמֹּחִין מִשָּׁרְשָׁם מֵהָרֹאשׁ בַּיִת, שֶׁהוּא

lusts and evil traits that are drawn from them in order to separate them from evil and extract the good, and to attain all good traits and good deeds.

May the holy Tzaddikim draw holy and pure mindfulness onto us. May all of our four states of consciousness and all of our four basic elements be subsumed into the simple, holy and awesome basic element, that being the Tzaddik, the foundation of the world, the river emerging from Eden to water the garden. May everything be subsumed into Your unique, great, holy and awesome Name.

Quickly and swiftly redeem us and build our beautiful Temple. Our King, may Your Name be magnified, sanctified, blessed, praised, beautified, elevated and exalted in the mouth of every living being always and forever.

Help us keep the mitzvah of tefillin fully, with great holiness and purity, with fear and love, with joy and a good heart.

May the holiness of the mind be drawn onto us by means of the source of the beauty of the holy and awesome tefillin, from the head of the

מְמַלֵּא אֶת בָּתֵּי הַתְּפִלִּין הַקְּדוֹשִׁים, בְּמֹחִין קְדוֹשִׁים, בְּחָכְמָה וּבִתְבוּנָה וּבְדַעַת וּבְכָל מְלָאכָה.

לשבת קודש

וְזַכֵּנוּ לְקַבֵּל שַׁבָּתוֹת מִתּוֹךְ רֹב שִׂמְחָה, וְנִזְכֶּה לְעַנֵּג אֶת הַשַּׁבָּת בְּכָל עֹז, וְלִשְׂמֹחַ בְּכָל שַׁבָּת וְשַׁבָּת בְּשִׂמְחָה גְדוֹלָה בֶּאֱמֶת.

וְתַעַזְרֵנוּ בְּרַחֲמֶיךָ שֶׁנִּזְכֶּה לְהַמְשִׁיךְ עָלֵינוּ עַל יְדֵי קְדֻשַּׁת שַׁבַּת קֹדֶשׁ, אֶת קְדֻשַּׁת הַמֹּחִין שֶׁל הָרֹאשׁ בַּיִת שֶׁהוּא שַׁבָּת דְּכֻלְּהוּ יוֹמָא.

וְעַל יְדֵי זֶה נִזְכֶּה לָשׁוּב אֵלֶיךָ בֶּאֱמֶת, וּלְהִכָּלֵל בְּשִׁמְךָ הַגָּדוֹל הַמְשֻׁתָּף בִּשְׁמֵנוּ, וּלְתַקֵּן כָּל הַפְּגָמִים שֶׁפָּגַמְנוּ בְּשִׁמְךָ הַגָּדוֹל.

וּבְרַחֲמֶיךָ הָרַבִּים תִּשְׁמְרֵנוּ וְתַצִּילֵנוּ מִכָּל מִינֵי חֳלָאִים וּמֵחוּשִׁים וּמַכְאוֹבִים הַנִּמְשָׁכִים מִשְּׁמוֹת הַטֻּמְאָה וְהַחִיצוֹנִים חַס וְשָׁלוֹם, שֶׁהֵם נִקְרָאִים מְאוֹרֵי אֵשׁ.

house, who fills the houses of the holy tefillin with holy mindfulness, wisdom, understanding, knowledge and all skillful work.

For the Holy Shabbat
Holy Mindfulness

Help us greet every Shabbat with great joy. May we delight in the Shabbat with all of our strength, and rejoice on every Shabbat with truly great joy.

By means of the holiness of the holy Shabbat, help us in Your compassion to draw the holy mindfulness of the head of the house—which is the Shabbat of every day—onto ourselves.

As a result, may we truly return to You and be subsumed into Your great Name that is partnered with our name, and rectify all of the blemishes with which we defaced Your great Name.

Eradicating Evil of Every Sort

In Your vast compassion, guard us and rescue us from every type of illness, discomfort and pain that is drawn from the names of uncleanness and the outside forces, Heaven forbid, which are called "fiery lights."

אָבִינוּ שֶׁבַּשָּׁמַיִם מוֹשֵׁל בַּכֹּל, שׁוֹמֵר עַמּוֹ יִשְׂרָאֵל לָעַד, שָׁמְרֵנוּ וְהַצִּילֵנוּ מֵהֶם, שִׁמְךָ הַגָּדוֹל יַעֲמֹד כְּנֶגְדָּם, וְתַכְנִיעַ וּתְשַׁבֵּר וּתְמַגֵּר וּתְבַטֵּל הַמְּאוֹרֵי אֵשׁ כְּנֶגֶד מְאוֹרֵי אוֹר.

וְיִתְבַּטֵּל שֵׁם הַטֻּמְאָה שְׁמוֹת הַחִיצוֹנִים מִן הָעוֹלָם, וְיִתְגַּדֵּל שֵׁם הַקֹּדֶשׁ בָּעוֹלָם.

וְתִפְרֹס עָלֵינוּ סֻכַּת שְׁלוֹמֶךָ בִּזְכוּת קְדֻשַּׁת שַׁבָּת. וְתִשְׁמֹר אוֹתָנוּ וְאֶת מָמוֹנֵנוּ וְאֶת בָּתֵּינוּ מִכָּל מִינֵי הֶזֵּקוֹת וְהֶפְסֵדוֹת בְּגַשְׁמִיּוּת וְרוּחָנִיּוּת הַנִּמְשָׁכִים מִמְּאוֹרֵי אֵשׁ.

וְתַצִּיל אֶת כָּל בָּתֵּי עַמְּךָ בֵּית יִשְׂרָאֵל מִשְּׂרֵפַת אֵשׁ. אַתָּה יְהֹוָה תִּשְׁמְרֵם תָּמִיד מִשְּׂרֵפוֹת וּמִכָּל מִינֵי הֶזֵּקוֹת שֶׁבָּעוֹלָם.

כִּי אֵין בְּיָדֵינוּ לְשָׁמְרָם, כִּי אִם עָלֶיךָ לְבַד אָנוּ נִשְׁעָנִים, שֶׁאַתָּה תְּרַחֵם עָלֵינוּ וְעַל כָּל עַמְּךָ יִשְׂרָאֵל מֵעַתָּה, וְתִשְׁמֹר אֶת בָּתֵּינוּ וְכָל חֲפָצֵנוּ מִשְּׂרֵפוֹת אֵשׁ.

וְתַעַזְרֵנוּ בְּרַחֲמֶיךָ שֶׁלֹּא יִהְיֶה לְהַמְּאוֹרֵי אֵשׁ שׁוּם אֲחִיזָה

Our Father in Heaven, Ruler over everything, guarding Your nation, the Jewish people, forever, guard us and rescue us from them. May Your great Name stand against them. Subdue, break, crush and nullify the fiery lights before the bright lights.

May the name of uncleanness, the names of the outside forces, be eradicated from the world, and may the holy Name be magnified in the world.

In the merit of the holiness of the Shabbat, spread the sukkah of Your peace over us. Guard us, our money and our homes from any type of damage or loss in the physical and spiritual realms that are drawn from the fiery lights.

Rescue all of the houses of Your nation, the House of Israel, from burning fire. HaShem, guard them always from fires and from every type of harm.

We are unable to guard them, so we rely on You alone. Have compassion on us and on Your entire nation, the Jewish people, from now on. Guard our houses and all of our possessions from fire.

In Your compassion, help us so that the fiery lights will not have any hold or power over us,

וּשְׁלִיטָה בָּנוּ חַס וְשָׁלוֹם, לֹא בְּגוּפֵנוּ וְלֹא בְּנַפְשֵׁנוּ וְלֹא בִּמְאוֹדֵנוּ, רַק נִזְכֶּה לִכְלֹל [לְהִכָּלֵל] תָּמִיד בִּמְאוֹרֵי אוֹר הַנִּכְלָלִים בְּשִׁמְךָ הַקָּדוֹשׁ.

לאתרוג וארבעת המינים

וּתְזַכֵּנוּ לְקַיֵּם מִצְוַת אֶתְרוֹג וּמִינָיו בִּשְׁלֵמוּת בִּזְמַנּוֹ כָּרָאוּי. וְנִזְכֶּה שֶׁיִּהְיֶה לָנוּ תָּמִיד אֶתְרוֹג נָאֶה וְכָשֵׁר וּמְהֻדָּר בְּכָל מִינֵי הִדּוּר, בְּתַכְלִית הַשְּׁלֵמוּת וְהַהִדּוּר.

וּתְגַלֶּה פְּאֵר הַדְרַת קְדֻשַּׁת עַמְּךָ יִשְׂרָאֵל בָּעוֹלָם, וּבִפְרָט פְּאֵר הַדְרַת יְפִי קְדֻשַּׁת הַצַּדִּיקִים וְהַכְּשֵׁרִים הָאֲמִתִּיִּים.

עַד אֲשֶׁר יִשְׁתּוֹקְקוּ וְיִכְסְפוּ כָּל בָּאֵי עוֹלָם לִכְלֹל בָּהֶם, לְהִכָּלֵל בִּשְׁמָם וְתִפְאַרְתָּם. וְיָשׁוּבוּ כָּל בָּאֵי עוֹלָם לֵילֵךְ בְּדַרְכֵיהֶם לַעֲשׂוֹת רְצוֹנְךָ בֶּאֱמֶת כָּל יְמֵיהֶם לְעוֹלָם.

רִבּוֹנוֹ שֶׁל עוֹלָם, מַלְכֵּנוּ וֵאלֹהֵינוּ, מַלֵּא מִשְׁאֲלוֹתֵינוּ בְּרַחֲמִים, וְזַכֵּנוּ לָבוֹא לְכָל מַה שֶּׁבִּקַּשְׁנוּ מִלְּפָנֶיךָ, בְּאֹפֶן

Heaven forbid—not over our bodies, not over our souls, and not over our possessions. Instead, may we always be subsumed into the bright lights that are subsumed into Your holy Name.

For the Etrog and the Four Species

The Beautiful Etrog

Help us keep the mitzvah of the *etrog* and the Four Species perfectly in its time, as is proper. May we always have a beautiful, kosher, lovely *etrog* that exhibits every type of beauty with ultimate perfection and loveliness.

Reveal the beautiful glory of the holiness of Your nation, the Jewish people—in particular, the beautiful, magnificent loveliness of the holiness of the Tzaddikim and truly worthy people.

May everyone in the world yearn and pine to be subsumed into them, to be subsumed into their name and beauty. May all those who have come into the world walk upon their paths to truly perform Your will all of their days, forever.

Master of the world, our King and our God, compassionately fulfill our requests. Help us achieve everything that we have asked of You,

שֶׁנִּזְכֶּה לְהִכָּלֵל בֶּאֱמֶת בְּתוֹךְ שִׁמְךָ הַגָּדוֹל וְהַקָּדוֹשׁ לְעוֹלְמֵי עַד וּלְנֵצַח נְצָחִים.

וְיִתְגַּדֵּל וְיִתְקַדֵּשׁ שִׁמְךָ הַגָּדוֹל עַל יָדֵינוּ תָּמִיד, וִיקֻיַּם מִקְרָא שֶׁכָּתוּב: "וְיִירְאוּ גוֹיִם אֶת שֵׁם יְהֹוָה וְכָל מַלְכֵי הָאָרֶץ אֶת כְּבוֹדֶךָ.

יְהִי שֵׁם יְהֹוָה מְבֹרָךְ מֵעַתָּה וְעַד עוֹלָם.

עָזְרֵנוּ אֱלֹהֵי יִשְׁעֵנוּ עַל דְּבַר כְּבוֹד שְׁמֶךָ, וְהַצִּילֵנוּ וְכַפֵּר עַל חַטֹּאתֵינוּ לְמַעַן שְׁמֶךָ.

בָּרוּךְ יְהֹוָה אֱלֹהִים אֱלֹהֵי יִשְׂרָאֵל עֹשֵׂה נִפְלָאוֹת לְבַדּוֹ, וּבָרוּךְ שֵׁם כְּבוֹדוֹ לְעוֹלָם, וְיִמָּלֵא כְבוֹדוֹ אֶת כָּל הָאָרֶץ אָמֵן וְאָמֵן":

so that we will truly be subsumed into Your great and holy Name forever and ever.

May we always magnify and sanctify Your great Name. May the verse be realized, "Nations will fear the Name of HaShem, and all kings of the earth Your glory."

"May the Name of HaShem be blessed from now and forever."

"Help us, God of our salvation, on account of the honor of Your Name. Rescue us and grant atonement for our sins, for the sake of Your Name."

"Blessed is HaShem, God, God of Israel, Who alone does wonders. And blessed is the Name of His glory forever, and may His glory fill the entire earth. Amen and amen."

34 (II, 71)

Wisdom Resides in the Land of Israel / The Consciousness of the Rest of the World is Flawed / Those Who Reside in the King's Palace Give the Honor They Receive to Him / Giving Charity Creates a Vessel to Receive Supernal Pleasantness / The Consciousness of the Rest of the World Receives its Rectification from Supernal Pleasantness / If the Consciousness of the World is Seriously Damaged, it Harms the Supernal Pleasantness and Brings Dispute into the Land of Israel

The essence of consciousness and wisdom resides in the Land of Israel. Because every Jew has a portion in the Land of Israel, every Jew can partake of its consciousness. The consciousness of the Land of Israel is called "pleasantness."

There is also a flawed consciousness, associated with the rest of the world. That receives its energy from the consciousness of the Land of Israel. But it is flawed, because it is linked to a flaw in the revelation of God's honor. As a result, people are not in alignment with each other, and disputes break out. This consciousness is called "wounding."

That being the case, dispute should exist only in the rest of the world. Why, then, do we see dispute in the Land of Israel as well? The answer is as follows.

The consciousness of the rest of the world seeks rectification. It can receive that rectification only from the supernal pleasantness associated with the Land of Israel.

God created the world in order to reveal His honor. God brought His honor into the world in ten portions. The vehicle for each portion was one of the Ten Divine Statements with which He created the world.[4] That honor is revealed by the supernal pleasantness.

Only select people who reside in the King's palace can experience a revelation of God's honor. When they are given some measure of honor, they do not keep it for themselves, but raise it entirely to God so that His honor will grow. And they know which of the Ten Statements that revelation of honor is associated with.

And that rectifies the world.

More generally, the essence of God's honor is revealed by decent human beings. The more such people exist, the more God's honor is increased.

---

4 The Ten Statements correspond to the verses in the first chapter of Genesis that begin with the words, "And God said..." The first Statement, known as the Concealed Statement, is the first verse itself: "In the beginning, God created the Heaven and the earth."

In order to receive God's supernal pleasantness, which is always flowing, we need a vessel. We create that vessel when we give charity. This opens the generous pathways of the heart and makes the heart into a vessel to receive from the supernal pleasantness—in particular, to receive the "flames of love."

When that happens and the supernal pleasantness—associated with the consciousness of the Land of Israel—finds a vessel here below in which to gather, the flawed consciousness of the rest of the world seeks its rectification by falling upon it.

However, if the consciousness of the rest of the world is seriously damaged, it cannot be rectified. Then, to the contrary, it harms the consciousness of the Land of Israel, causing discord and dispute in the Land of Israel.

"חֲבָלִים נָפְלוּ לִי בַּנְּעִימִים אַף נַחֲלָת שָׁפְרָה עָלָי".

רִבּוֹנוֹ שֶׁל עוֹלָם, מוֹדֶה אֲנִי לְפָנֶיךָ יְהוָֹה אֱלֹהַי וֵאלֹהֵי אֲבוֹתַי עַל כָּל הַחֶסֶד אֲשֶׁר עָשִׂיתָ עִמָּדִי, וַאֲשֶׁר אַתָּה עָתִיד לַעֲשׂוֹת עִמִּי וְעִם כָּל בְּנֵי בֵיתִי וְעִם כָּל בְּרִיּוֹתֶיךָ בְּנֵי בְרִיתִי.

"בַּמָּה אֲקַדֵּם יְהוָֹה אִכַּף לֵאלֹהֵי מָרוֹם, מָה אֲדַבֵּר וְאָמַר לִי וְהוּא עָשָׂה, אֶדַּדֶּה כָל שְׁנוֹתַי עַל מַר נַפְשִׁי.

כִּי צִדְקָתְךָ אֱלֹהִים עַד מָרוֹם אֲשֶׁר עָשִׂיתָ גְדוֹלוֹת אֱלֹהִים מִי כָמוֹךָ, אֲשֶׁר הִרְאִיתַנִי צָרוֹת רַבּוֹת וְרָעוֹת תָּשׁוּב תְּחַיֵּינִי וּמִתְּהֹמוֹת הָאָרֶץ תָּשׁוּב תַּעֲלֵנִי".

רִבּוֹנוֹ שֶׁל עוֹלָם, הַגּוֹמֵל לַחַיָּבִים טוֹבוֹת, אֲשֶׁר גְּמָלַנִי כָּל טוֹב.

אַתָּה לְבַד יָדַעְתָּ אֶת כָּל הַחֲסָדִים וְהַטּוֹבוֹת נִפְלָאוֹת וְנוֹרָאוֹת, אֲשֶׁר עָשִׂיתָ עִמִּי מֵעוֹדִי עַד הַיּוֹם הַזֶּה.

אִלּוּ כָּל הַיַּמִּים דְּיוֹ וְכָל אֲגַמִּים קוֹלְמוֹסִין וְכוּ' אִי אֶפְשָׁר

Our Infinite Gratitude

"**P**ortions have fallen to me in pleasant places. Indeed, the inheritance is pleasing to me."

Master of the world, HaShem my God and God of my fathers, thank You for all of the kindness that You have shown me, and that You will show me and my entire family and all of Your people who are part of the same covenant as I.

"With what will I come before God? How will I bow before the most exalted God?" "What shall I say? He has spoken and acted. In the bitterness of my spirit, I cause my sleep to flee."

"God, Your charity exists in the heights. You do great things. Who is like You, God? You Who have shown me many evil troubles, revive me and raise me back up from the depths of the earth."

Master of the world, You Who repay those who are guilty with good, You have repaid me only with good.

You alone know all of the marvelous, awesome kindnesses and favors that You have done for me from my beginning until this day.

If all of the seas were ink and all of the pools quills, it would still be impossible to describe or

לְבָאֵר וּלְסַפֵּר אַחַת מִנִּי אֶלֶף וּרְבָבָה מֵרִבּוּי הַטּוֹבוֹת הָאֲמִתִּיּוֹת וְהַנִּצְחִיּוֹת לְדוֹרֵי דוֹרוֹת, אֲשֶׁר הִפְלֵאתָ לַעֲשׂוֹת עִם שְׁפַל אֲנָשִׁים כָּמוֹנִי.

וַאֲשֶׁר אַתָּה עוֹשֶׂה עֲדַיִן עִמִּי בְּכָל יוֹם וּבְכָל עֵת וּבְכָל שָׁעָה, אֲשֶׁר זִכִּיתַנִי לִהְיוֹת מִזֶּרַע יִשְׂרָאֵל עֲבָדֶיךָ, הַמֻּבְחָרִים מִכָּל הָעַמִּים וּמְרוֹמָמִים מִכָּל הַלְּשׁוֹנוֹת.

וְנוֹסָף לָזֶה, הִצַּלְתַּנִי בְּרַחֲמֶיךָ מִלֵּילֵךְ בַּעֲצַת רְשָׁעִים וּמִלֵּישֵׁב בְּמוֹשַׁב לֵצִים, וּמִלַּעֲמֹד בְּדֶרֶךְ חַטָּאִים.

וְהִגְדַּלְתָּ רַחֲמֶיךָ וַחֲנִינוּתֶיךָ עָלַי, לְהַרְגִּילֵנִי בְּתוֹרָתֶךָ, וּלְהִתְקָרֵב לְצַדִּיקֶיךָ וְלִירֵאֶיךָ הַנִּלְוִים אֲלֵיהֶם, הַתְּמִימִים וְהַיְשָׁרִים בְּלִבּוֹתָם.

"רַבּוֹת עָשִׂיתָ אַתָּה יְהֹוָה אֱלֹהַי, נִפְלְאוֹתֶיךָ וּמַחְשְׁבוֹתֶיךָ אֵלֵינוּ, אֵין עֲרֹךְ אֵלֶיךָ אַגִּידָה וַאֲדַבֵּרָה עָצְמוּ מִסַּפֵּר".

אַתָּה גְמַלְתַּנִי הַטּוֹבוֹת בְּכָל עֵת וּבְכָל שָׁעָה, וַאֲנִי גְמַלְתִּיךָ

relate a thousandth or even a ten-thousandth of the multitude of true and eternal favors to all generations that You have performed so wondrously for a person as lowly as I am.

You do so every day, every hour and every moment. You have granted me the privilege of being of the children of Israel, Your servants, who were chosen from all of the nations and elevated above all other peoples.

In addition to this, You compassionately rescued me so that I would not walk in the counsel of the wicked, sit in the company of scorners, or stand in the path of sinners.

You have increased Your compassion and graciousness to me by making me familiar with Your Torah and bringing me close to Your Tzaddikim and those God-fearing people who are attached to them—people who are straightforward and whose hearts are upright.

"You have done much, HaShem my God. Your wonders and thoughts are for our sake. No one compares with You. I would tell and speak them, but they are too many to relate."

You have recompensed me with favors at every hour and moment. Although I have paid

הָרָעָה. וּבְכָל זֹאת לֹא עָזַבְתָּ חַסְדְּךָ מֵעִמִּי, וְאַתָּה חוֹשֵׁב מֵרָחוֹק בְּכָל עֵת לְהֵטִיב אַחֲרִיתִי וּלְהָשִׁיב אֶת שְׁבוּתִי.

וַאֲפִלּוּ בְּעֵת נְפִילָתִי וִירִידָתִי חַס וְשָׁלוֹם עַל יְדֵי מַעֲשַׂי שֶׁאֵינָם הֲגוּנִים חָלִילָה, אַף עַל פִּי כֵן אַתָּה מַפְלִיא עִמִּי פְּלָאוֹת גְּדוֹלוֹת וְנוֹרָאוֹת, לְחַזְּקֵנִי וּלְאַמְּצֵנִי וּלְחַיּוֹתֵנִי בְּכָל עֵת לְבִלְתִּי לִפֹּל לְגַמְרֵי חַס וְשָׁלוֹם.

כַּאֲשֶׁר אַתָּה לְבַד יוֹדֵעַ כָּל מַה שֶּׁעָבַר עָלַי מִנְּעוּרַי עַד הַיּוֹם הַזֶּה, "יְהֹוָה אֱלֹהִים אַתָּה יָדָעְתָּ".

וְעַתָּה אֲשֶׁר בָּאתִי לְפָנֶיךָ, לָשֵׂאת רֹאשִׁי וּפְנִימִיּוּת דַּעְתִּי וּצְפוּן לִבִּי לְצַפּוֹת לְרַחֲמֶיךָ מָלֵא רַחֲמִים, מַצְמִיחַ קֶרֶן יְשׁוּעָה, מַצְמִיחַ קֶרֶן יְשׁוּעָה, מִי כָמוֹךָ בַּעַל גְּבוּרוֹת וּמִי דּוֹמֶה לָּךְ מֶלֶךְ מֵמִית וּמְחַיֶּה וּמַצְמִיחַ יְשׁוּעָה.

אָבִי שֶׁבַּשָּׁמַיִם, מָרוֹם וְקָדוֹשׁ, פּוֹעֵל גְּבוּרוֹת, עוֹשֶׂה חֲדָשׁוֹת, בַּעַל מִלְחָמוֹת, זוֹרֵעַ צְדָקוֹת, מַצְמִיחַ יְשׁוּעוֹת.

You back with evil, You have not deprived me of Your kindness. Instead, from a distance, You constantly think how to ultimately benefit me and bring me back.

Even when I have fallen and descended, Heaven forbid, because of my improper deeds, Heaven forbid, You perform wonders on my behalf—great and awesome wonders to constantly strengthen, support and revive me so that I will not fall completely, Heaven forbid.

You alone know everything that I have gone through since my youth until this day. "HaShem God, You have known."

Now I have come to You. I raise my head, my inner consciousness and the hidden part of my heart to look hopefully toward Your compassion. You are filled with compassion. You cause the horn of salvation to blossom. You cause the horn of salvation to blossom. Who is like You, mighty Master? Who can compare with You, King Who kills and revives, and Who causes salvation to blossom?

You are my elevated and holy Father in Heaven. You perform mighty deeds and create new things. You are the Master of wars, planting righteousness and causing salvation to blossom.

עָזְרֵנִי בְּרַחֲמֶיךָ הָרַבִּים, וְזַכֵּנִי לְמֹחִין דִּקְדֻשָּׁה לְמֹחִין זַכִּים וּטְהוֹרִים, לְמֹחִין יִשְׂרְאֵלִיִּים לְמֹחִין שֶׁל אֶרֶץ יִשְׂרָאֵל, הַצִּילֵנִי מִמֹּחִין פְּגוּמִים, מִמֹּחִין שֶׁל חוּץ־לָאָרֶץ, חָנֵּנִי מֵאִתְּךָ חָכְמָה בִּינָה וָדַעַת דִּקְדֻשָּׁה.

וְזַכֵּנִי בְּרַחֲמֶיךָ הָרַבִּים וְעָזְרֵנִי וְהוֹשִׁיעֵנִי שֶׁאֶזְכֶּה לֵילֵךְ וְלִנְסֹעַ וְלָבֹא מְהֵרָה לְאֶרֶץ יִשְׂרָאֵל, לְאֶרֶץ הַקְּדוֹשָׁה, לְאֶרֶץ הַחַיִּים, אֲשֶׁר שָׁם עִקַּר הַדַּעַת וְהַשֵּׂכֶל וְהַמֹּחַ וְהַחָכְמָה דִּקְדֻשָּׁה.

הַעֲלֵנִי מְהֵרָה מִחוּץ לָאָרֶץ לְאֶרֶץ יִשְׂרָאֵל. עֲשֵׂה עִמִּי פְּלָאוֹת כְּנָאֶה לְךָ וְלַאֲבוֹתֵינוּ וּלְרַבּוֹתֵינוּ הַקְּדוֹשִׁים, לֹא כְּמַעֲשֵׂי הָרָעִים, כִּי אַתָּה עֹשֶׂה צְדָקוֹת עִם כָּל בָּשָׂר וְרוּחַ, לֹא כְרָעוֹתַי תִּגְמְלֵנִי.

זַכֵּנִי וְעָזְרֵנִי שֶׁאֶזְכֶּה בְּחַיַּי לְתַקֵּן פְּגַם הַכָּבוֹד, אֲשֶׁר פָּגַמְתִּי בִּכְבוֹדְךָ הַרְבֵּה מְאֹד עַל יְדֵי תַאֲוֹתַי הָרָעוֹת.

Reaching the Land of Israel

In Your vast compassion, help me attain holy, refined and pure consciousness, Jewish consciousness, consciousness that is associated with the Land of Israel. Rescue me from damaged consciousness, from consciousness associated with the rest of the world. Be gracious and give me holy wisdom, understanding and knowledge.

In Your vast compassion, help me and save me so that I will travel and quickly reach the Land of Israel, the land of holiness, the land of life, the site of the essence of holy consciousness, intelligence, awareness and wisdom.

Bring me swiftly from the Diaspora to the Land of Israel. Perform wonders for me, as is fitting for You (and as is fitting for our forefathers and holy rabbis)—not in accordance with my evil deeds, because You perform righteousness with all flesh and spirit. Do not repay me in accordance with my evil.

Repairing the Damage to God's Honor

Refine me and help me so that in my lifetime, I will rectify the great damage to Your honor that I brought about with my evil lusts.

אֲשֶׁר בָּאתִי עַל יָדָם לְכָל הַחֲטָאִים וְהָעֲוונוֹת וְהַפְּשָׁעִים, שֶׁחָטָאתִי וְשֶׁעָוִיתִי וְשֶׁפָּשַׁעְתִּי לְפָנֶיךָ מִנְּעוּרַי עַד הַיּוֹם הַזֶּה, וְהָרַע בְּעֵינֶיךָ עָשִׂיתִי.

אֲשֶׁר עַל יְדֵי כָּל חֵטְא וְעָוֹן וּפְגָם פָּגַמְתִּי הַרְבֵּה בִּכְבוֹדְךָ הַגָּדוֹל וְהַקָּדוֹשׁ, אֲשֶׁר עַל יְדֵי זֶה נִפְגַּם מֹחִי בִּבְחִינַת מֹחִין שֶׁל חוּץ לָאָרֶץ, וְנִתְרַחַקְתִּי מִקְּדֻשַּׁת הַמֹּחִין שֶׁל אֶרֶץ יִשְׂרָאֵל כְּמוֹ שֶׁנִּתְרַחַקְתִּי בַּעֲווֹנוֹתַי הָרַבִּים.

רִבּוֹנוֹ שֶׁל עוֹלָם, מֶלֶךְ הַכָּבוֹד סֶלָה, אֲשֶׁר בָּרָאתָ כָּל הָעוֹלָם בַּעֲשָׂרָה מַאֲמָרוֹת בִּשְׁבִיל כְּבוֹדֶךָ, כְּדֵי שֶׁיִּתְגַּלֶּה וְיִתְגַּדֵּל וְיִתְפָּאֵר וְיִתְרוֹמֵם וְיִתְנַשֵּׂא כְּבוֹדְךָ הַגָּדוֹל וְהַקָּדוֹשׁ בָּעוֹלָם.

אֲשֶׁר זֶה תַּכְלִית וְשֹׁרֶשׁ כָּל הַבְּרִיאָה כֻּלָּהּ, כְּמוֹ שֶׁכָּתוּב: "כֹּל הַנִּקְרָא בִשְׁמִי וְלִכְבוֹדִי בְּרָאתִיו יְצַרְתִּיו אַף עֲשִׂיתִיו".

זַכֵּנִי בְּרַחֲמֶיךָ לְתַקֵּן פְּגַם הַכָּבוֹד חִישׁ קַל מְהֵרָה, וְעָזְרֵנִי

Because of them, I committed all of my transgressions, sins and offenses before You, from my youth until today, doing that which is evil in Your eyes.

As a result of my every transgression, sin and blemish, which damaged Your great and holy honor so deplorably, my consciousness was blemished so as to be on the level of the consciousness associated with the Diaspora. Because of my many sins, I was deeply distanced from the holy consciousness associated with the Land of Israel.

Master of the world, King of glory forever, You created the entire universe with Ten Statements for the sake of Your honor, so that Your great and holy glory would be revealed, magnified, beautified, elevated and uplifted in the world.

That is the purpose and essence of all Creation. As the verse states, "Everything that is called in My Name and for My honor, I created it, I formed it, indeed, I made it."

In Your compassion, help me rectify the damage to Your honor quickly, swiftly and speedily. Help me and save me in Your vast

וְהוֹשִׁיעֵנִי בְּרַחֲמֶיךָ הָרַבִּים, שֶׁאֶהְיֶה בּוֹרֵחַ מִן הַכָּבוֹד תָּמִיד בֶּאֱמֶת בְּלִי שׁוּם עָרְמָה וּמִרְמָה.

וּבְכָל עֵת שֶׁאַתָּה בְּרַחֲמֶיךָ תִּשְׁלַח לִי אֵיזֶה כָּבוֹד כִּרְצוֹנְךָ הַטּוֹב, תַּעַזְרֵנִי וְתוֹשִׁיעֵנִי וְתִתֶּן לִי כֹּחַ וּגְבוּרָה לְהִתְגַּבֵּר בְּכָל עֹז שֶׁלֹּא אֲקַבֵּל הַכָּבוֹד בִּשְׁבִיל עַצְמִי כְּלָל.

וְלֹא אֵהָנֶה מִן הַכָּבוֹד כְּלָל, וְלֹא אֶשְׁתַּמֵּשׁ חַס וְשָׁלוֹם עִם הַכָּבוֹד לְצָרְכִּי וְלַהֲנָאָתִי כְּלָל, רַק אֶזְכֶּה לְהַעֲלוֹת כָּל הַכָּבוֹד לְהַשֵּׁם יִתְבָּרַךְ לְמֶלֶךְ שֶׁהַכָּבוֹד שֶׁלּוֹ, לְהַעֲלוֹת הַכָּבוֹד לְשָׁרְשׁוֹ.

וּבְכָל פַּעַם שֶׁיַּגִּיעַ לִי אֵיזֶה כָּבוֹד, אֶזְכֶּה לֵידַע וּלְהַשִּׂיג מֵאֵיזֶה מַאֲמָר נִתְהַוָּה זֶה הַכָּבוֹד, אֲשֶׁר בִּשְׁבִיל זֶה הַכָּבוֹד הָיָה אוֹתוֹ הַמַּאֲמָר.

וְלֹא אֶשְׁתַּמֵּשׁ עִם הַכָּבוֹד לְצָרְכִּי וְלַהֲנָאָתִי כְּלָל, רַק אֲקַבֵּל הַכָּבוֹד בִּקְדֻשָּׁה וּבְטָהֳרָה כְּדֵי לְגַדֵּל כְּבוֹד הַשֵּׁם יִתְבָּרַךְ לְבַד, כְּדֵי לְקַיֵּם הָעוֹלָם שֶׁנִּבְרָא בַּעֲשָׂרָה מַאֲמָרוֹת בִּשְׁבִיל הַכָּבוֹד.

כְּדֵי שֶׁיָּבֹא הֶאָרָה גְּדוֹלָה וְנִפְלָאָה בְּאוֹתוֹ הַמַּאֲמָר שֶׁנִּתְהַוָּה בִּשְׁבִיל זֶה הַכָּבוֹד אֲשֶׁר אַתָּה מַשְׁפִּיעַ עָלַי. וְיִהְיֶה הַכָּבוֹד

compassion, so that I will always flee from honor without any wiliness or guile.

Every time that You compassionately send me some honor in accordance with Your good will, help me and save me. Give me the might and power to muster all of my strength so that I will not claim any honor for myself.

May I not gain any benefit from honor. May I not use it for my needs or well-being at all, Heaven forbid. Instead, may I raise all honor to HaShem, to the King to Whom all honor is due, and thus raise honor to its root.

Every time that I receive some honor, may I know and understand from which Divine Statement that honor was made—that Statement being meant specifically for that honor.

May I not use honor for my own needs or benefit at all. Rather, may I receive honor with holiness and purity solely to magnify the honor of HaShem, in order to maintain the world that was created with the Ten Statements for the sake of that honor.

May great and wondrous illumination enter that Statement that was created for the sake of the honor that You pour onto me. May my honor

שֶׁלִּי כֻּלּוֹ מַאֲמָר, כְּמוֹ שֶׁכָּתוּב: "וּבְהֵיכָלוֹ כֻּלּוֹ אוֹמֵר כָּבוֹד".

רִבּוֹנוֹ שֶׁל עוֹלָם, תֵּן לִי כֹּחַ לְהִתְגַּבֵּר לִזְכּוֹת לְכָל זֶה, תֵּן לִי כֹּחַ לַעֲמֹד בְּהֵיכַל הַמֶּלֶךְ.

רִבּוֹנוֹ שֶׁל עוֹלָם, אַתָּה יָדַעְתָּ שֶׁבְּכָל דָּבָר שֶׁבִּקְדֻשָּׁה שֶׁאֲנִי מַתְחִיל לְדַבֵּר אֲנִי רָחוֹק מִזֶּה כָּל כָּךְ עַד שֶׁאֵין לִי שׁוּם דֶּרֶךְ וּנְתִיב בְּמֹחִי אֵיךְ לִפְתֹּחַ פִּי לְדַבֵּר מִזֶּה, וּלְרַצּוֹת וּלְפַיֵּס אוֹתְךָ עַל זֶה.

כִּי פָּגַמְתִּי וְקִלְקַלְתִּי הַרְבֵּה מְאֹד, וַאֲנִי רָחוֹק מִמְּךָ וּמִתּוֹרָתְךָ הַקְּדוֹשָׁה וּמִכָּל הַדְּבָרִים שֶׁבִּקְדֻשָּׁה בְּתַכְלִית הָרִחוּק, כִּי יָרַדְתִּי פְּלָאִים וְאֵין עוֹזֵר לִי, וַיִּכְנַע בֶּעָמָל לִבִּי נִכְשַׁלְתִּי וְאֵין עוֹזֵר.

וַאֲפִלּוּ מְעַט הַכֹּחַ שֶׁיֵּשׁ בִּי עֲדַיִן אֵינִי זוֹכֶה לְהַרְגִּישׁוֹ, וּמַחְלִישִׁים דַּעְתִּי בְּכָל עֵת וָרֶגַע, לֹא יִתְּנוּנִי הָשֵׁב רוּחִי.

אָבִי צוּרִי גּוֹאֲלִי וּפוֹדִי, צוֹפֶה וּמַבִּיט עַד סוֹף כָּל הַדּוֹרוֹת, וּכְבוֹדְךָ יִמָּלֵא כָּל הָאָרֶץ, וְאַתָּה גּוֹמֵר תָּמִיד הַכֹּל כִּרְצוֹנְךָ.

be entirely the expression of that Statement, as in the verse, "In His palace, everything makes a statement declaring His honor."

Master of the world, give me the ability to gain the strength to attain all of this. Give me the strength to stand in the King's palace.

Master of the world, You know that I am so far from every holy matter that I begin to speak about that I have no way or path in my mind to open my mouth to say anything about it, or to placate and appease You as I ask You to help me reach it.

I have damaged and spoiled a very great deal. I am so far from You, from Your holy Torah and from all holy matters, with ultimate distance. I have descended shockingly, and there is no one to help me. He subjugated my heart with toil; I have stumbled and there is no one to assist me.

I am not even aware of the little strength that I still possess. My mind grows weaker with every hour and moment, and I am unable to restore my spirit.

My Father, my Maker, my Redeemer and my Deliverer, You gaze and look to the end of all generations. Your glory fills the entire world, and You always bring everything to completion in accordance with Your will.

וּמִיּוֹם בְּרִיאַת אָדָם הָרִאשׁוֹן עַד עַכְשָׁו בְּכָל הַפְּגָמִים וְהַחֲטָאִים וְהָעֲווֹנוֹת וְהַפְּשָׁעִים שֶׁעָשׂוּ הָאָדָם וְתוֹלְדוֹתָיו, וּבְכָל הַכְּעָסִים שֶׁהִכְעִיסוּךָ עַד הַיּוֹם הַזֶּה, בְּכֻלָּם אַתָּה גָּמַרְתָּ תָּמִיד הַכֹּל כִּרְצוֹנְךָ, בְּכָל יוֹם וּבְכָל עֵת וּבְכָל שָׁעָה.

וּמִכָּל שֶׁכֵּן בְּעִנְיַן הַפְּגָמִים וְהַקִּלְקוּלִים שֶׁלִּי, אַף עַל פִּי שֶׁהִרְבֵּיתִי לִפְשֹׁעַ נֶגְדְּךָ מֵעוֹדִי עַד הַיּוֹם הַזֶּה, עִם כָּל זֶה אֲנִי מַאֲמִין בֶּאֱמוּנָה שְׁלֵמָה שֶׁגַּם עַתָּה, אַתָּה גּוֹמֵר תָּמִיד כִּרְצוֹנְךָ.

עַל כֵּן עֲדַיִן גַּם עַתָּה אֲנִי מְקַוֶּה מִמָּקוֹם שֶׁאֲנִי שָׁם עַתָּה, וַאֲנִי מְצַפֶּה לִישׁוּעָה שְׁלֵמָה מֵעַתָּה, שֶׁאֶזְכֶּה לְהַשְׁלִיךְ מִמֶּנִּי הַכֹּל, וְלֵילֵךְ וְלִנְסֹעַ לְאֶרֶץ יִשְׂרָאֵל לָאֶרֶץ הַקְּדוֹשָׁה, וְלָבֹא לְשָׁם מְהֵרָה.

לְהַכִּיר שָׁם גְּדֻלַּת הַבּוֹרֵא יִתְבָּרַךְ, וּגְדֻלַּת הַצַּדִּיקִים הָאֲמִתִּיִּים אֲשֶׁר עַל יָדָם יוֹדְעִים גְּדֻלָּתְךָ תִּתְבָּרַךְ לָנֶצַח.

עַל כֵּן בָּאתִי לְבַקֵּשׁ וְלִקְרֹא אֶל יְהוָה אֵל עוֹלָם, "אֶקְרָא

Since the day of the creation of Adam until today, regarding all of the blemishes, transgressions, sins and offenses that Adam and his offspring have committed and all of the ways that they have angered You until today, You have always brought everything to completion in accordance with Your will—every day, every hour and every moment.

And this is especially true regarding my own blemishes and flaws. Even though I have offended You a great deal from my beginning until this day, I believe with complete faith that even now, You bring everything to completion in accordance with Your will.

Therefore, even now, from the place where I am at now, I hope and look forward to complete salvation from now on. May I cast everything away from me and travel to the Land of Israel, the Holy Land, and arrive there quickly.

There may I recognize the greatness of the Creator and the greatness of the true Tzaddikim through whom we know Your greatness, may You be blessed forever.

Therefore, I have come to seek and call out to HaShem, Eternal God. "I will call out to the

לֵאלֹהִים עֶלְיוֹן לָאֵל גֹּמֵר עָלָי, יִשְׁלַח מִשָּׁמַיִם וְיוֹשִׁיעֵנִי חֵרֵף שׁוֹאֲפִי סֶלָה יִשְׁלַח אֱלֹהִים חַסְדּוֹ וַאֲמִתּוֹ".

וְיַעַזְרֵנִי וְיוֹשִׁיעֵנִי וִיחַזֵּק אֶת לְבָבִי שֶׁאֶזְכֶּה לְהִשְׁתּוֹקֵק וּלְהִתְגַּעְגֵּעַ וְלִכְסֹף בֶּאֱמֶת לָזֶה, לָבוֹא לְאֶרֶץ יִשְׂרָאֵל מְהֵרָה.

וְאֶזְכֶּה לַעֲסֹק בְּכָל הָעֲסָקִים הַצְּרִיכִים לְעִנְיַן נְסִיעָה זֹאת, עַד שֶׁאֶזְכֶּה לָבוֹא מְהֵרָה לָאָרֶץ הַקְּדוֹשָׁה, אֶרֶץ יִשְׂרָאֵל, אֶרֶץ הַחַיִּים, אֶרֶץ צְבִי לְכָל הָאֲרָצוֹת.

אֶרֶץ חֶמְדָּה טוֹבָה וּרְחָבָה שֶׁרָצִיתָ וְהִנְחַלְתָּ לַאֲבוֹתֵינוּ, אֶרֶץ אֲשֶׁר אַתָּה דוֹרֵשׁ אוֹתָהּ תָּמִיד, אֶרֶץ אֲשֶׁר מֹשֶׁה רַבֵּנוּ עָלָיו הַשָּׁלוֹם הִתְפַּלֵּל תקט"ו [חֲמֵשׁ מֵאוֹת וַחֲמֵשׁ עֶשְׂרֵה] תְּפִלּוֹת לָבוֹא לְשָׁם.

וְתַעַזְרֵנִי וּתְזַכֵּנִי וְתוֹשִׁיעֵנִי לְהַמְשִׁיךְ עָלַי שָׁם הַמֹּחִין הַקְּדוֹשִׁים, מֹחִין שֶׁל אֶרֶץ יִשְׂרָאֵל בֶּאֱמֶת. וְתַחֲזִירֵנִי בִּתְשׁוּבָה שְׁלֵמָה לְפָנֶיךָ בֶּאֱמֶת.

וְתִהְיֶה בְּעֶזְרִי וְתוֹשִׁיעֵנִי שֶׁאֶזְכֶּה לְתַקֵּן בְּחַיַּי מְהֵרָה פְּגַם

supernal God, to God Who completes [what He promised] for me. He will send forth from Heaven and save me from the disgrace of the person who hopes to swallow me up forever. God will send His lovingkindness and His truth."

May He help me, save me and strengthen my heart so that I will truly yearn, pine and long to come quickly to the Land of Israel.

May I engage in all of the actions necessary to make this journey, until I come soon to the Holy Land, the Land of Israel, the land of life, the most beautiful of all lands.

It is the beloved, good and expansive land that You favored and bequeathed to our forefathers, the land that You seek out always, the land that Moses prayed 515 times to reach.[5]

Help me, grant me merit and save me, so that over there, I will truly draw holy consciousness onto myself—the consciousness of the Land of Israel. Truly bring me back to You in complete repentance.

Help me and save me so that in my lifetime, I will soon rectify Your blemished honor. May

---

5   *Yalkut Shimoni, Devarim* 940.

הַכָּבוֹד, וִיתֻקְּנוּ כָּל הַפְּגָמִים שֶׁפָּגַמְתִּי בִּכְבוֹדְךָ הַגָּדוֹל מֵעוֹדִי עַד הַיּוֹם הַזֶּה.

וְאֶזְכֶּה מֵעַתָּה לְגַדֵּל כְּבוֹדְךָ בָּעוֹלָם, לְהוֹדִיעַ לִבְנֵי הָאָדָם גְּבוּרוֹתֶיךָ וּכְבוֹד הֲדַר מַלְכוּתֶךָ, וְלֹא אַחֲזִיק טוֹבָה לְעַצְמִי כִּי לְכָךְ נוֹצָרְתִּי.

וּבְכֵן תְּרַחֵם עָלַי וְתוֹשִׁיעֵנִי וּתְזַכֵּנִי לִתֵּן צְדָקָה הַרְבֵּה וּבִפְרָט לְאֶרֶץ יִשְׂרָאֵל. וְאֶזְכֶּה לַעֲסֹק תָּמִיד בִּצְדָקָה וּגְמִילוּת חֲסָדִים וּבִפְרָט בִּצְדָקָה שֶׁל אֶרֶץ יִשְׂרָאֵל.

הֵן לְפַזֵּר מִשֶּׁלִּי יוֹתֵר מִכֹּחִי לִשְׁלֹחַ לְאֶרֶץ יִשְׂרָאֵל, וְהֵן לַעֲסֹק הַרְבֵּה בֶּאֱמֶת לְקַבֵּץ עַל יַד נְדָבוֹת הַרְבֵּה לְאֶרֶץ יִשְׂרָאֵל, לְהַחֲזִיק יְדֵי עֲנִיִּים הֲגוּנִים הַדָּרִים בְּאֶרֶץ יִשְׂרָאֵל בְּעֵרֹם וּבְחֹסֶר כֹּל, וּבְבֵיתָם אֵין לֶחֶם וְשִׂמְלָה.

רִבּוֹנוֹ שֶׁל עוֹלָם אַתָּה יוֹדֵעַ גֹּדֶל דָּחְקָם וְצָרָתָם, אֲשֶׁר הֵמָּה מַמָּשׁ נְפוּחֵי רָעָב, "צָפַד עוֹרָם עַל עַצְמָם, יָבֵשׁ הָיָה כָעֵץ".

all of the blemishes that I caused to Your great honor, from my beginning until this day, be rectified.

May I magnify Your honor in the world from now on by telling people of Your might and the glorious beauty of Your sovereignty. May I take no credit for doing so, because it is for this that I was created.

Giving Charity on Behalf of the Land of Israel

Have compassion on me, save me and help me give a great deal of charity—in particular, on behalf of the Land of Israel. May I always engage in charity and kind deeds—in particular, charity for the Land of Israel.

This may involve donating my own money beyond my means for the Land of Israel, or working assiduously to raise many donations for the Land of Israel to support the worthy poor who live there in utter poverty, lacking all things, without bread or clothing in their homes.

Master of the world, You know their great affliction and suffering. They are literally bloated from hunger. "Their skin is shriveled on their bones, as dry as wood."

מָלֵא רַחֲמִים חוֹמֵל דַּלִּים, רַחֵם עֲלֵיהֶם וְעָלֵינוּ, וְזַכֵּנוּ לַעֲסֹק הַרְבֵּה בִּצְדָקוֹת אֶרֶץ יִשְׂרָאֵל בֶּאֱמֶת לַאֲמִתּוֹ בְּלִי שׁוּם פְּנִיָּה וּמַחֲשָׁבָה זָרָה שֶׁל כְּבוֹד עַצְמֵנוּ כְּלָל.

וְתַעֲזֹר לָנוּ וְתוֹשִׁיעֵנוּ בְּאֹפֶן שֶׁנִּזְכֶּה לְהַחֲזִיק יְדֵי הָאֶבְיוֹנִים הָאֻמְלָלִים, הָעֲנִיִּים הַהֲגוּנִים הַדָּרִים עַל אַדְמַת הַקֹּדֶשׁ בְּאֶרֶץ יִשְׂרָאֵל.

וְעַל יְדֵי זֶה נִזְכֶּה שֶׁיִּהְיֶה נִפְתָּח שְׁבִילִין דְּלִבֵּנוּ לְקַבֵּל שַׁלְהוּבִין דִּרְחִימוּתָא דִקְדֻשָּׁה, לִבְעֹר וּלְהִתְלַהֵב וּלְהִשְׁתּוֹקֵק אֵלֶיךָ בְּאַהֲבָה גְדוֹלָה וּבְחֵשֶׁק נִמְרָץ.

וְאֶזְכֶּה עַל יְדֵי הַצְּדָקָה לַעֲשׂוֹת כְּלִי לְקַבֵּל הַשְׁפָּעַת הַנֹּעַם הָעֶלְיוֹן בִּקְדֻשָּׁה וּבְטָהֳרָה גְדוֹלָה, עַד שֶׁאֶזְכֶּה לְהַרְגִּישׁ הַנְּעִימוּת וְהַמְּתִיקוּת הַנִּפְלָא שֶׁיֵּשׁ בְּתוֹרָתְךָ הַקְּדוֹשָׁה.

עַד שֶׁיִּתְבַּטְּלוּ אֶצְלִי כָּל הַתַּאֲוֹת, בִּפְרָט תַּאֲוַת הַמִּשְׁגָּל וְאַהֲבַת נָשִׁים, הַכֹּל יִתְבַּטֵּל מִמֶּנִּי עַל יְדֵי הָאַהֲבָה דִקְדֻשָּׁה

You Who are filled with compassion, You Who have mercy on the poor, have compassion on them and on us. Help us engage a great deal in charity for the Land of Israel in ultimate truth, without any ulterior motives or extraneous thoughts of self-aggrandizement at all.

Help us and save us so that we will strengthen the hands of the wretched poor, the worthy impoverished people who dwell in the Holy Land, the Land of Israel.

As a result of our doing so, may the pathways of our heart be opened to receive the flames of holy love, so that our heart will burn fervently and yearn for You with great love and intense desire.

As a result of this charity, may I form a vessel to receive the abundance of supernal pleasantness with great holiness and purity, until I feel the pleasantness and wondrous sweetness of Your holy Torah.

Eradicating Lusts

May all of my lusts be eradicated—in particular, the lust for sexual relations and the love of women. May it all be nullified by means of the love of holiness that You will grant me,

שֶׁתְּזַכֵּנִי בְּרַחֲמֶיךָ הָרַבִּים הַנִּמְשֶׁכֶת מִנֹּעַם הָעֶלְיוֹן.

"וִיהִי נֹעַם יְהֹוָה אֱלֹהֵינוּ עָלֵינוּ, וּמַעֲשֵׂה יָדֵינוּ כּוֹנְנָה עָלֵינוּ, וּמַעֲשֵׂה יָדֵינוּ כּוֹנְנֵהוּ.

אַחַת שָׁאַלְתִּי מֵאֵת יְהֹוָה אוֹתָהּ אֲבַקֵּשׁ, שִׁבְתִּי בְּבֵית יְהֹוָה כָּל יְמֵי חַיַּי לַחֲזוֹת בְּנוֹעַם יְהֹוָה וּלְבַקֵּר בְּהֵיכָלוֹ".

וּתְזַכֵּנוּ אוֹתִי וְאֶת זַרְעִי וְכָל עַמְּךָ בֵּית יִשְׂרָאֵל, שֶׁיֵּצְאוּ מֵאִתָּנוּ דּוֹרוֹת רַבִּים, וְיִתְרַבּוּ עַמְּךָ "יִשְׂרָאֵל כְּחוֹל הַיָּם אֲשֶׁר לֹא יִמַּד וְלֹא יִסָּפֵר מֵרֹב".

וּתְרַחֵם עָלֵינוּ וְתָגֵן בַּעֲדֵנוּ וְתִשְׁמְרֵנוּ וּתְזַכֵּנוּ שֶׁיִּהְיֶה זִוּוּגֵנוּ בִּקְדֻשָּׁה וּבְטָהֳרָה גְּדוֹלָה. וְתִהְיֶה בְּעֶזְרֵנוּ וְתַצִּילֵנוּ, שֶׁלֹּא יִהְיֶה הִתְעוֹרְרוּת זִוּוּגֵנוּ מֵאַהֲבוֹת רָעוֹת מֵאַהֲבוֹת הַנְּפוּלִים חַס וְשָׁלוֹם.

רַק כָּל הִתְעוֹרְרוּת זִוּוּגֵנוּ יִהְיֶה נִמְשָׁךְ מֵהַשְׁפָּעַת הַנֹּעַם הָעֶלְיוֹן, מֵהָאַהֲבָה הַקְּדוֹשָׁה הַנִּמְשֶׁכֶת מִשָּׁם עַל יְדֵי הַכְּלִי שֶׁל צְדָקָה.

in Your vast compassion, which is drawn from supernal pleasantness.

"May the pleasantness of HaShem our God be upon us. May He establish the work of our hands for us, and may He establish the work of our hands."

"One thing have I asked of HaShem, that which I seek: May I sit in the House of HaShem all of the days of my life, to gaze upon the pleasantness of HaShem and visit in His palace."

Help me, my children, and Your entire nation, the House of Israel, so that we will parent many generations. May Your nation, the Jewish people, increase "like the sand of the sea that cannot be measured or counted," because it is so many.

Have compassion on us. Shield us, guard us and help us so that we will engage in marital relations with great holiness and purity. Help us and rescue us so that our impetus to engage in marital relations will not come from evil love, from fallen love, Heaven forbid.

Rather, may all of our impetus for marital relations be drawn from the abundant flow of supernal pleasantness, from the holy love that comes from that supernal pleasantness by means of the vessel of charity.

וְיִהְיֶה זִוּוּגֵנוּ בִּקְדֻשָּׁה גְדוֹלָה וּבִצְנִיעוּת גָּדוֹל, בַּעֲנָוָה, בְּאֵימָה, בְּיִרְאָה, בְּרֶתֶת וָזִיעַ.

וְלֹא נְכַוֵּן בִּשְׁבִיל הֲנָאַת גּוּפֵנוּ כְּלָל, רַק כָּל כַּוָּנָתֵנוּ יִהְיֶה לִשְׁמְךָ וְלִכְבוֹדְךָ כְּדֵי לְקַיֵּם מִצְוֹתֶיךָ, כְּדֵי לְהוֹלִיד בָּנִים חַיִּים וְקַיָּמִים לַעֲבוֹדָתְךָ וּלְיִרְאָתֶךָ, לְמַעַן יְגַדְּלוּ כְּבוֹדְךָ בָּעוֹלָם.

וְנִזְכֶּה שֶׁכָּל בָּנֵינוּ וְכָל דּוֹרוֹתֵינוּ יַעַסְקוּ בְּתוֹרָתְךָ וּבְמִצְוֹתֶיךָ, וְיַעֲשׂוּ רְצוֹנְךָ תָּמִיד, וִיגַדְּלוּ וִיפַרְסְמוּ כְבוֹדְךָ בָּעוֹלָם, וְיַשְׁלִימוּ כַּוָּנַת הַבְּרִיאָה אֲשֶׁר הָיְתָה רַק בִּשְׁבִיל זֶה, כְּדֵי לְגַלּוֹת כְּבוֹדְךָ הַגָּדוֹל וְהַקָּדוֹשׁ.

וְעַל יְדֵי כָּל זֶה נִזְכֶּה לְמֹחִין שֶׁל אֶרֶץ יִשְׂרָאֵל שֶׁנִּקְרָאִים נֹעַם, וּלְתַקֵּן כָּל הַמֹּחִין שֶׁל חוּץ לָאָרֶץ שֶׁנִּקְרָאִים חוֹבְלִים.

וְיִכָּלְלוּ הַמֹּחִין שֶׁל חוּץ לָאָרֶץ בְּתוֹךְ הַמֹּחִין שֶׁל אֶרֶץ

May we engage in marital relations with great holiness and modesty, with humility, awe, fear and trembling.

May we not consider the benefit to our body at all. Rather, may our intent be solely for Your Name and honor, in order to fulfill Your mitzvot, in order to parent healthy children who will serve You and fear You, and in so doing increase Your honor in the world.

May all of our children and all of our generations engage in Your Torah and Your mitzvot, and perform Your will always. May we magnify and promulgate Your honor in the world, and complete the purpose of Creation, which was solely to reveal Your great and holy honor.

Attaining the Consciousness of the Land of Israel

As a result of all of this, may we attain the consciousness of the Land of Israel, which is called "pleasantness," and rectify all of the consciousness of the rest of the world, which is called "wounding."

May the consciousness of the rest of the world be subsumed into the consciousness of the

יִשְׂרָאֵל, בְּאֹפֶן שֶׁיִּתְתַּקְּנוּ עַל יְדֵי זֶה, עַד שֶׁיִּהְיוּ כָּל הַמֹּחִין בִּבְחִינוֹת מֹחִין שֶׁל אֶרֶץ יִשְׂרָאֵל. וְעַל יְדֵי זֶה יִהְיֶה נִמְשָׁךְ שָׁלוֹם גָּדוֹל בָּעוֹלָם.

וּבְרַחֲמֶיךָ הָרַבִּים תָּשִׂים שָׁלוֹם עַל עַמְּךָ יִשְׂרָאֵל לְעוֹלָם, וּתְבַטֵּל כָּל מִינֵי מַחֲלֹקֶת מִן הָעוֹלָם.

וְתַעֲלֶה אֶת הַכָּבוֹד מִגָּלוּתוֹ, וְלֹא יִרְדְּפוּ עוֹד אַחַר הַכָּבוֹד, רַק כָּל אֶחָד יִבְרַח מִן הַכָּבוֹד, וִיכַבֵּד כָּל אֶחָד אֶת חֲבֵרוֹ בֶּאֱמֶת בְּאַהֲבָה וְאַחֲוָה וְשָׁלוֹם גָּדוֹל.

וְנִזְכֶּה כֻּלָּנוּ, אֲנַחְנוּ וְכָל חֶבְרָתֵנוּ, וְכָל עַמְּךָ בֵּית יִשְׂרָאֵל לְהַשְׁווֹת דַּעְתֵּנוּ יַחַד. וְתִתֶּן לָנוּ לֵב אֶחָד וְדֶרֶךְ אֶחָד לְיִרְאָה אוֹתְךָ וְלַעֲשׂוֹת רְצוֹנְךָ וְלָשׁוּב אֵלֶיךָ בֶּאֱמֶת לַאֲמִתּוֹ.

וְתַעֲזֹר וְתָגֵן וְתוֹשִׁיעַ לָנוּ וּלְכָל יִשְׂרָאֵל, שֶׁלֹּא יִהְיֶה שׁוּם כֹּחַ לְהַמֹּחִין הַפְּגוּמִים שֶׁל חוּץ לָאָרֶץ לְקַלְקֵל חַס וְשָׁלוֹם אֶת הַמֹּחִין שֶׁל אֶרֶץ יִשְׂרָאֵל, לְהַכְנִיס מַחֲלֹקֶת גַּם בְּאֶרֶץ־יִשְׂרָאֵל חַס וְשָׁלוֹם.

רַק אַדְּרַבָּא תְּזַכֵּנוּ וְתַעַזְרֵנוּ וְתוֹשִׁיעֵנוּ, שֶׁנִּזְכֶּה שֶׁהַמֹּחִין שֶׁל אֶרֶץ־יִשְׂרָאֵל יִתְגַּבְּרוּ וְיִתְחַזְּקוּ וִיתַקְּנוּ בִּשְׁלֵמוּת אֶת הַמֹּחִין

Land of Israel. May the consciousness of the rest of the world be rectified, until all consciousness will be on the level of the consciousness of the Land of Israel. As a result, may great peace be drawn into the world.

In Your vast compassion, grant peace to Your nation, the Jewish people, forever, and nullify every type of dispute from the world.

Raise honor from its exile. May people no longer pursue honor, but flee from it. May everyone truly honor others with love, fraternity and great peace.

May all of us—we, all of our companions, and Your entire nation, the House of Israel—be of one mind. Give us one heart and one path to fear You and do Your will, and return to You in ultimate truth.

Help, shield and save us and the entire Jewish people, so that the blemished consciousness associated with the rest of the world will not be able to damage the consciousness of the Land of Israel, Heaven forbid, by fomenting dispute in the Land of Israel, Heaven forbid.

To the contrary, help us and save us. May the consciousness of the Land of Israel grow mightier and stronger, and completely rectify the

שֶׁל חוּץ לָאָרֶץ, בְּאֹפֶן שֶׁיִּתְהַפְּכוּ כָּל הַמֹּחִין שֶׁל חוּץ לָאָרֶץ לְמֹחִין שֶׁל אֶרֶץ־יִשְׂרָאֵל.

וְיִתְבַּטֵּל כָּל מִינֵי מַחֲלֹקֶת מִן הָעוֹלָם, וְיִתְרַבֶּה שָׁלוֹם גָּדוֹל בָּעוֹלָם. וְיִהְיֶה שָׁלוֹם גָּדוֹל בֵּין כָּל אָדָם לַחֲבֵרוֹ וּבֵין אִישׁ לְאִשְׁתּוֹ, וּבִפְרָט בֵּין הַחֲבֵרִים הַחֲפֵצִים לְיִרְאָה אֶת שְׁמֶךָ.

רִבּוֹנוֹ שֶׁל עוֹלָם אֲדוֹן הַשָּׁלוֹם מֶלֶךְ שֶׁהַשָּׁלוֹם שֶׁלּוֹ. אַתָּה יוֹדֵעַ גֹּדֶל הַהִתְגַּבְּרוּת וְהַהִתְגָּרוּת שֶׁמִּתְגַּבְּרִין וּמִתְגָּרִין בְּכָל עֵת לְקַלְקֵל הַשָּׁלוֹם בֵּין הַחֲבֵרִים וְהַתַּלְמִידֵי חֲכָמִים, וּבִפְרָט בַּדּוֹרוֹת הַלָּלוּ בְּעִקְבָא דִמְשִׁיחָא.

וְגַם אַתָּה יָדַעְתָּ כַּמָּה וְכַמָּה מַזִּיק לָנוּ הַמַּחֲלֹקֶת וְהַסִּכְסוּכִים שֶׁנִּתְעוֹרְרוּ בֵּין עַמְּךָ יִשְׂרָאֵל בְּחִנָּם, וּבִפְרָט הַמַּחֲלֹקֶת שֶׁבֵּין הַצַּדִּיקִים וְהַכְּשֵׁרִים.

וּלְפָנֶיךָ נִגְלוּ כָּל תַּעֲלוּמוֹת לֵב, שֶׁאֵין אָנוּ יוֹדְעִים שׁוּם דֶּרֶךְ אֵיךְ לְתַקֵּן זֹאת כִּי אִם עָלֶיךָ לְבַד אָנוּ נִשְׁעָנִים, שֶׁתַּמְשִׁיךְ

consciousness of the rest of the world, so that all of the consciousness outside the Land of Israel will be transformed into the consciousness of the Land of Israel.

World Peace

May every type of dispute be nullified. May great peace spread throughout the world. May great peace exist between friends and between husband and wife—in particular, among the community and friends who strive to fear Your Name.

Master of the world, Master of peace, King Who possesses peace, You know the great upswell of incitement that attempts at every moment to damage peace between friends and Torah sages—in particular, in these generations before the coming of the Mashiach.

You also know the harm done by the dispute and arguments that are aroused among Your nation, the Jewish people, for no reason—in particular, dispute among Tzaddikim and worthy people.

All secrets of the heart are revealed to You. We know of no way to repair dispute except by relying on You alone, on Your drawing down

שָׁלוֹם מִמְּקוֹר הַשָּׁלוֹם מֵאֶרֶץ יִשְׂרָאֵל, מִמֹּחִין שֶׁל אֶרֶץ יִשְׂרָאֵל.

רִבּוֹנוֹ שֶׁל עוֹלָם רַחֲמָן אֲמִתִּי, רַחֵם נָא עַל עֲנִיֵּי אֶרֶץ יִשְׂרָאֵל הַהֲגוּנִים וְהַכְּשֵׁרִים. וְעָזְרֵנוּ וְהוֹשִׁיעֵנוּ שֶׁנִּזְכֶּה לִשְׁלֹחַ לָהֶם דֵּי סִפּוּקָם בְּכָבוֹד.

וְלֹא יִהְיֶה שׁוּם כֹּחַ לְהַמַּחֲלֹקֶת שֶׁבָּעוֹלָם לִמְנֹעַ וּלְבַלְבֵּל הַצְּדָקָה שֶׁל אֶרֶץ יִשְׂרָאֵל חַס וְשָׁלוֹם.

רַחֵם עֲלֵיהֶם וְעָלֵינוּ לְמַעַן שְׁמֶךָ, וְעָזְרֵנוּ וְהוֹשִׁיעֵנוּ שֶׁנִּזְכֶּה לַעֲסֹק בִּצְדָקָה שֶׁל אֶרֶץ יִשְׂרָאֵל, לְהַחֲזִיק יְדֵי הָאֶבְיוֹנִים וְהַדַּלִּים וְהָעֲנִיִּים הַהֲגוּנִים הַדָּרִים שָׁם בְּאֶרֶץ יִשְׂרָאֵל תָּמִיד, לִשְׁלֹחַ לָהֶם דֵּי מַחְסוֹרָם אֲשֶׁר יֶחְסַר לָהֶם.

וְכָל כַּוָּנוֹתֵינוּ וְעִסְקֵנוּ בָּזֶה יִהְיֶה לְשֵׁם שָׁמַיִם לְבַד, בְּלִי שׁוּם כַּוָּנָה שֶׁל כְּבוֹד עַצְמֵנוּ כְּלָל, עַד שֶׁנִּזְכֶּה עַל יְדֵי הַצְּדָקָה לַעֲשׂוֹת כְּלִי לְקַבֵּל הַשְׁפָּעַת הַנֹּעַם הָעֶלְיוֹן בִּקְדֻשָּׁה וּבְטָהֳרָה, כְּדֵי שֶׁיִּתְרַבֶּה וְיִתְגַּדֵּל וְיִתְקַדֵּשׁ כְּבוֹדְךָ בָּעוֹלָם.

peace from the source of peace, from the Land of Israel, from the consciousness of the Land of Israel.

Master of the world, You Who are truly compassionate, please have compassion on the worthy and decent poor people of the Land of Israel. Help us and save us so that we will send them enough to support them honorably.

May no dispute whatsoever have the power to impede or interfere with charity for the Land of Israel, Heaven forbid.

Have compassion on the people in the Land of Israel and on us for the sake of Your Name. Help us and save us so that we will always give charity to the Land of Israel, in order to strengthen the hand of the worthy needy and impoverished people who live there, sending them enough to cover their expenses.

May all of our intent and activity in this matter be solely for the sake of Heaven, without any thought for our own honor at all. Then, as a result of giving this charity, we will make a vessel to receive the flow of the supernal pleasantness with holiness and purity, so that Your honor will be increased, magnified and sanctified in the world.

וְעַל יְדֵי זֶה יִתְתַּקְּנוּ כָּל הַמֹּחִין שֶׁל חוּץ לָאָרֶץ וְיִתְהַפְּכוּ לְמֹחִין שֶׁל אֶרֶץ יִשְׂרָאֵל, וְיִהְיֶה שָׁלוֹם גָּדוֹל בָּעוֹלָם בֵּין בְּאֶרֶץ יִשְׂרָאֵל בֵּין בְּחוּץ לָאָרֶץ.

וְיוּכְלוּ כָּל הַמֹּחִין וְהַדֵּעוֹת לְהַשְׁווֹת עַצְמָן יַחַד לְעָבְדְךָ בֶּאֱמֶת בְּיִרְאָה וּבְאַהֲבָה. וְתִפְרֹס עָלֵינוּ סֻכַּת שְׁלוֹמֶךָ.

וְתַעֲלֵנוּ מְהֵרָה בְּשִׂמְחָה לְאַרְצֵנוּ, וְשָׁם נָשִׁיר וּנְרַנֵּן וּנְנַגֵּן לְפָנֶיךָ כָּל יְמֵי חַיֵּינוּ, וּנְגַדֶּלְךָ וּנְשַׁבֵּחֲךָ וּנְפָאֶרְךָ תָּמִיד בְּשְׁבָחוֹת וּבִזְמִירוֹת, וּבְשִׁירֵי דָּוִד עַבְדֶּךָ נְעִים זְמִירוֹת יִשְׂרָאֵל.

וּנְגַדֵּל וּנְקַדֵּשׁ שִׁמְךָ וּכְבוֹדְךָ תָּמִיד. וִיקֻיַּם מִקְרָא שֶׁכָּתוּב: "יְהִי כְבוֹד יְהֹוָה לְעוֹלָם, יִשְׂמַח יְהֹוָה בְּמַעֲשָׂיו".

וְנִזְכֶּה תָמִיד לְהַרְגִּישׁ הַנְּעִימוּת וְהַמְּתִיקוּת אֲשֶׁר בְּדִבְרֵי תוֹרָתְךָ הַקְּדוֹשָׁה, "הַנֶּחֱמָדִים מִזָּהָב וּמִפַּז רָב וּמְתוּקִים מִדְּבַשׁ וְנֹפֶת צוּפִים".

וְנֶאֱמַר: "צוּף דְּבַשׁ אִמְרֵי נֹעַם, מָתוֹק לַנֶּפֶשׁ וּמַרְפֵּא

As a result, may all of the consciousness of the rest of the world be rectified and transformed into the consciousness of the Land of Israel. May there be great peace in the world—both in the Land of Israel and the Diaspora.

May all consciousness and awareness come into alignment so that we will truly serve You with fear and love. Spread the sukkah of Your peace over us.

Bring us quickly and joyfully to our Land. There we will sing and make music to You all the days of our lives, and we will magnify You, praise You and beautify You always with praises, melodies and the songs of David Your servant, the "sweet singer of Israel."

May we always magnify and sanctify Your Name and honor. May the verse be realized, "May the glory of HaShem last forever. May HaShem rejoice in His deeds."

May we always sense the pleasantness and sweetness in the words of Your holy Torah, which are "more desirable than gold and fine gold, sweeter than honey and the honeycomb."

And a verse states, "Words of pleasantness are a honeycomb, sweet for the spirit and

לָעֶצֶם". וְנֶאֱמַר: "דְּרָכֶיהָ דַרְכֵי נֹעַם, וְכָל נְתִיבוֹתֶיהָ שָׁלוֹם, תּוֹדִיעֵנִי אֹרַח חַיִּים, שֹׂבַע שְׂמָחוֹת אֶת פָּנֶיךָ, נְעִימוֹת בִּימִינְךָ נֶצַח.

בָּרוּךְ יְהֹוָה אֱלֹהִים אֱלֹהֵי יִשְׂרָאֵל עוֹשֵׂה נִפְלָאוֹת לְבַדּוֹ, וּבָרוּךְ שֵׁם כְּבוֹדוֹ לְעוֹלָם וְיִמָּלֵא כְבוֹדוֹ אֶת כָּל הָאָרֶץ אָמֵן וְאָמֵן":

healing for the bones." And, "Her ways are ways of pleasantness and all of her paths are peace." "Let me know the way of life, the satiety of joy before Your countenance, the pleasantness at Your right hand forever."

"Blessed is HaShem, God, God of Israel, Who alone does wonders. And blessed is the Name of His glory forever, and may His glory fill the entire earth. Amen and amen."

35 (II, 72)

When One Hears Torah from the Mouth of a True Tzaddik, He Feels Humility and Shame / Even if the Tzaddik Just Looks at Him, He Attains Greatness / Humility is the Essence of Life of a Person's Every Limb / At the Time of the Resurrection, a Person's Humility Will be Revived / One Should Feel Ashamed When He Dares to Perform a Mitzvah or Even Put Food into His Mouth / Something of Moses' Humility Exists in a Jew's Every Limb

When a person hears Torah from the mouth of a true Tzaddik—an ascetic, holy leader who has separated himself from sexual lust—he feels humility and shame, comparable to the feeling that the Jews experienced when they received the Torah.

But even if he does not hear such words of Torah, when the Tzaddik just looks at him, his consciousness shines and he attains greatness in accordance with his consciousness. God's great sovereignty is caught in the pathways of his mind and fresh Torah insights suited to his quality of awareness are drawn to him.

The essence of a person's greatness is humility.

Humility is the essence of life of a person's every limb. It is the delight of the World to Come. And so, at the time of the resurrection of the dead, it is a person's humility that will be revived.

Until then, a person cannot grasp the pleasure of the World to Come, nor the pleasure of the Shabbat, which is a taste of the World to Come. But he will experience that when he fully possesses humility—which, because it is not bounded, can resonate to infinity.

When a person sees how far he is from God, he feels great shame and he returns to God.

Certainly a person who has committed a sin feels ashamed, because sinning is not fitting for a Jew. But a person should feel ashamed even while performing a mitzvah, considering that he lacks the merit to perform such an extraordinary deed. How dare he enter the King's palace to perform that mitzvah?

In fact, a person should be ashamed even to bring food to his mouth, knowing that it is not his but a gift from God.

Each Jew has something of Moses' humility in every limb, which we received at the giving of the Torah. But it lies dormant and hidden. However, with the repentance that will accompany the resurrection, the humility of Moses in each Jew's every limb will return to life.

"אַתָּה גִּבּוֹר לְעוֹלָם אֲדֹנָי מְחַיֵּה מֵתִים אַתָּה וְרַב לְהוֹשִׁיעַ, מְכַלְכֵּל חַיִּים בְּחֶסֶד מְחַיֵּה מֵתִים בְּרַחֲמִים רַבִּים סוֹמֵךְ נוֹפְלִים".

רִבּוֹנוֹ שֶׁל עוֹלָם, רַחֲמָן אֲמִתִּי, מְחַיֵּה מֵתִים בְּרַחֲמִים רַבִּים, מְחַיֵּה מֵתִים בְּרַחֲמִים רַבִּים.

אַתָּה יוֹדֵעַ שֶׁעִקַּר הָרַחֲמָנוּת מִכָּל הָרַחֲמָנוּת הוּא מַה שֶּׁאַתָּה חוֹשֵׁב מַחֲשָׁבוֹת בְּכָל עֵת וָרֶגַע לְבַל יִדַּח מִמְּךָ נִדָּח לְעֵת הַתְּחִיָּה.

שֶׁאָז יִהְיֶה עִקַּר יוֹם הַדִּין הַגָּדוֹל וְהַנּוֹרָא, אֲשֶׁר אֲפִלּוּ כָּל הַצַּדִּיקִים הַגְּדוֹלִים הָאֲמִתִּיִּים חֲרֵדִים וְזוֹחֲלִים מִמֶּנּוּ.

וְעִקַּר הָרַחֲמָנוּת וְהַיְשׁוּעָה וְהַהַצְלָחָה וְהַתִּקְוָה הוּא מִי שֶׁזּוֹכֶה לְקַבֵּל יְשׁוּעָה וְרַחֲמִים לְהַצְלִיחַ עַל־יְדֵי־זֶה לְעֵת הַהוּא, שֶׁהוּא עֵת הַתְּחִיָּה, בָּעֵת שֶׁאַתָּה עָתִיד לְהַחֲיוֹת מֵתִים בְּרַחֲמִים רַבִּים.

אַשְׁרֵי הַזּוֹכֶה לְרַחֲמָנוּת אֲמִתִּי הַזֹּאת, אַשְׁרֵי הַמְחַכֶּה

No One Will Remain Estranged from God

"**G**od, You are mighty forever. You revive the dead and save abundantly. You support the living with kindness, You revive the dead with vast compassion, You support those who have fallen."

Master of the world, You Who are truly compassionate, You revive the dead with vast compassion. You revive the dead with vast compassion!

You know that in essence, the greatest compassion is expressed by Your having thoughts at every moment that will prevent anyone from being estranged from You at the time of the resurrection.

That time will be the great and awesome Day of Judgment, in anticipation of which even all of the great, true Tzaddikim tremble and cringe.

The essence of compassion, salvation, success and hope come to a person who can receive salvation and compassion that will enable him to reach that time, the time of the resurrection, when You will revive the dead with vast compassion.

Fortunate is the person who receives this true compassion. Fortunate is the one who waits in

בָּעוֹלָם הַזֶּה כָּל יְמֵי חַיָּיו וְכָל שְׁעוֹתָיו וּרְגָעָיו לִזְכּוֹת לְזֹאת הָרַחֲמָנוּת, שֶׁהוּא עִקַּר הַתַּכְלִית מִכָּל יְמוֹת עוֹלָם. וְחוּץ מִזֶּה הַכֹּל הֶבֶל וּרְעוּת רוּחַ.

רִבּוֹנוֹ שֶׁל עוֹלָם, מָה אוֹמַר וּמָה אֲדַבֵּר וּמָה אֶצְטַדָּק, בְּהָאֵיךְ אַנְפִּין אֵיעוּל קֳדָמָךְ לְבַקֵּשׁ מִמְּךָ עַתָּה עַל זֶה, וּמֵהֵיכָן אֶקַּח דִּבּוּרִים וּמְלִיצוֹת לַאֲפוּשֵׁי רַחֲמֵי, לְעוֹרֵר רַחֲמֶיךָ הָרַבִּים עָלַי.

רִבּוֹנוֹ דְעָלְמָא כֻּלָּא, אֲדוֹן הָרַחֲמִים וְהַסְּלִיחוֹת, רַחֲמֶיךָ רַבִּים יְהוָה, רַחֲמֶיךָ רַבִּים יְהוָה.

אַתָּה יוֹדֵעַ הָאֱמֶת לַאֲמִתּוֹ שֶׁאַף־עַל־פִּי שֶׁאֲנִי כְּמוֹ שֶׁאֲנִי, אֲשֶׁר פָּגַמְתִּי נֶגְדְּךָ הַרְבֵּה, חָטָאתִי עָוִיתִי וּפָשַׁעְתִּי, וְהָרַע בְּעֵינֶיךָ עָשִׂיתִי, וְקִלְקַלְתִּי הַרְבֵּה מְאֹד.

אֲבָל בֶּאֱמֶת אַף־עַל־פִּי־כֵן, עַתָּה גַם עַתָּה, אַתָּה חוֹשֵׁב מַחֲשָׁבוֹת בְּכָל עֵת וָרֶגַע עָלַי אֵיךְ לְקָרְבֵנִי אֵלֶיךָ בֶּאֱמֶת, וְאֵיךְ לְהַחֲיוֹת אוֹתִי עַתָּה בְּרִחוּקִי הֶעָצוּם.

וְאַתָּה מְחַיֶּה אוֹתִי בְּרַחֲמֶיךָ הָרַבִּים בְּכָל עֵת וָרֶגַע. וְאַתָּה מַמְשִׁיךְ עָלַי חִיּוּת מֵחַיִּים נִצְחִיִּים. כַּאֲשֶׁר אַתָּה יוֹדֵעַ אֶת

this world all the days of his life, all of his hours and minutes, to receive this compassion, which is in essence the purpose of all of the days of this world. Besides this, everything else is vanity and an evilness of spirit.

Master of the world, what shall I say? How shall I speak? How can I justify myself? How can I appear before You now to request all of this? Where will I find the words and expressions to arouse Your vast compassion on my behalf?

Master of the entire world, Lord of compassion and forgiveness, HaShem, Your compassion is vast.

You know in ultimate truth that I am no better than I am, that I have caused a great deal of blemishes before You, that I transgressed, sinned and offended, that I did what was evil in Your eyes and ruined much.

Nevertheless, now as well, You think thoughts at every moment to bring me truly close to You and revive me even now, when I am so profoundly alienated.

In Your vast compassion, You revive me at every moment. You draw life onto me from eternal life. You know all of the vast, true and

כָּל הַחֲסָדִים וְהָרַחֲמִים רַבִּים אֲמִתִּיִּים וְנִצְחִיִּים, שֶׁאַתָּה מְרַחֵם עָלַי בְּכָל עֵת.

וְסוֹף כָּל סוֹף, תְּתַקְּנֵנוּ כֻּלָּנוּ בְּוַדַּאי, וְנִזְכֶּה לִהְיוֹת כִּרְצוֹנְךָ הַטּוֹב בֶּאֱמֶת.

רִבּוֹנוֹ שֶׁל עוֹלָם, רִבּוֹנוֹ שֶׁל עוֹלָם, פְּתַח פִּיךָ לְאִלֵּם כָּמוֹנִי, פְּתַח פִּי וְיָאִירוּ דְּבָרַי.

אוֹחִילָה לָאֵל אֲחַלֶּה פָנָיו, אֶשְׁאֲלָה מִמֶּנּוּ מַעֲנֵה לָשׁוֹן. "לְאָדָם מַעַרְכֵי לֵב, וּמֵיְהוָה מַעֲנֵה לָשׁוֹן. אֲדֹנָי שְׂפָתַי תִּפְתָּח, וּפִי יַגִּיד תְּהִלָּתֶךָ".

אֲדֹנָי שְׂפָתַי תִּפְתָּח שֶׁאוּכַל לְפָרֵשׁ שִׂיחָתִי לְפָנֶיךָ, וְאֵת כָּל אֲשֶׁר עִם לְבָבִי אָשִׂיחָה וְיִרְוַח לִי.

אֲדַבְּרָה וְיַעֲבֹר עָלַי מָה, אֲנִי עַל מִשְׁמַרְתִּי אֶעֱמֹד לְדַבֵּר דִּבְרֵי תַחֲנוּנִים וּתְפִלּוֹת וּבַקָּשׁוֹת לְפָנֶיךָ מָלֵא רַחֲמִים, שׁוֹמֵעַ תְּפִלַּת כָּל פֶּה, אוּלַי יֵעָתֵר לִי הָאֱלֹהִים וְלֹא אוֹבַד עוֹד מֵעַתָּה שׁוּם אֲבֵדָה חַס וְשָׁלוֹם.

אָבִינוּ שֶׁבַּשָּׁמַיִם, אֱלֹהִים חַיִּים וּמֶלֶךְ עוֹלָם, מְחַיֵּה מֵתִים בְּרַחֲמִים רַבִּים, זַכֵּנִי בְּרַחֲמֶיךָ הָרַבִּים לִתְחִיַּת הַמֵּתִים.

eternal kindnesses and compassionate acts that You have done for me at every moment.

In the end, You will certainly rectify all of us, and we will truly exist in accordance with Your good will.

Master of the world, Master of the world, speak on behalf of a mute such as I am. Open my mouth, and let my words shine.

I will hope in God, I will seek His face, I will ask Him to respond. "A man prepares his heart, but HaShem provides the answer of the tongue." "God, open my lips, and my mouth will speak Your praise."

God, open my lips so I will be able to express my speech to You and tell You everything that is in my heart. I will speak and gain relief.

I will speak, no matter what I have gone through. I will stand firm and beseech, pray and plead before You Who are filled with compassion, You Who hear the prayer of every mouth. Perhaps God will yield to me and I will no longer suffer any losses from now on, Heaven forbid.

Our Father in Heaven, Living God and Eternal King, You Who revive the dead with vast compassion, in Your vast compassion bring me to experience the resurrection of the dead.

לז' אדר הלולא דמשה רבינו ע"ה

וְעָזְרֵנִי מֵעַתָּה שֶׁאֶזְכֶּה שֶׁיִּהְיֶה נִחְיָה שִׁפְלוּתִי הָאֲמִתִּי הַמְשֹׁרָשׁ בִּי בְּכָל אֵבֶר וְאֵבֶר, שֶׁהוּא שִׁפְלוּת וַעֲנָוָה אֲמִתִּיִּית שֶׁל מֹשֶׁה רַבֵּנוּ עָלָיו הַשָּׁלוֹם הַמְשֹׁרָשׁ בְּכָל אֶחָד וְאֶחָד מִיִּשְׂרָאֵל בְּכָל אֵבֶר וָאֵבֶר.

שֶׁזֹּאת הַשִּׁפְלוּת וְהָעֲנָוָה הוּא עִקַּר הַחַיִּים הָאֲמִתִּיִּים, חַיִּים הַנִּצְחִיִּים שֶׁל עוֹלָם הַבָּא.

אֲבָל עַתָּה בַּעֲווֹנוֹתַי הָרַבִּים, הַשִּׁפְלוּת הַזֹּאת הוּא בִּבְחִינַת מִיתָה אֶצְלִי, וְאֵינִי זוֹכֶה לְהַרְגִּישׁ זֹאת הַשִּׁפְלוּת הָאֲמִתִּי וּמֵחֲמַת זֶה אֲנִי רָחוֹק מִמְּךָ כְּמוֹ שֶׁאֲנִי רָחוֹק.

רִבּוֹנוֹ שֶׁל עוֹלָם, זַכֵּנִי לְכָל הָעֵצוֹת וְהַתַּחְבּוּלוֹת וְהַדְּרָכִים הָאֲמִתִּיִּים, בְּאֹפֶן שֶׁאֶזְכֶּה לְעוֹרֵר וּלְהָקִיץ וּלְהַחֲיוֹת הַשִּׁפְלוּת וְהָעֲנָוָה הָאֲמִתִּיִּית הַזֹּאת הַמְשֹׁרָשׁ בִּי.

כִּי אַתָּה יוֹדֵעַ כַּמָּה אֲנִי רָחוֹק מִשִּׁפְלוּת וַעֲנָוָה אֲמִתִּיִּית שֶׁהוּא עִקַּר הַכֹּל, וּבַעֲווֹנוֹתַי הָרַבִּים אֵינִי יוֹדֵעַ כְּלָל מַהוּ שִׁפְלוּת וַעֲנָוָה שֶׁהוּא עִקַּר הַחַיִּים הָאֲמִתִּיִּים שֶׁל כָּל אֵבֶר וָאֵבֶר.

כִּי כְּבָר גִּלִּיתָ לָנוּ שֶׁאֵין זֶה רְצוֹנְךָ לִהְיוֹת חַס וְשָׁלוֹם נִבְזֶה וְעָצֵל (שֶׁקּוֹרִין שְׁלֵימַזְלְנִיק) שֶׁהִיא עֲנָוָה פְּסוּלָה. כִּי אַדְּרַבָּא הִזְהַרְתָּנוּ בְּכַמָּה אַזְהָרוֹת לִהְיוֹת עַז כַּנָּמֵר וְכוּ'.

For the Seventh of Adar, the Hilula of Moses

Attaining True Humility

From this moment on, help me revive my true lowliness and humility that is rooted in my every limb. This is the true lowliness and humility of Moses, which is rooted in every limb of every Jew.

This lowliness and humility is the essence of true life: the eternal life of the World to Come.

But now, because of my many sins, this lowliness is all but dead to me, and I do not feel it. As a result, I am far from You.

Master of the world, help me attain all true counsel and techniques so I can arouse, awaken and revive this true lowliness and humility within myself.

You know how far I am from true lowliness and humility, which is the essence of everything. Due to my many sins, I have no concept of humility, which is the essence of the true life of my every limb.

You have revealed to us that You do not want us to act abased or incompetent, Heaven forbid, which is false humility. To the contrary, You have urged us numerous times to be mighty as a leopard, and the like.

אֲבָל בֶּאֱמֶת לֹא יָדַעְתִּי כְּלָל שׁוּם דֶּרֶךְ לָזֶה, כִּי אִם עַל רַחֲמֶיךָ לְבַד אֲנִי בוֹטֵחַ, שֶׁאַתָּה תַעַזְרֵנִי וְתוֹשִׁיעֵנִי וְתוֹרֵנִי וּתְלַמְּדֵנִי דַּרְכֵי הָעֲנָוָה בֶּאֱמֶת, וּתְחַיֶּה אוֹתִי בְּחַיֶּיךָ הַנִּצְחִיִּים תָּמִיד, וּתְזַכֵּנִי לַעֲנָוָה אֲמִתִּיִּית בֶּאֱמֶת.

וּבְכֵן יְהִי רָצוֹן מִלְּפָנֶיךָ מָלֵא רַחֲמִים אָדוֹן יָחִיד, שֶׁתַּעַזְרֵנִי וּתְזַכֵּנִי לִרְאוֹת אֶת עַצְמִי עִם הַצַּדִּיקִים הָאֲמִתִּיִּים שֶׁבַּדּוֹר הַזֶּה, וְלִשְׁמֹעַ מִפִּיהֶם הַקָּדוֹשׁ תּוֹרָה.

וַאֲפִלּוּ בָּעֵת שֶׁלֹּא אֶזְכֶּה לִשְׁמֹעַ מֵהֶם תּוֹרָה, אֶזְכֶּה עַל כָּל פָּנִים לִרְאוֹתָם וּלְקַבֵּל פְּנֵיהֶם הַקְּדוֹשִׁים.

עַד שֶׁאֶזְכֶּה עַל יְדֵי הָרְאִיָּה לְבַד שֶׁיֶּחֱזוּ וְיִסְתַּכְּלוּ בִּי הַצַּדִּיקִים הָאֲמִתִּיִּים בְּעֵינֵיהֶם הַקְּדוֹשִׁים וְהַנּוֹרָאִים, שֶׁעַל יְדֵי זֶה יִתְנוֹצֵץ מֹחִי בְּהִתְנוֹצְצוּת גָּדוֹל וּבְהֶאָרָה נִפְלָאָה.

וְעַל יְדֵי זֶה אֶזְכֶּה לְקַבֵּל גְּדֻלָּה אֲמִתִּיִּית כִּרְצוֹנְךָ הַטּוֹב, כְּפִי הָרָאוּי לִי בֶּאֱמֶת כְּפִי מֹחִי, וְעִקַּר הַגְּדֻלָּה יִהְיֶה שִׁפְלוּת וַעֲנָוָה אֲמִתִּיִּית.

וְאֶזְכֶּה לִהְיוֹת מָהִיר בִּמְלַאכְתִּי בִּמְלֶאכֶת שָׁמַיִם, לְהַגְדִּיל מֹחִי

In truth, the only way I know to attain this is to trust that in Your compassion, You will help me, save me, guide me and truly teach me the ways of humility; that You will always revive me with Your eternal life and help me attain true humility.

In the Presence of True Tzaddikim

Therefore, may it be Your will, You Who are filled with compassion, Unique Master, that You help me see myself with the true Tzaddikim in this generation and hear Torah from their holy mouths.

Even if I do not hear Torah from them, at any rate may I see them and have them see me.

As a result of the true Tzaddikim seeing me and gazing at me with their holy, awesome eyes, may my mind shine with great light and with wondrous illumination.

Through this, may I achieve true greatness in accordance with Your good will, a greatness that is truly appropriate for me in accordance with my level of consciousness. And the essence of greatness is true lowliness and humility.

May I be swift in my work, the work of Heaven. May I always expand my mind and

וְחָכְמָתִי תָמִיד לַחְשֹׁב מַחֲשָׁבוֹת קְדוֹשׁוֹת תָּמִיד בְּתוֹרָה וַעֲבוֹדָה וְיִרְאַת שָׁמַיִם בֶּאֱמֶת וּבִתְמִים כִּרְצוֹנְךָ הַטּוֹב.

וּתְמַלֵּא אוֹתִי "רוּחַ אֱלֹהִים בְּחָכְמָה וּבִתְבוּנָה וּבְדַעַת וּבְכָל מְלָאכָה", בִּמְלֶאכֶת הַקֹּדֶשׁ בֶּאֱמֶת.

וְאֶזְכֶּה לְקַבֵּל הָרוּחַ אֱלֹהִים שֶׁהֵם הַמֹּחִין הַקְּדוֹשִׁים, מֵהַצַּדִּיק הָאֲמִתִּי מַנְהִיג הַכּוֹלֵל חָכָם הַכּוֹלֵל בֶּאֱמֶת.

שֶׁהוּא אִישׁ אֲשֶׁר רוּחַ בּוֹ, שֶׁיּוֹדֵעַ לַהֲלֹךְ נֶגֶד רוּחוֹ שֶׁל כָּל אֶחָד וְאֶחָד, שֶׁהוּא כָּלוּל מִכָּל הַמֹּחִין, וּמִכָּל הָרוּחַ אֱלֹהִים, הַכָּלוּל מֵאַרְבַּע רוּחוֹת הַמְּלֻבָּשִׁין בְּכָל אֶחָד וְאֶחָד מִיִּשְׂרָאֵל.

וְתַעַזְרֵנִי שֶׁאֶזְכֶּה עַל יְדֵי הָרוּחַ אֱלֹהִים הַזֶּה לְחַדֵּשׁ חִדּוּשִׁין דְּאוֹרַיְיתָא אֲמִתִּיִּים בְּתוֹרָתְךָ הַקְּדוֹשָׁה כִּרְצוֹנְךָ הַטּוֹב.

וְאֶזְכֶּה לַעֲשׂוֹת נַחַת רוּחַ לְפָנֶיךָ עַל יְדֵי הַחִדּוּשִׁין דְּאוֹרַיְיתָא שֶׁתְּזַכֵּנִי לְחַדֵּשׁ בְּתוֹרָתְךָ הַקְּדוֹשָׁה תָּמִיד.

וְאֶזְכֶּה לֵידַע בֶּאֱמֶת אֵיךְ לְהִתְנַהֵג בְּהַחִדּוּשִׁין שֶׁלִּי, אִם לְאָמְרָם אִם לָאו וּמָתַי לְאָמְרָם וּבִפְנֵי מִי, בִּפְנֵי כַּמָּה אֲנָשִׁים.

wisdom to constantly think holy thoughts in Torah, Divine service and fear of Heaven with truth and simplicity, in accordance with Your good will.

Fill me with "the spirit of God, with wisdom, understanding, knowledge and all work," in the true work of holiness.

May I attain the spirit of God—which is holy consciousness—from the true Tzaddik, the truly universal leader and sage.

He is the man of the spirit, a man who knows how to resonate to the spirit of every individual, who incorporates all consciousness and the entire spirit of God, who is composed of the four spirits that are contained within every Jew.

Help me so that, inspired by this spirit of God, I will compose true insights in Your holy Torah, in accordance with Your good will.

May I please You by means of the insights that You help me constantly create in Your holy Torah.

May I truly know how to present my insights: whether to say them or not, and when to say them and before whom, and before how many people.

וִיהְיֶה הַכֹּל כִּרְצוֹנְךָ הַטּוֹב, כְּפִי הִתְנוֹצְצוּת הַמֹּחִין בֶּאֱמֶת, שֶׁתְּזַכֵּנִי עַל יְדֵי הִסְתַּכְּלוּת הַמַּנְהִיג הָאֲמִתִּי.

וּתְזַכֵּנִי בְּרַחֲמֶיךָ הָרַבִּים שֶׁיִּתְנַהֵג הָעוֹלָם תָּמִיד עַל יְדֵי הַמַּנְהִיג הָאֱמֶת, הָרָאוּי לִהְיוֹת מַנְהִיג לְכָל יִשְׂרָאֵל.

שֶׁיִּהְיֶה קָדוֹשׁ בִּקְדֻשַּׁת הַבְּרִית בְּתַכְלִית הַקְּדֻשָּׁה וְהַפְּרִישׁוּת, בִּבְחִינַת קְדֻשַּׁת וּפְרִישׁוּת משֶׁה רַבֵּנוּ עָלָיו הַשָּׁלוֹם.

עַד שֶׁיִּהְיֶה נִמְשַׁךְ עָלֵינוּ וְעַל כָּל יִשְׂרָאֵל, עַל כָּל אֶחָד וְאֶחָד מֵהַמִּתְקָרְבִים אֵלָיו, קְדֻשָּׁתוֹ וּפְרִישׁוּתוֹ הָעֲצוּמָה.

שֶׁנִּזְכֶּה גַּם אֲנַחְנוּ לִקְדֻשַּׁת הַבְּרִית בֶּאֱמֶת, וְלִפְרשׁ מִתַּאֲוָה הַזֹּאת בִּקְדֻשָּׁה וּבְטָהֳרָה גְּדוֹלָה כִּרְצוֹנְךָ הַטּוֹב בֶּאֱמֶת.

רִבּוֹנוֹ שֶׁל עוֹלָם רִבּוֹנוֹ דְעָלְמָא כֻּלָּא, מָלֵא רַחֲמִים, מְרַחֵם עַל הַבְּרִיּוֹת, "זְכֹר רַחֲמֶיךָ יְהֹוָה וַחֲסָדֶיךָ כִּי מֵעוֹלָם הֵמָּה".

עֲשֵׂה כְּרַחֲמֶיךָ, עֲשֵׂה כַּחֲסָדֶיךָ, עֲשֵׂה כְּנִפְלְאוֹתֶיךָ, עֲשֵׂה

May everything be in accordance with Your good will, truly in accordance with the shining consciousness that You will send me via the gaze of the true leader.

Guarding the Holy Covenant

In Your vast compassion, may the world always be guarded by the influence of the true leader, the one who is worthy of being the leader of all Israel.

He will possess a covenant rectified with ultimate holiness and asceticism, comparable to the level of the holiness and asceticism of Moses.

May his intense holiness and asceticism be drawn onto us and onto the entire Jewish people, and onto everyone who comes close to him.

May we, even we, truly attain the holiness of the covenant. May we separate ourselves from lust with great holiness and purity, truly in accordance with Your good will.

Master of the world, Master of the entire world, You Who are filled with compassion, "recall Your compassion, HaShem, and Your lovingkindness, because they are eternal."

Act in accordance with Your compassion. Act in accordance with Your kindness. Act in

לְמַעַן שִׁמְךָ אֲשֶׁר נִקְרָא עָלֵינוּ, וְהַצִּילֵנוּ מֵעַתָּה מִתַּאֲוַת הַמִּשְׁגָּל.

הַצִּילֵנוּ נָא מִזֻּהֲמָא הַזֹּאת, מִטִּנּוּף הַזֶּה, מִמְּרִירוּת מִאוּס הַשִּׁגָּעוֹן שֶׁל תַּאֲוָה הַזֹּאת. שָׁמְרֵנוּ נָא מֵהִרְהוּרִים רָעִים, מֵהִסְתַּכְּלוּת רָעִים, מִמַּחֲשָׁבוֹת רָעוֹת.

רַחֵם עָלֵינוּ בְּרַחֲמֶיךָ הָעֲצוּמִים, בַּחֲסָדֶיךָ הַנּוֹרָאִים, כִּי גָלוּי וְיָדוּעַ לְפָנֶיךָ שֶׁרְצוֹנֵנוּ לַעֲשׂוֹת רְצוֹנְךָ, אַךְ הַשְּׂאוֹר שֶׁבָּעִסָּה מְעַכֵּב אוֹתָנוּ, שֶׁהֵם תַּאֲוֹת עוֹלָם הַזֶּה וַהֲבָלָיו.

וְעִקָּר הִיא הַתַּאֲוָה הַזֹּאת, אֲשֶׁר עַל יָדָהּ אִבַּדְנוּ מַה שֶּׁאִבַּדְנוּ, כְּמוֹ שֶׁכָּתוּב בַּזֹּהַר הַקָּדוֹשׁ, שֶׁזֹּאת הַתַּאֲוָה הִיא עִקָּרָא דְּיִצְרָא בִּישָׁא וְהִיא עִקָּרָא דִּמְסָאֲבוּתָא.

רַחֵם עָלֵינוּ בְּרַחֲמֶיךָ הָרַבִּים, וַעֲשֵׂה לְמַעַן הַצַּדִּיקִים אֲמִתִּיִּים שׁוֹמְרֵי הַבְּרִית בֶּאֱמֶת בְּתַכְלִית הַקְּדֻשָּׁה וְהַפְּרִישׁוּת.

וְחַדֵּשׁ עָלֵינוּ חֲסָדִים חֲדָשִׁים אֲשֶׁר לֹא הָיוּ מֵעוֹלָם, וְטַהֵר לִבֵּנוּ מִכָּל מִינֵי הִרְהוּרִים וְתַאֲווֹת רָעוֹת, וּבִפְרָט מִתַּאֲוָה רָעָה הַזֹּאת, כִּי "מַה בֶּצַע בְּדָמִי בְּרִדְתִּי אֶל שַׁחַת, הֲיוֹדְךָ עָפָר הֲיַגִּיד אֲמִתֶּךָ".

accordance with Your wonders. Act for the sake of Your Name that is applied to us, and rescue us from now on from the lust for sexual relations.

Please save us from this pollution, this filth, the bitter, disgusting madness of this lust. Please guard me from evil fantasies, from evil gazing, from evil thoughts.

In Your mighty compassion and awesome kindness, have compassion on us. It is revealed and known to You that we want to do Your will, but the "leavening in the dough"—the lusts and vanities of this world—prevent us from doing so.

Because of this lust, we lost what we have lost. As the holy Zohar states, this desire is the essence of the evil inclination and of spiritual pollution.

In Your vast compassion, have compassion on us. Act for the sake of the true Tzaddikim who truly guard the covenant with ultimate holiness and asceticism.

Send us new kindnesses that never before existed. Purify our hearts of every sort of fantasy and evil desire—and from this evil lust in particular, for "what profit is there in my blood, in my descending to the grave? Will the earth acknowledge You, will it tell Your truth?"

מָלֵא רַחֲמִים, קָדוֹשׁ וְנוֹרָא, "עוֹשֶׂה גְדוֹלוֹת עַד אֵין חֵקֶר, נִסִּים וְנִפְלָאוֹת עַד אֵין מִסְפָּר", עֲשֵׂה עִמָּנוּ פֶּלֶא לְחַיִּים, וְהַחֲזִירֵנוּ בִּתְשׁוּבָה שְׁלֵמָה לְפָנֶיךָ.

וְזַכֵּנוּ לְהִתְקָרֵב לְצַדִּיקִים אֲמִתִּיִּים הַקְּדוֹשִׁים בִּקְדֻשַּׁת הַבְּרִית בְּתַכְלִית הַקְּדֻשָּׁה.

בְּאֹפֶן שֶׁנִּזְכֶּה עַל יָדָם שֶׁיִּמְשַׁךְ עָלֵינוּ תָּמִיד קְדֻשַּׁת וּפְרִישׁוּת מֹשֶׁה רַבֵּנוּ עָלָיו הַשָּׁלוֹם שֶׁהִמְשִׁיךְ עַל כָּל יִשְׂרָאֵל בִּשְׁעַת קַבָּלַת הַתּוֹרָה.

וְעַל יְדֵי זֶה נִזְכֶּה לְקַבֵּל אֶת הַתּוֹרָה בְּכָל פַּעַם מֵחָדָשׁ, שֶׁנִּזְכֶּה לְקַבֵּל עָלֵינוּ מֵעַתָּה בֶּאֱמֶת לַאֲמִתּוֹ, לִשְׁמֹר וְלַעֲשׂוֹת וּלְקַיֵּם אֶת כָּל דִּבְרֵי תוֹרָתֶךָ בְּאַהֲבָה.

וְנִזְכֶּה לַהֲגוֹת בְּתוֹרָתְךָ הַקְּדוֹשָׁה יוֹמָם וָלַיְלָה, וְתָאִיר עֵינֵינוּ בְּתוֹרָתֶךָ, עַד שֶׁנִּזְכֶּה לְחַדֵּשׁ חִדּוּשִׁין אֲמִתִּיִּים בְּתוֹרָתְךָ הַקְּדוֹשָׁה בְּכָל יוֹם וָיוֹם, וּבִפְרָט בְּשַׁבָּתוֹת וְיָמִים טוֹבִים, בְּאֹפֶן שֶׁיִּהְיוּ לִי תִקּוּן גָּדוֹל לְנַפְשִׁי וְרוּחִי וְנִשְׁמָתִי.

You Who are filled with compassion, You Who are holy and awesome, "You Who do great things beyond comprehension and wonders without number," perform a life-giving wonder on our behalf and bring us back to You in complete repentance.

Help us come close to true Tzaddikim who possess the holiness of the covenant to the ultimate degree.

Through them, may the holiness and asceticism of Moses, which he drew onto the entire Jewish people when he received the Torah, always be drawn onto us.

As a result, may we constantly receive the Torah anew. May we receive it from now on in ultimate truth, so that we will lovingly guard, perform and fulfill all of the words of Your Torah.

May we meditate on Your holy Torah day and night. Illumine our eyes in Your Torah, until we will create true insights in Your holy Torah every day—in particular, on the Shabbat and festivals—which will constitute a great rectification for all of the parts of my soul: my *nefesh*, *ruach* and *neshamah*.

וְאֶזְכֶּה עַל יְדֵי חִדּוּשֵׁי וּבֵאוּרֵי הַתּוֹרָה שֶׁיִּמְשַׁךְ עָלַי יִרְאָה גְדוֹלָה וּבוּשָׁה נוֹרָאָה מִפָּנֶיךָ, וְתִהְיֶה יִרְאָתְךָ עַל פָּנַי זוֹ הַבּוּשָׁה לְבִלְתִּי אֶחֱטָא עוֹד מֵעַתָּה וְעַד עוֹלָם.

רִבּוֹנוֹ שֶׁל עוֹלָם זַכֵּנִי לְבוּשָׁה דִקְדֻשָּׁה שֶׁאֶזְכֶּה לְהִתְיָרֵא וּלְהִתְבַּיֵּשׁ מִפָּנֶיךָ תָּמִיד לְבִלִי לַעֲשׂוֹת שׁוּם דָּבָר שֶׁהוּא כְּנֶגֶד רְצוֹנֶךָ.

וַאֲפִלּוּ כְּשֶׁאֶרְצֶה לַעֲשׂוֹת אֵיזֶה מִצְוָה, אֶזְכֶּה לְהִתְבַּיֵּשׁ מִמְּךָ הַרְבֵּה, מִפְּנֵי הַמִּצְוָה הַקְּדוֹשָׁה וְהַנּוֹרָאָה בְּעַצְמָהּ.

כִּי בַּמֶּה יִזְכֶּה נַעַר כָּמוֹנִי לַעֲשׂוֹת מִצְוָה לְגֹדֶל הַדְרַת יְקָרַת נוֹרְאוֹת קְדֻשַּׁת כָּל מִצְוָה וּמִצְוָה, אֲשֶׁר נוֹרְאוֹת קְדֻשַּׁת כָּל מִצְוָה וּמִצְוָה שָׂגְבָה וְגָדְלָה מְאֹד מְאֹד, וּמִי יַעֲצֹר כֹּחַ לְהִתְפָּאֵר שֶׁרָאוּי [שֶׁהוּא רָאוּי] לַעֲשׂוֹת מִצְוָה לְפָנֶיךָ תִּתְבָּרַךְ.

וּבִפְרָט לְפִי גֹּדֶל רִחוּקֵנוּ מִמְּךָ עַל יְדֵי עֲווֹנוֹתֵינוּ וּפְשָׁעֵנוּ

By means of these insights and explanations of the Torah, may great fear and awesome shame before You be drawn onto me. May I fear You with a shame that rests upon my face so that I will never sin again.

Holy Shame

Master of the world, grant me holy shame so that I will fear You and be ashamed before You always, and never do anything that contravenes Your will.

Furthermore, when I want to perform a mitzvah, may I be profoundly ashamed before You because of the great and awesome nature of the mitzvah itself.

How is it that someone as immature as I can have the privilege of performing a mitzvah, which possesses a deeply splendid, precious, awesome holiness? The awesome holiness of every mitzvah is profoundly lofty and great. Who would dare boast that he is worthy of performing a mitzvah before You, may You be blessed?

In particular, in accordance with our great distance from You as a result of our many sins and offenses, which everyone can recognize

הָרַבִּים, כַּאֲשֶׁר יוֹדֵעַ כָּל אֶחָד בְּנַפְשׁוֹ, בְּוַדַּאי רָאוּי שֶׁתִּפֹּל יִרְאָה וּבוּשָׁה גְדוֹלָה עַל פָּנֵינוּ כְּשֶׁאָנוּ רוֹצִים לַעֲשׂוֹת אֵיזֶה מִצְוָה.

כִּי מִי אָנֹכִי שֶׁאֶזְכֶּה לַחְטֹף הַתְּפִלִּין הַקְּדוֹשִׁים וְהַנּוֹרָאִים שֶׁהֵם כִּתְרֵי דְּמַלְכָּא וּלְהַנִּיחָם עַל רֹאשִׁי וּזְרוֹעִי הַפְּגוּמִים מְאֹד, וּלְהִתְעַטֵּף בְּעִטּוּפָא דְמִצְוָה בִּלְבוּשִׁין דְּמַלְכָּא, בִּקְדֻשַּׁת הַצִּיצִית הַקְּדוֹשִׁים וְהַנּוֹרָאִים. וְכֵן בִּשְׁאָרֵי הַמִּצְוֹת.

כִּי הַמִּצְוֹת בְּעַצְמָן קְדוֹשִׁים וְנוֹרָאִים מְאֹד מְאֹד, כָּל מִצְוָה וּמִצְוָה. וְלִפְנֵי מִי אֲנִי עוֹשֶׂה הַמִּצְוָה, לִפְנֵי מֶלֶךְ מַלְכֵי הַמְּלָכִים הַקָּדוֹשׁ בָּרוּךְ הוּא, אָיֹם וְנוֹרָא וְאַדִּיר וְכוּ׳, אֲשֶׁר לִגְדֻלָּתוֹ אֵין חֵקֶר.

וְאִם הָיִיתִי זוֹכֶה לָדַעַת אֲמִתִּי כָּל שֶׁהוּא, בְּוַדַּאי הָיָה נוֹפֵל עַל פָּנַי בּוּשָׁה גְדוֹלָה אֲפִלּוּ לַעֲשׂוֹת מִצְוָה.

וַאֲפִלּוּ לְהוֹשִׁיט הַמַּאֲכָל לְפִי, הָיָה רָאוּי שֶׁיִּהְיֶה לִי בּוּשָׁה גְדוֹלָה, כִּי מַאן דְּאָכִיל דְּלַאו דִּילֵיהּ בָּהִית לְאִסְתַּכּוּלֵי בְּאַפֵּיהּ.

מִכָּל שֶׁכֵּן וְכָל שֶׁכֵּן שֶׁרָאוּי שֶׁיִּהְיֶה לִי בּוּשָׁה וְיִרְאָה גְדוֹלָה לִבְלִי לַעֲשׂוֹת שׁוּם עֲבֵרָה וְחֵטְא וּפְגַם חַס וְשָׁלוֹם.

about himself, it is certainly fitting that great fear and shame should fall upon our faces when we want to perform some mitzvah.

Who am I that I should seize the holy and awesome tefillin, which are the crowns of the King, and place them upon my deeply blemished head and arm, and wrap myself in the mitzvah of the garments of the King, the holy and awesome tzitzit? And the same applies to the other mitzvot.

Each mitzvah is extremely holy and awesome. And before Whom am I performing the mitzvah? Before the King, the King of Kings, the Holy One, blessed be He—awesome, fearsome and mighty, Whose greatness has no limit.

If I possessed any true knowledge, great shame would certainly fall upon my face even at the thought of performing a mitzvah.

And I should even experience great shame at the thought of putting food in my mouth. A person who eats someone else's food is afraid to look at that person's face.

How much more should I experience great shame and fear so as not to commit any sin or transgression, or incur any blemish, Heaven forbid.

כִּי עֲבֵרָה אֵינָהּ שַׁיָּכָה לְאִישׁ יִשְׂרְאֵלִי כְּלָל, כִּי נַפְשׁוֹת כָּל יִשְׂרָאֵל בְּשָׁרְשָׁם רְחוֹקִים מֵעֲבֵרוֹת לְגַמְרֵי, וְאֵין עֲבֵרָה שַׁיָּכָה לְנֶפֶשׁ יִשְׂרָאֵל כְּלָל.

רִבּוֹנוֹ שֶׁל עוֹלָם מָלֵא רַחֲמִים, זַכֵּנִי לְהִתְקָרֵב לְצַדִּיקִים אֲמִתִּיִּים וְלִשְׁמֹעַ מִפִּיהֶם הַקָּדוֹשׁ חִדּוּשֵׁי וּבֵאוּרֵי הַתּוֹרָה.

בְּאֹפֶן שֶׁעַל יְדֵי זֶה יִהְיֶה נִמְשָׁךְ עָלַי יִרְאָה וּבוּשָׁה גְּדוֹלָה מִפָּנֶיךָ. וְתִהְיֶה יִרְאָתְךָ עַל פָּנַי לְבִלְתִּי אֶחֱטָא עוֹד כְּלָל מֵעַתָּה וְעַד עוֹלָם.

וְיִהְיֶה נִמְשַׁךְ עָלַי תָּמִיד הַיִּרְאָה וְהַבּוּשָׁה דִּקְדֻשָּׁה שֶׁזָּכוּ כְּלַל יִשְׂרָאֵל בְּמַעֲמָד הַקָּדוֹשׁ בְּהַר סִינַי בִּשְׁעַת קַבָּלַת הַתּוֹרָה, כְּמוֹ שֶׁכָּתוּב: "וּלְבַעֲבוּר תִּהְיֶה יִרְאָתוֹ עַל פְּנֵיכֶם לְבִלְתִּי תֶחֱטָאוּ".

רִבּוֹנוֹ שֶׁל עוֹלָם מָלֵא רַחֲמִים הָרוֹצֶה בִּתְשׁוּבָה, הַצּוֹפֶה לָרָשָׁע וְחָפֵץ בְּהִצָּדְקוֹ. זַכֵּנִי בְּרַחֲמֶיךָ שֶׁאֶזְכֶּה לִרְאוֹת בָּשְׁתִּי וּכְלִמָּתִי בֶּאֱמֶת, עַד שֶׁאֶזְכֶּה עַל יְדֵי הַבּוּשָׁה לָשׁוּב מֵעַתָּה בִּתְשׁוּבָה שְׁלֵמָה לְפָנֶיךָ בֶּאֱמֶת.

A sin has no connection to a Jew at all because, at their root, the souls of all Jews are entirely far from sin, and there is no sin relevant to the soul of a Jew at all.

Master of the world, You Who are filled with compassion, help me come close to true Tzaddikim and hear original insights and explanations of the Torah from their holy mouths.

In this way, may great fear and shame before You be drawn onto me. May Your fear be upon my face so that I will no longer sin at all, from now and forever.

May the holy fear and shame that the entire Jewish people attained at the holy convocation on Mount Sinai when they received the Torah be drawn onto me always. As the verse states, "May His fear be upon your faces so that You will not sin."

Master of the world, You Who are filled with compassion, You Who desire repentance, You Who look hopefully to the wicked person and desire his reform, help me in Your compassion so that I will truly see my shame and guilt, until I will return to You in truly complete repentance from now on.

"הֲשִׁיבֵנִי וְאָשׁוּבָה כִּי אַתָּה [יְהוָה] אֱלֹהָי", הֲשִׁיבֵנוּ אָבִינוּ לְתוֹרָתֶךָ וְקָרְבֵנוּ מַלְכֵּנוּ לַעֲבוֹדָתֶךָ וְהַחֲזִירֵנוּ בִּתְשׁוּבָה שְׁלֵמָה לְפָנֶיךָ.

וְזַכֵּנִי עַל יְדֵי הַתְּשׁוּבָה לְחַיִּים אֲמִתִּיִּים חַיִּים נִצְחִיִּים, כְּמוֹ שֶׁכָּתוּב: "הֶחָפֹץ אֶחְפֹּץ מוֹת רָשָׁע נְאֻם יְהוָה אֱלֹהִים הֲלֹא בְּשׁוּבוֹ מִדְּרָכָיו וְחָיָה".

וְנֶאֱמַר: "כִּי לֹא אֶחְפֹּץ בְּמוֹת הַמֵּת נְאֻם יְהוָה אֱלֹהִים וְהָשִׁיבוּ וִחְיוּ".

זַכֵּנוּ בְּרַחֲמֶיךָ הָרַבִּים בִּזְכוּת הַצַּדִּיקִים הָאֲמִתִּיִּים שֶׁנִּזְכֶּה לְחַיִּים נִצְחִיִּים, שֶׁיִּהְיֶה נִחְיֶה אֶצְלֵנוּ הַשִּׁפְלוּת שֶׁל מֹשֶׁה רַבֵּנוּ עָלָיו הַשָּׁלוֹם הַמְלֻבָּשׁ אֵצֶל כָּל אֶחָד וְאֶחָד מִיִּשְׂרָאֵל בְּכָל אֵבֶר וָאֵבֶר.

כִּי בַּעֲווֹנוֹתֵינוּ הָרַבִּים עַתָּה הַשִּׁפְלוּת וְהָעֲנָוָה הַזֹּאת נֶעְלָם וְנִסְתָּר אֶצְלֵנוּ בִּבְחִינַת מִיתָה, וְעַל כֵּן אֵין אָנוּ זוֹכִים לַעֲנָוָה אֲמִתִּיִּית לְהַרְגִּישׁ שִׁפְלוּתֵנוּ בֶּאֱמֶת לַאֲמִתּוֹ כָּרָאוּי.

זַכֵּנוּ בְּרַחֲמֶיךָ הָרַבִּים לְחַיִּים אֲמִתִּיִּים חַיִּים נִצְחִיִּים, שֶׁיִּהְיֶה נִמְשָׁךְ עָלֵינוּ גַּם עַתָּה בְּחִינַת תְּחִיַּת הַמֵּתִים, שֶׁיִּהְיֶה נִחְיֶה

"Bring me back and I will return, for You are [HaShem] my God." Our Father, bring us back to Your Torah. Our King, bring us close to serve You. Bring us back to You in complete repentance.

As a result of our repentance, may we attain true, eternal life. As the verse states, "Do I desire the death of the wicked person? says HaShem God. Is it not rather that he repent of his ways and live?"

And, "I do not desire the death of the person who dies, says HaShem God—rather, let them repent and live!"

True Humility

In Your vast compassion, in the merit of the true Tzaddikim, may we attain eternal life. May the humility of Moses, which is clothed in every limb of every Jew, live in us.

Due to our many sins, at present we have hidden and covered this lowliness and humility so that it is as though dead. Therefore, we do not attain true humility to sense our lowliness with ultimate truth, as would be fitting.

In Your vast compassion, grant us true, eternal life. Even now, may something of the resurrection of the dead be drawn onto us. May

וְיָקוּם בִּתְחִיָּה, הָעֲנָוָה וְהַשִּׁפְלוּת שֶׁל מֹשֶׁה רַבֵּנוּ, הַמְלֻבָּשׁ אֵצֶל כָּל אֶחָד וְאֶחָד בְּכָל אֵבֶר וָאֵבֶר.

אָדוֹן יָחִיד הֶעָנָו בֶּאֱמֶת, זַכֵּנוּ לַעֲנָוָה אֲמִתִּיִּית כִּרְצוֹנְךָ הַטּוֹב, שֶׁנִּזְכֶּה לַעֲנָוָה בְּתַכְלִית הַשְּׁלֵמוּת.

שֶׁעֲנָוָה כָּזֹאת הִיא בְּחִינַת חַיֵּי עוֹלָם הַבָּא, בְּחִינַת תְּחִיַּת הַמֵּתִים, בְּחִינַת חַיִּים אֲמִתִּיִּים וְנִצְחִיִּים שֶׁל כָּל אֵבֶר וָאֵבֶר, בְּחִינַת בִּטּוּל בֶּאֱמֶת אֶל הָאֵין סוֹף בָּרוּךְ הוּא.

עַד שֶׁנִּזְכֶּה לִטְעֹם גַּם בָּעוֹלָם הַזֶּה בְּחִינַת חַיֵּי עוֹלָם הַבָּא, בְּחִינַת עֹנֶג שַׁבָּת בֶּאֱמֶת. "לֹא אָמוּת כִּי אֶחְיֶה וַאֲסַפֵּר מַעֲשֵׂי יָהּ".

רִבּוֹנוֹ שֶׁל עוֹלָם, לְעֹצֶם גַּשְׁמִיּוּתִי וְרֹב עֲוֹנוֹתַי וּפְשָׁעַי הָעֲצוּמִים, אֵין מִלָּה בִּלְשׁוֹנִי לְסַדֵּר תְּפִלָּה לְפָנֶיךָ עַל זֶה לִזְכּוֹת לַעֲנָוָה אֲמִתִּיִּית, כִּי עֲנָוָה גְּדוֹלָה מִכֻּלָּם.

וּבַעֲווֹנוֹתַי הָרַבִּים אֵינִי יוֹדֵעַ שׁוּם דֶּרֶךְ מִדַּרְכֵי הָעֲנָוָה הָאֲמִתִּיִּית.

כִּי כְבָר גִּלִּיתָ לָנוּ שֶׁאֵין רְצוֹנְךָ בַּעֲנָוָה פְּסוּלָה, וְאֵין רְצוֹנְךָ שֶׁיִּהְיֶה הָאָדָם נִבְזֶה וְחָלָשׁ בְּדַעְתּוֹ בְּדַרְכֵי עֲבוֹדָתוֹ. מִכָּל שֶׁכֵּן שֶׁאָסוּר לִהְיוֹת בְּעַצְבוּת וּמָרָה שְׁחוֹרָה חַס וְשָׁלוֹם.

the humility and lowliness of Moses, which is clothed in a person's every limb, be revived and arise in the resurrection.

Unique, truly humble Master, make it possible for us to attain humility with ultimate perfection, in accordance with Your good will.

Such humility is on the level of the life of the World to Come, the resurrection of the dead, the true and eternal life of every limb, true nullification to the Infinite One, blessed be He.

Even in this world, may we taste something of the life of the World to Come, the true level of the pleasure of the Shabbat. "I will not die but I will live, and I will relate the deeds of God."

Master of the world, because of my intense physicality and my many grave sins and offenses, there are no words on my tongue with which to compose prayers to You to attain true humility, a trait that is greater than anything else.

Because of my many sins, I do not know anything about the ways of true humility.

You have revealed to us that You do not desire false humility. You do not want a person to view himself as disgraceful and weak as part of his serving You. And how much more is it forbidden to be depressed and embittered, Heaven forbid!

רַק אַדְרַבָּא כָּל אֶחָד צָרִיךְ לְהַחֲיוֹת אֶת עַצְמוֹ, וּלְשַׂמֵּחַ אֶת עַצְמוֹ, וּלְחַזֵּק אֶת עַצְמוֹ בְּכָל פַּעַם בְּכָל מִינֵי הִתְחַזְּקוּת לְבִלִּי לִפֹּל בְּדַעְתּוֹ כְּלָל, כְּדֵי שֶׁלֹּא לְיָאֵשׁ אֶת עַצְמוֹ חַס וְשָׁלוֹם.

וְעַל פִּי רֹב צְרִיכִין לְהִתְחַזֵּק אֶת עַצְמוֹ כְּנֶגֶד כָּל הָעוֹלָם כֻּלּוֹ, לְבַל יוּכַל לִמְנֹעַ אוֹתוֹ שׁוּם מוֹנֵעַ וּמְעַכֵּב.

וְעַתָּה אֵיךְ יִזְכֶּה נִבְעָר מִדַּעַת כָּמוֹנִי, לְהָפִיק דַּרְכֵי הָעֲנָוָה בֶּאֱמֶת?! כִּי שְׁנֵיהֶם הָיוּ בְּעוֹכְרַי, הֵן מִדַּת הַגַּאֲוָה וְגַסּוּת הָרוּחַ, הֵן עֲנָוָה פְּסוּלָה, כִּי שְׁנֵיהֶם מַזִּיקִים הַרְבֵּה.

וְאֵיךְ זוֹכִין לְהִנָּצֵל מִשְּׁנֵי דְרָכִים הָרָעִים הַפְּגוּמִים הָאֵלֶּה, וְלִזְכּוֹת לַעֲנָוָה אֲמִתִּיִּית, לַעֲנָוָה שֶׁל משֶׁה רַבֵּנוּ וְשֶׁל כָּל הַצַּדִּיקִים הַגְּדוֹלִים הָאֲמִתִּיִּים, שֶׁעֲנָוָה הַזֹּאת הִיא חַיִּים נִצְחִיִּים שֶׁל עוֹלָם הַבָּא, בְּחִינַת תְּחִיַּת הַמֵּתִים.

רִבּוֹנוֹ שֶׁל עוֹלָם, מַלְכֵּנוּ וֵאלֹהֵינוּ, הָאֵל הַגָּדוֹל הַגִּבּוֹר וְהַנּוֹרָא, אֲשֶׁר לִגְדֻלָּתְךָ אֵין חֵקֶר, וּבְכָל מָקוֹם שֶׁאָנוּ מוֹצְאִין גְּדֻלָּתְךָ אָנוּ מוֹצְאִין עַנְוְתָנוּתְךָ.

לַמְּדֵנוּ וְהוֹרֵנוּ אֵיךְ לְסַדֵּר תְּפִלּוֹת וּבַקָּשׁוֹת עַל זֶה, בְּאֹפֶן

To the contrary, everyone must constantly revive himself, gladden himself and strengthen himself with every type of encouragement not to be downhearted at all, so that he will never despair, Heaven forbid.

In most cases, a person must fortify himself against the entire world, so that it will not be able to place any obstacles or impediments in his way.

And now, how will a person as lacking in awareness as I am, truly attain the ways of humility? For pride and coarseness of spirit, as well as false humility, both of which are so harmful, have soiled me.

How can we be saved from these two evil, blemished ways and attain true humility, the humility of Moses and of all of the great, true Tzaddikim—a humility that is the eternal life of the World to Come, on the level of the resurrection of the dead?

Master of the world, our King and our God, our great, mighty and awesome God, there is no limit to Your greatness. And wherever we find Your greatness, there we find Your humility.

Teach us and show us how to compose prayers and requests regarding this, so that we

שֶׁנִּזְכֶּה לְרַצּוֹת וּלְפַיֵּס אוֹתְךָ, שֶׁתְּזַכֵּנוּ כֻּלָּנוּ לַעֲנָוָה אֲמִתִּיִּית כִּרְצוֹנְךָ הַטּוֹב בֶּאֱמֶת לַאֲמִתּוֹ.

רִבּוֹנוֹ שֶׁל עוֹלָם צוֹפֶה וּמַבִּיט עַד סוֹף כָּל הַדּוֹרוֹת, "מַגִּיד מֵרֵאשִׁית אַחֲרִית". אַתָּה יוֹדֵעַ גֹּדֶל הָרַחֲמָנוּת שֶׁיִּהְיֶה עָלַי לְיוֹם הַדִּין הַגָּדוֹל וְהַנּוֹרָא, בָּעֵת שֶׁאַתָּה עָתִיד לְהַחֲיוֹת מֵתִים.

שֶׁאָז יִהְיֶה נִפְקַד הָאָדָם עַל כָּל מַעֲשָׂיו שֶׁעָשָׂה בָּזֶה הָעוֹלָם, דָּבָר גָּדוֹל וְדָבָר קָטָן, הַכֹּל יִהְיֶה נִזְכַּר לוֹ אָז. "כִּי אֶת כָּל מַעֲשֶׂה הָאֱלֹהִים יָבִיא בְמִשְׁפָּט עַל כָּל נֶעְלָם אִם טוֹב וְאִם רָע".

וַאֲפִלּוּ אִם אֶזְכֶּה מֵעַתָּה לִתְשׁוּבָה שְׁלֵמָה בֶּאֱמֶת, גַּם כֵּן אֲנִי צָרִיךְ רַחֲמִים רַבִּים וִישׁוּעוֹת גְּדוֹלוֹת לְיוֹם הַדִּין, לְפִי עֹצֶם רִבּוּי פְּגָמַי וּפְשָׁעַי שֶׁפָּשַׁעְתִּי נֶגְדְּךָ עַד הֵנָּה.

אֲבָל עֲדַיִן אֲנִי רָחוֹק מִתְּשׁוּבָה שְׁלֵמָה, וְעַתָּה מָה אֶעֱשֶׂה אָבִי שֶׁבַּשָּׁמַיִם, הוֹשִׁיעֵנִי נָא אָבִי מַלְכִּי וּקְדוֹשִׁי, יוֹצְרִי

will please and appease You, and You will grant all of us true humility, in accordance with Your good will.

God's Compassion

Master of the world, You Who gaze and see to the end of all generations, You Who "tell the end from the beginning," You know the great compassion I will require on the great and awesome Day of Judgment, when You will revive the dead.

Then each person will be scrutinized regarding all of his deeds, great and small, that he did in this world. At that time, everything will be recalled. "For every deed, everything that is hidden, whether good or bad, God will bring judgment."

Even if from now on I attain truly complete repentance, I will also require vast compassion and great salvation on the Day of Judgment to counter the immensity of my blemishes and the offenses with which I offended You until now.

Since I am still far from complete repentance, what shall I do now, my Father in Heaven? Please save me, my Father, my King, my Holy

וּבוֹרְאִי וְעוֹשִׂי, וְתַקְּנֵנִי בְּעֵצָה טוֹבָה מִלְּפָנֶיךָ, כַּאֲשֶׁר אֲנִי שָׁם עַתָּה.

בְּאֹפֶן שֶׁאֶזְכֶּה מֵעַתָּה לְהִתְעוֹרֵר בֶּאֱמֶת בְּכֹחַ וּגְבוּרָה וּזְרִיזוּת גָּדוֹל לָשׁוּב אֵלֶיךָ בֶּאֱמֶת, עַד שֶׁאֶזְכֶּה לָקוּם בִּתְחִיַּת הַמֵּתִים לְחַיֵּי עוֹלָם.

כִּי אַתָּה יוֹדֵעַ, אֲשֶׁר כָּל כַּוָּנָתְךָ בִּבְרִיאָתֵנוּ הָיָה רַק כְּדֵי שֶׁנִּזְכֶּה לְתַכְלִית הַזֶּה, לְחַיִּים נִצְחִיִּים שֶׁל עוֹלָם הַבָּא.

עַל כֵּן חֲמֹל עָלַי וְעַל כָּל יִשְׂרָאֵל בְּחֶמְלָתְךָ הַגְּדוֹלָה, וַעֲשֵׂה מַה שֶּׁתַּעֲשֶׂה בַּחֲסָדֶיךָ הָרַבִּים, בְּאֹפֶן שֶׁנִּזְכֶּה לָבוֹא לְכָל מַה שֶּׁבִּקַּשְׁנוּ מִלְּפָנֶיךָ.

שֶׁנִּזְכֶּה לְהִתְקָרֵב לְצַדִּיקִים אֲמִתִּיִּים, וְלִרְאוֹת עַצְמֵנוּ עִמָּהֶם פָּנִים אֶל פָּנִים וּלְהִכָּלֵל בִּקְדֻשָּׁתָם הַנּוֹרָאָה. וְיִהְיֶה נִמְשָׁךְ עָלֵינוּ קְדֻשָּׁתָם וּפְרִישׁוּתָם, עַד שֶׁנִּזְכֶּה לִהְיוֹת קְדוֹשִׁים וּטְהוֹרִים בִּקְדֻשַּׁת הַבְּרִית כְּמוֹתָם.

וְנִזְכֶּה לְקַבֵּל מֵהֶם הִתְנוֹצְצוּת הַמֹּחִין בִּקְדֻשָּׁה גְּדוֹלָה, וְיִהְיֶה מֹחֵנוּ וְשִׂכְלֵנוּ הוֹלֵךְ וְגָדוֹל בְּתוֹרָתֶךָ וּבַעֲבוֹדָתֶךָ וּבְהַשָּׂגַת אֱלָהוּתְךָ בֶּאֱמֶת, וְנִזְכֶּה לְקַבֵּל מֵהֶם חִדּוּשֵׁי וּבֵאוּרֵי הַתּוֹרָה.

One, my Maker, my Creator, my Prime Mover. Rectify me by sending me good counsel from wherever I am at present.

From now on may I be truly inspired, with great might, power and enthusiasm, to return to You, so that at the resurrection, I will rise to eternal life.

You know that all of Your intention in creating us was so that we would attain this goal—the eternal life of the World to Come.

Therefore, in Your great mercy, have mercy on me and on the entire Jewish people. In Your vast lovingkindness, help us attain everything that we have requested of You.

May we come close to true Tzaddikim, see them face to face, and be subsumed into their awesome holiness. May their holiness and asceticism be drawn onto us, until we will be as holy and pure in regard to the purity of the covenant as they are.

May we receive from them an illuminated consciousness with great holiness. May our mind and intellect grow in Your Torah, in serving You, and in truly perceiving Your Godliness. May we receive original insights and explanations of the Torah from them.

וְתַעַזְרֵנוּ וְתוֹשִׁיעֵנוּ שֶׁנִּזְכֶּה גַּם אֲנַחְנוּ לְחַדֵּשׁ חִדּוּשִׁים וּבֵאוּרִים אֲמִתִּיִּים בְּתוֹרָתְךָ הַקְּדוֹשָׁה, וְעַל יְדֵי זֶה נִזְכֶּה לְבוּשָׁה וְיִרְאָה גְדוֹלָה מִפָּנֶיךָ, וְלָשׁוּב בִּתְשׁוּבָה שְׁלֵמָה לְפָנֶיךָ בֶּאֱמֶת.

עַד שֶׁיִּהְיֶה נִחְיֶה אֶצְלֵנוּ הַשִּׁפְלוּת וְהָעֲנָוָה שֶׁל מֹשֶׁה רַבֵּנוּ הַמְלֻבָּשׁ בְּכָל אֶחָד וְאֶחָד, בְּכָל אֵבֶר וָאֵבֶר.

וְנִזְכֶּה גַּם בָּעוֹלָם הַזֶּה לִטְעֹם טַעַם שַׁבָּת קֹדֶשׁ, שֶׁהוּא בְּחִינַת חַיֵּי עוֹלָם הַבָּא, חַיִּים אֲמִתִּיִּים חַיִּים נִצְחִיִּים, כְּמוֹ שֶׁכָּתוּב: "טוֹעֲמֶיהָ חַיִּים זָכוּ".

אֲשֶׁר חַיִּים כָּאֵלֶּה אִי אֶפְשָׁר לְקַבֵּל בְּשׁוּם גּוּף וּבְשׁוּם יֵשׁוּת, כִּי אִם כְּשֶׁזּוֹכִין לָבוֹא לְתַכְלִית הָעֲנָוָה בֶּאֱמֶת לִהְיוֹת כְּאַיִן וּכְאֶפֶס.

רִבּוֹנוֹ שֶׁל עוֹלָם, אֵל חַי וְקַיָּם, הַחֲיֵינוּ וְקַיְּמֵינוּ, וּמַלֵּא מִשְׁאֲלוֹתֵינוּ לְטוֹבָה בְּרַחֲמִים, וְזַכֵּנוּ לִחְיוֹת מֵעַתָּה חַיִּים אֲמִתִּיִּים חַיִּים טוֹבִים וַאֲרוּכִים שֶׁהֵם בְּחִינַת חַיִּים נִצְחִיִּים שֶׁל עוֹלָם הַבָּא.

"כְּחַסְדְּךָ חַיֵּנִי, וְאֶשְׁמְרָה עֵדוּת פִּיךָ. תְּחִי נַפְשִׁי וּתְהַלְלֶךָּ,

Help us and save us so that we, too, will create true insights and explanations of Your holy Torah. As a result, may we experience great shame and fear before You, and truly return to You in complete repentance.

May the lowliness and humility of Moses, which is clothed in every individual's every limb, be revived in us.

Even in this world, may we taste the holy Shabbat, the life of the World to Come—true life, eternal life, as in the verse, "Those who taste it have acquired life."

A person can receive such life only when he truly attains ultimate humility and is as nothing.

Master of the world, Living and Eternal God, give us life and sustain us. Compassionately fulfill our requests for the good. From now on may we live a true life, a good and long life, on the level of the eternal life of the World to Come.

"In accordance with Your kindness, give me life, and I will guard the testimony of Your mouth." "May my spirit live and praise You,

וּמִשְׁפָּטֶךָ יַעֲזְרֻנִי, תּוֹדִיעֵנִי אֹרַח חַיִּים שׂוֹבַע שְׂמָחוֹת אֶת פָּנֶיךָ נְעִימוֹת בִּימִינְךָ נֶצַח.

יִהְיוּ לְרָצוֹן אִמְרֵי פִי וְהֶגְיוֹן לִבִּי לְפָנֶיךָ יְהֹוָה צוּרִי וְגוֹאֲלִי", אָמֵן נֶצַח סֶלָה וָעֶד:

as Your judgments help me." "Let me know the way of life, the satiety of joy before Your countenance, the pleasantness at Your right hand forever."

"May the words of my mouth and the meditation of my heart be pleasing before You, HaShem, my Rock and my Redeemer." Amen, forever and ever.

36 (II, 73)

*One Who Wishes to Repent Must Recite Psalms /
God Himself Engages in Repentance, as it were*

One who wishes to repent must accustom himself to recite psalms. There are fifty gates of repentance, of which a person can go through forty-nine. The fiftieth gate is the repentance of God Himself, as it were, as expressed in the verse, "Return to Me and I will return to you" (Malakhi 3:7).

Sometimes a person is not inspired to repent. Even if he is inspired, he may not reach his particular gate of repentance. And even if he does, it might be closed.

But when a person recites psalms, he is inspired to repent, he reaches his gate and he is able to open it.

These forty-nine gates of repentance correspond to the forty-nine letters that comprise the names of the twelve tribes. Their principal purification occurred in Egypt. After they were purified, they left and counted forty-nine days—corresponding to the forty-nine gates of repentance—until, on the fiftieth day, God descended to them on Mount Sinai. "I will return to you." That was the repentance of God Himself, as it were—the fiftieth gate.

לימי הספירה

אַתָּה יָצַרְתָּ עוֹלָמְךָ מִקֶּדֶם בִּשְׁבִיל יִשְׂרָאֵל עַמְּךָ אֲשֶׁר בָּהֶם בָּחַרְתָּ.

וּבְרַחֲמֶיךָ הָרַבִּים זִכִּיתָ אוֹתָנוּ וְנָתַתָּ לָנוּ אֶת תּוֹרָתְךָ הַקְּדוֹשָׁה עַל יְדֵי משֶׁה נְבִיאֲךָ נֶאֱמַן בֵּיתֶךָ לְחַיּוּתֵנוּ כְּהַיּוֹם הַזֶּה, לְמַעַן נִזְכֶּה עַל יָדָהּ לְיוֹם שֶׁכֻּלּוֹ טוֹב וְכֻלּוֹ אָרֹךְ.

וּבַחֲסָדֶיךָ הָעֲצוּמִים הוֹסַפְתָּ לָנוּ חֲסָדִים וְטוֹבוֹת נִפְלָאוֹת וְנוֹרָאוֹת עַל יְדֵי כָּל הַצַּדִּיקִים שֶׁבְּכָל דּוֹר וָדוֹר, אֲשֶׁר כֻּלָּם עָשׂוּ אָזְנַיִם לַתּוֹרָה מִשְׁמֶרֶת לְמִשְׁמֶרֶת.

כַּמָּה מַעֲלוֹת טוֹבוֹת לַמָּקוֹם עָלֵינוּ, עַד אֲשֶׁר זָכִינוּ גַּם זָכִינוּ, לַחֲסָדִים רַבִּים וְרַחֲמִים גְּדוֹלִים, "חַסְדֵי דָוִד הַנֶּאֱמָנִים".

For the Days of Sefirah[6]

When We Recite Psalms, We Attain Repentance

"From the outset, You created Your world for the sake of the Jewish people, Your chosen nation.

In Your vast compassion, You granted us Your holy Torah through Your prophet Moses, the faithful one of Your house, giving us life as on this day, so that through it we may attain the day that is entirely good and entirely long.

In Your intense kindness, You granted us ever-greater kindness and favors, wonders and awesome matters through the Tzaddikim in every generation, all of whom made the Torah increasingly accessible.

We must recognize how much God has done for us, the vast lovingkindness and great compassion that we have attained, "the faithful kindness repaid to David."

---

6   The days of *sefirah* (counting) refer to the forty-nine-day period of the Counting of the Omer, which extends from the festival of Pesach until the festival of Shavuot. After the Exodus from Egypt on the first day of Pesach, the Jewish people underwent a forty-nine-day period of preparation for the giving of the Torah at Mount Sinai, which took place on the fiftieth day. Each year, we, too, count forty-nine days in preparation for our own receiving of the Torah on the fiftieth day, Shavuot.

אֲשֶׁר הוֹסַפְתָּ לָנוּ חֶסֶד וָטוֹב, וַתַּגְדֵּל חַסְדְּךָ אֲשֶׁר עָשִׂיתָ עִמָּנוּ, לְהַחֲיוֹת אֶת נַפְשֵׁנוּ, וְשָׁלַחְתָּ לָנוּ מוֹשִׁיעַ וָרָב, "מְשִׁיחַ אֱלֹהֵי יַעֲקֹב וּנְעִים זְמִירוֹת יִשְׂרָאֵל", הוּא דָוִד מֶלֶךְ יִשְׂרָאֵל הַחַי וְקַיָּם.

אֲשֶׁר כָּתַב לָנוּ סֵפֶר תְּהִלִּים הַקָּדוֹשׁ וְהַנּוֹרָא, חֲמִשָּׁה סְפָרִים כְּנֶגֶד חֲמִשָּׁה חֻמְשֵׁי תוֹרָה, מָה רַב טוּבְךָ אֲשֶׁר עָשִׂיתָ עִמָּנוּ, מַה נָּשִׁיב לַיהוָֹה כָּל תַּגְמוּלוֹהִי עָלֵינוּ.

וּבְרַחֲמֶיךָ הָרַבִּים גִּלִּיתָ לָנוּ, אֲשֶׁר עַל יְדֵי אֲמִירַת תְּהִלִּים זוֹכִין לִתְשׁוּבָה, כִּי חָפֵץ חֶסֶד אַתָּה, וְרוֹצֶה אַתָּה בִּתְשׁוּבָתָם שֶׁל רְשָׁעִים וְאֵין אַתָּה חָפֵץ בְּמִיתָתָם.

עַל כֵּן הִקְדַּמְתָּ תְּרוּפָה לְמַכּוֹתֵנוּ, וְחוֹנַנְתָּ אוֹתָנוּ בְּסֵפֶר תְּהִלִּים הַקָּדוֹשׁ הַזֶּה, הַפּוֹתֵחַ לָנוּ כָּל שַׁעֲרֵי רַחֲמִים, כָּל שַׁעֲרֵי הַתְּשׁוּבָה, שֶׁהֵם חֲמִשִּׁים שַׁעֲרֵי תְשׁוּבָה, כְּנֶגֶד חֲמִשִּׁים שַׁעֲרֵי בִינָה.

רִבּוֹנוֹ שֶׁל עוֹלָם אָב הָרַחֲמָן, זַכֵּנוּ בְּרַחֲמֶיךָ הָרַבִּים, שֶׁנִּזְכֶּה לַעֲסֹק בַּאֲמִירַת תְּהִלִּים כָּל יָמֵינוּ.

You gave us ever-greater kindness and goodness. You expanded the kindness that You performed on our behalf to revive our souls, and sent us a redeemer and teacher, "the anointed one of the God of Jacob and the sweet singer of Israel"—David, king of Israel, who lives and endures.

He wrote the holy, awesome Book of Psalms on our behalf, in five parts corresponding to the Five Books of the Torah. How great is the goodness that You have performed on our behalf! How shall we repay HaShem for all that He has given us?

In Your vast compassion, You revealed that when we recite psalms, we attain repentance. You desire kindness. You desire the repentance of the wicked and not their death.

Therefore, You brought us the medicine before the wound by graciously giving us this holy Book of Psalms, which opens to us all of the gates of compassion, all of the gates of repentance, which are the fifty gates of repentance, corresponding to the fifty gates of understanding.

Master of the world, compassionate Father, in Your vast compassion help us recite psalms all of our days.

וְתַעַזְרֵנִי אוֹתִי וְאֶת כָּל בְּנֵי בֵיתִי בִּכְלַל יִשְׂרָאֵל עַמֶּךָ, שֶׁאֶזְכֶּה בְּכָל יוֹם וָיוֹם לוֹמַר תְּהִלִּים הַרְבֵּה בְּהִתְעוֹרְרוּת גָּדוֹל בְּלֵב שָׁלֵם בֶּאֱמֶת.

וְאֶזְכֶּה לְהַטּוֹת לְבָבִי הֵיטֵב לְהַשְׁמִיעַ לְאָזְנַי מַה שֶּׁאֲנִי מוֹצִיא בְּפִי, בְּאֹפֶן שֶׁאֶזְכֶּה לִמְצוֹא עַצְמִי בְּכָל דַּרְגָּא וְדַרְגָּא בְּתוֹךְ פְּסוּקֵי תְהִלִּים הַקְּדוֹשִׁים הַכְּלוּלִים מִכָּל נִשְׁמוֹת יִשְׂרָאֵל וּמִכָּל הַמַּדְרֵגוֹת שֶׁבָּעוֹלָם. מִן תַּכְלִית מַדְרֵגָה הָעֶלְיוֹנָה עַד תַּכְלִית דְּיוּטָא הַתַּחְתּוֹנָה.

אֲשֶׁר כָּל הַנּוֹפְלִים וְהָרְחוֹקִים בְּתַכְלִית הָרִחוּק, כֻּלָּם יְכוֹלִים לִמְצֹא אֶת עַצְמָם בְּתוֹךְ סֵפֶר תְּהִלִּים.

וְכָל אֶחָד יָכוֹל לְעוֹרֵר לְבָבוֹ לָשׁוּב בִּתְשׁוּבָה שְׁלֵמָה לְהַשֵּׁם יִתְבָּרַךְ עַל יְדֵי אֲמִירַת תְּהִלִּים, וְלָבֹא לְהַשַּׁעַר שֶׁל תְּשׁוּבָה הַשַּׁיָּךְ לוֹ, שֶׁהוּא מְכֻוָּן כְּנֶגֶד הָאוֹת שֶׁלּוֹ שֶׁיֵּשׁ לוֹ בְּמ"ט [בְּאַרְבָּעִים וָתֵשַׁע] אוֹתִיּוֹת שֶׁל שְׁמוֹת שִׁבְטֵי יָהּ.

שֶׁהֵם מ"ט [אַרְבָּעִים וָתֵשַׁע] אוֹתִיּוֹת, כְּנֶגֶד מ"ט [אַרְבָּעִים וָתֵשַׁע] שַׁעֲרֵי תְשׁוּבָה, שֶׁאָנוּ צְרִיכִים לָשׁוּב עַל יָדָם לְהַשֵּׁם יִתְבָּרַךְ.

עַד שֶׁנִּזְכֶּה עַל יְדֵי זֶה שֶׁהַשֵּׁם יִתְבָּרַךְ יָשׁוּב אֵלֵינוּ בִּתְשׁוּבָה שְׁלֵמָה, לְרַחֵם עָלֵינוּ בַּחֲסָדִים רַבִּים וְרַחֲמִים גְּדוֹלִים.

Help me and everyone in my family, as part of Your nation of Israel, recite many psalms with great feeling, with a truly whole heart, every single day.

May I focus my heart well so that my ears will hear what my mouth is saying, so I will find every level of myself within the holy verses of psalms, which are composed of all of the souls of Israel and of all levels, from the highest to the lowest.

Even those who have fallen to the most distant places can find themselves in the Book of Psalms.

Everyone can arouse his heart to return to HaShem in complete repentance as a result of reciting psalms, and to reach his own gate of repentance, which resonates to his letter of the forty-nine letters of the names of the tribes of God.

These forty-nine letters correspond to the forty-nine gates of repentance, through which we return to HaShem.

As a result, may HaShem return to us completely, with great compassion and vast kindness.

לְסַיְּעֵנוּ וּלְעָזְרֵנוּ בְּכָל עֵת לְהִתְקָרֵב אֵלָיו יִתְבָּרַךְ תָּמִיד, מִכָּל הַמְּקוֹמוֹת שֶׁנָּפַלְנוּ בָּהֶם, וְלָשׁוּב אֵלָיו בִּתְשׁוּבָה שְׁלֵמָה, תְּשׁוּבָה עַל תְּשׁוּבָה תָּמִיד.

אָנָּא אָבִי אָב הָרַחֲמָן, כָּל דַּרְכֵי עֲצוֹתֶיךָ אֲשֶׁר גִּלִּיתָ לָנוּ עַל יְדֵי צַדִּיקֶיךָ הָאֲמִתִּיִּים, בְּכֻלָּם פָּגַמְתִּי בָּהֶם הַרְבֵּה כַּאֲשֶׁר אַתָּה יָדַעְתָּ.

אֲבָל אֲנִי יוֹדֵעַ [וּמַאֲמִין] בֶּאֱמוּנָה שְׁלֵמָה, שֶׁבֶּאֱמֶת אִי אֶפְשַׁר לְקַלְקֵל עֲצוֹתֶיךָ בְּשׁוּם אֹפֶן בָּעוֹלָם.

עַל כֵּן עֲדַיִן אֲנִי עוֹמֵד וּמְצַפֶּה לִישׁוּעָה שְׁלֵמָה בְּכָל עֵת, שֶׁתְּקָרְבֵנִי אֵלֶיךָ וְתַחֲזִירֵנִי בִּתְשׁוּבָה שְׁלֵמָה לְפָנֶיךָ, עַל יְדֵי כָּל הַדְּרָכִים וְהָעֵצוֹת הַנִּפְלָאוֹת וְהַנּוֹרָאוֹת הַתְּמִימוֹת וְהַפְּשׁוּטוֹת, אֲשֶׁר גִּלִּיתָ לָנוּ עַל יְדֵי צַדִּיקֶךָ הָאֲמִתִּיִּים, בְּאֹפֶן שֶׁאֶזְכֶּה מֵעַתָּה לִהְיוֹת כִּרְצוֹנְךָ הַטּוֹב תָּמִיד.

רִבּוֹנוֹ שֶׁל עוֹלָם זַכֵּנִי לִהְיוֹת רָגִיל מְאֹד בַּאֲמִירַת תְּהִלִּים הַרְבֵּה בְּכָל יוֹם בְּכַוָּנָה גְּדוֹלָה, בְּהִתְעוֹרְרוּת נִפְלָא בְּכַוָּנַת הַלֵּב בֶּאֱמֶת, עַד שֶׁאֶזְכֶּה עַל יְדֵי זֶה לְהַרְגִּישׁ כְּאֵב עֲווֹנוֹתַי, וְלָשׁוּב עֲלֵיהֶם בִּתְשׁוּבָה שְׁלֵמָה.

May He assist and help us to constantly come close to Him from wherever we fell. May we return to Him with complete repentance—repentance upon repentance, continually.

Bring Me Salvation

My compassionate Father, You know how I have deeply compromised all of the ways of Your counsel that You revealed to us through Your true Tzaddikim.

But I know [and believe] with complete faith that it is absolutely impossible to damage Your counsel.

Therefore, I still await and anticipate a complete salvation at every moment. I wait for You to bring me close to You and return me to You in complete repentance by means of all of the wondrous and awesome, perfect and simple ways and counsels that You revealed to us through Your true Tzaddikim, so that from now on I will always be in accordance with Your good will.

Master of the world, help me regularly recite many psalms every day with great concentration, with prodigious feeling, with the true attention of my heart, until I will feel the pain of my sins and repent for them completely.

וְאֶזְכֶּה לְשִׂמְחָה גְדוֹלָה עַל יְדֵי אֲמִירַת תְּהִלִּים, וּלְעוֹרֵר עָלַי כָּל הָעֲשָׂרָה מִינֵי נְגִינָה שֶׁנֶּאֱמַר בָּהֶם סֵפֶר תְּהִלִּים, שֶׁהֵם רְפוּאַת הַבַּת מֶלֶךְ, שֶׁהִיא כְּנֶסֶת יִשְׂרָאֵל, וּנְגִינוֹתַי אֲנַגֵּן כָּל יְמֵי חַיַּי עַל בֵּית יְהֹוָה בְּקוֹל רִנָּה וְתוֹדָה, "כִּי טוֹב יְהֹוָה כִּי לְעוֹלָם חַסְדּוֹ".

מָלֵא רַחֲמִים, זַכֵּנוּ לָצֵאת מִגָּלוּת מִצְרַיִם, וּמִכָּל הַגָּלֻיּוֹת שֶׁל הַנֶּפֶשׁ וְהַגּוּף אֲשֶׁר כֻּלָּם מְכוּנִים בְּשֵׁם גָּלוּת מִצְרַיִם.

זַכֵּנִי שֶׁאֶזְכֶּה לְטַהֵר וּלְזַכֵּךְ וּלְגַלּוֹת כָּל הַמ"ט שַׁעֲרֵי תְשׁוּבָה עַל יְדֵי אֲמִירַת תְּהִלִּים הַכּוֹלֵל אֶת כָּל "שְׁמוֹת בְּנֵי יִשְׂרָאֵל הַבָּאִים מִצְרָיְמָה", שֶׁיֵּשׁ בָּהֶם מ"ט אוֹתִיּוֹת כְּנֶגֶד מ"ט שַׁעֲרֵי תְשׁוּבָה.

וְעַל יְדֵי זֶה תּוֹצִיאֵנִי מִמ"ט שַׁעֲרֵי טֻמְאָה וְתַכְנִיסֵנִי בְּתוֹךְ מ"ט שַׁעֲרֵי קְדֻשָּׁה, וְתוֹצִיאֵנִי מִמֵּצַר הַגָּרוֹן, שֶׁלֹּא יִהְיֶה נִחַר גְּרוֹנִי, כִּי כְּבָר קְרָאתִיךָ מִמֵּצַר הַגָּרוֹן הַרְבֵּה.

הוֹצִיאֵנִי לַמֶּרְחָב וְזַכֵּנִי וְהַעֲלֵנִי מִבְּחִינַת אֶרֶץ מִצְרַיִם מִמֵּצַר הַגָּרוֹן, עַד שֶׁאֶזְכֶּה לְהַרְחִיב פִּי וְאַתָּה תְּמַלְאֵהוּ בְּכָל

May I attain great joy as a result of reciting psalms. May I arouse the ten types of melody of which the Book of Psalms is composed, which heal the "King's daughter"—the Congregation of Israel—and sing melodies all of the days of my life about the House of HaShem in a voice of joy and thanks: "HaShem is good; His kindness is forever."

You Who are filled with compassion, help me emerge from all exiles of soul and body, which are called the exile of Egypt.

Help me purify, refine and reveal all forty-nine gates of repentance as a result of reciting psalms, which include all of the "names of the children of Israel coming to Egypt" that are comprised of forty-nine letters, corresponding to the forty-nine gates of repentance.

In this way, bring me out of the forty-nine gates of uncleanness and into the forty-nine gates of holiness. Take me out of the "narrowness of the throat," so that my throat will not be hoarse as a result of having called out to You so much from the narrowness of the throat.

Bring me out to expansiveness. Raise me from the "land of Egypt," from the "narrowness of the throat," so that I will open my mouth and You

טוֹב אֲמִתִּי וְנִצְחִי, בְּאֹפֶן שֶׁאֶזְכֶּה לְהִתְקָרֵב וְלָשׁוּב אֵלֶיךָ בִּתְשׁוּבָה שְׁלֵמָה בֶּאֱמֶת בְּכָל לֵב בְּגוּף וָנֶפֶשׁ וּמָמוֹן.

"הֲשִׁיבֵנִי וְאָשׁוּבָה כִּי אַתָּה [יְהֹוָה] אֱלֹהָי", הֲשִׁיבֵנוּ אָבִינוּ לְתוֹרָתֶךָ, וְקָרְבֵנוּ מַלְכֵּנוּ לַעֲבוֹדָתֶךָ, וְהַחֲזִירֵנוּ בִּתְשׁוּבָה שְׁלֵמָה לְפָנֶיךָ.

כִּי אַתָּה צוֹפֶה לָרָשָׁע וְחָפֵץ בְּהִצָּדְקוֹ, וְרוֹצֶה אַתָּה בִּתְשׁוּבָה, "כִּי לֹא תַחְפֹּץ בְּמוֹת הַמֵּת כִּי אִם בְּשׁוּבוֹ מִדְּרָכָיו וְחָיָה, וְעַד יוֹם מוֹתוֹ תְּחַכֶּה לוֹ, אִם יָשׁוּב מִיַּד תְּקַבְּלוֹ".

"תָּשֵׁב אֱנוֹשׁ עַד דַּכָּא" עַד דִּכְדּוּכָהּ שֶׁל נֶפֶשׁ, "וַתֹּאמֶר שׁוּבוּ בְנֵי אָדָם". שׁוּבֵנוּ אֱלֹהֵי יִשְׁעֵנוּ וְהָפֵר כַּעַסְךָ עִמָּנוּ. "הֲשִׁיבֵנוּ יְהֹוָה אֵלֶיךָ וְנָשׁוּבָה חַדֵּשׁ יָמֵינוּ כְּקֶדֶם".

רִבּוֹנוֹ שֶׁל עוֹלָם "זְכוֹר רַחֲמֶיךָ יְהֹוָה וַחֲסָדֶיךָ כִּי מֵעוֹלָם הֵמָּה", זְכוֹר נָא הַחֶסֶד הַנִּפְלָא וְהַנּוֹרָא אֲשֶׁר עָשִׂיתָ עִמָּנוּ,

will fill it with all true and eternal good. Then I will truly come close to You and return to You in complete and wholehearted repentance, with my body, soul and financial affairs.

"Bring me back and I will return, for You are [HaShem] my God." Bring us back, our Father, to Your Torah, and bring us close, our King, to serve You. Return us to You in complete repentance.

You look to the wicked person and desire his vindication. You desire repentance. "You do not desire the death of a person who dies," "but that he will repent of his deeds and live." You wait for him until the day of his death, and if he repents, You immediately accept him.

"You press a man down until his soul is crushed, and You say, 'Return, sons of man!'" Bring us back, God of our salvation. Turn back Your anger against us. "Return us to You, HaShem, and we will return; renew our days as of old."

Counting the Omer

Master of the world, "recall Your compassion, HaShem, and Your kindness, which are eternal." Please recall the wondrous and awesome kindness that You performed on our behalf

אֲשֶׁר הוֹצֵאתָנוּ מִמִּצְרַיִם בְּכֹחַ גָּדוֹל וּבְיָד חֲזָקָה.

וְגִלִּיתָ לָנוּ אֲמִתַּת אֱמוּנַת אֱלָהוּתְךָ בְּאוֹר גָּדוֹל וְנִפְלָא וְנֶעֱרָב, וְעָשִׂיתָ אוֹתוֹת וּמוֹפְתִים גְּדוֹלִים וְנוֹרָאִים, כְּדֵי לְגַלּוֹת אֱלָהוּתְךָ וְאַחְדוּתְךָ וּמֶמְשַׁלְתְּךָ אֲשֶׁר בַּכֹּל מָשָׁלָה.

וּמֵאָז, קֵרַבְתָּ אוֹתָנוּ לְךָ לְעַם קָדוֹשׁ וְהוֹצֵאתָ אוֹתָנוּ מִמ"ט שַׁעֲרֵי טֻמְאָה, וְהִכְנַסְתָּ אוֹתָנוּ בְּמ"ט שַׁעֲרֵי קְדֻשָּׁה, שֶׁהֵם מ"ט שַׁעֲרֵי תְשׁוּבָה הַכְּלוּלִים בְּמ"ט אוֹתִיּוֹת שֶׁיֵּשׁ בִּשְׁמוֹת שִׁבְטֵי יָהּ.

וּבְרַחֲמֶיךָ הָרַבִּים צִוִּיתָ אוֹתָנוּ לִסְפֹּר כְּנֶגֶד זֶה מ"ט יְמֵי הַסְּפִירָה, כְּדֵי לְטַהֵר נַפְשׁוֹת עַמְּךָ יִשְׂרָאֵל מִזֻּהֲמָתָם.

לְמַעַן נִזְכֶּה עַל יְדֵי מִצְוַת סְפִירַת הָעֹמֶר לָצֵאת מִטֻּמְאָה לְטָהֳרָה, לָצֵאת מִמ"ט שַׁעֲרֵי טֻמְאָה וְלִכְנֹס בְּמ"ט שַׁעֲרֵי קְדֻשָּׁה.

רִבּוֹנוֹ שֶׁל עוֹלָם מָלֵא רַחֲמִים, זַכֵּנוּ בַּחֲסָדֶיךָ הָעֲצוּמִים לְקַיֵּם

when You brought us out of Egypt with great might and a strong hand.

You revealed to us the truth of the faith in Your Godliness with a great, wondrous and sweet light. You performed great and awesome signs and miracles in order to reveal Your Godliness, Your Oneness and Your absolute sovereignty.

Afterward, You brought us close to You as a holy people. You took us out of the forty-nine gates of uncleanness and brought us into the forty-nine gates of holiness—which are the forty-nine gates of repentance that are associated with the forty-nine letters of the names of the tribes of God.

In Your vast compassion, You commanded us to count the corresponding forty-nine days of sefirah, in order to purify the polluted souls of Your nation, the Jewish people.

Then, as a result of the mitzvah of Counting the Omer, we can emerge from uncleanness to purity, leaving the forty-nine gates of uncleanness behind and entering the forty-nine gates of holiness.

Master of the world, You Who are filled with compassion, in Your intense kindness help me

מִצְוַת סְפִירַת הָעֹמֶר בִּזְמַנּוֹ בִּקְדֻשָּׁה גְדוֹלָה וּבְהִתְעוֹרְרוּת נִפְלָא וְנוֹרָא.

שֶׁנִּזְכֶּה לְהִתְעוֹרֵר עַל יְדֵי קְדֻשַּׁת מִצְוָה נוֹרָאָה הַזֹּאת לָשׁוּב אֵלֶיךָ בֶּאֱמֶת, וְלָצֵאת מִכָּל טֻמְאוֹתֵינוּ, לְבַעֵר מִקִּרְבֵּנוּ כָּל מִינֵי טֻמְאוֹת וְזֻהֲמוֹת שֶׁנִּדְבַּק בָּנוּ עַל יְדֵי מַעֲשֵׂינוּ הָרָעִים.

רִבּוֹנוֹ שֶׁל עוֹלָם רִבּוֹנוֹ שֶׁל עוֹלָם, הוֹשִׁיעֵנוּ בְּכָל מִינֵי יְשׁוּעוֹת. כִּי אַתָּה יוֹדֵעַ הַכֹּחַ שֶׁל כָּל מִצְוָה וּמִצְוָה, כַּמָּה גָדוֹל כֹּחָהּ לְהוֹצִיא אוֹתָנוּ מִמְּקוֹמוֹת שֶׁנָּפַלְנוּ לְשָׁם בַּעֲווֹנוֹתֵינוּ הָרַבִּים וּלְקָרְבֵנוּ אֵלֶיךָ.

וּבִפְרָט מִצְוָה הַזֹּאת שֶׁל סְפִירַת הָעֹמֶר, שֶׁהִיא הֲכָנָה לְקַבָּלַת הַתּוֹרָה, שֶׁהִיא תְּחִלַּת הִתְקָרְבוּת יִשְׂרָאֵל לַאֲבִיהֶם שֶׁבַּשָּׁמַיִם.

אֲשֶׁר נָתַתָּ לָנוּ מִצְוָה הַקְּדוֹשָׁה הַזֹּאת כְּדֵי לָצֵאת מִמ"ט שַׁעֲרֵי טֻמְאָה וְלִכְנֹס לְמ"ט שַׁעֲרֵי הַקְּדֻשָּׁה.

זַכֵּנִי בַּמָּקוֹם שֶׁאֲנִי שָׁם עַכְשָׁו, שֶׁאֶזְכֶּה לְקַיֵּם מִצְוָה הַזֹּאת בְּתַכְלִית הַשְּׁלֵמוּת הָאֶפְשָׁרִי לְאִישׁ כְּעֶרְכִּי לְקַיֵּם מִצְוָה הַזֹּאת.

fulfill the mitzvah of Counting the Omer in a timely fashion, with great holiness and with wondrous and awesome enthusiasm.

As a result of the holiness of this awesome mitzvah, may we wake up and truly return to You, and emerge from all of our uncleanness. May we expunge every kind of uncleanness and pollution that clings to us as a result of our evil deeds.

Master of the world, Master of the world, save us with every type of salvation. You know the power of every mitzvah, its great ability to extract us from the places into which we have fallen due to our many sins, and to bring us close to You.

This is particularly true of the mitzvah of Counting the Omer, which prepares us to receive the Torah, which marks the beginning of the Jewish people's coming close to their Father in Heaven.

You gave us this holy mitzvah so that we may emerge from the forty-nine gates of uncleanness and enter the forty-nine gates of holiness.

Help me keep this mitzvah from where I stand now, with the greatest perfection possible for a person like me.

וְאַתָּה תִּמָּלֵא רַחֲמִים עָלַי, וְתַעַזְרֵנִי וְתוֹשִׁיעֵנִי עַל יְדֵי זֶה, וְתוֹצִיאֵנִי מְהֵרָה מִטֻּמְאָה לְטָהֳרָה, מֵחֹל לְקֹדֶשׁ, מִיָּגוֹן לְשִׂמְחָה, מִשִּׁעְבּוּד לִגְאֻלָּה וּמֵאֲפֵלָה לְאוֹר גָּדוֹל.

עַד אֲשֶׁר נִזְכֶּה בְּחַג הַשָּׁבוּעוֹת הַקָּדוֹשׁ, בְּיוֹם הַחֲמִשִּׁים, שֶׁאַתָּה תָּשׁוּב אֵלֵינוּ, וְתִפְתַּח לָנוּ שַׁעַר הַחֲמִשִּׁים הַקָּדוֹשׁ, וְתַשְׁפִּיעַ עָלֵינוּ רַחֲמִים גְּדוֹלִים וְחֶסֶד עֶלְיוֹן מִשָּׁם, בְּאֹפֶן שֶׁנִּזְכֶּה לְתַקֵּן הַכֹּל וְלָשׁוּב אֵלֶיךָ בֶּאֱמֶת תָּמִיד.

רִבּוֹנוֹ שֶׁל עוֹלָם, צוֹפֶה וּמַבִּיט עַד סוֹף כָּל הַדּוֹרוֹת, חוֹשֵׁב מַחֲשָׁבוֹת לְבַל יִדַּח מִמְּךָ נִדָּח. אַתָּה יוֹדֵעַ תֹּקֶף מְרִירוּת הַגָּלוּת הָאַחֲרוֹן הַזֶּה, לְהֵיכָן נָפַלְנוּ וְיָרַדְנוּ בַּעֲווֹנוֹתֵינוּ הָרַבִּים, אֲשֶׁר יְרִידָתֵנוּ עֲמֻקָּה יוֹתֵר מִמ"ט שַׁעֲרֵי טֻמְאָה.

וּבַעֲווֹנוֹתֵינוּ הָרַבִּים נֶאֱמַר עָלֵינוּ עַל עֵת צָרָה הַזֹּאת "וַתֵּרֶד פְּלָאִים אֵין מְנַחֵם לָהּ". כִּי טָבַעְנוּ "בִּיוֵן מְצוּלָה וְאֵין מָעֳמָד"

Be filled with compassion on my behalf. Help me and save me as a result of my keeping this mitzvah, and quickly bring me out from uncleanness to purity, from the mundane to the holy, from sadness to joy, from subjugation to redemption, and from darkness to a great light.

On the holy festival of Shavuot, which is the fiftieth day, return to us and open the holy fiftieth gate for us. Pour great compassion and supernal kindness onto us from that gate, so that we will rectify everything and truly return to You always.

Emerging from This Bitter Exile

Master of the world, You Who gaze and look to the end of all generations, You Who think thoughts so that no one will remain cast away from You, You know the acute bitterness of this last exile, the level to which we have fallen and descended due to our many sins, a descent deeper than the forty-nine gates of uncleanness.

Because of our many sins, in this troubled time "[we] have descended shockingly, with no one to console [us]." We have sunken "into the muddy depths and cannot stand." We have

בָּאנוּ בְמַעֲמַקֵּי מַיִם וְשִׁבֹּלֶת שְׁטָפָתְנוּ.

"הַבֵּט יָמִין וּרְאֵה וְאֵין לִי מַכִּיר, אָבַד מָנוֹס מִמֶּנִּי אֵין דּוֹרֵשׁ לְנַפְשִׁי", חָזַרְתִּי עַל כָּל הַצְּדָדִים וִישׁוּעָה רָחֲקָה מִמֶּנִּי, וּמָה אוֹמַר וַעֲווֹנוֹתַי עָשׂוּ לִי מַה שֶּׁעָשׂוּ.

"לוּלֵי תוֹרָתְךָ שַׁעֲשֻׁעָי אָז אָבַדְתִּי בְעָנְיִי", כִּי חַסְדְּךָ גָּדוֹל עָלֵינוּ וְהִצַּלְתָּ נַפְשֵׁנוּ מִשְּׁאוֹל תַּחְתִּיָּה, כִּי הַאַף אֻמְנָם זֶה הַגָּלוּת הָאַחֲרוֹן הַכָּבֵד, כִּי נָפַלְנוּ וְיָרַדְנוּ לְמָקוֹם שֶׁיָּרַדְנוּ יוֹתֵר וְיוֹתֵר מִגָּלוּת מִצְרַיִם.

אֲבָל זֹאת נֶחָמָתֵנוּ בְעָנְיֵינוּ כִּי אִמְרָתְךָ חִיָּתְנוּ, כִּי כְבָר הִקְדַּמְתָּ תְּרוּפָה לְמַכּוֹתֵנוּ. כִּי כְבָר נָתַתָּ לָנוּ תּוֹרָתְךָ הַקְּדוֹשָׁה עַל יְדֵי מֹשֶׁה נְבִיאֶךָ.

אֲשֶׁר בְּגָלוּת מִצְרַיִם לֹא זָכִינוּ לָזֶה עֲדַיִן, וְיָצָאנוּ מִשָּׁם קֹדֶם קַבָּלַת הַתּוֹרָה כְּעַבְדָּא דְּבָרַח מֵרִבּוֹנֵיהּ, שֶׁזֶּה גָּרַם לָנוּ מַה שֶּׁגָּרַם לָנוּ.

אֲבָל עַתָּה כְּבָר הִפְלֵאתָ חַסְדְּךָ עִמָּנוּ, וְנָתַתָּ לָנוּ כְּבָר תּוֹרָתְךָ הַקְּדוֹשָׁה עַל יְדֵי מֹשֶׁה נְבִיאֶךָ נֶאֱמַן בֵּיתֶךָ.

entered into the depths of the water and the waves have washed over us.

"Gazing to the right, I see that no one knows me. My refuge is gone; no one seeks my soul." I have turned in every direction, but salvation is far from me. What can I say? My sins have deeply affected me.

"If Your Torah had not been my delight, I would have perished in my affliction." "Your kindness to us is great and You have rescued our soul from the lowest Sheol." For indeed, this last exile has been taxing because we have fallen and descended further than we did in the exile of Egypt.

This is our consolation in our impoverished state: that Your word has revived us. For You brought the medicine before our wound, giving us Your holy Torah through Moses Your prophet.

In the exile of Egypt, we had not yet attained this. We left before receiving the Torah, like a slave fleeing from his master, and that caused subsequent problems.

But now You have already performed wondrous kindness on our behalf. You have already given us Your holy Torah through Moses Your prophet, the faithful one of Your house.

וּכְבָר זָכִינוּ שֶׁהָיָה לָנוּ כַּמָּה וְכַמָּה צַדִּיקִים גְּדוֹלִים וְנוֹרָאִים בְּכָל דּוֹר וָדוֹר, וְגַם זָכִינוּ לְסֵפֶר תְּהִלִּים הַקָּדוֹשׁ עַל יְדֵי דָּוִד מֶלֶךְ יִשְׂרָאֵל.

אֲבָל הָאֱמֶת אֲנִי מוֹדֶה וּמִתְוַדֶּה לְפָנֶיךָ, יְהֹוָה אֱלֹהַי וֵאלֹהֵי אֲבוֹתַי, כִּי אַף עַל פִּי כֵן עֲדַיִן אֲנִי מִבַּחוּץ לְגַמְרֵי, וַעֲדַיִן לֹא יָצָאתִי מִן הַחֹל אֶל הַקֹּדֶשׁ כְּלָל.

יוֹם יוֹם אוֹמֵר מַה יְּהֵא בְּסוֹפִי, "קַוֵּה לְשָׁלוֹם וְאֵין טוֹב, לְעֵת מַרְפֵּא וְהִנֵּה בְעָתָה". כָּלוּ כָּל הַקִּצִּים שֶׁהָיִיתִי מְצַפֶּה לְהִוָּשַׁע בָּהֶם וַעֲדַיִן לֹא נוֹשַׁעְתִּי.

וְלֹא דַי לִי בָּזֶה, כִּי אִם עוֹד הוֹסַפְתִּי חֵטְא עַל פֶּשַׁע, פְּשָׁעִים עַל פְּשָׁעִים גְּדוֹלִים וְנוֹרָאִים אוֹי וַאֲבוֹי.

לֹא יָדַעְתִּי נַפְשִׁי אֵיךְ אֲנִי חַי בָּעוֹלָם בִּמְרִירוּת דִּמְרִירוּת כָּזֶה, בְּפִזּוּר הַנֶּפֶשׁ מַר מִמָּוֶת כָּזֶה, בִּנְפִילוֹת וְהַשְׁלָכוֹת וּזְרִיקוֹת כָּאֵלֶּה.

אֲשֶׁר בְּכָל עֵת אֲנִי עוֹלֶה שָׁמַיִם וְיוֹרֵד תְּהוֹמוֹת עֲמֻקּוֹת, וְהִשְׁלַכְתִּי עַצְמִי מִשָּׁמַיִם לָאָרֶץ מִתַּחַת, אֲלָפִים וּרְבָבוֹת

And we have merited a number of great and awesome Tzaddikim in every generation, and we also attained the holy Book of Psalms from David, king of Israel.

However, I admit the truth, confessing before You, HaShem my God and God of my fathers, that nevertheless, I remain entirely on the outside, and have not yet emerged at all from the mundane to the holy.

Every day I ask, "What will my end be?" "We hope for peace but there is no goodness, and for a time of healing, but behold, there is fright." All of the signposts indicating our salvation that I looked forward to have passed by, and still I have not been saved.

Not only that, but I have added transgression to trespass, great and terrible offenses to my previous offenses—woe!

I do not know how I continue to live in such a completely bitter state, with my soul so bewildered, feeling more bitter than death, cast down, rebuffed and rejected.

I constantly rise to Heaven and then descend into profound depths. I am cast down from Heaven to earth thousands and tens of thousands

פְּעָמִים בְּלִי מִסְפָּר, וּמְקַלְּעִים אֶת נַפְשִׁי כְּמוֹ "בְּתוֹךְ כַּף הַקָּלַע".

עַד אֲשֶׁר אָפְסוּ הַדִּבּוּרִים וְהַצֵּרוּפֵי אוֹתִיּוֹת לְסַפֵּר מְצוּקוֹתַי וּמְרִירוּתַי. אוֹי וַאֲבוֹי, כִּי נִכְסַפְתִּי עַל כָּל פָּנִים, לְקָרֵר מַר רוּחִי וּלְפָרֵשׁ שִׂיחָתִי, וְגַם זֶה קָשֶׁה וְכָבֵד עָלַי, יָדַי כָּבְדָה עַל אַנְחָתִי.

כִּי לֹא יַסְפִּיקוּ כָּל עוֹרוֹת אֵילֵי נְבָיוֹת לְבָאֵר בָּהֶם עַד הֵיכָן מַגִּיעִים הַפְּגָמִים שֶׁלָּנוּ שֶׁל יוֹם אֶחָד, וַאֲפִלּוּ שֶׁל שָׁעָה אַחַת.

רִבּוֹנוֹ שֶׁל עוֹלָם "זֹאת נֶחָמָתִי בְעָנְיִי", מַה שֶּׁחִזְּקוּ אוֹתָנוּ הַצַּדִּיקִים אֲמִתִּיִּים בְּשִׁבְעָה מְשִׁיבֵי טָעַם, וְגִלּוּ לָנוּ שֶׁאֵין שׁוּם יֵאוּשׁ בָּעוֹלָם כְּלָל.

עַל זֶה לְבַד תָּמַכְתִּי יְתֵדוֹתַי, וְעַל כֹּחָם הַגָּדוֹל נִשְׁעַנְתִּי לְצַפּוֹת לִישׁוּעָה עֲדַיִן מִמָּקוֹם שֶׁאֲנִי שָׁם.

עַל כֵּן בְּכָל עֵת אֲבַקֵּשׁ אוֹתְךָ מָלֵא רַחֲמִים, שֶׁתּוֹשִׁיעֵנִי בְּכָל דַּרְכֵי עֵצוֹתֶיךָ הַקְּדוֹשִׁים אֲשֶׁר גִּלִּיתָ לָנוּ עַל יְדֵי צַדִּיקֶךָ

of times without number. My soul is shot about as "in the pocket of the sling."

I have run out of words and combinations of letters to relate my oppression and bitterness. Woe! Woe! At the very least, I had yearned to mitigate the bitterness of my spirit and express my speech. But even this is too difficult and onerous for me. "My hand is heavy from sighing."

All of the hides of the "rams of Nebayot" would not suffice as parchment on which to write the effects of our blemishes of one day, or even of one hour.

Save Me with Your Holy Counsel

Master of the world, "this is my consolation in my affliction": that the true Tzaddikim have encouraged us "more than seven men who give advice" and revealed to us that there is no despair in the world at all.

This alone has secured me. Relying on in their great strength, I gaze hopefully for salvation from where I am.

I constantly expect You Who are filled with compassion to save me with all of the holy ways of Your counsel that You revealed to us through

הָאֲמִתִּיִּים, אֲשֶׁר כָּל עֵצָה וְעֵצָה יֵשׁ לָהּ כֹּחַ לַעֲזֹר וּלְהוֹשִׁיעַ גַּם אוֹתִי.

וְאִם בַּעֲווֹנוֹתַי הָרַבִּים קִלְקַלְתִּי כֻּלָּם, אֲנִי יוֹדֵעַ וּמַאֲמִין שֶׁיֵּשׁ לְךָ עוֹד רַחֲמִים רַבִּים וְהַצָּלוֹת וִישׁוּעוֹת וְעֵצוֹת נִפְלָאוֹת אֲשֶׁר גִּלִּיתָ לָהֶם לְבַד, אֲשֶׁר לֹא גִּלּוּ אוֹתָם עֲדַיִן בָּעוֹלָם.

אֲשֶׁר עַל יָדָם יֵשׁ לִי תִּקְוָה עֲדַיִן, שֶׁאֶזְכֶּה לָשׁוּב אֵלֶיךָ וּלְהַתְחִיל מֵחָדָשׁ לְקַיֵּם עֲצוֹתֶיךָ הַקְּדוֹשׁוֹת כֻּלָּם בְּאַהֲבָה וּבְיִרְאָה, בְּאֹפֶן שֶׁאֶזְכֶּה לְתַקֵּן הַכֹּל בְּחַיַּי מְהֵרָה וְלִהְיוֹת כִּרְצוֹנְךָ הַטּוֹב תָּמִיד.

רִבּוֹנוֹ שֶׁל עוֹלָם "בִּלְעֲדֵי אֶחֱזֶה אַתָּה הוֹרֵנִי", כִּי "אֲנִי בַעַר וְלֹא אֵדָע, בְּהֵמוֹת הָיִיתִי עִמָּךְ", וְאִם אָמְנָם בַּעֲווֹנוֹתַי הָרַבִּים פָּגַמְתִּי וְקִלְקַלְתִּי הַרְבֵּה בַּמֶּה שֶׁיָּדַעְתִּי שֶׁהוּא נֶגֶד רְצוֹנְךָ.

כִּי חָטָאתִי עָוִיתִי וּפָשַׁעְתִּי הַרְבֵּה בְּכָל יוֹם וּבְכָל עֵת וּבְכָל שָׁעָה מִנְּעוּרַי עַד הַיּוֹם הַזֶּה, וּפָגַמְתִּי וְקִלְקַלְתִּי הַרְבֵּה מְאֹד.

עִם כָּל זֶה, בְּרַחֲמֶיךָ הָרַבִּים גִּלִּיתָ לָנוּ עַל יְדֵי צַדִּיקֶךָ הָאֲמִתִּיִּים, כִּי "אַתָּה יְהֹוָה אֱלֹהַי גָּדַלְתָּ מְאֹד", אֲשֶׁר אֵין

Your true Tzaddikim. Every piece of advice has the power to help me and save me.

And even if I damaged them all with my many sins, I know and believe that You have more vast compassion and means of rescue, salvation and wondrous counsel that You disclosed to them alone, which they have not yet revealed to the world.

Through this advice, I still have hope that I will return to You and begin anew to keep all of Your holy advice with love and fear, so that I will quickly rectify everything in my life and always be in accordance with Your good will.

Master of the world, "besides what I see, You instruct me." For "I am a beast and do not know, I have been an animal with You." With my many sins, I blemished and damaged a great deal by engaging in ways that I knew to be against Your will.

I transgressed, sinned and offended a great deal every day, every hour and every moment, from my youth until this day. I blemished and damaged a very great deal.

Nevertheless, in Your vast compassion, You revealed to us through Your true Tzaddikim that "HaShem my God, You are exceedingly great."

אָנוּ יוֹדְעִים כְּלָל, כִּי לִגְדֻלָּתְךָ אֵין חֵקֶר.

אֲשֶׁר אֲפִלּוּ נְפִילָתֵנוּ אֵיךְ שֶׁנָּפַלְנוּ כָּל אֶחָד וְאֶחָד לְהֵיכָן שֶׁנָּפַל אַף עַל פִּי כֵן גְּדֻלָּתְךָ שָׂגְבָה מְאֹד, אֲשֶׁר יֵשׁ עִנְיָן שֶׁשָּׁם נִשְׁתַּנָּה הַכֹּל לְגַמְרֵי לְטוֹבָה.

כִּי אֵין אִתָּנוּ יוֹדְעִים עַד מָה, וְעַל זֶה לְבַד אֲנִי נִשְׁעָן וְנִתְלֶה וְנִסְמָךְ עֲדַיִן, כִּי חַסְדֵי יְהֹוָה לֹא תָמְנוּ, וְלֹא כָלוּ רַחֲמָיו לְעוֹלָם.

מָלֵא רַחֲמִים, זַכֵּנִי לְהַרְבּוֹת בַּאֲמִירַת תְּהִלִּים בְּכַוָּנָה גְדוֹלָה וּבְהִתְעוֹרְרוּת נִפְלָא בְּלֵב שָׁלֵם, עַד שֶׁאֶזְכֶּה שֶׁתַּשְׁפִּיעַ עָלַי בְּכָל עֵת הֶאָרָה וּקְדֻשָּׁה גְדוֹלָה מִשַּׁעַר הַחֲמִשִּׁים שֶׁל הַקְּדֻשָּׁה שֶׁהוּא כּוֹלֵל כָּל שַׁעֲרֵי קְדֻשָּׁה.

בְּאֹפֶן שֶׁתּוֹצִיאֵנִי מְהֵרָה מִכָּל הַחֲמִשִּׁים שַׁעֲרֵי טֻמְאָה וְתַכְנִיסֵנִי לְכָל הַחֲמִשִּׁים שַׁעֲרֵי קְדֻשָּׁה, כִּי אֵין לָנוּ עַל מִי לְהִשָּׁעֵן כִּי אִם עָלֶיךָ אָבִינוּ שֶׁבַּשָּׁמַיִם, כִּי לֵית אֲתַר פָּנוּי מִנָּךְ.

עָזְרֵנוּ נָא מֵעַתָּה, וְהוֹשִׁיעֵנוּ יְשׁוּעָה שְׁלֵמָה כְּנָאֶה לְךָ, בְּאֹפֶן שֶׁאֶזְכֶּה לְהִתְחַדֵּשׁ לְגַמְרֵי, שֶׁאֶעֱזוֹב דַּרְכֵי הָרָע וּמַחְשְׁבוֹתַי הָרָעוֹת לְגַמְרֵי וְלֹא אָשׁוּב עוֹד לְכִסְלָה.

We do not know anything at all, for there is no limit to Your greatness.

Despite our falls, each individual to where he fell, Your greatness is exceedingly elevated, and there is a way in which everything is totally transformed to the good.

None of us knows anything of this. On this alone I rely, depend and am supported still, for the kindness of HaShem has not ended and His compassion has never ceased.

You Who are filled with compassion, help me recite more psalms with great concentration and wondrous, wholehearted fervor, until at every moment You will pour onto me great illumination and holiness from the fiftieth gate of holiness, which comprises all of the gates of holiness.

Quickly bring me out from all fifty gates of uncleanness, and bring me into all fifty gates of holiness. We have no one on whom to rely except You, our Father in Heaven—for no place is empty of You.

Help us from now on. Save us with a complete salvation, as is fitting for You, so that I will be entirely renewed, so that I will completely abandon my evil ways and evil thoughts, and no longer return to foolishness.

"לֵב טָהוֹר בְּרָא לִי אֱלֹהִים וְרוּחַ נָכוֹן חַדֵּשׁ בְּקִרְבִּי".

וְאֶזְכֶּה מְהֵרָה עַל יְדֵי אֲמִירַת תְּהִלִּים לָבוֹא וּלְהַגִּיעַ לְהָאוֹת וְהַשַּׁעַר שֶׁל תְּשׁוּבָה הַשַּׁיָּךְ לְנַפְשִׁי כְּפִי שֹׁרֶשׁ נִשְׁמָתִי בְּמ"ט אוֹתִיּוֹת שִׁבְטֵי יָהּ.

בְּאֹפֶן שֶׁאֶזְכֶּה לָשׁוּב אֵלֶיךָ בֶּאֱמֶת וּבְלֵב שָׁלֵם, וּלְעָבְדְךָ בֶּאֱמֶת בְּיִרְאָה וּבְאַהֲבָה "בְּשִׂמְחָה וּבְטוּב לֵבָב מֵרֹב כֹּל.

הֲשִׁיבֵנִי וְאָשׁוּבָה כִּי אַתָּה [יְהוָה] אֱלֹהָי. הֲשִׁיבֵנוּ יְהוָה אֵלֶיךָ וְנָשׁוּבָה חַדֵּשׁ יָמֵינוּ כְּקֶדֶם.

יִהְיוּ לְרָצוֹן אִמְרֵי פִי וְהֶגְיוֹן לִבִּי לְפָנֶיךָ יְהוָה צוּרִי וְגוֹאֲלִי", אָמֵן וְאָמֵן:

"God, create within me a pure heart and renew a steadfast spirit within me."

By reciting psalms, may I quickly arrive at the sign and gate of repentance connected to my soul, according to the root of my soul in the forty-nine letters of the names of the tribes of God.

In that way, may I truly return to You with all my heart, and truly serve You with fear and love, "in joy and with a goodness of heart out of an abundance of everything."

"Bring me back and I will return, for You are [HaShem] my God." "Bring us back to You, HaShem, and we will return. Renew our days as of old."

"May the words of my mouth and the meditation of my heart be pleasing before You, HaShem, my Rock and my Redeemer." Amen and amen.

37 (II, 74)

We Read Parashat Parah Because Purim is a Preparation for Pesach

After Purim, we read *Parashat Parah*, the Torah portion describing the Red Heifer. This reminds us to purify ourselves in preparation for Pesach.

Originally, all beginnings were from Pesach, and so all of the commandments are a recollection of the Exodus. But now Purim marks the beginning. And so Purim itself is a preparation for Pesach, as indicated by the reading of *Parashat Parah* right after Purim.

לפורים

יְהִי רָצוֹן מִלְּפָנֶיךָ יְהֹוָה אֱלֹהֵינוּ וֵאלֹהֵי אֲבוֹתֵינוּ, עוֹשֶׂה נִסִּים וְנִפְלָאוֹת בְּכָל דּוֹר וָדוֹר, הָרָב אֶת רִיבֵנוּ וְהַדָּן אֶת דִּינֵנוּ וְהַנּוֹקֵם אֶת נִקְמָתֵנוּ, וְהַמְשַׁלֵּם גְּמוּל לְכָל אוֹיְבֵי נַפְשֵׁנוּ וְהַנִּפְרָע לָנוּ מִצָּרֵינוּ.

שֶׁתְּרַחֵם עָלֵינוּ בְּרַחֲמֶיךָ הָרַבִּים וְתַעֲזֹר לָנוּ בִּישׁוּעָתְךָ וְנִפְלְאוֹתֶיךָ הַנּוֹרָאוֹת, שֶׁנִּזְכֶּה לְקַבֵּל וּ"לְקַיֵּם אֶת יְמֵי הַפּוּרִים הַקְּדוֹשִׁים בִּזְמַנֵּיהֶם" כָּרָאוּי.

שֶׁנִּזְכֶּה לְקַיֵּם כָּל הַמִּצְוֹת הַקְּדוֹשׁוֹת הַנּוֹהֲגוֹת בַּפּוּרִים בִּקְדֻשָּׁה וּבְטָהֳרָה גְדוֹלָה, "בְּשִׂמְחָה וּבְטוּב לֵבָב", בְּגִילָה בְּרִנָּה בְּדִיצָה וְחֶדְוָה רַבָּה וַעֲצוּמָה מְאֹד, עִם כָּל פְּרָטֵיהֶם וְדִקְדּוּקֵיהֶם וְכַוָּנוֹתֵיהֶם וְתַרְיַ"ג מִצְוֹת הַתְּלוּיוֹת בָּהֶם.

רִבּוֹנוֹ שֶׁל עוֹלָם כְּבָר גִּלִּיתָ אָזְנֵינוּ שֶׁכָּל הַנִּסִּים וְהַנִּפְלָאוֹת שֶׁעָשִׂיתָ לַאֲבוֹתֵינוּ אֲשֶׁר עֲלֵיהֶם נִקְבְּעוּ הַיָּמִים טוֹבִים הַקְּדוֹשִׁים, כֻּלָּם נַעֲשִׂים וְנִתְגַּלִּים וּמְאִירִים בְּכָל דּוֹר וָדוֹר בְּכָל אָדָם וּבְכָל זְמַן.

For Purim

The Mitzvot of Purim

HaShem our God and God of our fathers, You perform miracles and wonders in every generation. You battle on our behalf, judge our cases, avenge us, requite all of our enemies, and make reprisal on our adversaries.

May it be Your will that You will be kind to us in Your vast compassion, and help us in Your awesome salvation and with Your wonders, so that we will celebrate the holy days of Purim properly in their time.

May we perform all of the holy mitzvot that apply to Purim with great holiness and purity, "with joy and a good heart," with great and intense cheer, liveliness, delight and felicity, with all of their details, particulars, intentions and the 613 commandments that are dependent on them.

Master of the world, You have revealed to us that all of the miracles and wonders that You performed for our forefathers—regarding which the holy festivals were established—occur, manifest themselves and shine in every generation, in every person and at every moment.

וְאָנוּ צְרִיכִין לְהַמְשִׁיךְ קְדֻשַּׁת פּוּרִים וּקְדֻשַּׁת כָּל הַיָּמִים טוֹבִים, וְהֶאָרַת הַנִּסִּים וְנִפְלָאוֹת שֶׁנַּעֲשׂוּ אָז, בְּכָל שָׁנָה וְשָׁנָה בְּכָל דּוֹר וָדוֹר וּבְכָל אָדָם וְאָדָם בִּפְרָטִיּוּת.

וּבְכֵן בָּאתִי לְפָנֶיךָ עוֹשֶׂה נִסִּים וְנִפְלָאוֹת בְּכָל דּוֹר וָדוֹר, וּבְכָל יוֹם וּבְכָל עֵת וּבְכָל שָׁעָה, לַמְּדֵנִי וְהוֹרֵנִי וְחָנֵּנִי וְזַכֵּנִי שֶׁאֶזְכֶּה לְשִׂמְחַת פּוּרִים בִּשְׁלֵמוּת בֶּאֱמֶת.

שֶׁאֶזְכֶּה לִשְׂמֹחַ מְאֹד מְאֹד בְּכָל לֵב וָנֶפֶשׁ בִּימֵי הַפּוּרִים הַקְּדוֹשִׁים בְּכָל שָׁנָה וְשָׁנָה בְּשִׂמְחָה שֶׁאֵין לָהּ קֵץ.

עַד שֶׁאֶזְכֶּה עַל יְדֵי הַשִּׂמְחָה וְהַקְּדֻשָּׁה שֶׁל פּוּרִים לְהַמְשִׁיךְ עָלַי וְעַל כָּל יִשְׂרָאֵל הַקְּדֻשָּׁה וְהַטָּהֳרָה הַנִּמְשֶׁכֶת מֵהַפָּרָה אֲדֻמָּה שֶׁמְּטַהֶרֶת מִטֻּמְאַת מֵת.

אֲשֶׁר צִוִּיתָ עָלֵינוּ לַעֲסֹק בִּקְרִיאַת הַפָּרָשָׁה הַזֹּאת שֶׁל פָּרָה אֲדֻמָּה אַחַר פּוּרִים, וְגִלִּיתָ לָנוּ שֶׁעַל יְדֵי פּוּרִים זוֹכִין לְטָהֳרַת הַפָּרָה אֲדֻמָּה, לְמַעַן נִזְכֶּה לִהְיוֹת טְהוֹרִים לְקַבֵּל קְדֻשַּׁת הַקָּרְבָּן פֶּסַח בִּזְמַנּוֹ.

רִבּוֹנוֹ שֶׁל עוֹלָם, אַתָּה יוֹדֵעַ שֶׁבְּעֹצֶם יְרִידָתֵנוּ וּנְפִילָתֵנוּ

We must draw the holiness of Purim and the holiness of all of the festivals, and the illumination of the miracles and wonders that occurred on them, into every year, into every generation and, in particular, into every individual.

And so I have come to You Who perform miracles and wonders in every generation—every day, hour and moment. Teach me, guide me and be gracious to me, and help me truly attain the full joy of Purim.

May I rejoice exceedingly, with all my heart and soul, on the holy days of Purim every year, with endless joy.

With the joy and holiness of Purim, may I draw onto myself and onto the entire Jewish people the holiness and joy drawn from the Red Heifer that purifies us from the uncleanness of death.

You commanded us to recite the Torah portion of the Red Heifer following Purim. And You revealed to us that by celebrating Purim, we attain the purification of the Red Heifer, which cleanses us so that we may receive the holiness of the Pesach sacrifice in its time.

Master of the world, You know our tremendous descent, our fall into the depths of this

בְּעֹמֶק הַגָּלוּת הַמַּר הַזֶּה, וְעֹצֶם וְרִבּוּי צָרוֹת הַנֶּפֶשׁ שֶׁעוֹבְרִים עַל כָּל אֶחָד מִיִּשְׂרָאֵל וְעָלַי בִּפְרָטִיּוּת.

וְעֹצֶם וְרִבּוּי הַמְּצוּלוֹת יָם הַשּׁוֹטְפִים עָלַי, וְרוֹדְפִים אוֹתִי מְאֹד מְאֹד מִכָּל הַצְּדָדִים, וּבְצָרָה גְדוֹלָה אֲנִי מְאֹד מְאֹד בְּלִי שִׁעוּר וָעֵרֶךְ, וְאֵינִי יוֹדֵעַ שׁוּם פֶּתַח תִּקְוָה לְתַקֵּן וּלְהִנָּצֵל מִכָּל זֶה.

הֵן עַל כָּל אֵלֶּה אֲנִי צָרִיךְ עַתָּה נִסִּים נִפְלָאִים וִישׁוּעוֹת גְּדוֹלוֹת וְנוֹרָאוֹת, כַּאֲשֶׁר עָשִׂיתָ עִם כְּלַל יִשְׂרָאֵל לְדוֹרוֹת עוֹלָם נִסִּים נִפְלָאִים וְנוֹרָאִים אֲשֶׁר לֹא הָיוּ כְּמוֹתָם, בִּימֵי מָרְדְּכַי וְאֶסְתֵּר כְּשֶׁעָמַד עֲלֵיהֶם הָמָן הָרָשָׁע יִמַּח שְׁמוֹ וְזִכְרוֹ וְכוּ׳.

אֲשֶׁר נֵס זֶה שֶׁל פּוּרִים גָּדוֹל מִכָּל הַנִּסִּים שֶׁעָשִׂיתָ עִמָּנוּ מֵעוֹלָם. כַּאֲשֶׁר הוֹדַעְתָּ לָנוּ עַל יְדֵי חֲכָמֶיךָ הַקְּדוֹשִׁים זִכְרוֹנָם לִבְרָכָה: ׳וְכָל הַמּוֹעֲדִים יִהְיוּ בְּטֵלִים וִימֵי הַפּוּרִים לֹא נִבְטָלִים׳.

וּבַתְּחִלָּה הָיוּ כָּל הַהַתְחָלוֹת מִפֶּסַח, כִּי כָּל הַמּוֹעֲדִים הֵם זֵכֶר לִיצִיאַת מִצְרַיִם, וְעַכְשָׁו וְכוּ׳:

bitter exile, and the intensity and multitude of the troubles of the soul that every Jew—particularly myself—experiences.

An enormous extent of the depths of the sea covers me and washes over me fiercely from every direction. I suffer a great deal, beyond measure or limit, and I do not know of any doorway of hope, any way to rectify or escape from any of this.

To deal with all this, I need wondrous miracles and great salvation now, as You performed on behalf of the Jewish people in a way that influenced all generations: the unparalleled miracles, wonders and awesome matters in the days of Mordekhai and Esther, when the wicked Haman, may his name and memory be blotted out, opposed them.

The miracle of Purim is greater than any of the other miracles that You performed for us in influencing all time, as You informed us through Your holy sages, "All of the festivals will be annulled, except for the days of Purim."

At first, all beginnings were from Pesach, because all of the festivals are a reminder of the Exodus from Egypt. But that is no longer the case.

רִבּוֹנוֹ שֶׁל עוֹלָם מָרֵיהּ דְעָלְמָא כֻּלָּא, אֲדוֹן הַנִּפְלָאוֹת מַצְמִיחַ יְשׁוּעוֹת, אַתָּה יוֹדֵעַ הָאֱמֶת, שֶׁכָּל הַנִּסִּים וְהַנִּפְלָאוֹת שֶׁעָשִׂיתָ עִמָּנוּ בִּיצִיאַת מִצְרַיִם, וּבְמִלְחֶמֶת עֲמָלֵק בִּימֵי מֹשֶׁה וּבִימֵי מָרְדְּכַי וְאֶסְתֵּר.

וְכָל הַנִּסִּים וְנִפְלָאוֹת שֶׁעָשִׂיתָ עִמָּנוּ בִּימֵי חֲנֻכָּה וּבְכָל דּוֹר וָדוֹר, עִקַּר הַנֵּס וְהַיְשׁוּעָה הוּא יְשׁוּעַת הַנֶּפֶשׁ.

כִּי עִקַּר הַקִּנְאָה וְהַשִּׂנְאָה, שֶׁל כָּל צָרֵינוּ וְרוֹדְפֵינוּ בְּגַשְׁמִיּוּת וְרוּחָנִיּוּת, הוּא רַק עַל אֲשֶׁר אָנוּ מַאֲמִינִים בְּךָ יְהוָֹה אֱלֹהֵינוּ, וּמִשְׁתּוֹקְקִים לֵילֵךְ בִּדְרָכֶיךָ הַקְּדוֹשִׁים וּלְקַיֵּם מִצְווֹתֶיךָ הַנּוֹרָאוֹת, וּלְגַלּוֹת וּלְפַרְסֵם אֲמִתַּת אֱמוּנַת אֱלָהוּתְךָ וְהַשְׁגָּחָתְךָ וּמֶמְשַׁלְתְּךָ בָּעוֹלָם.

אֲשֶׁר רַק בִּשְׁבִיל זֶה לֹא אֶחָד בִּלְבָד עָמַד עָלֵינוּ לְכַלּוֹתֵנוּ אֶלָּא שֶׁבְּכָל דּוֹר וָדוֹר עוֹמְדִים עָלֵינוּ לְכַלּוֹתֵינוּ, וְהַקָּדוֹשׁ בָּרוּךְ הוּא מַצִּילֵנוּ מִיָּדָם.

The Essence of Miracles

Master of the world, Master of the entire world, Master of wonders, cause salvation to flourish! You know the truth regarding all of the miracles and wonders that You performed for us during the Exodus from Egypt and the wars against Amalek, in the days of Moses and in the days of Mordekhai and Esther.

And in all of the miracles and wonders that You performed for us during the days of Chanukah, as well as in every generation, the essence of each miracle and salvation is the salvation of the soul.

All of our foes—both those who pursue us physically and those who pursue us spiritually—are jealous and spiteful only because we believe in You, HaShem our God. We yearn to go in Your holy ways and keep Your awesome mitzvot, to reveal and publicize the truth of the faith in Your Godliness, providence and universal governance.

Because of this, "not just one alone has stood against us to destroy us, but in every generation, they stand against us to destroy us. But the Holy One, blessed be He, saves us from their hand."

וְעַל כֵּן עִקַּר הַנֵּס וְהַיְשׁוּעָה מִכָּל הַצָּרוֹת הוּא מַה שֶּׁאַתָּה מְקַנֵּא קִנְאָתְךָ וְאַתָּה עוֹשֶׂה נִסִּים וְנִפְלָאוֹת, כְּדֵי לְקַיֵּם הַתּוֹרָה וְהַמִּצְוֹת לְבַל יִתְבַּטְּלוּ מִן הָעוֹלָם חַס וְשָׁלוֹם כִּרְצוֹן הַשּׂוֹנְאִים וְהַכּוֹפְרִים יִמַּח שְׁמָם, שֶׁכֻּלָּם הֵם מִסִּטְרָא דְהָמָן וַעֲמָלֵק יִמַּח שְׁמוֹ.

וְעַתָּה מָה אוֹמַר לְפָנֶיךָ יוֹשֵׁב מָרוֹם, וּמָה אֲסַפֵּר לְפָנֶיךָ שׁוֹכֵן שְׁחָקִים, אִם אַחֲרֵי כָּל הַנִּסִּים וְהַנִּפְלָאוֹת הָאֵלֶּה אֲנִי בְּעַצְמִי רוֹדֵף אֶת עַצְמִי יוֹתֵר מִכָּל הַשּׂוֹנְאִים.

כִּי לֹא הִתְגַּבַּרְתִּי נֶגֶד תַּאֲווֹתַי, אַף גַּם הִמְשַׁכְתִּי עָלַי אֶת הַיֵּצֶר הָרָע, וְעָשִׂיתִי מַה שֶּׁעָשִׂיתִי, עַד אֲשֶׁר הֵבֵאתִי עַצְמִי בְּיָדַיִם בְּצָרוֹת הָאֵלֶּה צָרוֹת נַפְשִׁי, אֲשֶׁר הֵם קָשִׁים וּמָרִים מִכָּל הַצָּרוֹת.

כִּי אֵין צָרָה כְּצָרוֹת הַנֶּפֶשׁ, כִּי זֶהוּ הָרַחֲמָנוּת הַגָּדוֹל מִכָּל הָרַחֲמָנוּת לְהוֹצִיא נֶפֶשׁ מִיִּשְׂרָאֵל מֵעֲווֹנוֹת וּפְגָמִים.

רִבּוֹנוֹ דְעָלְמָא כֹּלָּא יָחִיד קַדְמוֹן, "יְהוָה אֱלֹהִים אֱמֶת", אַתָּה לְבַד יוֹדֵעַ לְהֵיכָן נוֹגְעִים דְּבָרַי אֵלֶּה.

And so the essence of each miracle and of salvation from all of our troubles is that it is an expression of Your zealousness and of Your performing miracles and wonders to preserve the Torah and the mitzvot so that they will not be eradicated from the world, Heaven forbid. That is the desire of our enemies and the heretics, may their names be erased, all of whom are from the aspect of Haman and Amalek, may their name be blotted out.

And now, what will I say to You Who dwell in the heights? What will I tell You Who dwell in the heavens, if after all of these miracles and wonders, I maltreat myself even more than my enemies do?

I have not gained control over my lusts. I have even instigated the evil inclination and acted with my own hands to bring about these troubles, the troubles of my soul, which are more difficult and bitter than all other sufferings.

There is no suffering like the sufferings of the soul. And so the most compassionate act is to extract a Jewish soul from sins and blemishes.

Master of the entire world, Unique One, Primal One, "HaShem God is true." You alone know where these words of mine reach.

כִּי בֶאֱמֶת בַּעַר אֲנִי וְלֹא אֵדַע תֹּקֶף הַנֵּס שֶׁל פּוּרִים בְּגַשְׁמִיּוּת וְרוּחָנִיּוּת, וּבִפְרָט אֵיךְ לִזְכּוֹת לְהַמְשִׁיךְ עָלַי תֹּקֶף הַנֵּס וְהַיְשׁוּעָה הַזֹּאת.

אֲבָל אַתָּה לְבַד יוֹדֵעַ הַכֹּל, וְאַתָּה מְרַמֵּז לִי מֵרָחוֹק לְהִתְקָרֵב אֵלֶיךָ בְּכָל עֵת, בְּכַמָּה מִינֵי הִתְנוֹצְצוּת וּרְמָזִים רַבִּים בְּלִי שִׁעוּר, וַאֲנִי בְּעֹצֶם קַשְׁיוּת עָרְפִּי עֲדַיִן לֹא שַׁבְתִּי מִטָּעוּתִי.

אֲבָל זֹאת נֶחָמָתִי בְעָנְיִי הַמַּר מַה שֶּׁעֲדַיִן אֲנִי מִתְעַקֵּשׁ עוֹד לְדַבֵּר דִּבּוּרִים כָּאֵלֶּה לְפָנֶיךָ, וּלְצַפְצֵף אִמְרָתִי מֵעֵבֶר אֵלֶיךָ, וּלְצַפּוֹת עֲדַיִן לְרַחֲמֶיךָ וִישׁוּעָתֶךָ.

רִבּוֹנוֹ שֶׁל עוֹלָם אַתָּה לְבַד יוֹדֵעַ תֹּקֶף הַנֵּס שֶׁהָיָה אָז בִּימֵי מָרְדְּכַי וְאֶסְתֵּר שֶׁזָּכוּ לְנַצֵּחַ מִלְחֶמֶת הָמָן עֲמָלֵק, לִמְחוֹת שְׁמָם וְזִכְרָם מִן הָעוֹלָם, וְאֵיךְ זָכוּ לְהַמְשִׁיךְ עַל יְדֵי זֶה הֶאָרָה נִפְלָאָה וִישׁוּעָה נוֹרָאָה בְּכָל דּוֹר וָדוֹר.

וְאֵיךְ עַתָּה כָּל חַיּוּתֵנוּ וְתִקְוָתֵנוּ לָצֵאת מִגָּלוּתֵנוּ בְּגוּף וָנֶפֶשׁ, הוּא רַק עַל יְדֵי תֹּקֶף הַנֵּס הַזֶּה.

In truth, I am a boor who does not appreciate the effect of the miracle of Purim on the physical and spiritual dimensions—and, in particular, I do not know how to draw the power of this miracle and salvation onto myself.

You alone know everything. At every moment, You hint to me from afar to come close to You, using different types of illumination and many allusions beyond measure. But due to my intense stubbornness, I still have not repented of my error.

But this is my consolation in my bitter impoverishment: that I am still stubborn enough to speak these words to You from the dust, and I still hope in Your compassion and salvation.

Master of the world, You alone know the power of the miracle that occurred in the days of Mordekhai and Esther, who won the war against Haman-Amalek, wiping out their name and memory from the world. As a result, they drew wondrous illumination and awesome salvation into every generation.

Now, all of our life force and our hope of emerging from our exile in body and soul come only from the power of this miracle.

כִּי אָנוּ עוֹמְדִים וּמְצַפִּים לִישׁוּעָתֶךָ כַּאֲשֶׁר עֲזַרְתָּם אָז לְהַכְנִיעַ וּלְשַׁבֵּר קְלִפַּת הָמָן עֲמָלֵק לַעֲקֹר וּלְבַטֵּל וּלְהַכְנִיעַ זֻהֲמָתוֹ הַגְּדוֹלָה, וּלְגַלּוֹת אֱמוּנַת הַשְׁגָּחָתְךָ בָּעוֹלָם, וְלַחֲזוֹר וּלְקַיֵּם וּלְקַבֵּל מֵחָדָשׁ קְדֻשַּׁת תּוֹרָתְךָ הַקְּדוֹשָׁה.

כֵּן תַּעֲמֹד בְּעֶזְרָתֵנוּ סֶלָה בְּכָל דּוֹר וָדוֹר, עַד אֲשֶׁר תְּנַצֵּחַ הַמִּלְחָמָה בִּשְׁלֵמוּת לִמְחוֹת זֵכֶר עֲמָלֵק לְגַמְרֵי וּלְהַעֲבִיר רוּחַ הַטֻּמְאָה מִן הָאָרֶץ, וְלַהֲשִׁיבֵנוּ אֵלֶיךָ בֶּאֱמֶת וּלְהוֹצִיאֵנוּ מִגָּלוּתֵנוּ הַמַּר מְהֵרָה.

עַל כֵּן בָּאתִי לְפָנֶיךָ אֲדוֹן הַנִּפְלָאוֹת שֶׁתָּשִׂים לִבְּךָ לְגֹדֶל צָרוֹת נַפְשֵׁנוּ וְתַבִּיט בְּעָנְיֵנוּ וַעֲמָלֵנוּ, וְאַל תַּבִּיט בְּמַעֲלָלֵנוּ.

וְתַעֲשֶׂה עִמָּנוּ נִסִּים נִפְלָאִים וְנוֹרָאִים, נִסִּים שֶׁל פּוּרִים, בְּאֹפֶן שֶׁתְּסַבֵּב סִבּוֹת לְטוֹבָה, שֶׁנִּזְכֶּה לָשׁוּב אֵלֶיךָ בְּחַיֵּינוּ חִישׁ קַל מְהֵרָה, וְלֹא נָשׁוּב עוֹד לְכִסְלָה.

We stand and look hopefully to Your salvation just as You helped the Jews of that time subdue and break the "husk" of Haman-Amalek. In the same way, may You uproot, eradicate and subdue his great pollution and reveal faith in Your providence to the world, so that we may again keep and receive anew Your holy Torah.

Please stand and help us in every generation, until You will win the war completely, entirely eradicating the memory of Amalek and removing the spirit of uncleanness from the earth. Truly bring us back to You and quickly extricate us from our bitter exile.

Therefore, I have come to You, Master of wonders, asking You to focus on the great sufferings of our soul and look at our hardship and toil, and not at our deeds.

Perform wondrous and awesome miracles for us, the miracles of Purim. Bring about a chain of events for the good so that we will return to You in our lifetime, quickly, swiftly and speedily, and no longer return to our foolishness.

לפסח

רִבּוֹנוֹ שֶׁל עוֹלָם מְחַיֵּה מֵתִים, "אֱלֹהִים חַיִּים וּמֶלֶךְ עוֹלָם". רַחֵם עָלֵינוּ וְהַחֲיֵינוּ וְקַיְּמֵנוּ, וְקַדְּשֵׁנוּ וְטַהֲרֵנוּ מִטֻּמְאַת מֵת שֶׁהִיא אֲבִי אֲבוֹת הַטֻּמְאָה, שֶׁהֵם הִרְהוּרֵי נִאוּף שֶׁהִתְגַּבְּרוּ וְהִתְפַּשְּׁטוּ בָּעוֹלָם מְאֹד, עַד אֲשֶׁר "טָבַעְנוּ בִּיוֵן מְצוּלָה וְאֵין מָעֳמָד" בָּאנוּ בְמַעֲמַקֵּי מַיִם וְשִׁבֹּלֶת שְׁטָפָתְנוּ.

זַכֵּנוּ בְּכֹחַ קְדֻשַּׁת מִצְוַת פּוּרִים שֶׁנִּזְכֶּה לְקַבֵּל וּלְהַמְשִׁיךְ עָלֵינוּ קְדֻשַּׁת וְטָהֳרַת הַפָּרָה אֲדֻמָּה תְמִימָה, לְטַהֲרֵנוּ בֶּאֱמֶת מִטֻּמְאַת מֵת בָּעוֹלָם הַזֶּה וּבָעוֹלָם הַבָּא.

וְאֶזְכֶּה עַל יְדֵי זֶה לְקַבֵּל חַג הַפֶּסַח הַקָּדוֹשׁ, זְמַן חֵרוּתֵנוּ, בִּקְדֻשָּׁה גְדוֹלָה וּבְשִׂמְחָה רַבָּה וַעֲצוּמָה. וְנִזְכֶּה בְּרַחֲמֶיךָ לְקַיֵּם כָּל הַמִּצְווֹת שֶׁל פֶּסַח בִּקְדֻשָּׁה גְדוֹלָה וּבְשִׂמְחָה וְחֶדְוָה רַבָּה.

For Pesach

From Purim to Pesach

Master of the world, You Who revive the dead, Living God and Eternal King, have compassion on us. Revive us and sustain us, sanctify us and purify us from the uncleanness of death—which is the archetype of uncleanness and is associated with lechery—which has grown and spread through the world until we have "sunken into the muddy depths and cannot stand," entering the depths of the water as the waves wash over us.

With the power of the holiness of the mitzvah of Purim, may we receive and draw onto ourselves the holiness and purity of the unblemished Red Heifer to truly purify us of the uncleanness of death—both in this world and in the next.

In this way, may I celebrate the holy festival of Pesach, the season of our freedom, with great holiness and vast, intense joy. In Your compassion, may we keep all of the mitzvot of Pesach with great holiness and with vast joy and gladness.

וְתַעַזְרֵנוּ וְתוֹשִׁיעֵנוּ וְתִשְׁמְרֵנוּ בְּרַחֲמֶיךָ הָרַבִּים, מִמַּשֶּׁהוּ חָמֵץ וּשְׂאֹר שֶׁלֹּא יִמָּצֵא בִּגְבוּלֵנוּ וּבִרְשׁוּתֵנוּ מַשֶּׁהוּ דְּמַשֶּׁהוּ שְׂאֹר וְחָמֵץ כָּל יְמֵי הַפֶּסַח.

כִּי גָלוּי וְיָדוּעַ לְפָנֶיךָ רִבּוֹנוֹ דְעָלְמָא כֻּלָּא, שֶׁאִי אֶפְשַׁר לְבָשָׂר וָדָם בְּעַצְמוֹ לִהְיוֹת נִזְהָר מִמַּשֶּׁהוּ חָמֵץ, אִם לֹא עַל יְדֵי יְשׁוּעָתְךָ וְרַחֲמֶיךָ.

רַחֵם עָלֵינוּ בְּרַחֲמֶיךָ הָרַבִּים, גּוֹאֵל חָזָק, רַחֲמָן אֲמִתִּי, וְשָׁמְרֵנוּ וְהַצִּילֵנוּ מִמַּשֶּׁהוּ חָמֵץ כָּל יְמֵי הַפֶּסַח הַקְּדוֹשִׁים.

וְתַעַזְרֵנוּ וּתְזַכֵּנוּ לָצֵאת מֵעַבְדוּת לְחֵרוּת מִיָּגוֹן לְשִׂמְחָה, מֵאֵבֶל לְיוֹם טוֹב מֵאֲפֵלָה לְאוֹר גָּדוֹל.

וְנִזְכֶּה לְסַדֵּר הַסֵּדֶר שֶׁל פֶּסַח בְּהִתְעוֹרְרוּת גָּדוֹל וּבְהִתְלַהֲבוּת נִפְלָא וּבְשִׂמְחָה רַבָּה וַעֲצוּמָה.

וְנִזְכֶּה שֶׁיָּבוֹאוּ עָלֵינוּ וְיָאִירוּ בָּנוּ בְּהֶאָרָה נִפְלָאָה כָּל הַמֹּחִין דְּגַדְלוּת וְקַטְנוּת הַמְּאִירִין בְּפֶסַח בְּאוֹר גָּדוֹל וְנִפְלָא וְנוֹרָא.

מָלֵא רַחֲמִים, עָזְרֵנוּ וְהוֹשִׁיעֵנוּ לְקַיֵּם הַמִּצְוֹת שֶׁל פּוּרִים

In Your vast compassion, help us, save us and guard us from the slightest trace of leavening, so that even a trace of leavening will not be found in our borders or domains throughout the days of Pesach.

It is revealed and known to You, Master of the entire world, that without the help of Your salvation and compassion, a creature of flesh and blood could not avoid at least a trace of leavening.

In Your vast compassion, have compassion on us, powerful Redeemer, truly Compassionate One. Guard us and rescue us from any trace of leavening during all of the holy days of Pesach.

Help us emerge from slavery to freedom, from sorrow to joy, from sadness to celebration, from darkness to a great light.

May we celebrate the Pesach Seder with great enthusiasm, wondrous fervor and vast, intense joy.

May all states of consciousness—both great and small—that shine on Pesach come to us and illuminate us with wondrous illumination, with a great, wondrous and awesome light.

You Who are filled with compassion, help us and save us so that we will keep the mitzvot

בִּקְדֻשָּׁה וּבְשִׂמְחָה גְדוֹלָה כָּל כָּךְ, עַד שֶׁנִּזְכֶּה עַל יְדֵי זֶה לִהְיוֹת נִזְהָרִים בֶּאֱמֶת מִמַּשֶּׁהוּ חָמֵץ בַּפֶּסַח, וּלְקַיֵּם כָּל הַמִּצְוֹת הַנּוֹרָאוֹת שֶׁל פֶּסַח בִּקְדֻשָּׁה גְדוֹלָה וּבְשִׂמְחָה נוֹרָאָה וַעֲצוּמָה.

רַחֵם עָלֵינוּ לְמַעַן שְׁמֶךָ, וְזַכֵּנוּ עַתָּה לִפְעֹל בַּקָּשָׁתֵינוּ בְּרַחֲמִים אֶצְלְךָ, עָזְרֵנוּ וְהוֹשִׁיעֵנוּ עַל פִּי הַתּוֹרָה הַזֹּאת לָשׁוּב וּלְהִתְקָרֵב אֵלֶיךָ מְהֵרָה בֶּאֱמֶת.

הוֹשִׁיעֵנוּ מִכֹּחַ קְדֻשַּׁת הַנֵּס וְהַיְשׁוּעָה הַנִּפְלָאָה שֶׁל פּוּרִים, שֶׁנִּזְכֶּה לְהִתְהַפֵּךְ מֵעַתָּה מֵרַע לְטוֹב, וְנִזְכֶּה לָצֵאת מִיָּגוֹן לְשִׂמְחָה וּמֵאֲפֵלָה לְאוֹר גָּדוֹל.

לתענית אסתר

וְעָזְרֵנוּ וְהוֹשִׁיעֵנוּ לְהִתְעַנּוֹת תַּעֲנִית אֶסְתֵּר קוֹדֶם פּוּרִים בִּקְדֻשָּׁה גְדוֹלָה, וְלוֹמַר סְלִיחוֹת בְּכַוָּנָה גְדוֹלָה, וְלִצְעֹק וְלִזְעֹק אֵלֶיךָ מְאֹד מְאֹד. וְתִפְתַּח אֶת לְבָבִי שֶׁאֶזְכֶּה לְהַרְגִּישׁ כְּאֵב עֲווֹנוֹתַי בֶּאֱמֶת בְּלִבִּי, וְעֹצֶם צָרַת נַפְשִׁי אֲשֶׁר אֵין לְשַׁעֵר.

of Purim with such great holiness and joy that afterward, we will truly guard against the slightest trace of leavening on Pesach, and keep all of the awesome mitzvot of Pesach with great holiness and awesome, intense joy.

Have compassion on us for the sake of Your Name. Compassionately help us attain now what we have requested of You. In accordance with this teaching, help us and save us so that we will return and truly come close to You quickly.

Save us in the power of the holy miracle and wondrous salvation of Purim, so that from now on we will be transformed from evil to good, and emerge from sadness to joy and from darkness to a great light.

For the Fast of Esther

Attaining True Repentance

Help us and save us so that we will keep the Fast of Esther prior to Purim with great holiness. May we recite the *selichot* with great feeling, calling and crying out to You extensively. Open my heart so that I will truly feel the pain of my sins and the intense, immeasurable suffering of my spirit.

עַד שֶׁאֶזְכֶּה לִזְעֹק זְעָקָה גְדוֹלָה וּמָרָה כָּרָאוּי לִי לִזְעֹק לְפִי רִבּוּי עֲווֹנוֹתַי וּפְשָׁעַי הָעֲצוּמִים, וּפְגָמַי הַגְּדוֹלִים וְהָרַבִּים מְאֹד.

עַד אֲשֶׁר יִתְעוֹרְרוּ רַחֲמֶיךָ עָלַי בֶּאֱמֶת, וּתְמַהֵר לְהוֹשִׁיעֵנִי וּלְגָאֲלֵנִי מִמֶּנִּי בְּעַצְמִי, וְתַעֲשֶׂה אֶת אֲשֶׁר בְּחֻקֶּיךָ אֵלֵךְ וְאֶת מִצְוֹתֶיךָ אֶשְׁמוֹר בֶּאֱמֶת וּבְלֵב שָׁלֵם.

אָבִי מַלְכִּי יוֹצְרִי וּבוֹרְאִי וְעוֹשִׂי, הוֹרֵנִי הַדֶּרֶךְ אֵיךְ לְהַתְחִיל מִבְּחִינַת קְדֻשַּׁת פּוּרִים, כַּאֲשֶׁר רָמַזְתָּ לָנוּ עַל יְדֵי חֲכָמֶיךָ הַקְּדוֹשִׁים.

עָזְרֵנִי בְּדֶרֶךְ נֵס וִישׁוּעָה נִפְלָאָה וְנוֹרָאָה, בְּדֶרֶךְ חִדּוּשׁ נִפְלָא וְנוֹרָא, בְּאֹפֶן שֶׁאֶזְכֶּה מֵעַתָּה לָשׁוּב אֵלֶיךָ בִּתְשׁוּבָה שְׁלֵמָה בֶּאֱמֶת.

וְאֶזְכֶּה לְהַתְחִיל מֵחָדָשׁ הַתְחָלָה שְׁלֵמָה וַאֲמִתִּיִּית בְּכָל לֵב וָנֶפֶשׁ בַּעֲבוֹדָתְךָ בֶּאֱמֶת, וְתוֹרֵנִי וּתְלַמְּדֵנִי בֶּאֱמֶת מִמַּה לְהַתְחִיל וּבְאֵיזֶה דֶרֶךְ וְעֵצָה אֶזְכֶּה לָשׁוּב אֵלֶיךָ בֶּאֱמֶת.

רִבּוֹנוֹ שֶׁל עוֹלָם, "גְּדֹל הָעֵצָה וְרַב הָעֲלִילִיָּה", תַּקְּנֵנִי בְּעֵצָה טוֹבָה מִלְּפָנֶיךָ, וְהוֹשִׁיעֵנִי מְהֵרָה לְמַעַן שְׁמֶךָ, בְּאֹפֶן שֶׁאֶזְכֶּה

May I call out with a great and bitter outcry, as is fitting for me to do in keeping with the abundance of my intense sins and offenses, and my great and innumerable blemishes.

May Your compassion for me truly be aroused. Please hurry to save me and redeem me from myself, so that I will obey Your laws and truly guard Your mitzvot with all my heart.

My Father, my King, my Maker, my Creator, teach me how to begin from the holy level of Purim, as You indicated to us through Your holy sages.

Help me miraculously, with wondrous and awesome salvation, with wondrous and awesome renewal, so that I can truly return to You in complete repentance from now on.

May I start serving You anew with a complete, true beginning, with all my heart and soul. Truly direct me and teach me where to begin and how, and which advice will truly bring me back to You.

Master of the world, "great in counsel and mighty in deed," rectify me with Your good counsel. Quickly save me for the sake of Your Name, so that from now on I will truly attain

מֵעַתָּה לִתְשׁוּבָה שְׁלֵמָה בֶּאֱמֶת כָּל יְמֵי חַיַּי, וְלֹא אָסוּר מֵעַתָּה מֵרְצוֹנְךָ יָמִין וּשְׂמֹאל.

וְאֶזְכֶּה לִלְמוֹד וּלְלַמֵּד לִשְׁמוֹר וְלַעֲשׂוֹת וּלְקַיֵּם אֶת כָּל דִּבְרֵי [תַלְמוּד] תוֹרָתֶךָ בְּאַהֲבָה, וּלְקַיֵּם כָּל הַמִּצְוֹת וְכָל הַדְּבָרִים שֶׁבִּקְדֻשָּׁה, וְלַעֲשׂוֹת כָּל דָּבָר וְדָבָר בְּמוֹעֲדוֹ וּבִזְמַנּוֹ, וְהַכֹּל אֶעֱשֶׂה יָפֶה בְּעִתּוֹ בִּקְדֻשָּׁה וּבְטָהֳרָה גְּדוֹלָה, וּתְחַזְּקֵנִי בְּשִׂמְחָה וְחֶדְוָה תָּמִיד.

וְאֶזְכֶּה בְּכֹחַ הַצַּדִּיקִים הָאֲמִתִּיִּים לְגָרֵשׁ וּלְבַטֵּל מִמֶּנִּי וּמִכָּל יִשְׂרָאֵל קְלִפַּת הָמָן עֲמָלֵק יִמַּח שְׁמוֹ, וּלְהַמְשִׁיךְ עָלַי קְדֻשַּׁת הַנֵּס וְהַיְשׁוּעָה שֶׁל פּוּרִים.

וּתְרַחֵם עָלֵינוּ בְּכָל דּוֹר וָדוֹר וּבְכָל שָׁנָה וְשָׁנָה, שֶׁנִּזְכֶּה לִשְׂמֹחַ מְאֹד מְאֹד בִּימֵי הַפּוּרִים בְּשִׂמְחָה גְדוֹלָה וְחֶדְוָה רַבָּה וַעֲצוּמָה.

וְנִזְכֶּה לְקַיֵּם מִצְוַת קְרִיאַת הַמְּגִלָּה בִּקְדֻשָּׁה וּבְטָהֳרָה גְּדוֹלָה וּבְשִׂמְחָה רַבָּה וַעֲצוּמָה. וְנִזְכֶּה לְהִתְבּוֹנֵן גֹּדֶל עֹצֶם הַנֵּס הַנִּפְלָא וְהַיְשׁוּעָה הַנּוֹרָאָה וְהָעֲצוּמָה הַזֹּאת, וּלְפַרְסוּמֵי נִסָּא בִּפְנֵי כָּל עַם וְעֵדָה.

complete repentance all of the days of my life, and from now on I will not turn aside from Your will, right or left.

May I learn and teach, guard, perform and maintain all of the words of Your Torah with love. May I keep all of the mitzvot and all holy matters, and do everything in its time and season. May I perform everything well in its time with great holiness and purity. Strengthen me with joy and gladness always.

With the aid of the power of the true Tzaddikim, may I expel and eradicate from myself and from the entire Jewish people the "husk" of Haman-Amalek, may his name be erased, and draw onto myself the holiness of the miracle and salvation of Purim.

Have compassion on us in every generation and every year, so that we will rejoice greatly on the days of Purim with great happiness and vast, intense gladness.

May we keep the mitzvah of reading the Megillah with great holiness and purity, and with vast, intense joy. May we think deeply into the great magnitude of the wonderful miracle and the awesome, intense salvation, and publicize the miracle to every nation and populace.

וְנִזְכֶּה לְקַיֵּם מִצְוַת "מִשְׁלוֹחַ מָנוֹת אִישׁ לְרֵעֵהוּ וּמַתָּנוֹת לָאֶבְיוֹנִים" וּמִצְוַת סְעוּדַת פּוּרִים בִּשְׁלֵמוּת גָּדוֹל וּבְשִׂמְחָה רַבָּה וַעֲצוּמָה.

וְנִזְכֶּה לְקַיֵּם מִצְוַת הַשִּׁכְרוּת שֶׁל פּוּרִים כַּאֲשֶׁר צִוּוּנוּ חֲכָמֵינוּ זִכְרוֹנָם לִבְרָכָה. וְתַעַזְרֵנוּ וְתִשְׁמְרֵנוּ שֶׁלֹּא יַזִּיק לָנוּ הַשְּׁתִיָּה וְהַשִּׁכְרוּת שֶׁל פּוּרִים כְּלָל לֹא בַּגּוּף וְלֹא בַּנֶּפֶשׁ, וְלֹא נַזִּיק שׁוּם אָדָם וְלֹא שׁוּם דָּבָר עַל יְדֵי הַשִּׁכְרוּת.

רַק נִזְכֶּה עַל יְדֵי הַשִּׁכְרוּת שֶׁל פּוּרִים לָבֹא לְתוֹךְ שִׂמְחָה גְּדוֹלָה וְחֶדְוָה רַבָּה וַעֲצוּמָה מְאֹד, לְתוֹךְ שִׂמְחָה שֶׁל פּוּרִים.

אֲשֶׁר אָז מֵאִיר הֶאָרָה נִפְלָאָה וַעֲצוּמָה שֶׁהוּא הֶאָרַת מָרְדְּכַי, אֲשֶׁר אֵין דֻּגְמָתָהּ בְּכָל יְמוֹת הַשָּׁנָה.

וְאֶזְכֶּה לִהְיוֹת שָׂמֵחַ בְּכָל לֵב, וּלְשַׂמֵּחַ גַּם אֲחֵרִים, לְשַׂמֵּחַ כָּל יִשְׂרָאֵל עַמֶּךָ בְּשִׂמְחַת פּוּרִים בְּחֶדְוָה רַבָּה וַעֲצוּמָה מְאֹד מְאֹד.

נָגִילָה וְנִשְׂמְחָה בִּישׁוּעָתֶךָ בְּשִׂמְחָה אֲמִתִּיִּית בְּאֹפֶן שֶׁיִּהְיֶה לְךָ לְנַחַת וּלְרָצוֹן, וּתְקַבֵּל שַׁעֲשׁוּעִים גְּדוֹלִים מִשְּׁתִיָּתֵינוּ וְשִׂמְחוֹתֵינוּ בְּפּוּרִים הַקָּדוֹשׁ.

May we keep the mitzvah of "sending gifts, each person to his neighbor, and gifts to the poor," along with the mitzvah of the Purim feast, with great perfection and vast, intense joy.

And may we keep the mitzvah of getting intoxicated on Purim, as our sages instructed us. Help us and guard us so that our drinking and intoxication on Purim do not damage us at all in body or soul. May we not harm any person or anything as a result of being intoxicated.

Rather, by means of getting intoxicated on Purim, may we attain great joy and vast, intense gladness—the joy of Purim.

Then a period of wondrous and mighty illumination—the illumination of Mordekhai, which has no equal during all of the other days of the year—will shine.

May I be joyful with all my heart and make others joyful as well, gladdening the entire Jewish people, Your nation, with the joy of Purim, with extremely vast, intense gladness.

May we be glad and rejoice in Your salvation with true joy, so that You will be glad and pleased, and receive great delight from our drinking and our rejoicing on the holy Purim.

וְנִזְכֶּה גַּם עַתָּה בְּכָל שָׁנָה וְשָׁנָה לְהַנֵּס הַגָּדוֹל וְהַיְשׁוּעָה הַנִּפְלָאָה שֶׁל פּוּרִים, לְהַכְנִיעַ וּלְגָרֵשׁ וְלַעֲקוֹר וּלְבַטֵּל מֵאִתָּנוּ קְלִפַּת הָמָן עֲמָלֵק וְזֻהֲמָתוֹ הַגְּדוֹלָה וְלִמְחוֹת שְׁמוֹ וְזִכְרוֹ מִן הָעוֹלָם, וּלְטַהֵר עַצְמֵנוּ מִזֻּהֲמָתוֹ בִּקְדֻשָּׁה וּבְטָהֳרָה גְדוֹלָה, וּלְהַמְשִׁיךְ עָלֵינוּ קְדֻשַּׁת מָרְדְּכַי וְאֶסְתֵּר.

וְנִזְכֶּה לְהַמְשִׁיךְ שִׂמְחַת פּוּרִים עַל כָּל הַשָּׁנָה כֻּלָּהּ, לְשַׂמֵּחַ תָּמִיד בְּךָ בְּשִׂמְחָה וְחֶדְוָה רַבָּה בֶּאֱמֶת.

וְעַל יְדֵי זֶה נִזְכֶּה לִקְדֻשַּׁת וְטָהֳרַת הַפָּרָה אֲדֻמָּה, וְלִקְדֻשַּׁת פֶּסַח בֶּאֱמֶת. וְנִזְכֶּה לִהְיוֹת בְּשִׂמְחָה תָּמִיד.

וִיקֻיַּם בָּנוּ מִקְרָא שֶׁכָּתוּב: "כִּי בוֹ יִשְׂמַח לִבֵּנוּ כִּי בְשֵׁם קָדְשׁוֹ בָטָחְנוּ.

יִהְיוּ לְרָצוֹן אִמְרֵי פִי וְהֶגְיוֹן לִבִּי לְפָנֶיךָ יְהֹוָה צוּרִי וְגוֹאֲלִי":

Every year, may we know the great miracle and wondrous salvation of Purim. May we subdue, expel, uproot and nullify within ourselves the "husk" of Haman-Amalek and his great pollution, and wipe out his name and memory from the world. May we purify ourselves of his pollution with great holiness and purity, and draw onto ourselves the holiness of Mordekhai and Esther.

May we draw the joy of Purim onto the entire year, so that we will always rejoice in You with truly vast joy and gladness.

As a result, may we truly attain the holiness and purity of the Red Heifer and the holiness of Pesach, and may we be joyful always.

May the verse be realized in us, "Our heart will rejoice in Him, because we have hoped in His holy Name."

"May the words of my mouth and the meditation of my heart be pleasing before You, HaShem, my Rock and my Redeemer."

38 (II, 77)

The Greater a Person's Awareness, the Greater the Suffering He Must Undergo / Suffering is Ameliorated When One Eats in a State of Holiness and Fear of God / When a Person Eats in a State of Holiness and Fear of Heaven, God's Presence Speaks from His Throat

Every Jew—even a great Tzaddik—must experience some suffering every day. Indeed, the greater a person's awareness, the greater his suffering.

Some suffering comes from a person's holy fear of God. But at times it comes from fallen fears.

This suffering is ameliorated when a person eats in a state of holiness and fear of Heaven. Eating in this way also prevents the suffering from descending to the Side of Evil and the realm of harsh judgment.

When a person does not eat in a holy fashion, his mouth is that of an animal. At that time, his fear of Heaven stands at a distance and does not enter into him. But when he eats in a holy fashion, he makes his mouth human and the fear of Heaven does enter into him. Then he is a "speaking being"—that is, a human being.

By eating in a state of holiness and by drawing holy fear onto himself while he eats, a person sweetens the suffering and judgment. The holy fear that he draws onto himself elevates and sweetens his fallen fears.

And then his mouth ascends beyond the human level to the level of "supernal man." Then God's Presence speaks from his throat.

יְהִי רָצוֹן מִלְּפָנֶיךָ יְהוָה אֱלֹהַי וֵאלֹהֵי אֲבוֹתַי, שֶׁתִּהְיֶה בְּעֶזְרִי וְתוֹשִׁיעֵנִי בְּרַחֲמֶיךָ הָרַבִּים וּבַחֲסָדֶיךָ הָעֲצוּמִים, וּתְזַכֵּנִי לְשַׁבֵּר תַּאֲוַת אֲכִילָה לְגַמְרֵי.

שֶׁאֶזְכֶּה שֶׁתִּהְיֶה אֲכִילָתִי וּשְׁתִיָּתִי בִּקְדֻשָּׁה וּבְטָהֳרָה גְּדוֹלָה, בְּעִתּוֹ וּבִזְמַנּוֹ "בַּמִּדָּה וּבַמִּשְׁקָל וּבַמְּשׂוּרָה", כִּרְצוֹנְךָ הַטּוֹב בֶּאֱמֶת.

וְאֶזְכֶּה לְהַמְשִׁיךְ עָלַי תָּמִיד הַיִּרְאָה הַקְּדוֹשָׁה הַנִּגֶּשֶׁת וּבָאָה אֶל הָאָדָם לְעֵת הָאֹכֶל דַּיְקָא. וְאֵשֵׁב עַל הַשֻּׁלְחָן בִּשְׁעַת סְעוּדָה בְּאֵימָה וּבְיִרְאָה גְדוֹלָה מִפָּנֶיךָ תָּמִיד.

וְעַל יְדֵי זֶה תְּזַכֵּנִי בַּחֲסָדֶיךָ הָעֲצוּמִים לְהַמְתִּיק וּלְבַטֵּל כָּל מִינֵי צַעַר וְיִסּוּרִים, וְכָל הַדִּינִים שֶׁבָּעוֹלָם. מֵעָלַי וּמֵעַל כָּל בְּנֵי בֵיתִי, וּמֵעַל כָּל בְּנֵי יִשְׂרָאֵל עַמֶּךָ.

כִּי אַתָּה יָדַעְתָּ אֶת כָּל עֲמָלֵנוּ וְלַחֲצֵנוּ, אֶת כָּל מִינֵי צַעַר וְיִסּוּרִין הָעוֹבְרִים עָלֵינוּ עַל כָּל אֶחָד וְאֶחָד בְּכָל יוֹם וָיוֹם, וּבְעֹצֶם שִׁפְלוּת דַּעְתֵּנוּ, קָשֶׁה לָנוּ לִסְבֹּל הַצַּעַר וְהַיִּסּוּרִין שֶׁל כָּל יוֹם וָיוֹם.

רַחֵם עָלֵינוּ לְמַעַן שְׁמֶךָ, וְזַכֵּנוּ לְהִתְעוֹרֵר מֵעַתָּה לְהַמְשִׁיךְ

Holy Eating and Drinking

May it be Your will, HaShem my God and God of my fathers, that You will help me and save me in Your vast compassion and mighty kindness, so that I will entirely break my desire for eating.

May I eat and drink in great holiness and purity, at the proper time, in a carefully calibrated fashion, truly in accordance with Your good will.

May I always draw onto myself the holy fear that comes to a person, particularly when he eats. When I sit at the table for a meal, may I always experience great dread and fear of You.

In consequence of that, help me in Your intense kindness to sweeten and nullify every type of hurt and suffering, and all judgments in the world that affect me, all of my family members, and all of the children of Israel, Your nation.

You know all of our toil and affliction, all of the types of hurt and suffering that every one of us experiences every day, and our intensely degraded state of awareness. It is hard for us to bear the pain and suffering that we experience every day.

Have compassion on us for the sake of Your Name. Help us wake up from now on and draw

עָלֵינוּ קְדֻשָּׁתְךָ הָעֶלְיוֹנָה, וְנִזְכֶּה כֻּלָּנוּ לְהַמְשִׁיךְ עָלֵינוּ יִרְאַת שָׁמַיִם בֶּאֱמֶת, וְתִהְיֶה יִרְאָתְךָ עַל פָּנֵינוּ לְבִלְתִּי נֶחֱטָא.

וּבִפְרַט בִּשְׁעַת אֲכִילָה תְּזַכֵּנוּ וְתוֹשִׁיעֵנוּ לֶאֱכֹל בִּקְדֻשָּׁה וּבְטָהֳרָה גְדוֹלָה עַד שֶׁנִּזְכֶּה לְהַמְשִׁיךְ עָלֵינוּ תָּמִיד בִּשְׁעַת הָאֲכִילָה אֶת הַיִּרְאָה הַקְּדוֹשָׁה הַנִּגֶּשֶׁת וּבָאָה אֶל הָאָדָם אָז.

וְעַל יְדֵי זֶה נִזְכֶּה לְבַטֵּל וּלְהַמְתִּיק כָּל מִינֵי צַעַר וְיִסּוּרִין וְכָל הַדִּינִים שֶׁבָּעוֹלָם מֵעָלֵינוּ וּמֵעַל כָּל עַמְּךָ בֵּית יִשְׂרָאֵל.

וְעַל יְדֵי זֶה תְּזַכֵּנוּ לַעֲלוֹת מִבְּחִינַת מַדְרֵגַת חַי לְמַדְרֵגַת אָדָם דִּקְדֻשָּׁה בֶּאֱמֶת, שֶׁהוּא גֶּדֶר מְדַבֵּר. וְנִזְכֶּה לְדִבּוּר דִּקְדֻשָּׁה תָּמִיד.

וּתְזַכֵּנוּ לַעֲלוֹת בְּכָל פַּעַם מִדַּרְגָא לְדַרְגָא עַד שֶׁנִּזְכֶּה לַעֲלוֹת וּלְהִכָּלֵל בִּבְחִינַת אָדָם הָעֶלְיוֹן, שֶׁנִּזְכֶּה לִבְחִינַת שְׁכִינָה מְדַבֶּרֶת מִתּוֹךְ גְּרוֹנֵנוּ.

רִבּוֹנוֹ שֶׁל עוֹלָם, הִקְשֵׁיתִי לִשְׁאוֹל, אֲבָל לְפִי גֹּדֶל רַחֲמֶיךָ וַחֲנִינוֹתֶיךָ, אֵין שׁוּם דָּבָר רָחוֹק.

Your supernal holiness onto ourselves. May we truly draw the fear of Heaven onto ourselves. And may Your fear be upon our faces so that we will not sin.

In particular, at mealtimes, help us and save us so that we will eat in great holiness and purity, until we will always draw onto ourselves the holy fear that comes to a person at the time of eating.

As a result, may we nullify and sweeten every type of suffering and pain, and all of the judgments in the world that affect us and Your entire nation, the House of Israel.

As a result, help us rise from the animalistic to the human level, the level of true holiness, which is associated with the unique human quality of speech. May we attain holy speech always.

Help us rise at every moment from level to level until we are subsumed into the level of "supernal man," and God's Presence speaks from our throats.

Nothing is Impossible

Master of the world, I have asked for something difficult—but in the context of Your great compassion and graciousness, nothing is remote.

כִּי בֶּאֱמֶת יָדַעְתִּי אֲשֶׁר לְפִי שִׁפְלוּת פְּחִיתוּת מַדְרֵגָתִי, אֵין לִי פֶּה לְדַבֵּר וּלְבַקֵּשׁ אֲפִלּוּ עַל דָּבָר קָטָן שֶׁבַּקְּטַנִּים.

וְאֵין שׁוּם דְּבַר קְדֻשָּׁה שֶׁבָּעוֹלָם שֶׁלֹּא יִהְיֶה עָצוּם וְנִשְׂגָּב וּמְרוֹמָם וּמְרֻחָק מִמֶּנִּי בְּתַכְלִית הַהִתְרַחֲקוּת וְהַהִתְרוֹמְמוּת אֲשֶׁר אִי אֶפְשַׁר לְבָאֵר.

אֲבָל כְּבָר שָׁמַעְנוּ מֵרָחוֹק גְּדֻלָּתְךָ וַעֲנְוְתָנוּתְךָ וְרַחֲמֶיךָ וַחֲסָדֶיךָ הָרַבִּים בְּלִי שִׁעוּר, וּמְעַט רָאִיתִי בְּעֵינַי.

עַל כֵּן יֵשׁ לִי גַּם כֵּן תִּקְוָה וּפִתְחוֹן פֶּה לִשְׁאוֹל וּלְבַקֵּשׁ מִמְּךָ אֲפִלּוּ עַל הַמַּדְרֵגָה הַגְּדוֹלָה שֶׁבַּגְּדוֹלוֹת, כִּי אֵין דָּבָר נִמְנָע מִמֶּךָּ, וּמִמְּךָ לֹא יִפָּלֵא כָּל דָּבָר, "הֵן כֹּל תּוּכָל וְלֹא יִבָּצֵר מִמְּךָ מְזִמָּה".

וְרַק בִּשְׁבִיל זֶה בָּרָאתָ עוֹלָמֶךָ כְּדֵי לְהַרְאוֹת טוּבְךָ וְרַחֲמֶיךָ וַחֲסָדֶיךָ לְכָל הַחֲפֵצִים וּמִשְׁתּוֹקְקִים לְקַבְּלָם.

וְכָל מַה שֶּׁאֲנִי רָחוֹק וְחַיָּב בְּיוֹתֵר, יִתְגַּלֶּה בְּיוֹתֵר עַל יְדֵי דַּיְקָא רַב טוּבְךָ וַחֲסָדֶיךָ וַחֲנִינוּתֶיךָ אֲשֶׁר זֶהוּ עִקַּר גְּדֻלָּתֶךָ, וּבִשְׁבִיל זֶה בָּרָאתָ כָּל הָעוֹלָמוֹת כֻּלָּם.

In truth, I know that taking into account my lowly inadequacy, I do not have the right to speak about and request even the most insignificant thing.

There is nothing in the world of a holy nature that is not totally and completely beyond me, to an extent that is beyond description.

But we have already heard from afar of Your greatness, Your humility and Your vast, immeasurable compassion and kindness, a little of which I have seen with my own eyes.

Therefore, I hope, and I open my mouth to ask and request of You that I may reach even the greatest of levels, because nothing is impossible for You. Nothing is beyond You. "You can do everything; no purpose can be withheld from You."

You created Your world only for this: to show Your goodness, Your compassion and Your kindness to all who desire and yearn to receive them.

And the more distant and guilty I am, please reveal more to me—in particular, Your great goodness, kindness and graciousness, which constitute the essence of Your greatness and for whose sake You created all worlds.

כִּי לֹא יִתְגַּלּוּ נוֹרָאוֹת נִפְלְאוֹת טוּבְךָ וַחֲסָדֶיךָ עַל יְדֵי שֶׁאַתָּה גוֹמֵל חֶסֶד וָטוֹב לַצַּדִּיקִים אֲמִתִּיִּים הָעוֹבְדִים אוֹתְךָ בֶּאֱמֶת כָּל יְמֵי חַיֵּיהֶם בִּמְסִירוּת נֶפֶשׁ בֶּאֱמֶת, כִּי הֵם זוֹכִים לְמַה שֶׁזּוֹכִים עַל יְדֵי מַעֲשֵׂיהֶם הַטּוֹבִים.

אֲבָל בְּאִישׁ כָּמוֹנִי יִתְגַּלּוּ דַּרְכֵי טוּבְךָ וַחֲסָדֶיךָ וְרַחֲמָנוּתֶיךָ וַחֲנִינוּתֶיךָ הַנּוֹרָאִים וְנִפְלָאִים וְנִשְׂגָּבִים מִכָּל הַשִּׂכְלִיּוֹת בְּלִי שִׁעוּר וָעֵרֶךְ וּמִסְפָּר, כְּשֶׁתְּקָרֵב מְרֻחָק וּפָגוּם וְחַיָּב כָּמוֹנִי אֵלֶיךָ תִּתְבָּרַךְ, "בִּי יַכְתִּירוּ צַדִּיקִים כִּי תִגְמֹל עָלָי".

עָזְרֵנִי עוֹזֵר דַּלִּים, הוֹשִׁיעֵנִי בַּעַל הַיְשׁוּעוֹת, "אַל תִּטְּשֵׁנִי וְאַל תַּעַזְבֵנִי אֱלֹהֵי יִשְׁעִי.

יִהְיוּ לְרָצוֹן אִמְרֵי פִי וְהֶגְיוֹן לִבִּי לְפָנֶיךָ יְהֹוָה צוּרִי וְגוֹאֲלִי":

The fact that You grant kindness and goodness to true Tzaddikim who truly serve You all of the days of their lives with true self-sacrifice, who attain what they attain with their good deeds, does not constitute a revelation of the awesome wonders of Your goodness and kindness.

But the ways of Your goodness, kindness, compassion and graciousness—which are awesome, wondrous and elevated beyond all comprehension, beyond measure, limit or number—are revealed in regard to a person like me. When You draw someone as distant, blemished and guilty as myself close to You, then "because of me the righteous will crown You, because You will recompense me."

Help me, You Who help the poor. Save me, Master of salvations. "Do not forsake me and do not abandon me, God of my salvation."

"May the words of my mouth and the meditation of my heart be pleasing before You, HaShem, my Rock and my Redeemer."

39 (II, 78)

The Tzaddik Sometimes Acts in a Simple Manner / A Tzaddik Who is in a State of Simplicity Draws Life from the Journey to the Land of Israel / People Who Cannot Get Life Directly from the Torah Get it from the Tzaddik When He Acts in a Simple Manner / Before the Giving of the Torah, the World Existed Solely Through God's Kindness / The Tzaddik in His State of Simplicity Receives from the Treasury of Unearned Gifts / Jews Sanctify All Areas That They Come to / Torah is Everywhere, So There is Never Cause for a Person to Despair / A Person Never Requires Cleverness / In the Messianic Era, Dispute Among the Tzaddikim Prevents People from Knowing Where the Truth Lies

---

The true Tzaddik acts in a simple manner.

Sometimes he is literally a simple person. He does not reveal any Torah and engages in mundane conversation.

The essence of life is the Torah. Whoever is separated from the Torah is separated from life. That being the case, how can a person separate himself from Torah even briefly? Yet on the other hand, a person cannot constantly cling to the Torah day and night without pause—not even a brilliant, exalted person. He must occasionally interrupt in order to engage in some business, and so forth.

At that time, he is literally a simple person. It is true that "the nullification of Torah is ultimately its maintenance" (*Sefer Chassidim* 952)—but who wants to separate himself from the Torah for even a short while? This is especially true of a person who loves the Torah and clings to it, and, how much more, someone who feels sweetness in the Torah and creates original insights, and, even more, a brilliant person who attains the hidden treasures of the King. When such a person must separate himself from the Torah, from where does he draw life then?

At that time—at the time that the true Tzaddik is a simple person—he draws life from the journey to the Land of Israel.

All simple people—be they scholars who are not engaged in learning, or unlearned yet God-fearing people, or people who are even lower than that, such as non-Jews—need to receive life force from the Torah, which is the essence of life. But since they are far from Torah, they need a great, simple person through whom they can receive life force.

All of these simple people revive themselves from the concept of the world's existence prior to the giving of the Torah.

At that time, when there was no performance of mitzvot, the world existed solely due to God's kindness. When the Tzaddik is in his state of simplicity, he receives life from that level.

That is the level of the treasury of unearned gifts, from which a person without merits receives. This treasury is not for the wicked—for if it was, the wicked would be better off than the righteous. Rather, this treasury is for the Tzaddik at the time that he is a simple person. At that time, he receives from this treasury of unearned gifts.

Before the Torah was given, people involved themselves only in civilizing the world and attaining basic decency. "Great is basic decency, which preceded the Torah by twenty-six generations" (*Vayikra Rabbah* 9:1). Before the giving of the Torah, the world existed solely through unearned kindness.

Yet the Torah existed even before we received it, for it is eternal. However, it was hidden.

The entire Torah is included in the Ten Commandments. Originally, the Ten Commandments were hidden in the Ten Statements with which the world was created. Thus, the whole Torah was hidden in the civilizing of the world and in all speech, work and deeds.

When the Tzaddik is simple and separated from Torah, he receives life from this level.

That is the road to the Land of Israel. The essential

power of the holiness of the Land of Israel comes via "the power of His deeds that He related to His nation, to give them an inheritance of nations" (Psalms 111:6). As Rashi explains, "God created everything; He took the Land of Israel from the nations and gave it to whomever He pleased" (Rashi on Genesis 1:1). The fundamental strength of the Land of Israel is the Ten Statements, the "power of His deeds," via which the Jews could go and conquer the Land.

This concept can exist in the rest of the world as well. Sometimes Jews come to a place that is very far from the holiness of the Land of Israel. They conquer that place and sanctify it so as to be a Jewish place—that, too, is the level of the Land of Israel. People could accuse the Jews of being thieves, but via the "power of His deeds," the Ten Statements, we have permission to conquer the entire world and grant it Jewish sanctity.

That is basic decency, the proper "*way* of the world," the way to the Land of Israel. Basic decency civilizes the world, which was created with Ten Statements. That itself is the pathway to the Land of Israel.

And so the great Tzaddik must descend and fall into simplicity for a period of time, because in that way he revives all simple people, since he revives himself with the level of the Torah hidden in the Ten Statements that are enclothed in the world. Simple people then receive life from him.

Therefore, when Moses asked to be allowed to enter the Land of Israel, he asked for that as an undeserved gift.

It is forbidden to despair. Even a simple person who is unable to learn, or even a person on the lowest level, must strengthen himself with the fear of God and simple devotion according to his level. Then he, too, receives life from the Torah via the great, simple man—the great Tzaddik.

There is no despair in the world at all. When a person is in a state of simplicity, he must strengthen himself with the fear of Heaven. He can attain great joy via his simplicity and faith, for he does not need any cleverness. In fact, cleverness is very harmful. A person can stray from one level of cleverness to another until he is trapped in cleverness.

A person must beseech God to help him come close to the true Tzaddik. For after a person dies, it will be very hard for him to do so.

Right now the Side of Evil is generating confusion in the world, because the Jewish people are very close to the messianic era. They are yearning for God in a way that did not exist in earlier days. Therefore, the Side of Evil has created dispute among the Tzaddikim and set up false leaders, such that no one knows where the truth lies. We must ask God to be worthy of drawing close to the true Tzaddik.

"וָאֶתְחַנַּן אֶל יְהֹוָה בָּעֵת הַהִוא לֵאמֹר. אֲדֹנָי אֱלֹהִים אַתָּה הַחִלּוֹתָ לְהַרְאוֹת אֶת עַבְדְּךָ, אֶת גָּדְלְךָ וְאֶת יָדְךָ הַחֲזָקָה, אֲשֶׁר מִי אֵל בַּשָּׁמַיִם וּבָאָרֶץ אֲשֶׁר יַעֲשֶׂה כְמַעֲשֶׂיךָ וְכִגְבוּרֹתֶיךָ. אֶעְבְּרָה נָּא וְאֶרְאֶה אֶת הָאָרֶץ הַטּוֹבָה אֲשֶׁר בְּעֵבֶר הַיַּרְדֵּן הָהָר הַטּוֹב הַזֶּה וְהַלְּבָנֹן".

רִבּוֹנוֹ שֶׁל עוֹלָם מָלֵא רַחֲמִים, חוֹנֵן אֶת מִי שֶׁאֵינוֹ רָאוּי לָחוֹן, מְרַחֵם אֶת מִי שֶׁאֵינוֹ רָאוּי לְרַחֵם, עוֹשֶׂה חֶסֶד חִנָּם בְּכָל דּוֹר וָדוֹר.

וּכְבָר עָשִׂיתָ חֲסָדִים רַבִּים בִּכְלָלִיּוּת וּבִפְרָטִיּוּת בְּכָל דּוֹר וָדוֹר, עַד הֵנָּה עֲזָרוּנוּ רַחֲמֶיךָ וְלֹא עֲזָבוּנוּ חֲסָדֶיךָ, וְגַם עִמִּי הַשָּׁפָל וְהַנִּבְזֶה גָּמַלְתָּ חֲסָדִים וְטוֹבוֹת רַבּוֹת בְּלִי שִׁעוּר וָעֵרֶךְ וּמִסְפָּר.

וְאִלּוּ פִּי מָלֵא שִׁירָה כַּיָּם וּלְשׁוֹנִי רִנָּה כַּהֲמוֹן גַּלָּיו וְכוּ',

God's Unlimited Gifts

"**I** beseeched HaShem at that time, saying, 'Lord God, You have begun to show Your servant Your greatness and Your mighty hand, for who is like God in Heaven and earth? Who will perform acts like Your acts and in accordance with Your might? Allow me to go forward now. Allow me to see the good Land on the other side of the Jordan—this good mountain and the Lebanon.'"

Master of the universe, You Who are filled with compassion, You are gracious to those who do not deserve Your graciousness. You have compassion on those who do not deserve Your compassion. You perform undeserved kindness in every generation.

You have performed vast kindnesses—collectively and individually—in every generation. Until now, Your compassion has helped us and Your kindness has not abandoned us. You have given even me, lowly and wretched as I am, vast kindnesses and favors without measure, limit or number.

If my mouth were filled with song like the sea and my tongue with melody like the multitude of its waves, I would not manage in all of my

לֹא אַסְפִּיק כָּל יָמַי לְהוֹדוֹת לְךָ וּלְשַׁבֵּחֲךָ וּלְפָאֶרְךָ וּלְבָרֵךְ וּלְקַדֵּשׁ אֶת שִׁמְךָ.

לְהוֹדוֹת וּלְהַלֵּל וּלְסַפֵּר אַחַת מִנִּי אֶלֶף אַלְפֵי אֲלָפִים וְרִבֵּי רְבָבוֹת פְּעָמִים הַטּוֹבוֹת נִסִּים וְנִפְלָאוֹת וַחֲסָדִים רַבִּים וַעֲצוּמִים חַסְדֵי חִנָּם אֲשֶׁר עָשִׂיתָ עִמִּי מֵעוֹדִי עַד הַיּוֹם הַזֶּה.

מָה אוֹמַר וּמָה אֲדַבֵּר, "בַּמָּה אֲקַדֵּם יְהֹוָה אִכַּף לֵאלֹהֵי מָרוֹם", וּמֵאֵיזֶה אוֹצַר מַתְּנַת חִנָּם אֲשֶׁר גָּמַלְתָּ עִמִּי אַתְחִיל לְדַבֵּר תְּחִלָּה.

כִּי כָל חֶסֶד וָחֶסֶד אֲשֶׁר עָשִׂיתָ עִמִּי הַחוֹטֵא וְהַפָּגוּם, הוּא אוֹצַר מָלֵא מַתְּנוֹת חִנָּם, אֲשֶׁר בַּחֲסָדֶיךָ הָרַבִּים חִזַּקְתַּנִי בִּתְשׁוּקַת אֱמוּנָתֶךָ, וְזִכִּיתַנִי לִהְיוֹת בִּכְלַל יִשְׂרָאֵל עֲבָדֶיךָ אֲשֶׁר בָּהֶם בָּחַרְתָּ.

וַעֲזַרְתַּנִי בְּכָל עֵת לַחְטֹף מִזֶּה הָעוֹלָם הָעוֹבֵר כַּמָּה וְכַמָּה נְקֻדּוֹת טוֹבוֹת, אֲשֶׁר זִכִּיתַנִי בְּרַחֲמֶיךָ בְּכָל יוֹם וּבְכָל עֵת לַעֲסוֹק מְעַט בְּתוֹרָה וּתְפִלָּה, וּלְקַיֵּם כַּמָּה מִצְוֹת, וְלִפְרוֹשׁ וְלִבְדֹּל מִכַּמָּה עֲבֵרוֹת.

days to thank You, praise You, beautify You, and bless and sanctify Your Name.

I could not thank, praise or tell a thousandth, a millionth or a billionth of the many tremendous favors, miracles, wonders and acts of undeserved kindness that You have performed on my behalf from my beginning until this day.

What shall I say and how shall I speak? "With what will I come before God? How shall I bow before the Most High God?" Of which treasury of unearned gifts that You have given me will I speak first?

Every kindness that You have performed with me—a sinner and blemished person—is a treasury filled with unearned gifts. In Your vast kindness, You have strengthened me to yearn for Your faith, and You have given me the privilege of being among Your chosen servants, the people of Israel.

At all times You help us seize a number of good points from this transient world. In Your compassion, You help me engage in some Torah learning and prayer, fulfill a number of mitzvot, and separate myself from a number of sins every day and every moment.

וְהָיִיתָ בְּעֶזְרִי לִבְלִי לֵילֵךְ בַּעֲצַת רְשָׁעִים, וְלִבְלִי לַעֲמוֹד בְּדֶרֶךְ חַטָּאִים, וְלִבְלִי לֵישֵׁב בְּמוֹשַׁב לֵצִים. וְהִכְנַסְתָּ בִּי בְּכָל עֵת לְהִשְׁתּוֹקֵק וְלִכְסֹף וּלְהִתְגַּעְגֵּעַ אֵלֶיךָ, וּלְהִתְחַבֵּר לִירֵאֶיךָ וּתְמִימֶיךָ.

מָה רַב טוּבְךָ אֲשֶׁר עָשִׂיתָ עִמִּי בְּתוֹךְ כְּלָלִיּוּת יִשְׂרָאֵל עַמֶּךָ, אֲשֶׁר נָתַתָּ לָנוּ מַתָּנוֹת טוֹבוֹת כָּאֵלֶּה, מַתָּנוֹת יְקָרוֹת כָּאֵלֶּה, שֶׁהָיוּ גְנוּזִים בְּבֵית גְּנָזֶיךָ מֵעוֹלָם.

עַד שֶׁבָּא מוֹשִׁיעַ וָרַב, נֶאֱמַן בֵּיתְךָ מֹשֶׁה רַבֵּנוּ עָלָיו הַשָּׁלוֹם, וְהֵבִיא לָנוּ חֶמְדָּה גְנוּזָה שַׁעֲשׁוּעִים יוֹם יוֹם, אֲשֶׁר אֵין עֲרֹךְ אֵלֶיהָ, "וְכָל חֲפָצִים לֹא יִשְׁווּ בָהּ.

רַבּוֹת עָשִׂיתָ אַתָּה יְהֹוָה אֱלֹהַי" עִם כְּלָלִיּוּת יִשְׂרָאֵל, וְעִם כָּל אֶחָד וְאֶחָד בִּפְרָטִיּוּת בְּכָל יוֹם וָיוֹם, "נִפְלְאֹתֶיךָ וּמַחְשְׁבֹתֶיךָ אֵלֵינוּ אֵין עֲרֹךְ אֵלֶיךָ, אַגִּידָה וַאֲדַבֵּרָה עָצְמוּ מִסַּפֵּר".

וְעַל כֻּלָּם יִתְבָּרֵךְ וְיִתְרוֹמֵם וְיִתְנַשֵּׂא שִׁמְךָ מַלְכֵּנוּ תָּמִיד

You help me refrain from going in the counsel of the wicked, standing on the path of the sinners, and sit ting in the meeting place of the scorners. At every moment You place within me yearning, longing and pining for You and for joining those wholehearted people who fear You.

How vast is the goodness that You have performed on my behalf amid all Your people of Israel! You have given us good and precious gifts that were hidden in Your treasure house from the beginning.

Then Moses, a savior and teacher, the faithful one of Your house, brought us the beloved, hidden Torah, whose delights are daily and to which nothing can be compared—"all of your desirable things cannot equal it."

"You have done much, HaShem my God," with all of Israel, and with each individual in particular, every day. "Your wonders and thoughts are for our sake. No one compares with You. I would tell and speak them, but they are too many to recount."

Regarding all of these, may Your Name be blessed, elevated and uplifted. Our King, we

לְעוֹלָם וָעֶד, נוֹדֶה לְךָ וּנְסַפֵּר תְּהִלָּתֶךָ, עַל חַיֵּינוּ הַמְּסוּרִים בְּיָדֶךָ וְעַל נִשְׁמוֹתֵינוּ הַפְּקוּדוֹת לָךְ.

וְעַל נִסֶּיךָ שֶׁבְּכָל יוֹם עִמָּנוּ וְעַל נִפְלְאוֹתֶיךָ וְטוֹבוֹתֶיךָ שֶׁבְּכָל עֵת, עֶרֶב וָבֹקֶר וְצָהֳרָיִם. הַטּוֹב כִּי לֹא כָלוּ רַחֲמֶיךָ וְהַמְרַחֵם כִּי לֹא תַמּוּ חֲסָדֶיךָ כִּי מֵעוֹלָם קִוִּינוּ לָךְ.

וְעַתָּה אֲשֶׁר בָּאתִי לְפָנֶיךָ יְהֹוָה אֱלֹהֵינוּ וֵאלֹהֵי אֲבוֹתֵינוּ מָלֵא חַסְדֵי חִנָּם תָּמִיד. חָנֵּנִי מֵאוֹצַר מַתְּנַת חִנָּם, וְזַכֵּנִי לַעֲלוֹת וְלָבוֹא לְאֶרֶץ יִשְׂרָאֵל חִישׁ קַל מְהֵרָה בַּשָּׁנָה הַזֹּאת.

אוּלַי אֶזְכֶּה לְקַבֵּל שָׁם קְדֻשָּׁה וְטָהֳרָה מֵעֶשֶׂר קְדֻשּׁוֹת הַכְּלוּלוֹת שָׁם, בְּאֹפֶן שֶׁאֶזְכֶּה מֵעַתָּה לָשׁוּב אֵלֶיךָ בֶּאֱמֶת, וּלְקַדֵּשׁ וּלְטַהֵר עַצְמִי מֵעַתָּה וְעַד עוֹלָם, וְלִזְכּוֹת לְיִרְאַת שָׁמַיִם בֶּאֱמֶת.

will always and forever thank You and recount Your praise, for our lives that are given over into Your hand and for our souls that are deposited with You.

We will do the same for Your miracles that are with us every day and for Your wonders and benefits at every moment—evening, morning and afternoon. You are good, and Your compassion has not ceased; You are compassionate, and Your kindness has not ended. We have always hoped in You.

May We Reach the Land of Israel

And now I have come to You, HaShem our God and God of our fathers, You Who are always filled with kindness that we do not deserve. Graciously endow me from the treasury of unearned gifts. Help me make my way to the Land of Israel, quickly, swiftly and speedily, this year.

Perhaps I will receive holiness and purity from the ten types of holiness contained there, so that from now on I will truly return to You, and sanctify and purify myself from now and forever, and truly attain the fear of Heaven.

רִבּוֹנוֹ שֶׁל עוֹלָם "אֵין לִי פֶּה לְדַבֵּר וְלֹא מֵצַח לְהָרִים רֹאשׁ", רַק בָּאתִי כְּעָנִי בַּפֶּתַח, הַחַיָּב וְהַחוֹטֵא וְהַפּוֹשֵׁעַ, שׁוֹאֵל וּמְבַקֵּשׁ בְּדַעַת מְבֻלְבָּל וּבִלְשׁוֹן עִלְּגִים, מַתְּנַת חִנָּם לְבַד.

בְּכֹחַ וּזְכוּת הַצַּדִּיקִים הַגְּדוֹלִים שֶׁזָּכוּ לָבוֹא לְאֶרֶץ יִשְׂרָאֵל אַחֲרֵי מְנִיעוֹת רַבּוֹת, וְזָכוּ לַחְתֹּר וּלְהַמְשִׁיךְ הָאוֹצָר מַתְּנַת חִנָּם עַל כָּל בָּאֵי עוֹלָם.

בִּזְכוּתָם וְכֹחָם לְבַד תָּמַכְתִּי יְתֵדוֹתַי, לָבֹא לְפָנֶיךָ עַתָּה גַּם עַתָּה, לִשְׁאוֹל וּלְבַקֵּשׁ מִמְּךָ מַתְּנַת חִנָּם, שֶׁתְּחָנֵּנִי מֵהָאוֹצָר מַתְּנַת חִנָּם, הַפָּתוּחַ וְעוֹמֵד לִפְנֵי הַצַּדִּיקִים הַקְּדוֹשִׁים.

מִשָּׁם תְּחָנֵּנִי בְּרַחֲמֶיךָ הָרַבִּים וּבַחֲסָדֶיךָ הַגְּדוֹלִים, וְתַעֲשֶׂה אֶת אֲשֶׁר בְּחֻקֶּיךָ אֵלֵךְ וְאֶת מִצְוֹתֶיךָ אֶשְׁמוֹר מֵעַתָּה וְעַד עוֹלָם.

וּתְזַכֵּנִי וְתוֹרֵנִי וּתְלַמְּדֵנִי הַדֶּרֶךְ וְהַנָּתִיב וְהָעֵצָה, בְּאֹפֶן שֶׁאֶזְכֶּה חִישׁ קַל מְהֵרָה לַעֲבֹר וּלְדַלֵּג עַל כָּל הַמְּנִיעוֹת וְהָעִכּוּבִים וְהַסִּכְסוּכִים וְהַבִּלְבּוּלִים הַמּוֹנְעִים אוֹתִי מִלָּבֹא לְאֶרֶץ יִשְׂרָאֵל.

Attaining an Unearned Gift

Master of the world, I cannot speak or raise my face. I come like a poor person at the door, guilty, sinning and offending, requesting and begging with a confused mind and a stuttering tongue for an unearned gift alone.

I come to You in the might and merit of the great Tzaddikim who arrived in the Land of Israel after many obstacles, who delved and drew forth the treasury of unearned gifts for all people in the world.

In their merit and might alone, You have helped me come to You even now to request and seek an unearned gift, so that You will graciously grant me gifts from the treasury of unearned gifts, which stands open before the holy Tzaddikim.

From that treasury, graciously give me Your vast compassion and great kindness. Help me obey Your rules and guard Your mitzvot from now and forever.

Help me, guide me and teach me the way, path and counsel to quickly, swiftly and speedily pass by and leap over all of the impediments, controversies and commotions that prevent me from coming to the Land of Israel.

הֵן מְנִיעוֹת מֵחֲמַת מָמוֹן, הֵן שְׁאָר כָּל מִינֵי מְנִיעוֹת שֶׁבָּעוֹלָם, וּבִפְרָט כָּל מִינֵי מְנִיעוֹת הַמֹּחַ, הַכֹּל כַּאֲשֶׁר לַכֹּל, אֶזְכֶּה לְשַׁבֵּר וּלְבַטֵּל מְהֵרָה מְהֵרָה, בְּאֹפֶן שֶׁאֶזְכֶּה מְהֵרָה בְּסָמוּךְ לֵילֵךְ וְלָבֹא לְאֶרֶץ יִשְׂרָאֵל.

וְאֶזְכֶּה לָבֹא לְשָׁם בְּשָׁלוֹם, וּלְהַמְשִׁיךְ שָׁם עָלַי קְדֻשָּׁה וְטָהֳרָה וְיִרְאָה שְׁלֵמָה מִכָּל הָעֶשֶׂר קְדֻשּׁוֹת הַכְּלוּלִים בְּאֶרֶץ יִשְׂרָאֵל, שֶׁהֵם בְּחִינוֹת עֲשָׂרָה מַאֲמָרוֹת שֶׁבָּהֶם בָּרָאתָ עוֹלָמֶךָ.

אֲשֶׁר בָּהֶם כְּלוּלִים וְנֶעְלָמִים הָעֲשֶׂרֶת הַדִּבְּרוֹת שֶׁהֵם כְּלָלִיּוּת הַתּוֹרָה הַקְּדוֹשָׁה, אֲשֶׁר כָּל הָעֲשָׂרָה מַאֲמָרוֹת עֶשֶׂר קְדֻשּׁוֹת הָאֵלֶּה, כְּלוּלִים מִכָּל הַיִּרְאוֹת הַקְּדוֹשׁוֹת.

רִבּוֹנוֹ שֶׁל עוֹלָם, אַדִּיר אָיֹם וְנוֹרָא, זַכֵּנִי לְכָל הַקְּדֻשּׁוֹת וְהַיִּרְאוֹת הָאֵלֶּה, בְּאֹפֶן שֶׁאֶזְכֶּה לָשׁוּב אֵלֶיךָ בִּתְשׁוּבָה שְׁלֵמָה בֶּאֱמֶת, וּלְעָבְדְּךָ בֶּאֱמֶת בְּיִרְאָה וּבְאַהֲבָה, לִלְמֹד וּלְלַמֵּד לִשְׁמֹר וְלַעֲשׂוֹת וּלְקַיֵּם אֶת כָּל דִּבְרֵי תוֹרָתֶךָ בְּאַהֲבָה.

רִבּוֹנוֹ שֶׁל עוֹלָם מָה אֲדַבֵּר וְאַתָּה יָדַעְתָּ אוֹתִי, אַךְ כְּבָר

May I overcome obstacles due to finances or any other factor—in particular, all obstacles of the mind. May I break and nullify all of them very quickly, so that I will speedily set forth and come to the Land of Israel.

May I come there in peace and draw onto myself complete holiness, purity and awe from all of the ten types of holiness incorporated into the Land of Israel, which correspond to the Ten Statements with which You created Your world.

Those Ten Statements contain and conceal the Ten Commandments, which encapsulate the holy Torah. All of the Ten Statements are ten types of holiness, composed of the holy types of awe.

You are the mighty, awesome and majestic Master of the world. Grant me all of these types of holiness and awe so that I will return to You in truly complete repentance and truly serve You in fear and love—to learn and teach, to guard and do, and lovingly uphold all of the words of Your Torah.

God Can Do Everything

Master of the world, what shall I say? You know everything about me. But You informed us

הוֹדַעְתָּנוּ שֶׁצְּרִיכִין לְהִתְפַּלֵּל בְּפֶה מָלֵא, וְאַתָּה שׁוֹמֵעַ תְּפִלַּת כָּל פֶּה.

וְעַל זֶה תָּמַכְתִּי יְתֵדוֹתַי לָבֹא גַּם עַתָּה בִּתְפִלָּה וְתַחֲנוּנִים לְפָנֶיךָ בַּעַל הָרַחֲמִים, בַּעַל הַחֶסֶד, בַּעַל הַחֶמְלָה וְהַחֲנִינָה.

וַאֲנִי מְקַוֶּה מִמָּקוֹם שֶׁאֲנִי שָׁם, לַעֲלוֹת מְהֵרָה לְאֶרֶץ יִשְׂרָאֵל, אוּלַי אֶזְכֶּה שָׁם מַה שֶּׁאֶזְכֶּה, בְּאֹפֶן שֶׁאֶמְצָא דֶּרֶךְ וּנְתִיב וְכֹחַ וְעֵצָה אֲמִתִּיִּית שֶׁאֶזְכֶּה לְקַיְּמָהּ, בְּאֹפֶן שֶׁאֶזְכֶּה לְהִתְקָרֵב אֵלֶיךָ בֶּאֱמֶת בְּאַהֲבָה וּבְיִרְאָה, וְלָשׁוּב אֵלֶיךָ בֶּאֱמֶת מֵעַתָּה וְעַד עוֹלָם.

אָבִי שֶׁבַּשָּׁמַיִם, חוֹשֵׁב מַחֲשָׁבוֹת לְבַל יִדַּח מִמְּךָ נִדָּח, אַל תְּבִישֵׁנִי מִשִּׂבְרִי, וְאַל תַּחְפִּירֵנִי מִתִּקְוָתִי, וְאַל תֶּאֱטוֹם אָזְנְךָ מִזַּעֲקָתִי.

"לֹא תְאַמֵּץ אֶת לְבָבְךָ מֵאָחִיךָ הָאֶבְיוֹן", וְאַל תַּסְתִּיר פָּנֶיךָ מִתְּשׁוּקָתִי וְכִסּוּפִי, אֲשֶׁר זֶה כַּמָּה אֲנִי נִכְסָף וּמִשְׁתּוֹקֵק לָשׁוּב אֵלֶיךָ בֶּאֱמֶת.

יֶהֱמוּ וְיִכְמְרוּ מֵעֶיךָ עָלַי, וּתְקָרְבֵנִי מֵעַתָּה אֵלֶיךָ וְלַעֲבוֹדָתְךָ בֶּאֱמֶת, וְאַל תַּעֲשֶׂה עִמִּי כַּחֲטָאַי, וְאַל תִּגְמְלֵנִי כְּמִפְעָלַי.

that we must pray with full expression, and that You hear the prayer of every mouth.

I rely on this to come to You now with prayer and pleading, Master of compassion, Master of kindness, Master of mercy and graciousness.

I hope to rise quickly and come to the Land of Israel from where I am. Perhaps there I will gain attainments. Perhaps there I will find a way and a path, strength and true counsel that I will keep, so that I will truly come close to You with love and fear, and truly return to You from now and forever.

My Father in Heaven, You Who think thoughts so that none will be cast away from You, "do not put me to shame because of my hope." Do not disappoint my hope, and do not shut Your ears to my outcry.

"Do not close Your heart to Your impoverished brother." Do not hide Your face from my yearning and longing. How I have longed and desired to truly return to You!

May You feel deep compassion for me. From now on, bring me truly close to You to serve You. Do not treat me in accordance with my sins. Do not recompense me in accordance with my deeds.

כִּי אַתָּה יָדַעְתָּ אֶת יִצְרִי, וְאַתָּה יוֹדֵעַ מְקוֹמִי מִתְּחִלָּה וְעַד סוֹף, וּבְיָדְךָ הַכֹּל, וּבְיָדְךָ לְהָסִיר רוֹעַ לְבָבִי וְקַשְׁיוּת עָרְפִּי וְתֹקֶף תַּאֲוָתִי, וְעַזּוּת גּוּפִי, כְּמוֹ שֶׁכָּתוּב: "וַאֲשֶׁר הֲרֵעוֹתִי".

כִּי בְיָדְךָ הַכֹּל, וּבְיָדְךָ כֹּחַ וּגְבוּרָה וּבְיָדְךָ לְגַדֵּל וּלְחַזֵּק לַכֹּל. וְעָלֶיךָ לְבַד הִשְׁלַכְתִּי אֶת יְהָבִי, עָלֶיךָ לְבַד אֲנִי נִשְׁעָן וְנִתְלֶה וְנִסְמָךְ.

כִּי אַתָּה גִּבּוֹר וְרַב לְהוֹשִׁיעַ, "הֵן כֹּל תּוּכָל וְלֹא יִבָּצֵר מִמְּךָ מְזִמָּה", וּמִי יֹאמַר לְךָ מַה תַּעֲשֶׂה.

"הֲשִׁיבֵנִי וְאָשׁוּבָה כִּי אַתָּה [יְהוָה] אֱלֹהָי, רְפָאֵנִי יְהוָה וְאֵרָפֵא" רְפוּאַת הַנֶּפֶשׁ וּרְפוּאַת הַגּוּף, "הוֹשִׁיעֵנִי וְאִוָּשֵׁעָה כִּי תְהִלָּתִי אָתָּה".

חָנֵּנִי מֵאוֹצַר מַתְּנַת חִנָּם בְּכֹחַ וּזְכוּת הַצַּדִּיקִים הַגְּדוֹלִים הָעֲנָוִים בֶּאֱמֶת, הַהוֹלְכִים בִּתְמִימוּת בֶּאֱמֶת, וְעוֹשִׂים עַצְמָם כַּאֲנָשִׁים פְּשׁוּטִים לְגַמְרֵי בֶּאֱמֶת.

אֲשֶׁר אַתָּה לְבַד יוֹדֵעַ גֹּדֶל קְדֻשָּׁתָם וּמַעֲלָתָם וְעֹצֶם כֹּחָם, עַד אֲשֶׁר יֵשׁ לָהֶם כֹּחַ לְהָרִים וּלְהַגְבִּיהַּ גַּם אוֹתִי מִמָּקוֹם

You know my inclinations. You know where I stand, from beginning to end. Everything is in Your hand—to remove my evil heart, my stiff neck, my insistent desires and my insolent body. "I have done wrong!"

Everything is in Your hand—might and strength, and the power to magnify and strengthen everything. I cast my burden upon You alone. I rely, depend and lean on You alone.

You are mighty and powerful to save. "You can do everything; no purpose can be withheld from You." Who can question what You do?

"Bring me back and I will return, for You are [HaShem] my God." "Heal me, HaShem and I will be healed"—with a healing of both soul and body. "Save me and I will be saved, because You are my praise."

Graciously send me gifts from the treasury of unearned gifts, in the might and merit of the great Tzaddikim who are truly humble, who walk in true simplicity and truly make themselves entirely unsophisticated.

You alone know their great holiness, exalted-ness and forceful might. They have the power to raise and elevate even me from where I am,

שֶׁאֲנִי שָׁם, לְקָרְבֵנִי אֵלֶיךָ, וְלַהֲבִיאֵנִי מְהֵרָה לְאֶרֶץ יִשְׂרָאֵל, וּלְזַכּוֹת אוֹתִי לְתַקֵּן כָּל מַה שֶּׁקִּלְקַלְתִּי.

וְלֹא אֵצֵא מִן הָעוֹלָם הַזֶּה עַד שֶׁאֲתַקֵּן בְּכֹחָם אֶת כָּל אֲשֶׁר שִׁחַתְּתִי. "לֵב טָהוֹר בְּרָא לִי אֱלֹהִים וְרוּחַ נָכוֹן חַדֵּשׁ בְּקִרְבִּי, הָשִׁיבָה לִי שְׂשׂוֹן יִשְׁעֶךָ וְרוּחַ נְדִיבָה תִסְמְכֵנִי".

עָזְרֵנִי עָזְרֵנִי הוֹשִׁיעֵנִי, כִּי אֵלֶיךָ לְבַד שִׁטַּחְתִּי כַּפַּי. "פֵּרַשְׂתִּי יָדַי כָּל הַיּוֹם נַפְשִׁי כְּאֶרֶץ עֲיֵפָה לְךָ סֶלָה, מִקְצֵה הָאָרֶץ אֵלֶיךָ אֶקְרָא בַּעֲטֹף לִבִּי בְּצוּר יָרוּם מִמֶּנִּי תַנְחֵנִי.

נִכְסְפָה וְגַם כָּלְתָה נַפְשִׁי לְחַצְרוֹת יְהֹוָה לִבִּי וּבְשָׂרִי יְרַנְּנוּ אֶל אֵל חָי, אֱלֹהִים אֵלִי אַתָּה אֲשַׁחֲרֶךָ, צָמְאָה לְךָ נַפְשִׁי כָּמַהּ לְךָ בְשָׂרִי בְּאֶרֶץ צִיָּה וְעָיֵף בְּלִי מָיִם, כֵּן בַּקֹּדֶשׁ חֲזִיתִךָ לִרְאוֹת עֻזְּךָ וּכְבוֹדֶךָ".

וּבְכֵן יְהִי רָצוֹן מִלְּפָנֶיךָ יְהֹוָה אֱלֹהֵינוּ וֵאלֹהֵי אֲבוֹתֵינוּ, רַב

to bring me close to You, to bring me quickly to the Land of Israel, and to help me repair everything that I have damaged.

May I not leave this world until, aided by their power, I rectify everything that I destroyed. "God, create within me a pure heart and renew a steadfast spirit within me." "Restore the joy of Your salvation to me, and may a generous spirit support me."

Help me! Save me! I stretch my hands out to You alone. "I stretch my hands out to You. My soul turns to You like a weary land." "From the end of the earth I call to You when my heart faints; on the rock that is too high for me, You lead me."

"My soul yearns to exhaustion for the courtyards of HaShem. My heart and flesh sing to the God of my life." "God, You are my God—I will seek You. My spirit is thirsty for You, my flesh longs for You in a dry and thirsty land without water. As I saw You in the Sanctuary, so may I see Your might and Your honor."

Have Compassion on Us

Therefore, may it be Your will, HaShem our God and God of our fathers, great in kindness

חֶסֶד וּמַרְבֶּה לְהֵיטִיב. שֶׁתְּרַחֵם עָלַי בְּרַחֲמֶיךָ הָרַבִּים, וְתוֹרֵנִי וּתְלַמְּדֵנִי וְתַדְרִיכֵנִי בְּדַרְכֵי הַתְּמִימוּת וְהַפְּשִׁיטוּת בֶּאֱמֶת.

שֶׁאֶזְכֶּה לִהְיוֹת תָּמִים עִם יְהֹוָה אֱלֹהָי, וְלַעֲשׂוֹת רְצוֹנְךָ בִּתְמִימוּת וּבִפְשִׁיטוּת בֶּאֱמוּנָה שְׁלֵמָה וִישָׁרָה בְּלִי שׁוּם חָכְמוֹת שֶׁל הֶבֶל כְּלָל.

כִּי אַתָּה יוֹדֵעַ שֶׁאֵין לָנוּ שׁוּם דֶּרֶךְ לְהִתְקָרֵב אֵלֶיךָ כִּי אִם עַל יְדֵי פְּשִׁיטוּת וּתְמִימוּת גָּמוּר בֶּאֱמֶת וֶאֱמוּנָה שְׁלֵמָה.

וַאֲנִי מַאֲמִין וּמֵבִין מֵרָחוֹק שֶׁאֲפִלּוּ בְּעֹמֶק נְפִילָתֵנוּ עַתָּה בְּתֹקֶף הַגָּלוּת הַמַּר הַזֶּה בְּגוּף וָנֶפֶשׁ, יֵשׁ דְּרָכִים שֶׁל תְּמִימוּת וּפְשִׁיטוּת וֶאֱמוּנָה.

שֶׁכָּל אָדָם "בַּאֲשֶׁר הוּא שָׁם" יָכוֹל לְהַחֲיוֹת אֶת עַצְמוֹ עַל יְדֵי זֶה, וְלִמְצֹא לוֹ דֶּרֶךְ יָשָׁר וְעֵצוֹת נְכוֹנוֹת עַל יְדֵי דַּרְכֵי הַתְּמִימוּת וְהַפְּשִׁיטוּת אֵיךְ לִמְצֹא אוֹתְךָ בְּכָל מָקוֹם, אֲפִלּוּ מִי שֶׁנָּפַל לְמָקוֹם שֶׁנָּפַל.

כֻּלָּם יְכוֹלִים לַעֲלוֹת מִנְּפִילָתָם וִירִידָתָם, וּלְהִתְקָרֵב וּלְהִתְדַּבֵּק אֵלֶיךָ, וּלְרַצּוֹת וּלְפַיֵּס אוֹתְךָ בִּתְמִימוּת וּפְשִׁיטוּת

and doing prodigious good, that You will have compassion on me in Your vast compassion and direct me, teach me and guide me in the ways of true simplicity and guilelessness.

May I be wholehearted with You, HaShem my God, and do Your will simply and directly in complete and upright faith, without any futile cleverness at all.

You know that our only way to come close to You is by means of total simplicity and innocence, with truth and complete faith.

I believe and understand, if only from a distance, that even in the depth of our present descent in this intensely bitter exile of body and soul, there exist ways of simplicity, guilelessness and faith.

Every person, wherever he is—even someone who has fallen low—can revive himself with this. By means of the ways of simplicity and directness, he can find a straight path and proper counsel in order to find You everywhere.

Everyone can rise from his fall and descent, and come close to You and cling to You. In complete truth and faith, he can please and appease You with simplicity and guilelessness,

בִּתְפִלָּה וְתַחֲנוּנִים, בֶּאֱמֶת וּבֶאֱמוּנָה שְׁלֵמָה, כִּי בְאֵלֶּה חָפַצְתָּ.

כְּמוֹ שֶׁכָּתוּב: "עֵינַי בְּנֶאֶמְנֵי אֶרֶץ לָשֶׁבֶת עִמָּדִי הוֹלֵךְ בְּדֶרֶךְ תָּמִים הוּא יְשָׁרְתֵנִי". וְנֶאֱמַר: "אַשְׁרֵי תְמִימֵי דָרֶךְ הַהֹלְכִים בְּתוֹרַת יְהוָה".

רִבּוֹנוֹ שֶׁל עוֹלָם עוֹשֶׂה חֶסֶד חִנָּם בְּכָל דּוֹר, אַתָּה בְּרַחֲמֶיךָ וַחֲסָדֶיךָ חִנָּם, בָּרָאתָ וְקִיַּמְתָּ עוֹלָמְךָ כ"ו [עֶשְׂרִים וְשִׁשָּׁה] דוֹרוֹת קֹדֶם מַתַּן תּוֹרָה, שֶׁאָז הָיָה הָעוֹלָם מִתְקַיֵּם בְּלֹא תוֹרָה, כִּי אִם בְּחֶסֶד חִנָּם לְבַד.

רַחֵם עָלֵינוּ גַם עַתָּה בְּרַחֲמֶיךָ הָרַבִּים, וּפְתַח לָנוּ אוֹצָרְךָ הַטּוֹב, אוֹצַר מַתְּנַת חִנָּם, וַעֲשֵׂה עִמָּנוּ צְדָקָה וְחֶסֶד חִנָּם בְּכָל עֵת, וַאֲפִלּוּ בָּעֵת שֶׁאָנוּ מִתְבַּטְּלִים מִדִּבְרֵי תוֹרָה, רַחֵם עָלֵינוּ בִּזְכוּת הַצַּדִּיקִים הַגְּדוֹלִים הָאֲמִתִּיִּים.

וְתַשְׁפִּיעַ עָלֵינוּ כָּל טוּב, וּתְקַיֵּם אוֹתָנוּ בְּחֶסֶד חִנָּם, כְּמוֹ שֶׁקִּיַּמְתָּ עוֹלָמְךָ בְּחֶסֶד חִנָּם, כ"ו דוֹרוֹת קוֹדֶם מַתַּן תּוֹרָה.

with prayer and pleas for graciousness, as You desire.

As the verse states, "My eyes are upon the faithful of the land to see to it that they will dwell with Me. One who walks on an upright path will serve Me." And, "Fortunate are those whose way is perfect, who walk with the Torah of HaShem."

Master of the world, You Who perform undeserved kindness in every generation, in Your undeserved compassion and kindness You created and maintained Your world twenty-six generations before the giving of the Torah. At that time, the world existed without Torah and solely due to Your undeserved kindness.

In Your vast compassion, have compassion on us even now. Open Your good treasury, the treasury of unearned gifts, for us, and constantly perform charity and undeserved kindness for us. Even when we are bereft of words of Torah, have compassion on us in the merit of the great, true Tzaddikim.

Pour all goodness onto us and sustain us with undeserved kindness, just as You maintained Your world with undeserved kindness for twenty-six generations before the giving of the Torah.

רִבּוֹנוֹ שֶׁל עוֹלָם, רַחֵם עָלֵינוּ לְמַעַן שְׁמֶךָ, וְעָזְרֵנוּ וְזַכֵּנוּ שֶׁנִּזְכֶּה לַהֲגוֹת בְּדִבְרֵי תוֹרָתְךָ יוֹמָם וָלַיְלָה. וְאֶזְכֶּה לְהַרְבּוֹת בְּלִמּוּד הַתּוֹרָה בְּהַתְמָדָה גְדוֹלָה בִּקְדֻשָּׁה וּבְטָהֳרָה לְשִׁמְךָ הַגָּדוֹל בֶּאֱמֶת.

וְתִפְתַּח אֶת לִבִּי בְּתַלְמוּד תּוֹרָתֶךָ, שֶׁאֶזְכֶּה לְהָבִין וּלְהַשְׂכִּיל הָעֲמֻקּוֹת וְהַנְּעִימוּת וְהַמְּתִיקוּת שֶׁבְּתוֹרָתְךָ הַקְּדוֹשָׁה וְהַטְּהוֹרָה וְהַתְּמִימָה.

וְתוֹרֵנִי וּתְלַמְּדֵנִי בְּכָל עֵת שֶׁאֶזְכֶּה לֵידַע תָּמִיד בֶּאֱמֶת אֵיךְ לְהִתְנַהֵג בְּעִנְיַן בִּטּוּלָהּ שֶׁל תּוֹרָה זֶהוּ קִיּוּמָהּ.

שֶׁאֶזְכֶּה לִלְמוֹד יוֹם וָלַיְלָה בְּהַתְמָדָה גְדוֹלָה, וְלֵידַע וּלְכַוֵּן הַזְּמַן הַמֻּכְרָח לְהִתְבַּטֵּל, שֶׁיִּהְיֶה הַכֹּל יָפֶה בְּעִתּוֹ בְּמוֹעֲדוֹ וּבִזְמַנּוֹ.

כִּי גָלוּי וְיָדוּעַ לְפָנֶיךָ אֲדוֹן כֹּל נוֹתֵן הַתּוֹרָה, כִּי בָּשָׂר וָדָם אֲנַחְנוּ וּמֵחֹמֶר קֹרַצְנוּ, וּבְהֶכְרֵחַ לְהִתְבַּטֵּל קְצָת לִפְעָמִים מִלִּמּוּד הַתּוֹרָה.

When to Learn and When to Abstain from Learning Torah

Master of the world, have compassion on us for the sake of Your Name. Help us meditate on the words of Your Torah day and night. May I engage in much Torah learning with great constancy, with holiness and purity, truly for the sake of Your great Name.

Open my heart when I learn Your Torah so that I will understand and comprehend the depth, pleasantness and sweetness of Your holy, pure and perfect Torah.

Guide me and teach me constantly, so that I will always truly know when to abstain from learning Torah in order to later dedicate myself to it even more fully.

May I learn Torah day and night with great diligence. May I know and determine the amount of time necessary to set it aside, so that everything will be proper in its season and in its time.

It is revealed and known to You, Master of all, You Who give the Torah, that we are flesh and blood and carved out of clay, and we must necessarily set aside a little time from learning the Torah.

כִּי צְרִיכִין זְמַן לֶאֱכֹל וְלִשְׁתּוֹת וְלִישַׁן בִּשְׁבִיל קִיּוּם הַגּוּף, וְלַעֲסוֹק בְּצָרְכֵי פַּרְנָסָה וּשְׁאָר הֶכְרֵחִיּוּת הַגּוּף, אוֹ לְהִתְבַּטֵּל לִפְעָמִים לְפַקֵּחַ אֶת הַדַּעַת שֶׁלֹּא יִתְבַּלְבֵּל מֵרִבּוּי הַלִּמּוּד יוֹתֵר מֵהַמִּדָּה.

וּבֶאֱמֶת לְפִי עֹצֶם קְדֻשַּׁת מְתִיקוּת וּנְעִימַת תּוֹרָתְךָ הַקְּדוֹשָׁה, בְּוַדַּאי הָיָה רָאוּי לָנוּ לִבְלִי לְהִתְבַּטֵּל לְעוֹלָם מִדִּבְרֵי תוֹרָה אֲפִלּוּ שָׁעָה קַלָּה, כִּי הִיא חַיֵּינוּ וְאֹרֶךְ יָמֵינוּ, וְאֵיךְ אֶפְשַׁר לִפְרֹשׁ מֵחַיִּים אֲמִתִּיִּים אֲפִלּוּ רֶגַע אַחַת.

אַךְ כְּבָר גִּלִּיתָ לָנוּ שֶׁזֶּה אִי אֶפְשָׁר בְּשׁוּם אֹפֶן בָּעוֹלָם לִבְלִי לְהִתְבַּטֵּל כְּלָל, כִּי בְּהֶכְרֵחַ צְרִיכִין לְהִתְבַּטֵּל לִפְעָמִים בִּשְׁבִיל צָרְכֵי הַגּוּף הַמֻּכְרָחִים.

עַל כֵּן רַחֵם עָלֵינוּ בְּרַחֲמֶיךָ הָרַבִּים, וְזַכֵּנוּ לְהִתְקָרֵב לְצַדִּיקִים אֲמִתִּיִּים הַמְקַיְּמִים אֶת כָּל הָעוֹלָם בְּתוֹרָתָם וּקְדֻשָּׁתָם וּבְדַרְכֵי פְּשִׁיטוּתָם הַנִּפְלָאִים.

שֶׁנִּזְכֶּה בְּכֹחָם וּזְכוּתָם לְהַמְשִׁיךְ עָלֵינוּ קְדֻשָּׁה וְחִיּוּת וְכָל

We need time to eat, drink and sleep in order to maintain our body, earn a living and engage in other bodily needs. Sometimes we need to set aside learning to keep our mind sharp, lest it become confused by an overabundance of study.

In truth, in accordance with the intense holiness of the sweet pleasantness of Your holy Torah, it would certainly be fitting for us never to set aside Torah learning even for a moment, because it is our life and the length of our days—and how is it possible to separate oneself from true life for even a single moment?

But You have revealed to us that it is totally impossible to exist in this world without setting aside Torah at all, because at times we must do so in order to attend to bodily needs.

The Wondrous, Simple Ways of the Tzaddikim

Therefore, in Your vast compassion, have compassion on us and help us come close to true Tzaddikim who maintain the entire world with their Torah, their holiness and their wondrous, simple ways.

In their might and merit, may we draw onto ourselves holiness, life and goodness at all times

טוב בְּכָל עֵת, מֵהָאוֹצָר מַתְּנַת חִנָּם הַפָּתוּחַ וְעוֹמֵד לִפְנֵיהֶם.

אֲשֶׁר עַל יְדֵי זֶה הֵם מְחַיִּין אֶת עַצְמָם בְּעֵת שֶׁבְּטֵלִים מִן הַתּוֹרָה, וּבָזֶה הֵם מְחַיִּין אֶת כָּל הָאֲנָשִׁים הַפְּשׁוּטִים שֶׁבָּעוֹלָם (שֶׁקּוֹרִין פְּרָאסְטַאקֶיס).

הֵן בַּעֲלֵי תוֹרָה בְּעֵת שֶׁבְּטֵלִים מִן הַתּוֹרָה, וְהֵן אַנְשֵׁי הֶהָמוֹן וְעַמֵּי הָאָרֶץ, וַאֲפִלּוּ הַמֻּנָּחִים בִּשְׁאוֹל תַּחְתִּיּוֹת וּמִתַּחְתָּיו רַחֲמָנָא לִצְלָן, וַאֲפִלּוּ אֻמִּין דְּעַלְמָא.

כֻּלָּם הֵם מְחַיִּין עַל יְדֵי דַּרְכֵיהֶם הַנִּפְלָאִים, שֶׁעוֹשִׂים עַצְמָם לִפְעָמִים כַּאֲנָשִׁים פְּשׁוּטִים לְגַמְרֵי, וּמַמְשִׁיכִים חַיּוּת וְשֶׁפַע טוֹב מִקִּיּוּם הָעוֹלָם קֹדֶם מַתַּן תּוֹרָה שֶׁהָיָה מִתְקַיֵּם הָעוֹלָם בְּחֶסֶד חִנָּם עַל יְדֵי הַתּוֹרָה הַנֶּעֱלֶמֶת, שֶׁהוּא הַדֶּרֶךְ לִכְבֹּשׁ אֶרֶץ יִשְׂרָאֵל.

אָנָּא יְהֹוָה מָלֵא רַחֲמִים, זַכֵּנוּ וְעָזְרֵנוּ לְהִתְקָרֵב וּלְהִכָּלֵל תָּמִיד בַּצַּדִּיקִים הַנּוֹרָאִים הָאֵלּוּ, שֶׁיֵּשׁ לָהֶם כֹּחַ לְהַחֲיוֹת כָּל בְּנֵי הָעוֹלָם אֲפִלּוּ בְּעֵת רִחוּקָם מֵהַתּוֹרָה, כָּל אֶחָד וְאֶחָד כְּפִי רִחוּקוֹ.

from the treasury of unearned gifts that stands open before them.

With this, they revive themselves when they are not learning Torah, and they revive all of the simple people in the world.

These simple people are Torah scholars at the time that they are not engaged in Torah, common people and ignoramuses—including those on the lowest level of Sheol and below, may the Compassionate One protect us—and even the nations of the world.

In their wondrous ways, the Tzaddikim revive all of these people when, on occasion, they make themselves like completely simple people. They draw down life and good abundance from the level of the world as it existed before the Torah was given. At that time, the world existed on the basis of undeserved kindness via the hidden Torah, which is the way to conquer the Land of Israel.

Please, HaShem, filled with compassion, help us come close to and always be connected to these awesome Tzaddikim who have the power to revive all people of the world even when they are far from the Torah, each in his own way.

כִּי אַתָּה יוֹדֵעַ מָלֵא רַחֲמִים, כִּי עַתָּה אֵין לָנוּ שׁוּם כֹּחַ וְחִיּוּת וְקִיּוּם כִּי אִם בְּכֹחַ וּזְכוּת הַצַּדִּיקִים הַקְּדוֹשִׁים הַנּוֹרָאִים הָאֵלּוּ.

וְעָזְרֵנוּ וְזַכֵּנוּ לְהִתְקָרֵב אֲלֵיהֶם, וּלְקַיֵּם דִּבְרֵיהֶם וְלֵילֵךְ בְּדַרְכֵיהֶם בֶּאֱמֶת, לְהִתְנַהֵג בְּדַרְכֵי הַתְּמִימוּת וְהַפְּשִׁיטוּת בֶּאֱמֶת וּבֶאֱמוּנָה שְׁלֵמָה, בְּלִי שׁוּם חָכְמוֹת שֶׁל הָעוֹלָם כְּלָל.

וְאֶזְכֶּה לְהַחֲיוֹת אֶת עַצְמִי וּלְשַׂמֵּחַ אֶת נַפְשִׁי תָּמִיד עַל יְדֵי הָאֱמוּנָה לְבַד, שֶׁהִיא יְסוֹד וְעִקַּר הַכֹּל.

וְאֶזְכֶּה לֵידַע וּלְהַאֲמִין תָּמִיד, כִּי אַתָּה בָּרָאתָ עוֹלָמְךָ בַּעֲשָׂרָה מַאֲמָרוֹת וּבָהֶם נֶעֱלָמִין עֲשֶׂרֶת הַדִּבְּרוֹת שֶׁהֵם כְּלַל תּוֹרָתֵנוּ הַקְּדוֹשָׁה.

וּבְכָל הַדְּבָרִים וְהַחֲפָצִים שֶׁבָּעוֹלָם וּבְכָל הַמְּלָאכוֹת וְהָעֲסָקִים וְהַמַּשָּׂא וּמַתָּן, בְּכָל הַמַּחֲשָׁבוֹת וְדִבּוּרִים וַעֲשִׂיּוֹת שֶׁבָּעוֹלָם, בְּכֻלָּם יֵשׁ בָּהֶם הָעֲשָׂרָה מַאֲמָרוֹת שֶׁבָּהֶם נִבְרְאוּ כֻּלָּם, אֲשֶׁר בְּאֵלּוּ הָעֲשָׂרָה מַאֲמָרוֹת נֶעֱלָמִין הָעֲשֶׂרֶת הַדִּבְּרוֹת שֶׁהֵם כְּלָל הַתּוֹרָה.

You Who are filled with compassion, You know that at present we possess ability, life and existence only due to the might and merit of these holy, awesome Tzaddikim.

Help us come close to them, fulfill their words, and truly walk on their path, acting in the ways of simplicity and innocence, with truth and complete faith, without any worldly cleverness at all.

The Hidden Ten Commandments

May I always revive myself and gladden my soul by means of faith alone, which is the foundation and essence of everything.

May I always know and believe that You created Your world with Ten Statements, in which the Ten Commandments—which encapsulate the totality of our holy Torah—are hidden.

All things and objects, all crafts, enterprises and business, all thoughts, speech and deeds, contain the Ten Statements with which they were all created. These Ten Statements conceal the Ten Commandments, which encapsulate the totality of the Torah.

וְעַל יְדֵי זֶה אֶזְכֶּה לְקַשֵּׁר וּלְדַבֵּק אֶת עַצְמִי אֶל הַשֵּׁם יִתְבָּרַךְ וְהַתּוֹרָה תָּמִיד בְּכָל עֵת וָרֶגַע בְּדֶרֶךְ תְּמִימוּת וּפְשִׁיטוּת בֶּאֱמֶת, אֲפִלּוּ בָּעֵת שֶׁאֲנִי מֻכְרָח לְהִתְבַּטֵּל מִן הַתּוֹרָה.

וּתְחַזֵּק וּתְאַמֵּץ אֶת לְבָבִי לְבִלִי לִפּוֹל מִשּׁוּם דָּבָר שֶׁבָּעוֹלָם, וְלֹא יוּכַל הַבַּעַל דָּבָר וְהַסִּטְרָא אַחֲרָא לְהַחֲלִישׁ אֶת דַּעְתִּי בְּשׁוּם אֹפֶן בָּעוֹלָם.

וְאֵדַע וְאַאֲמִין בֶּאֱמוּנָה שְׁלֵמָה וַחֲזָקָה תָּמִיד, שֶׁאֵין שׁוּם יֵאוּשׁ בָּעוֹלָם כְּלָל אֵיךְ שֶׁהוּא אֵיךְ שֶׁהוּא, כִּי רַחֲמֶיךָ לֹא כָלִים לְעוֹלָם.

וְאַתָּה מְנַסֶּה אֶת כָּל אָדָם בְּכָל עֵת, וְאַתָּה מְגַלְגֵּל וּמְסַבֵּב עִם כָּל אָדָם גִּלְגּוּלִים וְסִבּוֹת נִפְלָאוֹת, וְאַתָּה חָפֵץ שֶׁהָאָדָם יַחֲזִק יָדוֹ בְּהַשֵּׁם יִתְבָּרַךְ בְּכָל עֵת אַף אִם הוּא כְּמוֹ שֶׁהוּא.

כִּי לֵית רְעוּתָא טָבָא דְאִתְאֲבִיד, וְיָקָר וְחָבִיב בְּעֵינֶיךָ מְאֹד מְאֹד, כָּל תְּנוּעָה וּתְנוּעָה שֶׁהָאָדָם מְנַשֵּׂא עַצְמוֹ לְהִתְקָרֵב אֵלֶיךָ מִמָּקוֹם שֶׁהוּא שָׁם, וּמְחַזֵּק אֶת עַצְמוֹ בְּרַחֲמֶיךָ וַחֲסָדֶיךָ לְקַוּוֹת וּלְצַפּוֹת בְּכָל עֵת לְהִתְקָרֵב אֵלֶיךָ בְּכָל פַּעַם מֵחָדָשׁ.

In this way, may I always connect myself to and cling to HaShem and to the Torah at every moment in a truly simple and wholehearted way—even when I am forced to stop learning Torah.

Strengthen and bolster my heart so that nothing in the world will be able to cast it down. May the Evil One and the Side of Evil not be able to weaken my mind in any way.

May I always know and understand with complete, strong faith that there is no despair in the world at all, however things may be, because Your compassion never ceases.

You test a person at every moment. You bring about wondrous circumstances and chains of events for every individual, desiring that he will strengthen his connection to You at all times, no matter what that individual is like.

No good desire is ever lost. A person's every movement to elevate himself and come close to You from wherever he is, and to strengthen himself—aided by Your helpful compassion and kindness—to hope at every moment to come close to You, is extremely precious and beloved in Your eyes.

כַּאֲשֶׁר גִּלִּיתָ לָנוּ הִתְנוֹצְצוּת נִפְלָא מֵעֹצֶם פִּלְאֵי חֲסָדֶיךָ וְרַחֲמֶיךָ הָרַבִּים וְהָעֲצוּמִים מְאֹד, עַל יְדֵי צַדִּיקֶךָ הַקְּדוֹשִׁים הָאֲמִתִּיִּים, שֶׁאָחֲזוּ בָּנוּ וְחִזְּקוּ יָדֵינוּ בְּכָל עֵת, וְקָרְאוּ בְּקוֹל גָּדוֹל וְהִשְׁמִיעוּ אוֹתָנוּ "שֶׁאֵין שׁוּם יֵאוּשׁ בָּעוֹלָם כְּלָל".

רִבּוֹנוֹ שֶׁל עוֹלָם מָלֵא רַחֲמִים, אַתָּה יוֹדֵעַ מַעֲמָד וּמַצָּב שֶׁל יִשְׂרָאֵל כָּעֵת בְּסוֹף הַגָּלוּת הַמַּר הַזֶּה, אֲשֶׁר קָרוֹב לָבוֹא עֵת קִצֵּנוּ.

וְאַתָּה מְצַפֶּה בְּכָל יוֹם וּבְכָל עֵת וָרֶגַע שֶׁיָּבֹא גּוֹאֵל צִדְקֵנוּ, וְנַפְשׁוֹת עַמְּךָ בֵּית יִשְׂרָאֵל מִתְגַּעְגְּעִים וּמִשְׁתּוֹקְקִים וְנִכְסָפִים אֵלֶיךָ וְלַעֲבוֹדָתֶךָ בִּכְלוֹת הַנֶּפֶשׁ אֲשֶׁר לֹא הָיְתָה כָּזֹאת מֵעוֹלָם.

אֲבָל הַבַּעַל דָּבָר הֵנִיחַ עַצְמוֹ לְאָרְכּוֹ וּלְרָחְבּוֹ, וּבִלְבֵּל אֶת הָעוֹלָם מְאֹד מְאֹד, וְהִכְנִיס מַחֲלֹקֶת גָּדוֹל בָּעוֹלָם, וְנַעֲשָׂה קַטֵּגוֹרְיָא גְּדוֹלָה בֵּין הַתַּלְמִידֵי חֲכָמִים, וְרַבִּים מִבְּנֵי פָּרִיצֵי עַמְּךָ מִתְנַשְּׂאִים "לְהַעֲמִיד חָזוֹן וְנִכְשָׁלוּ".

By means of Your holy, true Tzaddikim, who hold on to us and strengthen our hands at every moment and proclaim that there is no despair in the world at all, You revealed to us a wondrous light coming from Your extraordinarily vast and intense kindness.

Overcoming Dispute

Master of the world, filled with compassion, You know the state of the Jewish people now, at the end of this bitter exile, which will soon come to an end.

Every day, every hour and every moment You look forward to the coming of our righteous redeemer. The souls of Your nation, the House of Israel, yearn, pine and long for You and desire to serve You with a fervor of the soul that never existed before.

But the Evil One has committed himself to the length and breadth to profoundly mislead the world, and has injected great dispute into the world. There has been great dissension among Torah sages, and many corrupt people of Your nation rise up "to bring about a vision—but they will fail."

וַאֲפִלּוּ בֵּין הַתַּלְמִידֵי חֲכָמִים הָאֲמִתִּיִּים נַעֲשָׂה מַחֲלֹקֶת וּבִלְבּוּל גָּדוֹל, עַד אֲשֶׁר אֵין אֶחָד יוֹדֵעַ הֵיכָן הָאֱמֶת.

רַחֵם עָלֵינוּ לְמַעַן שְׁמֶךָ, וְזַכֵּנוּ שֶׁלֹּא יִהְיֶה לָנוּ שׁוּם חֵלֶק בְּמַחֲלֹקֶת עַל הַצַּדִּיקִים וְהַכְּשֵׁרִים הָאֲמִתִּיִּים.

וְתָאִיר עָלֵינוּ בַּחֲסָדֶיךָ חִנָּם וּתְגַלֶּה לָנוּ הָאֱמֶת לַאֲמִתּוֹ, שֶׁנִּזְכֶּה לֵידַע מֵהַצַּדִּיקִים וְהַכְּשֵׁרִים הָאֲמִתִּיִּים שֶׁבַּדּוֹר הַזֶּה, וּלְהִתְקָרֵב אֲלֵיהֶם וּלְהִכָּלֵל בָּהֶם.

וְלֵילֵךְ בְּדַרְכֵיהֶם בֶּאֱמֶת וּבִפְשִׁיטוּת וּבֶאֱמוּנָה שְׁלֵמָה, בִּתְמִימוּת גָּמוּר, בְּלִי שׁוּם חָכְמוֹת שֶׁל הֶבֶל הַנְּהוּגִים בָּעוֹלָם עַתָּה.

וְאֶזְכֶּה לָבֹא לְתוֹךְ שִׂמְחָה גְדוֹלָה בְּכָל עֵת, עַל יְדֵי הַפְּשִׁיטוּת וְהַתְּמִימוּת וְהָאֱמוּנָה שְׁלֵמָה בְּךָ וּבְתוֹרָתְךָ הַקְּדוֹשָׁה וּבְצַדִּיקֶיךָ וִירֵאֶיךָ הָאֲמִתִּיִּים הַטּוֹבִים וְהַתְּמִימִים הַיְשָׁרִים בְּלִבּוֹתָם, הַהוֹלְכִים בִּדְרָכֶיךָ בֶּאֱמֶת.

וּתְרַחֵם עָלַי וּתְחַזֵּק אֶת לְבָבִי לִכְסֹף וּלְהִשְׁתּוֹקֵק וּלְהִתְגַּעְגֵּעַ בֶּאֱמֶת לְאֶרֶץ יִשְׂרָאֵל, וּלְהַרְבּוֹת בִּתְפִלָּה וְתַחֲנוּנִים עַל זֶה בְּכָל יוֹם.

Even among the true Torah sages, there exists dispute and great confusion, so that no one knows where the truth lies.

Have compassion on us for the sake of Your Name. May we have no part in disputes against the Tzaddikim and truly worthy people.

With the undeserved kindness that You bequeath, shine the ultimate truth on us, so that we will recognize the true Tzaddikim and worthy people in this generation and come close to them and be connected to them.

May we truly go in their ways with complete simplicity and faith, without any of the futile cleverness that is common in the world at present.

May I constantly attain great joy by means of simplicity, wholeheartedness and complete faith in You, in Your holy Torah, and in Your true, good and simple Tzaddikim and those who fear You, people whose hearts are upright and who truly walk in Your ways.

Longing for the Land of Israel

Have compassion on me and strengthen my heart to truly long, yearn and pine for the Land of Israel. Let me engage in much prayer and pleading about this every day.

עַד שֶׁאֶזְכֶּה שֶׁתִּפְתַּח לִי הָאוֹצָר מַתְּנַת חִנָּם, וּתְחָנֵּנִי בְּחֶסֶד חִנָּם וְתוֹשִׁיעֵנִי מְהֵרָה לָבֹא לְשָׁם בְּשָׁלוֹם בְּלִי פֶּגַע, וּלְהַמְשִׁיךְ שָׁם עָלַי כָּל הָעֶשֶׂר קְדֻשּׁוֹת שֶׁבְּאֶרֶץ יִשְׂרָאֵל.

אָבִי שֶׁבַּשָּׁמַיִם, עָזְרֵנִי וְהוֹשִׁיעֵנִי בְּדַרְכֵי נִפְלְאוֹתֶיךָ הַנּוֹרָאוֹת, בְּדַרְכֵי עֵצוֹתֶיךָ הַיְדוּעוֹת לָךְ, עַל פִּי דַּרְכֵי הַפְּשִׁיטוּת וְהַתְּמִימוּת שֶׁל הַצַּדִּיקִים הַגְּדוֹלִים הָאֲמִתִּיִּים.

בְּאֹפֶן שֶׁאֶזְכֶּה לַעֲבוֹר וּלְדַלֵּג עַל כָּל מִינֵי קַטְנוּת דְּקַטְנוּת שֶׁכְּבָר נָפַלְתִּי וְעָבַרְתִּי בָּהֶם דַּי וְהוֹתֵר, הָאוֹמֵר לְעוֹלָמוֹ דַּי יֹאמַר לְצָרוֹתַי דָּי.

וְתוֹרֵנִי וּתְלַמְּדֵנִי בְּכָל עֵת עֵצוֹת נִפְלָאוֹת אֲמִתִּיּוֹת, בְּאֹפֶן שֶׁאֶזְכֶּה לְשַׂמֵּחַ אֶת עַצְמִי תָּמִיד וַאֲפִלּוּ בְּמִלֵּי דִשְׁטוּתָא בְּמִלֵּי דִבְדִיחוּתָא, וְחֶדְוַת יְהֹוָה יִהְיֶה מָעֻזִּי תָּמִיד.

עַד אֲשֶׁר בְּרַחֲמֶיךָ הָרַבִּים וַחֲסָדֶיךָ חִנָּם, תִּשָּׂא אוֹתִי עַל כַּנְפֵי נְשָׁרִים וּתְבִיאֵנִי מְהֵרָה חוּשָׁה לְאֶרֶץ יִשְׂרָאֵל לָאָרֶץ הַקְּדוֹשָׁה, אוּלַי אֶזְכֶּה שָׁם לְהִתְקָרֵב אֵלֶיךָ וּלְהַתְחִיל מֵחָדָשׁ

Please open the treasury of unearned gifts for me. Graciously grant me unearned kindness and quickly save me, so that I will come to the Land of Israel in peace and unharmed, and I will draw all of its abundant holiness onto myself.

My Father in Heaven, help me and save me in Your awesome wonders, in the ways of Your counsel known to You, in accordance with the simple and wholehearted ways of the true, great Tzaddikim.

May I pass and leap over every type of constriction into which I have fallen and which I have experienced more than enough times. May He Who says to His world, "Enough!" tell my troubles, "Enough!"

Constantly guide me and teach me wondrous, true counsel, so that I will always gladden myself, even with frivolous words and jokes. May gladness in HaShem be my strength forever.

In Your vast compassion and undeserved kindness, lift me on the wings of eagles and bring me quickly and swiftly to the Land of Israel, the Holy Land. Perhaps there I will come close to You and truly begin anew to serve

בֶּאֱמֶת לְעָבְדְּךָ בְּיִרְאָה וְאַהֲבָה בִּתְמִימוּת וּבִפְשִׁיטוּת בֶּאֱמֶת וּבֶאֱמוּנָה שְׁלֵמָה כִּרְצוֹנְךָ הַטּוֹב.

אָדוֹן יָחִיד מָלֵא רַחֲמִים, מַלְכִּי וֵאלֹהָי אֵלֶיךָ אֶתְפַּלָּל.

שְׁמַע תְּפִלָּתִי, וְקַבֵּל קוֹל פְּגִיעָתִי, וְהֵרָצֵה לִי בִּתְחִנָּתִי.

אִם מָצָאתִי חֵן בְּעֵינֶיךָ הַמֶּלֶךְ וְכָשֵׁר הַדָּבָר לְפָנֶיךָ, הַכֹּל בִּזְכוּת וְכֹחַ הַצַּדִּיקִים הָאֲמִתִּיִּים. עֲשֵׂה לְמַעֲנָם וּמַלֵּא אֶת שְׁאֵלָתִי וַעֲשֵׂה אֶת בַּקָּשָׁתִי, וֶהְיֵה עִמִּי וְעָזְרֵנִי מֵעַתָּה, שֶׁאֶזְכֶּה מֵעַתָּה לָסוּר מֵרָע לְגַמְרֵי בֶּאֱמֶת וְלַעֲשׂוֹת הַטּוֹב בְּעֵינֶיךָ תָּמִיד.

וְשַׂמֵּחַ אֶת נַפְשִׁי בְּכָל עֵת, וְאֶזְכֶּה לְהִתְחַזֵּק בְּעֹז וְחֶדְוָה תָמִיד, וּלְשַׂמֵּחַ אֶת עַצְמִי בְּכָל מִינֵי שִׂמְחָה שֶׁבָּעוֹלָם וַאֲפִלּוּ בְּמִלֵּי דִשְׁטוּתָא, בְּאֹפֶן שֶׁאֶזְכֶּה לִהְיוֹת בְּשִׂמְחָה תָמִיד.

וְאֶזְכֶּה לֶאֱמוּנָה שְׁלֵמָה וִישָׁרָה, וְלֵילֵךְ בִּתְמִימוּת וּפְשִׁיטוּת בֶּאֱמֶת כִּרְצוֹנְךָ הַטּוֹב, עַד שֶׁאֶזְכֶּה לָעוּף מְהֵרָה לְאֶרֶץ יִשְׂרָאֵל, וְלָבֹא לְשָׁם בְּשָׁלוֹם, וְלִזְכּוֹת שָׁם לְכָל טוּב אֲמִתִּי וְנִצְחִי.

You in fear and love, with true simplicity and wholeheartedness, and with complete faith, in accordance with Your good will.

Unique Master, filled with compassion, my King and my God, I pray to You.

Hear my prayer. Accept the voice of my petition. Be pleased with me when I implore You.

If I have found favor in Your eyes, O King, and the matter is proper before You—all in the merit and might of the true Tzaddikim—then act for their sake to fulfill my request and perform my petition. Be with me and help me from now on so that I will truly turn away from evil entirely and always do what is good in Your eyes.

Gladden my soul at all times. May I always strengthen myself with might and gladness, and cheer myself with every kind of happiness in the world, even with frivolous matters, so that I will be joyful always.

May I attain complete and upright faith, and go in true simplicity and wholeheartedness, in accordance with Your good will, until I will travel quickly to the Land of Israel, arrive there in peace, and attain all true and eternal good.

וְלֹא יִהְיֶה שׁוּם מְנִיעָה מִגַּשְׁמִיּוּת גּוּפִי עַל כָּל זֶה, רַק אֶזְכֶּה שֶׁהַצַּדִּיקִים אֲמִתִּיִּים יַעֲשׂוּ עִם נַפְשִׁי וְרוּחִי וְנִשְׁמָתִי וְעִם כָּל גּוּפִי כְּמוֹ שֶׁהֵם רוֹצִים, לֹא כְּמוֹ שֶׁתַּאֲוֹת גּוּפִי הַמְגֻשָּׁם רוֹצִים חַס וְשָׁלוֹם.

רַק אֶזְכֶּה לְבַטֵּל רְצוֹנִי מִפְּנֵי רְצוֹנְךָ וּרְצוֹן הַצַּדִּיקִים הַקְּדוֹשִׁים הָאֲמִתִּיִּים זְכוּתָם יָגֵן עָלֵינוּ.

רִבּוֹנוֹ שֶׁל עוֹלָם, רִבּוֹנוֹ דְעָלְמָא כֻּלָּא, רַחֵם עָלַי וּמַלֵּא מִשְׁאֲלוֹתַי לְטוֹבָה בְּרַחֲמִים שֶׁתְּחָנֵּנִי מֵאוֹצַר מַתְּנַת חִנָּם, וּתְקָרְבֵנִי אֵלֶיךָ מִמָּקוֹם שֶׁאֲנִי שָׁם עַתָּה בְּרַחֲמִים גְּמוּרִים וּבְחֶמְלָה גְדוֹלָה, וּתְבִיאֵנִי מְהֵרָה לְאֶרֶץ יִשְׂרָאֵל בְּחֶסֶד חִנָּם לְבַד.

כִּי בִּשְׁבִיל מִי בָּרָאתָ הָאוֹצַר מַתְּנַת חִנָּם, הֲלֹא הַצַּדִּיקִים אֵינָם צְרִיכִים מַתְּנַת חִנָּם, כִּי הֵם זוֹכִים עַל יְדֵי מַעֲשֵׂיהֶם הַטּוֹבִים לְמַה שֶּׁזּוֹכִים, כִּי הֵם אֵינָם אוֹכְלִים נַהֲמָא דְכִסּוּפָא כְּלָל.

וַאֲפִלּוּ בְּשָׁעָה שֶׁהֵם מִתְבַּטְּלִים מִדִּבְרֵי תוֹרָה וְעוֹשִׂין עַצְמָן כִּפְשׁוּטִים לְגַמְרֵי, וּמְחַיִּין אֶת עַצְמָן מֵהָאוֹצַר מַתְּנַת חִנָּם,

May the physicality of my body not impede any of this. May the true Tzaddikim do as they wish with every part of my soul and with my entire body—and not as the lusts of my coarse body desire, Heaven forbid.

May I nullify my will before Your will and the will of the true holy Tzaddikim, may their merit protect us.

Receiving from the Treasury of Unearned Gifts

Master of the world, Master of the entire world, have compassion on me. Compassionately fulfill my requests for the good. Graciously grant me a gift from the treasury of unearned gifts. In absolute compassion and great mercy, bring me close to You from where I am now. Bring me quickly to the Land of Israel solely out of Your kindness that I have not earned.

For whom did You create the treasury of unearned gifts? The Tzaddikim do not need an unearned gift, because they earn their attainments with their good deeds. They do not eat the "bread of shame" at all.

Even when they are not learning Torah and they make themselves as completely simple people, reviving themselves from the treasury of

הוּא גַּם כֵּן עֲבוֹדָה נִפְלָאָה וְנוֹרָאָה בְּדֶרֶךְ נִפְלָא וְנִשְׂגָּב מְאֹד, אֲשֶׁר אַתָּה מִשְׁתַּעְשֵׁעַ בָּזֶה מְאֹד מְאֹד.

אֲשֶׁר בִּשְׁבִיל זֶה מַגִּיעַ לָהֶם עוֹד שָׂכָר נִפְלָא יוֹתֵר וְיוֹתֵר בְּכִפְלֵי כִפְלַיִם, עַל כֵּן הַצַּדִּיקִים בְּוַדַּאי אֵינָם צְרִיכִים מַתְּנַת חִנָּם.

וְאִם בִּשְׁבִיל רְשָׁעִים בָּרָאתָ הָאוֹצָר מַתְּנַת חִנָּם, הֲלֹא גִּלִּיתָ לָנוּ עַל יְדֵי צַדִּיקֶיךָ הָאֲמִתִּיִּים שֶׁהָרְשָׁעִים בְּוַדַּאי אֵינָם זוֹכִים לְקַבֵּל מִשָּׁם.

עַל כֵּן בְּוַדַּאי עִקַּר הָאוֹצָר מַתְּנַת חִנָּם הוּא לַעֲשׂוֹת נַחַת רוּחַ לְהַצַּדִּיקִים הַחֲפֵצִים לְקָרֵב אֵלֶיךָ אֶת בָּנֶיךָ שֶׁנִּתְרַחֲקוּ מִמְּךָ, שֶׁהֵם יְקַבְּלוּ מִשָּׁם בְּעֵת פְּשִׁיטוּתָם, שֶׁהֵם מְחַיִּין עַצְמָן מִשָּׁם. כְּדֵי לְהַמְשִׁיךְ עַל יְדֵי זֶה חַיּוּת דִּקְדֻשָּׁה וְשֶׁפַע טוֹב לְכָל אֲשֶׁר נָפְלוּ וְנִתְרַחֲקוּ מֵאִתְּךָ, לְתָמְכָם וּלְסַעֲדָם וּלְהַחֲיוֹתָם וּלְהַחֲזִיקָם בִּנְפִילָתָם וְרִחוּקָם הֶעָצוּם.

לְקָרְבָם אֵלֶיךָ עַל יְדֵי הָאוֹצָר מַתְּנַת חִנָּם, שֶׁמִּשָּׁם יְכוֹלִים

unearned gifts, that, too, is a wondrous and awe-some service in a very wondrous and elevated way, in which You take great delight.

Because of this, they receive ever more wondrous reward, doubled and quadrupled. Therefore, the Tzaddikim certainly do not need an unearned gift.

And if we were to think that You created the treasury of unearned gifts for the wicked, You revealed to us through Your true Tzaddikim that the wicked certainly do not deserve to receive anything from that treasury.

Therefore, it must be that the essence of the treasury of unearned gifts is meant to satisfy the spirit of the Tzaddikim who desire to bring close Your children who have become distanced from You. At the time that they act in a simple manner, they receive and revive themselves from that treasury in order to draw the life force of holiness and good abundance onto all those who have fallen and become distanced from You—to support them, sustain them, revive them and strengthen them despite their grievous fall and alienation.

The Tzaddikim bring them close to You by means of the treasury of unearned gifts. For from

לְקַבֵּל חֶסֶד חִנָּם לְקָרֵב הַכֹּל אֵלֶיךָ, כַּאֲשֶׁר גִּלִּיתָ לָנוּ כָּל זֹאת בְּתוֹרָתְךָ הַקְּדוֹשָׁה.

הֵן עַל כָּל אֵלֶּה לְבַד אֲנִי נִשְׁעָן וְנִתְלֶה וְנִסְמָךְ עֲדַיִן, וְצוֹפֶה מֵרָחוֹק לְאַחֲרִית טוֹב וְתִקְוָה טוֹבָה.

וַאֲנִי מֵעִיז פָּנַי נֶגְדְּךָ בְּעַזּוּת מֵצַח כָּזֶה כִּנְחֹשֶׁת וּבַרְזֶל בְּעַקְשָׁנוּת דְּעַקְשָׁנוּת לְבַקֵּשׁ עַתָּה מִלְּפָנֶיךָ שֶׁתַּעֲלֵנִי מְהֵרָה לְאֶרֶץ יִשְׂרָאֵל אֶרֶץ הַחַיִּים אֶרֶץ הַקְּדוֹשָׁה.

וּתְקָרְבֵנִי אֵלֶיךָ בֶּאֱמֶת עַל פִּי דַּרְכֵי הַפְּשִׁיטוּת וְהַתְּמִימוּת וְהָאֱמוּנָה שְׁלֵמָה בֶּאֱמֶת וּבְשִׂמְחָה גְדוֹלָה, כְּכֹל אֲשֶׁר שָׁאַלְתִּי מֵאִתְּךָ מָלֵא רַחֲמִים עַד הֵנָּה.

"יְהֹוָה יִגְמֹר בַּעֲדִי, יְהֹוָה חַסְדְּךָ לְעוֹלָם מַעֲשֵׂי יָדֶיךָ אַל תֶּרֶף.

יִהְיוּ לְרָצוֹן אִמְרֵי פִי וְהֶגְיוֹן לִבִּי לְפָנֶיךָ יְהֹוָה צוּרִי וְגוֹאֲלִי", אָמֵן וְאָמֵן:

that treasury, the Tzaddikim are able to receive undeserved kindness that will enable them to bring all people close to You, as You revealed to us in Your holy Torah.

I still rely and depend on all of these things alone. I look forward from a distance to a good end with optimistic hope.

I brazenly raise my face to You, insolently and stubbornly, to ask You now to bring me quickly to the Land of Israel, the Land of life, the Land of holiness.

Bring me truly close to You with great joy by means of the ways of simplicity, wholehearted-ness and truly complete faith, in accordance with everything that I have requested until now of You Who are filled with compassion.

"HaShem will act on my behalf; HaShem, Your kindness is forever; do not forsake the work of Your hands."

"May the words of my mouth and the meditation of my heart be pleasing before You, HaShem, my Rock and my Redeemer." Amen and amen.

40 (II, 81)

When a Person's Joy in Serving God Reaches All the Way to His Feet, He Dances / The Joy of Torah and Mitzvot Elevates All of the Lower Levels

When a person's joy in learning Torah or in performing mitzvot reaches all the way down to his feet, he dances. The feet correspond to the sefirot of Netzach and Hod, representing the prophets. The joy in the heart lifts the feet up to the heart.

Then all of the supporters of Torah, the supporters of truth, are elevated.

Then the joy of Torah and mitzvot elevates all things associated with the foot—namely, all of the lower levels. A person lifts these up and connects them to the realm of righteousness, associated with the letter *heh*, which is the source of seed.

Faith is also called a "foot," and everything that is called "foot" is elevated.

אֲדוֹן הַשִּׂמְחָה וְהַחֶדְוָה, אֲשֶׁר עֹז וְחֶדְוָה בִּמְקוֹמֶךָ, וְאֵין עַצְבוּת לְפָנֶיךָ כְּלָל, עָזְרֵנִי וְהוֹשִׁיעֵנִי בְּרַחֲמֶיךָ הָרַבִּים שֶׁאֶזְכֶּה לְשַׂמֵּחַ אֶת עַצְמִי בְּכָל עֵת תָּמִיד.

וּתְלַמְּדֵנִי דַעַת וְדֶרֶךְ עֵצָה תּוֹדִיעֵנִי, בְּאֹפֶן שֶׁאֶזְכֶּה לְהִתְגַּבֵּר וּלְהִתְחַזֵּק תָּמִיד עַל הַיָּגוֹן וְהָאֲנָחָה וְהָעַצְבוּת, לְהַרְחִיקָם מֵעָלַי וּמֵעַל גְּבוּלִי, לְבִלְתִּי לַהֲנִיחָם לִכְנוֹס לֶאֱחוֹז וְלִגַּע בִּי כְּלָל חַס וְשָׁלוֹם.

רַק לְהִתְגַּבֵּר בְּכָל עֹז לְהַמְשִׁיךְ עָלַי שִׂמְחָה וְחֶדְוָה תָּמִיד, אָגִילָה וְאֶשְׂמְחָה בְּךָ וּבִישׁוּעָתְךָ הַגְּדוֹלָה, וּבְנִפְלְאוֹתֶיךָ וַחֲסָדֶיךָ הָרַבִּים וְהָעֲצוּמִים אֲשֶׁר עָשִׂיתָ עִמִּי וַאֲשֶׁר אַתָּה עָתִיד לַעֲשׂוֹת עִמִּי.

אֲשֶׁר בַּחֲסָדֶיךָ הַנִּפְלָאִים תָּמַכְתָּ גוֹרָלִי לִהְיוֹת מִזֶּרַע יִשְׂרָאֵל עַם קָדְשֶׁךָ, אֲשֶׁר נָתַתָּ לָנוּ תּוֹרַת אֱמֶת וְחַיֵּי עוֹלָם נָטַעְתָּ בְּתוֹכֵנוּ. "חֲבָלִים נָפְלוּ לִי בַּנְּעִימִים אַף נַחֲלַת שָׁפְרָה עָלָי".

זַכֵּנִי בְּרַחֲמֶיךָ הָרַבִּים לְהִתְגַּבֵּר וּלְהִתְחַזֵּק בְּכָל עֵת, לְהַמְשִׁיךְ

Teach Us How to be Spiritually Aware

You are the Master of joy and contentment. Might and gladness are in Your place, and there is no sadness in Your Presence at all. In Your vast compassion, help me and save me so that I will constantly gladden myself.

Teach me how to be spiritually aware. Give me advice that will help me always overcome and surmount grief, mourning and sadness, removing them from me and my environment, and not allowing them in to grasp or touch me at all, Heaven forbid.

May I grow so absolutely strong so that I will constantly draw joy and gladness to myself. May I rejoice and exult in You, in Your great salvation, in Your many profound wonders, and in the kindnesses that You have performed and that You will perform on my behalf.

In Your wondrous kindness, You made me a child of Israel, Your holy nation. You gave us a Torah of truth, and You planted eternal life in our midst. "Portions have fallen to me in pleasant places; indeed, the inheritance pleases me."

In Your vast compassion, help me constantly grow stronger and strengthen myself, always

עָלַי הַשִּׂמְחָה הַגְּדוֹלָה וְהַנִּפְלָאָה הַזֹּאת תָּמִיד.

וְאֶזְכֶּה לְחַזֵּק אֶת עַצְמִי בְּשִׂמְחָה גְדוֹלָה כָּל כָּךְ, עַד שֶׁתַּגִּיעַ הַשִּׂמְחָה לְרַגְלַי שֶׁאֶזְכֶּה לְרַקֵּד מֵחֲמַת שִׂמְחָה.

וּבִפְרַט בְּשַׁבְּתוֹת יְהוָה וּבְמוֹעֲדֵי יְהוָה מִקְרָאֵי קֹדֶשׁ וּבַחֲנֻכָּה וּפוּרִים וּבִשְׁאָרֵי שְׂמָחוֹת שֶׁל מִצְוָה, תִּהְיֶה בְּעֶזְרִי תָמִיד לְשַׂמְּחֵנִי בְּכָל עֹז עַד שֶׁאֶזְכֶּה לְרַקֵּד הַרְבֵּה מֵחֲמַת שִׂמְחָה.

וְאֶזְכֶּה לַעֲסֹק בַּתּוֹרָה וְלַעֲשׂוֹת כָּל הַמִּצְווֹת בְּשִׂמְחָה גְדוֹלָה כָּל כָּךְ עַד שֶׁהַשִּׂמְחָה תַגִּיעַ עַד רַגְלַי, וְאֶזְכֶּה לְהַעֲלוֹת אֶת הָרַגְלִין לְמַעְלָה.

וְעַל יְדֵי זֶה תְרַחֵם וְתַעֲלֶה וְתָקִים אֶת כָּל תּוֹמְכֵי אוֹרַיְתָא שֶׁהֵם סָמְכֵי קְשׁוֹט הַמַּחֲזִיקִים בְּלוֹמְדֵי תוֹרָה וְנוֹתְנִים לָהֶם מַתַּת יָדָם הַטּוֹבָה.

אָנָּא יְהוָה, עֲזוֹר לָהֶם וְתַשְׁפִּיעַ לָהֶם כָּל טוּב עֹשֶׁר וְכָבוֹד וְחַיִּים, בָּנִים וּבְנֵי בָנִים, וְיִתְרַבּוּ צֶאֱצָאֵיהֶם כְּחוֹל הַיָּם,

drawing this great and wondrous joy onto myself.

May I strengthen myself with so much joy that the happiness will reach my feet, and I will dance out of joy.

In particular, on the Shabbat and festivals of HaShem—the "holy convocations"—and on Chanukah, Purim and other such joyful occasions, help me always gladden myself with all my might so I will dance exuberantly out of joy.

May I learn Torah and perform all of the mitzvot with so much joy that the happiness will reach my feet and I will lift them up.

A Blessing for Those Who Support Torah

As a result of my dancing, compassionately elevate and maintain all those who financially support people who learn Torah, all those supporters of truth who sponsor people who learn Torah, giving them the good gifts of their hands.

HaShem, please help them by showering them with everything good: wealth, honor, life, children and grandchildren. May their offspring be as many as the sand of the sea. Bless all the

וּתְבָרֵךְ אֶת כָּל מַעֲשֵׂה יְדֵיהֶם וּבְכֹל אֲשֶׁר יִפְנוּ יַצְלִיחוּ (וּבִפְרָט וְכוּ').

וְתַעֲזוֹר לָהֶם וְתַעֲלֶה אוֹתָם בְּכָל פַּעַם מַעְלָה מָעְלָה. וּתְחַזֵּק אֶת לְבָבָם שֶׁיִּזְכּוּ בְּכָל פַּעַם לְהַחֲזִיק בְּיוֹתֵר אֶת הַלּוֹמְדֵי תוֹרָה בֶּאֱמֶת.

וּתְמַלֵּא יָדָם בִּרְכַּת יְהוָֹה שֶׁיּוּכְלוּ לְהַחֲזִיק אוֹתָם בִּשְׁלֵמוּת, לְמַלֹּאת לָהֶם כָּל צָרְכֵיהֶם לָתֵת לָהֶם כָּל מַחְסוֹרָם אֲשֶׁר יֶחְסַר לָהֶם, בְּאֹפֶן שֶׁיִּזְכּוּ הָעוֹסְקִים בַּתּוֹרָה לַעֲסוֹק בַּתּוֹרָה וַעֲבוֹדָה לִשְׁמָהּ תָּמִיד, בְּהַרְחָבַת הַלֵּב בְּלִי שׁוּם בִּלְבּוּל וְטִרְדַּת הַפַּרְנָסָה כְּלָל.

עָזְרֵנִי הוֹשִׁיעֵנִי מָלֵא רַחֲמִים לִהְיוֹת בְּשִׂמְחָה תָמִיד, לַמְּדֵנִי דַּרְכֵי עֵצוֹתֶיךָ הָאֲמִתִּיּוֹת בְּכָל עֵת, וְתַזְכִּירֵנִי וּתְחַזְּקֵנִי וּתְאַמְּצֵנִי בְּכָל עֵת לְהִתְעוֹרֵר לִהְיוֹת בְּשִׂמְחָה תָמִיד.

לִזְכֹּר בְּכָל עֵת טוֹבוֹתֶיךָ הַנּוֹרָאוֹת וְהַנִּשְׂגָּבוֹת אֲשֶׁר אַתָּה

work of their hands, and may they succeed in everything that they do (and, in particular, [Hebrew name], the son/daughter of [father's Hebrew name]).

Help them and constantly raise them higher and higher. Strengthen their hearts so they will always generously sustain those who truly learn Torah.

Fill their hands with the blessing of HaShem so they will be able to thoroughly support those who learn Torah, fulfilling all of their needs and giving them everything they lack, so that they will learn Torah and engage in the service of God for its own sake always, with ease, without any discomfiture or distraction related to income whatsoever.

Gaining Joy

You Who are filled with compassion, help me and save me so that I will always be joyful. Teach me the ways of Your true counsel at all times. Make me aware, strengthen me and bolster me at every moment so that I will be inspired to rejoice.

May I always be aware of the awesome and elevated goodness that You perform with every

עוֹשֶׂה עִם כָּל אֶחָד מִיִּשְׂרָאֵל וְעִמִּי בִּפְרָטִיּוּת בְּכָל עֵת עֶרֶב וָבֹקֶר וְצָהֳרָיִם, מֵעוֹדִי עַד הַיּוֹם הַזֶּה.

אֶת נִפְלְאוֹתֶיךָ וְטוֹבוֹתֶיךָ בְּלִי שִׁעוּר הַיְדוּעוֹת לִי מִקָּרוֹב וּמֵרָחוֹק, וְאֶת נִפְלְאוֹתֶיךָ וְטוֹבוֹתֶיךָ הַנֶּעֱלָמוֹת וְנִסְתָּרוֹת מִמֶּנִּי.

אֲשֶׁר אַתָּה לְבַדְּךָ עוֹשֶׂה עִמִּי נִפְלָאוֹת וְנִסִּים נוֹרָאִים וְטוֹבוֹת נִצְחִיּוֹת בְּכָל עֵת כְּדֵי לְחַיּוֹתֵנִי וּלְקַיְּמֵנִי בִּקְדֻשַּׁת יִשְׂרָאֵל לָנֶצַח.

אֲשֶׁר אֵין טוֹבָה וְשִׂמְחָה גְדוֹלָה מִזֹּאת, שֶׁכָּל אֶחָד מִיִּשְׂרָאֵל אֲפִלּוּ הַפָּחוּת שֶׁבַּפְּחוּתִים כָּמוֹנִי, זוֹכֶה לְכַמָּה נְקֻדּוֹת טוֹבוֹת בְּכָל יוֹם, לְקַיֵּם מִצְווֹת הַבּוֹרֵא יִתְבָּרַךְ אֲשֶׁר הֵם חַיֵּינוּ וְאֹרֶךְ יָמֵינוּ לְעוֹלְמֵי עַד וּלְנֵצַח נְצָחִים.

אַשְׁרֵינוּ מַה טּוֹב חֶלְקֵנוּ וּמַה נָּעִים גּוֹרָלֵנוּ וּמַה יָּפָה יְרֻשָּׁתֵנוּ.

זַכֵּנוּ לִזְכֹּר וּלְהַאֲמִין בַּחֲסָדֶיךָ וְנִפְלְאוֹתֶיךָ וְטוּבְךָ הַגָּדוֹל שֶׁאֵינוֹ נִפְסָק לְעוֹלָם, וּלְשַׂמֵּחַ אֶת עַצְמִי עַל יְדֵי זֶה תָּמִיד.

פְּתַח לִבִּי וְדַעְתִּי, וְהָאֵר עֵינֵי שִׂכְלִי וְהוֹרֵנִי וְלַמְּדֵנִי בְּכָל עֵת

Jew—and, in particular, with me, at every moment, evening, morning and afternoon, from my beginning until this day.

May I appreciate Your limitless wonders and goodness that I know about, whether close or far away, and Your wonders and goodness that are hidden and concealed from me.

At every moment You alone perform awesome wonders, miracles and eternal favors on my behalf in order to give me life and sustain me with the holiness of Israel forever.

There is no greater goodness and joy than this: that every Jew—even the least of the least, such as myself—can attain a number of good points every day, keeping the mitzvot of the Creator which are our life and the length of our days forever and ever.

How fortunate are we! How good is our portion, how pleasant our destiny and how lovely our inheritance!

Help us recognize and believe in Your unceasing kindnesses, wonders and great goodness. May I always gladden myself in this way.

Open my heart and my awareness, illumine my mind's eye, direct me and teach me at every

כָּל הַדְּרָכִים וְהָעֵצוֹת שֶׁאֶפְשַׁר לְשַׂמֵּחַ עַצְמִי בָּהֶם בְּאוֹתָהּ הָעֵת וְהַשָּׁעָה בְּאֹפֶן שֶׁאֶזְכֶּה לִהְיוֹת בְּשִׂמְחָה תָּמִיד.

עַד שֶׁאֶזְכֶּה בְּכָל פַּעַם לִרְקֹד הַרְבֵּה מֵחֲמַת שִׂמְחָה, וּלְהַעֲלוֹת כָּל הַבְּחִינוֹת הַנִּקְרָאִין רַגְלִין לִבְחִינַת לְבַב חָכְמָה, בִּבְחִינַת "וְנָבִיא לְבַב חָכְמָה".

וְעַל יְדֵי זֶה יִהְיוּ נִמְתָּקִין כָּל הַדִּינִים שֶׁבָּעוֹלָם מֵעָלֵינוּ וּמֵעַל כָּל יִשְׂרָאֵל.

וְאֶזְכֶּה עַל יְדֵי הַשִּׂמְחָה וְהָרִקּוּדִין לְתַקֵּן פְּגַם הַדִּבּוּר הָרָע מַה שֶׁפָּגַמְתִּי לְפָנֶיךָ מֵעוֹדִי עַד הַיּוֹם הַזֶּה בְּדִבּוּרִים רָעִים הַרְבֵּה.

בִּפְרַט פְּגַם דִּבּוּרִים רָעִים שֶׁל לָשׁוֹן הָרָע וּרְכִילוּת, הַכֹּל אֶזְכֶּה לְהַעֲלוֹת וּלְתַקֵּן בִּשְׁלֵמוּת עַל יְדֵי שִׂמְחָה וְרִקּוּדִין דִּקְדֻשָּׁה.

וְתִשְׁמְרֵנִי וְתַצִּילֵנִי מֵעַתָּה מִלְּדַבֵּר שׁוּם דִּבּוּר רָע וּבִפְרָט מִלָּשׁוֹן הָרָע וּרְכִילוּת, וְאֶזְכֶּה לְקַדֵּשׁ אֶת דִּבּוּרִי בִּקְדֻשָּׁה גְּדוֹלָה בְּתַכְלִית הַשְּׁלֵמוּת.

וְתִשְׁמְרֵנִי וְתַצִּילֵנִי מִפְּגַם אֱמוּנָה, וּתְזַכֵּנִי לְהַעֲלוֹת וּלְתַקֵּן כָּל פְּגָמֵי הָאֱמוּנָה עַל יְדֵי הַשִּׂמְחָה וְהָרִקּוּדִין דִּקְדֻשָּׁה,

moment all of the ways and pieces of advice with which I can gladden myself so that I will always be joyful.

May I dance a great deal out of joy at all times, raising all of the levels that are called "feet" to the level of the "heart of wisdom," so that "we will acquire a heart of wisdom."

As a result, may all judgments regarding us and the entire Jewish people be sweetened.

Joy and Dancing

By means of joy and dancing, may I rectify the blemish of evil speech with which I caused damage before You from my beginning until this day.

In particular, by means of joy and dancing, may I raise and rectify the blemish of evil words of gossip and slander.

Guard me and rescue me from now on from speaking any evil words—in particular, gossip and slander. May I sanctify my words greatly, with ultimate perfection.

Guard me and rescue me from any blemish in my faith. Help me raise and rectify all blemishes of faith by means of holy joy and dancing. From

וְאֶזְכֶּה מֵעַתָּה לֶאֱמוּנָה שְׁלֵמָה בֶּאֱמֶת כָּרָאוּי בְּתַכְלִית הַשְּׁלֵמוּת כִּרְצוֹנְךָ הַטּוֹב.

וְתַעֲלֶה אוֹתִי גַּם בְּמָמוֹן וְעֹשֶׁר, שֶׁתַּשְׁפִּיעַ לִי מָמוֹן וַעֲשִׁירוּת הַרְבֵּה דִּקְדֻשָּׁה, בְּאֹפֶן שֶׁאוּכַל לַעֲסֹק בְּתוֹרָתְךָ וַעֲבוֹדָתְךָ בְּלִי טִרְדָּא וּבִטּוּל כְּלָל, וְאֶזְכֶּה לְהַרְבּוֹת בִּצְדָקָה וּלְהַחֲזִיק יְדֵי הָעוֹסְקִים בַּתּוֹרָה וַעֲבוֹדָה בֶּאֱמֶת.

רִבּוֹנוֹ שֶׁל עוֹלָם אַתָּה יָדַעְתָּ דֹּחַק פַּרְנָסָתֵנוּ כָּעֵת אֲשֶׁר "כָּשַׁל כֹּחַ הַסַּבָּל".

רַחֵם עָלֵינוּ לְמַעַן שְׁמֶךָ, וּמַלֵּא מִשְׁאֲלוֹתֵינוּ לְטוֹבָה בְּרַחֲמִים, וְזַכֵּנוּ לִהְיוֹת בְּשִׂמְחָה תָמִיד, עַד שֶׁנִּזְכֶּה לְרִקּוּדִין דִּקְדֻשָּׁה וּלְהַעֲלוֹת כָּל בְּחִינוֹת הָרַגְלִין לְמַעְלָה לִקְדֻשָּׁה עֶלְיוֹנָה.

בְּאֹפֶן שֶׁנִּזְכֶּה לְהַמְשִׁיךְ שֶׁפַע טוֹבָה וּפַרְנָסָה טוֹבָה וַעֲשִׁירוּת גָּדוֹל בִּקְדֻשָּׁה וּבְטָהֳרָה לָנוּ וּלְזַרְעֵנוּ וּלְכָל עַמְּךָ בֵּית יִשְׂרָאֵל, וּבִפְרָט לְכָל תּוֹמְכֵי אוֹרַיְתָא.

וְתַעֲזֹר לְכָל חֲשׂוּכֵי בָנִים בְּזֶרַע שֶׁל קַיָּמָא לַעֲבוֹדָתְךָ וּלְיִרְאָתְךָ

now on may I truly attain complete, proper faith, with ultimate perfection, in accordance with Your good will.

Elevate me in regard to money and wealth as well. Pour a great deal of money and wealth of holiness onto me, so that I will engage in learning Your Torah and serve You without any trouble or disruptions. May I give charity generously and support those who truly learn Torah and serve You.

Master of the world, You know our present scarcity of income, when "the strength of the porter has collapsed."

Have compassion on us for the sake of Your Name. Compassionately fulfill our requests for the good. Help us always be joyful, until we will dance in holiness and raise all of the levels of the "feet" up to supernal holiness.

May we draw abundance, a good income and great wealth with holiness and purity onto ourselves, our offspring, and Your entire nation, the House of Israel—and, in particular, onto all those who support the ones who learn Torah.

Help all of those who have no living children to serve You and fear You (and, in particular,

(וּבִפְרָט וְכוּ'), וְתַמְשִׁיךְ בְּרָכָה וְחַיִּים טוֹבִים לְכָל בָּנֵינוּ וְצֶאֱצָאֵינוּ.

וְתַצִּיל אוֹתָנוּ וְאֶת כָּל דּוֹרוֹתֵינוּ וְאֶת כָּל יִשְׂרָאֵל מִצַּעַר גִּדּוּל בָּנִים לְעוֹלָם, וְנִזְכֶּה כֻלָּנוּ לְגַדֵּל כָּל יוֹצְאֵי חֲלָצֵינוּ בְּלִי שׁוּם צַעַר וָנֶזֶק.

רַק תִּהְיֶה בְּעֶזְרֵנוּ לְגַדְּלָם בְּנַחַת בְּשָׁלוֹם וְשַׁלְוָה וְהַשְׁקֵט לְתוֹרָה וּלְחֻפָּה וּלְמַעֲשִׂים טוֹבִים, לְאֹרֶךְ יָמִים וְשָׁנִים טוֹבִים לַעֲבוֹדָתְךָ וּלְתוֹרָתְךָ וּלְיִרְאָתְךָ.

וְיֵלְכוּ יוֹנְקוֹתָם וִיהִי כַזַּיִת הוֹדָם, וְלֹא יִהְיֶה עָקָר וַעֲקָרָה בָּנוּ וּבְזַרְעֵנוּ לְעוֹלָם. וְיִתְרַבּוּ צֶאֱצָאֵינוּ וְצֶאֱצָאֵי עַמְּךָ בֵּית יִשְׂרָאֵל כְּכוֹכְבֵי הַשָּׁמַיִם וּכְחוֹל הַיָּם לְדוֹר וָדוֹר עַד עוֹלָם.

וְיִהְיוּ כֻלָּם עוֹסְקִים בַּתּוֹרָה לִשְׁמָהּ יוֹמָם וָלַיְלָה וְעוֹשֵׂי רְצוֹנְךָ בֶּאֱמֶת, וְלֹא יָסוּרוּ מִכָּל דִּבְרֵי הַתּוֹרָה יָמִין וּשְׂמֹאל אֲפִלּוּ כְּחוּט הַשַּׂעֲרָה כָּל יְמֵיהֶם לְעוֹלָם.

[Hebrew name], the son/daughter of [father's Hebrew name]). Draw blessing and a good life onto all of our children and offspring.

Raising Our Children

Rescue us, all of our generations, and the entire Jewish people from the difficulties of raising children. May we raise all of our children without any pain or difficulty.

Help us raise our children with ease, peace, tranquility and quiet, so that they will learn Torah, get married and engage in good deeds. May they serve You, learn Your Torah and fear You for length of good days and years.

May their tendrils go forth and may their glory be like the olive tree. May none of our offspring, male or female, be infertile. May our offspring and the offspring of Your nation, the House of Israel, be as many as the stars of the sky and the sand of the sea for all generations, forever.

May all of them learn Torah for its own sake day and night, and truly do Your will. May they not turn aside from any of the words of the Torah, right or left, even a hairsbreadth, all of their days, forever.

וְיַכִּירוּ כֻּלָּם אוֹתְךָ בֶּאֱמֶת, וְיֵדְעוּ אוֹתְךָ כֻּלָּם לְמִקְטַנָּם וְעַד גְּדוֹלָם.

רִבּוֹנוֹ שֶׁל עוֹלָם מַלֵּא מִשְׁאֲלוֹתֵינוּ לְטוֹבָה בְּרַחֲמִים, וְזַכֵּנוּ לָבֹא לְכָל מַה שֶּׁבִּקַּשְׁנוּ מִלְּפָנֶיךָ, שֶׁנִּזְכֶּה לִהְיוֹת בְּשִׂמְחָה תָּמִיד, "אָגִילָה וְאֶשְׂמְחָה בְּחַסְדֶּךָ אֲשֶׁר רָאִיתָ אֶת עָנְיִי יָדַעְתָּ בְּצָרוֹת נַפְשִׁי.

אֶשְׂמְחָה וְאֶעֶלְצָה בָךְ אֲזַמְּרָה שִׁמְךָ עֶלְיוֹן. שַׂמֵּחַ נֶפֶשׁ עַבְדֶּךָ כִּי אֵלֶיךָ יְהֹוָה נַפְשִׁי אֶשָּׂא.

שַׂבְּעֵנוּ מִטּוּבֶךָ וְשַׂמְּחֵנוּ בִּישׁוּעָתֶךָ וְטַהֵר לִבֵּנוּ לְעָבְדְּךָ בֶּאֱמֶת. תַּשְׁמִיעֵנִי שָׂשׂוֹן וְשִׂמְחָה תָּגֵלְנָה עֲצָמוֹת דִּכִּיתָ. הָשִׁיבָה לִּי שְׂשׂוֹן יִשְׁעֶךָ וְרוּחַ נְדִיבָה תִסְמְכֵנִי.

יִהְיוּ לְרָצוֹן אִמְרֵי פִי וְהֶגְיוֹן לִבִּי לְפָנֶיךָ יְהֹוָה צוּרִי וְגוֹאֲלִי", אָמֵן וְאָמֵן:

May they all truly recognize You. From their smallest to their greatest, may they all know You.

Master of the world, compassionately fulfill our requests for the good and help us achieve all that we have requested of You. Help us experience great joy. "I will exult and rejoice in Your kindness, for You have seen my affliction. You have known the troubles of my soul."

"I will rejoice and delight in You; I will sing to Your supernal Name." "Give joy to the soul of Your servant—because, HaShem, I lift my soul to You!"

"Satiate us with Your goodness, gladden us with Your salvation, and purify our hearts to truly serve You." "Cause me to hear joy and gladness; may the bones that You crushed, exult." "Restore the joy of Your salvation to me, and may a generous spirit support me."

"May the words of my mouth and the meditation of my heart be pleasing before You, HaShem, my Rock and my Redeemer." Amen and amen.

41 (II, 82)

There are Two States of Being: "In Order" and "Not in Order" / When a Person is Egotistical, He Cuts Himself Off from God and His Life is "Not in Order" / When a Person Repents, is Humble and Bonds Himself to God, His Life is "In Order" / The Principal Time for Repentance is in Elul / In Elul, Moses Paved a Road upon which Every Jew Can Walk / A Jew Must Strive Not to be Blinded by God's Light, but Always Maintain Humility

There are two states of being: "in order" and "not in order."

"In order" corresponds to Adam, who in turn represents the male manifestation of Divinity, as it were. The word *ADaM* has the numerical value of 45. This corresponds to the Divine Name *YHVH* filled in with the letter *aleph*, so that it has the numerical value of 45—in Hebrew, *MaH*.[7] "In order" is also

---

7 According to the Kabbalah, God's Holy Name *YHVH* can be "filled in" or "expanded" with the letter *aleph* as follows: יוד הא ואו הא (*YOD HA VAV HA*), which has the numerical value of 45. This is the same numerical value as that of the words אדם (*ADaM*) and מה (*MaH*, what).

associated with wisdom and intelligence.

"Not in order," on the other hand, corresponds to Eve, who represents the female manifestation of God—when it is separated from the male manifestation, as it were. That female manifestation is associated with *malkhut* (sovereignty)—in particular, to "the sovereignty of the mouth," the Oral Torah. Sovereignty is related to speech; since "there is no king without a nation," the people know the king's will only when he reveals it in his speech.

Eve's life force comes from *mah*—the intellect, wisdom.

When a person is haughty, he cuts himself off from God. It is as if he is a lifeless limb. Then he experiences opposition to his will, and his life becomes a battle.

Such a person has separated Eve—*malkhut*—from the Holy One so that she is not whole, and has taken *malkhut* for himself, saying, "I will establish my own sovereignty." That creates a sickness of the heart.

A person gains wholeness only when he connects himself to God. Then he receives God's life force, which is related to His wisdom.

In parallel, when *mah* (Adam) is in alignment with *malkhut* (Eve)—when the Holy One draws the life force of wisdom to *malkhut*—then she attains perfection.

If a person sees that his life is "not in order," he should repent and humble himself. Then Eve (*malkhut*) returns to Adam (*mah*) and everything becomes "in order."

Then all of a person's battles and all of the forces that oppose his will are nullified.

*

The principal repentance occurs in the month of Elul, whose days are days of favor. In this month, Moses ascended to receive the Second Tablets and opened a path upon which all Jews could subsequently proceed. With ultimate dedication, Moses connected himself to even the least Jew. For even the lowliest Jew has Godliness. There is Godliness even on the lowest level, even in the ten crowns of uncleanness.

The higher Moses went, the more he found God. In the physical realm, a poor person tends to serve God, whereas when he acquires wealth, he tends to forget God. Such forgetting is the equivalent of a person's eyes being blinded because he comes too close to the Divine light. But King David said that even in Heaven, with every elevation, a person must find God.

לחודש אלול

"יְהֹוָה אִישׁ מִלְחָמָה יְהֹוָה שְׁמוֹ, יְהֹוָה עִזּוּז וְגִבּוֹר יְהֹוָה גִּבּוֹר מִלְחָמָה", רִבּוֹנוֹ שֶׁל עוֹלָם מָרוֹם וְקָדוֹשׁ פּוֹעֵל גְּבוּרוֹת עוֹשֶׂה חֲדָשׁוֹת בַּעַל מִלְחָמוֹת.

רַחֵם עָלַי לְמַעַן שְׁמֶךָ, וְהִלָּחֵם בַּעֲדִי מִלְחֲמוֹת יְהֹוָה, "רִיבָה יְהֹוָה אֶת יְרִיבַי לְחַם אֶת לוֹחֲמָי".

כִּי בַּעֲוֹנוֹתַי הָרַבִּים כָּבְדָה עָלַי הַמִּלְחָמָה, וּרְאֵה "כִּי אָזְלַת יָד וְאֶפֶס עָצוּר וְעָזוּב".

וּבַעֲוֹנוֹתַי הָעֲצוּמִים וְהָרַבִּים מְאֹד מְאֹד עַד גָּבְהֵי שְׁמֵי הַשָּׁמַיִם וְעָמְקוּ מִתְּהוֹם רַבָּה וְכוּ', הֶחֱלִישׁוּ דַעְתִּי כָּל כָּךְ, עַד אֲשֶׁר מַטְעִין אוֹתִי בְּדַעְתִּי הַשְּׁפָלָה, שֶׁכִּמְעַט אֵין בְּיָדִי חַס וְשָׁלוֹם לִלְחוֹם מִלְחַמְתִּי שֶׁאֲנִי מֻכְרָח לְהִלָּחֵם בְּעוֹלָם הַמַּעֲשֶׂה הַזֶּה, וְאֵין בְּיָדִי לַעֲמֹד נֶגֶד שׂוֹנְאַי וְאֹיְבַי בְּגַשְׁמִיּוּת וְרוּחָנִיּוּת, בִּפְרַט נֶגֶד תַּאֲוֹתַי הָרָעוֹת.

אוֹי לִי וַי לִי, מָה אוֹמַר מָה אֲדַבֵּר מָה אֶצְטַדָּק, וְגַם זֶה מֵעֹצֶם נִפְלְאוֹתֶיךָ וְנוֹרְאוֹתֶיךָ אֲשֶׁר אֲנִי זוֹכֶה עַל כָּל פָּנִים

For the Month of Elul

Waging a Spiritual Battle

"HaShem is a warrior, HaShem is His Name." "HaShem is strong and mighty, HaShem is a warrior." Elevated and holy Master of the world, Master of wars, You bring about mighty matters and perform new deeds.

Have compassion on me for the sake of Your Name, and battle the wars of HaShem on my behalf. "HaShem, fight against those who fight me, battle those who battle me."

Because of my many sins, the battle has weighed heavily upon me. Look: "The enemy's hand gains strength and there is no savior to strengthen us."

My many severe sins, which reach the heights of Heaven and descend lower than the vast depths, have greatly weakened my mind. They mislead my lowly awareness until I am almost incapable of waging the war that I must hazard in this world of action, Heaven forbid. I am unable to withstand my enemies and foes in both the physical and spiritual realms—in particular, my evil lusts.

Woe! What shall I say? How shall I speak? How can I justify myself? But, at any rate, I can

עֲדַיִן לְדַבֵּר דְּבָרַי אֵלֶּה לְפָנֶיךָ, לְחַלּוֹת פָּנֶיךָ שֶׁתִּלְחוֹם בַּעֲדִי מִלְחַמְתִּי נֶגֶד אוֹיְבַי בְּגַשְׁמִיּוּת וְרוּחָנִיּוּת.

כִּי בֶּאֱמֶת נִפְלֵאת הִיא בְּעֵינַי, "נִפְלְאוֹת תְּמִים דֵּעִים. אוֹדְךָ עַל כִּי נוֹרָאוֹת נִפְלֵיתִי נִפְלָאִים מַעֲשֶׂיךָ וְנַפְשִׁי יֹדַעַת מְאֹד. מַה גָּדְלוּ מַעֲשֶׂיךָ יְהוָה מְאֹד עָמְקוּ מַחְשְׁבֹתֶיךָ".

אֲשֶׁר אַתָּה חוֹשֵׁב מַחֲשָׁבוֹת עֲדַיִן לְקָרְבֵנִי אֵלֶיךָ, וְאַתָּה מְחַזְּקֵנִי עֲדַיִן עֲדַיִן לְפָרֵשׁ שִׂיחָתִי זֹאת לְפָנֶיךָ, לָבוֹא לְפָנֶיךָ לְהִתְפַּלֵּל שֶׁתְּרַחֵם עָלַי וְתִלְחוֹם בַּעֲדִי מִלְחֲמוֹתֶיךָ.

וְעַל חֲסָדֶיךָ וְנִסֶּיךָ וְנִפְלְאוֹתֶיךָ כָּאֵלֶּה וְכָאֵלֶּה אֲשֶׁר אֲנִי רוֹאֶה מֵרָחוֹק שֶׁאַתָּה עוֹשֶׂה עִמִּי תָּמִיד בְּכָל יוֹם וּבְכָל עֵת וּבְכָל שָׁעָה.

מִלְּבַד מַה שֶּׁאֲנִי מַאֲמִין בְּנִפְלְאוֹתֶיךָ וַחֲסָדֶיךָ וּגְדֻלָּתְךָ עַד אֵין חֵקֶר הַנֶּעְלָם מִמֶּנִּי לְגַמְרֵי, כְּמוֹ שֶׁכָּתוּב: "לְעֹשֵׂה נִפְלָאוֹת גְּדוֹלוֹת לְבַדּוֹ כִּי לְעוֹלָם חַסְדּוֹ".

still speak these words of mine before You to seek Your countenance, so that You will battle on my behalf against my enemies in both the physical and spiritual realms. This is among Your profound wonders and awesome matters.

It is truly extraordinary in my eyes, perfect and wondrous. "I will thank You, for I was fashioned in an awesome, wondrous way. Wondrous are Your deeds, as my soul deeply knows." "How great are Your deeds, HaShem; how very deep are Your thoughts."

You continue to think thoughts of how to bring me close to You, and You continue to strengthen me so that I may express my speech before You, coming to You to pray so that You will have compassion on me and wage Your wars on my behalf.

From afar, I see Your kindness, miracles and wonders that You perform on my behalf always—every day, every hour and every moment.

Besides that, I believe in Your unbounded wonders, kindness and greatness that are entirely hidden from me, as in the verse, "He does great wonders alone; His kindness is eternal."

הֵן עַל כָּל אֵלֶּה אֲנִי מְחַזֵּק עַצְמִי עֲדַיִן לְצַפּוֹת לִישׁוּעָתֶךָ, וּלְצַפְצֵף אִמְרָתִי מֵעָפָר לְרַחֲמֶיךָ וַחֲסָדֶיךָ אֲשֶׁר לֹא תַמּוּ וְלֹא כָלוּ לְעוֹלָם.

עַל כֵּן בָּאתִי לְפָנֶיךָ מָלֵא רַחֲמִים, "מֶלֶךְ הַכָּבוֹד, פּוֹעֵל יְשׁוּעוֹת בְּקֶרֶב הָאָרֶץ".

לַמְּדֵנִי אֵיךְ לְנַצֵּחַ אוֹתְךָ, שֶׁאֶזְכֶּה לִפְעוֹל בַּקָּשָׁתִי בְּרַחֲמִים אֶצְלְךָ, שֶׁתִּלְחוֹם בַּעֲדִי מִלְחֲמוֹת יְהֹוָה, וְתַכְנִיעַ וּתְשַׁבֵּר וּתְבַטֵּל כָּל אוֹיְבַי תַּחְתַּי בְּגַשְׁמִיּוּת וְרוּחָנִיּוּת.

וּתְבַטֵּל מִמֶּנִּי כָּל תַּאֲוֹתַי הָרָעוֹת וְכָל מִדּוֹתַי הָרָעוֹת, וְתוֹרֵנִי וּתְלַמְּדֵנִי בְּכָל עֵת אֵיךְ לְמַלֵּט נַפְשִׁי מֵהֶם שֶׁלֹּא אַמְשִׁיכֵם עָלַי חַס וְשָׁלוֹם.

כִּי אַתָּה יוֹדֵעַ כִּי "רַבִּים רוֹדְפַי וְצָרָי, רַבּוּ מִשַּׂעֲרוֹת רֹאשִׁי שׂוֹנְאַי חִנָּם עָצְמוּ מַצְמִיתַי אוֹיְבַי שֶׁקֶר אֲשֶׁר לֹא גָזַלְתִּי אָז אָשִׁיב.

יְהֹוָה מָה רַבּוּ צָרָי רַבִּים קָמִים עָלָי", (בִּפְרָט וְכוּ' אִם יֵשׁ

Regarding all of these, I continue to encourage myself to look with hope to Your salvation, and to murmur from the dust to ask for Your compassion and kindness that have not ended and have never ceased.

Therefore, I come to You Who are filled with compassion, King of honor, "Who performs salvations in the midst of the land."

Teach me how to "conquer" You so that I will gain what I request with the help of Your compassion. Battle the wars of HaShem on my behalf. Subdue, shatter and eradicate all of my enemies in both the physical and spiritual realms.

Nullify all of my evil lusts and evil traits. Guide me and teach me at every moment how to rescue my soul so that I will not pull them to me, Heaven forbid.

You know that "many are my pursuers and my tormentors." "More than the hairs of my head are those who hate me for no reason." "Those who would cut me off, my deceitful enemies, have increased. Shall I recompense them what I did not steal?"

"HaShem, how many are my adversaries, how many rise up against me!" (In particular,

לוֹ יִסּוּרִים מִשּׂוֹנְאִים הַמּוֹנְעִין אוֹתוֹ מֵעֲבוֹדַת ה׳ יְפָרֵשׁ כָּאן שִׂיחָתוֹ וּתְפִלָּתוֹ עֲלֵיהֶם).

"וַאֲנַחְנוּ לֹא נֵדַע מַה נַּעֲשֶׂה כִּי עָלֶיךָ עֵינֵינוּ, עָזְרֵנוּ אֱלֹהֵי יִשְׁעֵנוּ עַל דְּבַר כְּבוֹד שְׁמֶךָ, וְהַצִּילֵנוּ וְכַפֵּר עַל חַטֹּאתֵינוּ לְמַעַן שְׁמֶךָ.

כִּי לֹא עַל צִדְקוֹתֵינוּ אֲנַחְנוּ מַפִּילִים תַּחֲנוּנֵנוּ לְפָנֶיךָ כִּי עַל רַחֲמֶיךָ הָרַבִּים. מָה אָנוּ מֶה חַיֵּינוּ מֶה חַסְדֵּנוּ מַה צִּדְקוֹתֵנוּ מַה יְּשׁוּעָתֵנוּ מַה כֹּחֵנוּ מַה גְּבוּרָתֵנוּ.

מַה נֹּאמַר לְפָנֶיךָ יְהֹוָה אֱלֹהֵינוּ וֵאלֹהֵי אֲבוֹתֵינוּ, הֲלֹא כָּל הַגִּבּוֹרִים כְּאַיִן לְפָנֶיךָ וְאַנְשֵׁי הַשֵּׁם כְּלֹא הָיוּ וַחֲכָמִים כִּבְלִי מַדָּע וּנְבוֹנִים כִּבְלִי הַשְׂכֵּל".

מִכָּל שֶׁכֵּן וְכָל שֶׁכֵּן אַלְפֵי אֲלָפִים וְרִבֵּי רְבָבוֹת קַל וָחֹמֶר, עַד אֵין קֵץ, פָּגוּם וְנִשְׁחָת, דַּל וְאֶבְיוֹן כָּמוֹנִי, חֲלוּשׁ דֵּעָה חֲלוּשׁ כֹּחַ כָּמוֹנִי.

a person who is suffering because of enemies who prevent him from serving HaShem should express that here and pray about it.)

"We do not know what to do, and so our eyes are turned to You." "Help us, God of our salvation, in regard to the honor of Your Name. Rescue us, forgive our transgressions, for the sake of Your Name."

"We do not cast our plea before You for the sake of our righteousness, but we appeal to Your great compassion." "What are we? What is our life? What is our kindness? What is our righteousness? What is our salvation? What is our might? What is our strength?"

"What shall I say before You, HaShem our God and God of our forefathers? All of the warriors are as nothing before You, the men of renown as if they never existed, the sages without knowledge and wise people without intelligence."

How much more is this true, a million and ten million times more, infinitely more, regarding a person as blemished and corrupt, poor and needy as I am, as weak in mind and strength as I am.

אוֹי מִי יָקוּם בַּעֲדִי לִלְחוֹם מִלְחָמָה גְּדוֹלָה וְנוֹרָאָה כָּזֹאת, אֲשֶׁר מִתְעוֹרֶרֶת כְּנֶגְדִּי בְּכָל עֵת בְּגַשְׁמִיּוּת וְרוּחָנִיּוּת, עַל מִי לִי לְהִשָּׁעֵן עַל אָבִי שֶׁבַּשָּׁמַיִם.

רִבּוֹנוֹ שֶׁל עוֹלָם, מָה אוֹמַר מָה אֲדַבֵּר מָה אֶצְטַדָּק, "כִּי אֵין מִלָּה בִּלְשׁוֹנִי הֵן יְהֹוָה יָדַעְתָּ כֻלָּהּ, אָחוֹר וָקֶדֶם צַרְתָּנִי וַתָּשֶׁת עָלַי כַּפֶּכָה, פְּלִיאָה דַעַת מִמֶּנִּי נִשְׂגְּבָה לֹא אוּכַל לָהּ".

אֵיךְ יִזְכֶּה נַעַר כָּמוֹנִי לְבַטֵּל בְּחִינַת שֶׁלֹּא כְסֵדֶר לִבְחִינַת כְּסֵדֶר, בַּמֶּה יִזְכֶּה נַעַר כָּמוֹנִי לְקַשֵּׁר עַצְמִי בְּכָל עֵת לְהַשֵּׁם יִתְבָּרַךְ בֶּאֱמֶת, לְקַשֵּׁר הַשֵּׁם יִתְבָּרַךְ בְּמַחֲשַׁבְתִּי תָּמִיד.

שֶׁאֶזְכֶּה בְּכָל עֵת לַחְשׁוֹב בּוֹ יִתְבָּרַךְ וּלְדָבְקָה בּוֹ בֶּאֱמֶת, וּלְבַטֵּל עַצְמִי וְכָל יֵשׁוּתִי וְכָל תַּאֲוֹתַי וּמִדּוֹתַי נֶגְדּוֹ יִתְבָּרַךְ בְּבִטּוּל גָּמוּר בֶּאֱמֶת וְלִהְיוֹת כְּאַיִן וּכְאֶפֶס מַמָּשׁ, וְלֵידַע שִׁפְלוּתִי בֶּאֱמֶת.

Woe! Who will stand up on my behalf to fight such a great and terrible war against the physical and spiritual forces that constantly attack me? On whom may I rely? On my Father in Heaven.

Putting Things "In Order"

Master of the world, what shall I say? How shall I speak? How can I justify myself? "There is no word on my tongue, because You know everything, HaShem." "Back and front You have hemmed me in, and placed Your hand upon me." "It is wondrous beyond my understanding, exalted, I cannot grasp it."

How can someone like myself [as immature as I am] nullify that which is "not in order" and put it "in order"? How can a person as immature as I am truly connect myself at every moment to HaShem, and constantly attach HaShem to my thoughts?

At every moment may I think of Him and truly cling to Him, nullifying myself, my entire being, and all of my lusts and evil traits to Him with a truly complete nullification. May I literally be as nothing and truly know how lowly I am.

עַד שֶׁאֶזְכֶּה לִהְיוֹת בִּבְחִינַת "מַה" בֶּאֱמֶת, וּלְהִתְקַשֵּׁר וּלְהִכָּלֵל בּוֹ יִתְבָּרַךְ בֶּאֱמֶת עַד שֶׁיָּשׁוּב הַכֹּל כְּסֵדֶר. וְיִתְבַּטְּלוּ כָּל הָרְצוֹנוֹת שֶׁל כָּל הַמִּתְנַגְּדִים וְהַחוֹלְקִים כְּנֶגֶד רְצוֹנִי שֶׁיִּהְיֶה כִּרְצוֹנְךָ בֶּאֱמֶת.

רִבּוֹנוֹ שֶׁל עוֹלָם לַמְּדֵנִי דַּרְכֵי הָעֲנָוָה הָאֲמִתִּיִּית, לַמְּדֵנִי אֵיךְ לְשַׁבֵּר וּלְבַטֵּל הַגַּאֲוָה שֶׁבְּלִבִּי וְדַעְתִּי.

כִּי בֶּאֱמֶת יָדַעְתִּי מְעַט שִׁפְלוּתִי, שֶׁאֵין רָאוּי לְהַעֲלוֹת עַל דַּעְתִּי מַחֲשָׁבוֹת שֶׁל גַּאֲוָה וְגַסּוּת וּפְנִיּוֹת, לְעֹצֶם רִבּוּי קִלְקוּלִי וּפְגָמִי בְּלִי שִׁעוּר אֲשֶׁר חָטָאתִי עָוִיתִי וּפָשַׁעְתִּי נֶגְדְּךָ הַרְבֵּה מְאֹד מֵעוֹדִי עַד הַיּוֹם הַזֶּה.

אַךְ אַף עַל פִּי כֵן אֵינִי נָקִי מִגַּאֲוָה וְגַבְהוּת, וַאֲנִי רָחוֹק מֵעֲנָוָה אֲמִתִּיִּית בְּתַכְלִית הָרִחוּק.

וּמֵחֲמַת זֶה אֲנִי רָחוֹק מִבְּחִינַת כְּסֵדֶר, וּבְכָל פַּעַם מִתְגַּבֶּרֶת כְּנֶגְדִּי חַס וְשָׁלוֹם הַהַנְהָגָה שֶׁל בְּחִינַת שֶׁלֹּא כְּסֵדֶר, וְאֵין שׁוּם דָּבָר שֶׁיֵּלֵךְ לִי כְּסֵדֶר, רַק הַכֹּל בַּעֲקְמִימִיּוּת וּבִלְבּוּלִים.

May I truly be on the level of *mah*, truly connected to and incorporated into Him, until everything will be returned to "in order," and all of those who oppose and dispute my will shall be nullified, so that everything will truly be in accordance with Your will.

Master of the world, teach me the ways of true humility. Teach me how to shatter and nullify the pride in my heart and mind.

In truth, I know a little of my lowliness: that it is not fit for me to indulge in thoughts that are proud, coarse and filled with impure motives, due to the devastating aggregation of my measureless ruination and blemishes, since I have transgressed, sinned and offended before You so much from my beginning until this day.

Nevertheless, I am not yet cleansed of pride and haughtiness, but I remain totally removed from true humility.

Because of this, I am far from the level of matters being "in order." The dynamic of things being "not in order" constantly rises against me, Heaven forbid. Nothing goes "in order" for me; rather, everything is twisted and confused.

כִּי מְעַקְמִין וּמְבַלְבְּלִין אֶת דַּעְתִּי בְּכַמָּה מִינֵי בִּלְבּוּלִים וְיִסּוּרִים מִכַּמָּה צְדָדִים, וְגַם הַפַּרְנָסָה דְחוּקָה וּמְצֻמְצֶמֶת, וְנִמְשֶׁכֶת בְּכִלְיוֹן עֵינַיִם. וְנוֹגְשִׂים וְחוֹבוֹת רַבִּים סְבָבוּנִי.

וּשְׁאָר מִינֵי יִסּוּרִים שֶׁיֵּשׁ לִי וּלְכָל הַסְּמוּכִים אֵלַי, בְּכַמָּה אוֹפַנִּים, שֶׁכָּל זֶה נִמְשַׁךְ מִבְּחִינַת הַהַנְהָגָה שֶׁלֹּא כְּסֵדֶר, עַל יְדֵי שֶׁפָּגַמְתִּי בַּעֲנָוָה וְנִכְשַׁלְתִּי בְּגֵאוּת וְגַדְלוּת, רַחֲמָנָא לִצְלָן מֵעַתָּה.

לז' אדר הלולא דמשה רבינו ע"ה

וּבְכֵן בָּאתִי לְפָנֶיךָ יְהֹוָה אֱלֹהֵינוּ וֵאלֹהֵי אֲבוֹתֵינוּ, שֶׁתַּעַזְרֵנִי וְתוֹשִׁיעֵנִי בִּזְכוּת וְכֹחַ דֶּרֶךְ הַתְּשׁוּבָה שֶׁהִמְשִׁיכוּ מֹשֶׁה רַבֵּנוּ עָלָיו הַשָּׁלוֹם וְכָל הַצַּדִּיקִים אֲמִתִּיִּים בָּעוֹלָם, שֶׁאֶזְכֶּה גַּם אָנֹכִי מֵעַתָּה לָשׁוּב בִּתְשׁוּבָה שְׁלֵמָה לְפָנֶיךָ בֶּאֱמֶת וּבְלֵב שָׁלֵם.

כִּי אַתָּה יוֹדֵעַ נִפְלָאוֹת הַדְּרָכִים שֶׁל תְּשׁוּבָה שֶׁהִמְשִׁיכוּ בָּעוֹלָם, שֶׁהוֹרִידוּ אֶת עַצְמָן וְקִשְּׁרוּ אֶת עַצְמָן עִם הַפְּחוּת שֶׁבַּפְּחוּתִים, אֲפִלּוּ עִם פָּחוּת כָּמוֹנִי בְּכָל מָקוֹם שֶׁאֲנִי שָׁם.

My mind is twisted and confused by turmoil and suffering that originate from a number of areas. Moreover, my income, which I earn until my eyes are exhausted, is strained and slight, and a multitude of creditors and debts harasses me.

I and all those who depend on me experience other types of suffering as well. All of this is due to the dynamic of things being "not in order," which came about because I damaged my humility and stumbled into pride and egotism, may the Compassionate One protect me from now on.

For the Seventh of Adar, the Hilula of Moses
The Path of Repentance

And so I come to You, HaShem our God and God of our fathers, requesting that You help me and save me in the merit and power of the path of repentance that Moses and all of the true Tzaddikim drew down into the world, so that from now on I will truly return to You in complete repentance with all my heart.

You know the wondrous pathways of repentance that they brought into the world. They lowered themselves and connected themselves to the least of the least—even to a person as lowly as I am, on whatever level I may be.

וַעֲדַיִן הֵם מְקֻשָּׁרִים עַצְמָם עִמִּי בִּמְקוֹמִי שֶׁאֲנִי שָׁם עַתָּה, וּמִצִּדָּם לֹא יִבָּצֵר לְהוֹצִיאֵנִי מִגָּלוּתִי, וּלְהַעֲלוֹתִי וּלְהַכְנִיסֵנִי לְתוֹךְ הַקְּדֻשָּׁה בֶּאֱמֶת, וּלְהַעֲלוֹת אוֹתִי מַעְלָה מַעְלָה.

רַחֵם עָלַי וְזַכֵּנִי לְהִתְקַשֵּׁר לְצַדִּיקִים קְדוֹשִׁים כָּאֵלּוּ תָּמִיד, וְיִתְגַּלֶּה לִי דֶּרֶךְ הַקֹּדֶשׁ דַּרְכֵי הַתְּשׁוּבָה שֶׁהֵם מַמְשִׁיכִים בָּעוֹלָם.

בְּאֹפֶן שֶׁאֶזְכֶּה מֵעַתָּה לָשׁוּב בִּתְשׁוּבָה שְׁלֵמָה לְפָנֶיךָ בֶּאֱמֶת, וּלְקַשֵּׁר וּלְדַבֵּק עַצְמִי אֵלֶיךָ תָּמִיד בֶּאֱמֶת, בְּתַכְלִית הָעֲנָוָה וְהַבִּטּוּל בֶּאֱמֶת.

וְתִשְׁמְרֵנִי וְתַצִּילֵנִי בְּרַחֲמֶיךָ שֶׁלֹּא יִהְיֶה כֹּחַ לְשׁוּם בְּחִינַת יְרִידָה וְלֹא לְשׁוּם בְּחִינַת עֲלִיָּה לְרַחֲקֵנִי חַס וְשָׁלוֹם מִמְּךָ.

כִּי לִפְעָמִים נִתְרַחֵק הָאָדָם חַס וְשָׁלוֹם עַל יְדֵי הָעֲלִיָּה שֶׁאַתָּה מַעֲלֶה אוֹתוֹ, דְּהַיְנוּ עַל יְדֵי רִבּוּי הָעשֶׁר וְהַטּוֹב שֶׁאַתָּה מַשְׁפִּיעַ לוֹ, אוֹ עַל יְדֵי רִבּוּי הַדַּעַת בִּידִיעַת רוֹמְמוּתֶךָ, כִּי רִבּוּי הָאוֹר מַכְהֶה עֵינָיו וּמַזִּיק לוֹ חַס וְשָׁלוֹם.

עַל כֵּן בָּאתִי לְבַקֵּשׁ מִמְּךָ שֶׁתָּגֵן עָלַי בְּכַפֶּךָ, וְתִשְׁמְרֵנִי

And they continue to connect themselves to me on my present level, so that, as far as they are concerned, nothing will prevent them from extricating me from my exile, from raising me and truly bringing me to holiness, and elevating me higher and higher.

Have compassion on me and always help me connect myself to holy Tzaddikim such as they. May the pathways of holiness and repentance that they draw into the world be revealed to me.

From now on may I truly return to You in full repentance. May I truly connect myself with You and cling to You always, with true, complete humility and self-negation.

In Your compassion, guard me and save me so that no descent or ascent will have the power to distance me from You, Heaven forbid.

For sometimes a man is distanced, Heaven forbid, as a result of an ascent in which You have placed him—such as when You shower him with an abundance of riches, or when he experiences an abundance of awareness in knowledge of Your loftiness—because an abundance of Divine light blinds his eyes and hurts him, Heaven forbid.

Therefore, I have come to ask You to shield me with Your hand, to guard me, save me and

וְתַצִּילֵנִי וְתָגֵן בַּעֲדִי שֶׁלֹּא יַזִּיק לִי שׁוּם דָּבָר, וְלֹא אֶתְרַחֵק מִמְּךָ לְעוֹלָם.

הֵן בִּבְחִינַת יְרִידָה חַס וְשָׁלוֹם אֲפִלּוּ בִּדְיוֹטָא הַתַּחְתּוֹנָה, אֲפִלּוּ בַּעֲשָׂרָה כִּתְרִין דְּמִסָּאֲבוּתָא חַס וְשָׁלוֹם, גַּם שָׁם אֶזְכֶּה לִמְצוֹא אוֹתְךָ תָּמִיד, כְּמוֹ שֶׁכָּתוּב: "וּמַלְכוּתוֹ בַּכֹּל מָשָׁלָה".

וְהֵן בִּבְחִינַת עֲלִיָּה, כַּאֲשֶׁר תְּרַחֵם עָלַי וְתַעֲלֵנִי מַעְלָה מַעְלָה, בְּכָל עֲלִיָּה וַעֲלִיָּה אֶזְכֶּה לִמְצוֹא אוֹתְךָ תָּמִיד.

וְאֶתְקָרֵב אֵלֶיךָ תָּמִיד בְּכָל הַבְּחִינוֹת בֵּין בְּטִיבוּ בֵּין בְּעָקוּ חַס וְשָׁלוֹם, בֵּין בִּירִידָה בֵּין בַּעֲלִיָּה, כְּמוֹ שֶׁכָּתוּב: "אִם אֶסַּק שָׁמַיִם שָׁם אָתָּה וְאַצִּיעָה שְּׁאוֹל הִנֶּךָּ". בְּאֹפֶן שֶׁאֶזְכֶּה לִתְשׁוּבָה שְׁלֵמָה בֶּאֱמֶת מֵעַתָּה וְעַד עוֹלָם.

וּבִפְרָט בְּחֹדֶשׁ אֱלוּל הַקָּדוֹשׁ שֶׁהֵם יְמֵי רָצוֹן שֶׁעָלָה מֹשֶׁה לְקַבֵּל לוּחוֹת אַחֲרוֹנוֹת וּפָתַח דֶּרֶךְ כְּבוּשָׁה לֵילֵךְ בָּהּ.

רַחֵם עָלַי מֵעַתָּה שֶׁאֶזְכֶּה לְהָכִין אֶת עַצְמִי מֵהַיּוֹם לְהַמְשִׁיךְ עָלַי קְדֻשַּׁת חֹדֶשׁ אֱלוּל הַקָּדוֹשׁ, קְדֻשַּׁת הַדֶּרֶךְ תְּשׁוּבָה

protect me so that nothing will hurt me and I will never be distanced from You.

May I always find You even if I descend, Heaven forbid, to the lowest level, even to the ten crowns of pollution, Heaven forbid. As the verse states, "His kingdom rules over all."

And when I ascend, when You have compassion on me and raise me higher and higher, with every ascent may I find You always.

May I always come close to You on every level, whether things are going well or poorly, Heaven forbid, whether I am descending or ascending. As the verse states, "If I rise to Heaven, You are there, and if I lie down in Sheol, there You are." May I truly attain complete repentance from now and forever.

The Holy Month of Elul

In particular, may this be the case in the holy month of Elul, whose days are days of favor, when Moses ascended to receive the Second Tablets and revealed a paved path upon which to walk.

Have compassion on me from now on so I will prepare myself, beginning from today, to draw onto myself the holiness of the month of Elul, the holiness of the path of repentance that

שֶׁהִמְשִׁיךְ משֶׁה רַבֵּנוּ וְכָל הַצַּדִּיקִים אֲמִתִּיִּים בָּעוֹלָם בְּדַרְכֵי נִפְלְאוֹתֵיהֶם הַנּוֹרָאוֹת.

כִּי אֵין לִי שׁוּם תִּקְוָה כִּי אִם עַל פִּי דֶרֶךְ זֶה שֶׁהוּא יָדוּעַ לְךָ וּלְצַדִּיקֶיךָ הַגְּדוֹלִים הָאֲמִתִּיִּים לְבַד, וְהַטּוֹב בְּעֵינֵיכֶם עֲשׂוּ עִמִּי, "וַאֲנִי תָמִיד אֲיַחֵל, עַד יַשְׁקִיף וְיֵרֶא יְהֹוָה מִשָּׁמָיִם".

חוֹמֵל דַּלִּים חוּס וַחֲמֹל נָא עָלַי וְעַל כָּל יִשְׂרָאֵל, וְהוֹשִׁיעֵנוּ מְהֵרָה לְמַעַן שְׁמֶךָ.

וְעָזְרֵנוּ מֵעַתָּה בְּרַחֲמֶיךָ וַחֲסָדֶיךָ הָרַבִּים וְהַגְּדוֹלִים וְהַנִּפְלָאִים מְאֹד מְאֹד, לְבַטֵּל כָּל הַדִּינִים וְהַיִּסּוּרִים וְהַמְּנִיעוֹת וְהַתַּאֲוֹת וְהַבִּלְבּוּלִים הַנִּמְשָׁכִין מִבְּחִינַת שֶׁלֹּא כְּסֵדֶר.

וְיִתְבַּטֵּל וְיֻכְלַל וְיִתְהַפֵּךְ בְּחִינַת שֶׁלֹּא כְּסֵדֶר לִבְחִינַת כְּסֵדֶר, עַד שֶׁמֵּעַתָּה יִתְנַהֵג עִמָּנוּ הַכֹּל כְּסֵדֶר בְּגַשְׁמִיּוּת וְרוּחָנִיּוּת, בְּגוּף וְנֶפֶשׁ וּמָמוֹן.

וְתִשְׁמְרֵנוּ מֵעַתָּה וְתַצִּילֵנוּ מִכָּל מִינֵי מַחֲשָׁבוֹת זָרוֹת שֶׁל גֵּאוּת וְגַבְהוּת וְגַסּוּת וּפְנִיּוֹת. וְנִזְכֶּה לַעֲנָוָה בֶּאֱמֶת, וּלְקַשֵּׁר

Moses and all of the true Tzaddikim drew into the world with their awesome, wondrous ways.

My only hope is in this path, which is known only to You and to Your great, true Tzaddikim. May they treat me in a way that is good in Your eyes. "I will always hope," "until HaShem will gaze and see from Heaven."

You Who have mercy on the poor, please have pity and mercy on me and on the entire Jewish people. Save us quickly for the sake of Your Name.

Help us from now on. In Your exceedingly vast, great and wondrous compassion and kindness, dispel all of the judgments, suffering, obstacles, cravings and turbulence that are drawn from the level of "not in order."

May the level of "not in order" be nullified, subsumed and transformed into the level of "in order," until from now on everything will be "in order" for me in the material and spiritual realms—in body, soul and financial matters.

Guard us from now on. Rescue us from every type of foreign thought, egotism, haughtiness, coarseness and impure motives. May we attain true humility and always connect You to our

אוֹתְךָ בְּמַחֲשַׁבְתֵּנוּ תָמִיד, שֶׁתִּהְיֶה מַחֲשַׁבְתֵּנוּ קְשׁוּרָה בְּךָ וּבַעֲבוֹדָתְךָ תָמִיד.

עַד אֲשֶׁר יִתְבַּטְּלוּ כָּל הָרְצוֹנוֹת וְכָל הַמִּלְחָמוֹת נֶגֶד רְצוֹנֵנוּ, וְנִזְכֶּה לִגְמוֹר תָּמִיד חֶפְצֵי שָׁמַיִם כִּרְצוֹנְךָ וְכִרְצוֹן צַדִּיקֶךָ הָאֲמִתִּיִּים בֶּאֱמֶת.

וְלֹא יִהְיֶה כֹּחַ לְשׁוּם מוֹנֵעַ וּמְעַכֵּב לִמְנוֹעַ אוֹתָנוּ חַס וְשָׁלוֹם מִשּׁוּם דָּבָר שֶׁבִּקְדֻשָּׁה, כִּי אַתָּה עוֹזֵר לְלֹא כֹחַ כָּמוֹנִי, וְ"נוֹתֵן לַיָּעֵף כֹּחַ".

עָזְרֵנִי לִגְמוֹר רְצוֹנְךָ בֶּאֱמֶת, הֵן מַה שֶּׁנּוֹגֵעַ לִי בִּפְרָט, הֵן מַה שֶּׁנּוֹגֵעַ אֶל הַכְּלָל, עָזְרֵנִי לְמַעַן שְׁמֶךָ שֶׁיִּגְמַר הַכֹּל כִּרְצוֹנְךָ הַטּוֹב.

"יְהֹוָה יִגְמוֹר בַּעֲדִי, יְהֹוָה חַסְדְּךָ לְעוֹלָם, מַעֲשֵׂי יָדֶיךָ אַל תֶּרֶף.

יִהְיוּ לְרָצוֹן אִמְרֵי פִי וְהֶגְיוֹן לִבִּי לְפָנֶיךָ יְהֹוָה צוּרִי וְגוֹאֲלִי. עוֹשֶׂה שָׁלוֹם בִּמְרוֹמָיו הוּא בְּרַחֲמָיו יַעֲשֶׂה שָׁלוֹם עָלֵינוּ וְעַל כָּל יִשְׂרָאֵל וְאִמְרוּ אָמֵן":

thoughts, so that our thoughts will always be attached to You and to serving You.

May all of the desires and battles against our will be nullified. May we always truly fulfill the desires of Heaven, in accordance with Your will and in accordance with the will of Your true Tzaddikim.

May no obstacle or impediment have the power to separate us from any holy matter, Heaven forbid. You help someone as powerless as I am. You "give strength to the weary."

Help me truly fulfill Your will, both in what affects me in particular and in what affects others. Help me for the sake of Your Name, so that everything will be brought to completion in accordance with Your good will.

"May HaShem agree with me. HaShem, may Your kindness be forever. Do not let go of the work of Your hands."

"May the words of my mouth and the meditation of my heart be pleasing before You, HaShem, my Rock and my Redeemer." "May He Who makes peace in His heights, in His compassion make peace upon us and upon all Israel, and say, 'Amen.'"

42 (II, 83)

When a Jew Rectifies His Covenant, He Perfects His Prayer and Faith / One Who Rectifies His Covenant Attains the Holiness of the Shabbat / The Ultimate Knowledge is That We Know Nothing / On the Shabbat, We Shed Our Plague-Ridden Body and Put on a Holy Body from the Garden of Eden / When One's Mazal Ascends, He Gains Wealth / Through the "Right Side," One Can Elevate Those Who Have Fallen into Evil Loves and Fears / Through the "Flames of Love," a Person's Heart is Enflamed with Learning Torah / When the Tzaddik Experiences Shame, God Accepts His Mitzvot / Sometimes a Tzaddik Must Experience Bloodshed, Figuratively or Even Literally, to Rectify a Fallen Soul

When a person rectifies his covenant, he perfects his prayer and faith. This causes the ray of the Mashiach to shine, since *MaShIaCh* is the speech with which one prays, as in the verse, "He generates speech (*MeiSIaCh*) in the mute" (Shabbat morning liturgy).[8]

---

8 The words *MaShIaCh* (משיח, Messiah) and *MeiSIaCh* (משיח, generates speech) have the same letters.

As a result of rectifying his covenant and perfecting his prayer, a person is liberated and attains the holiness of the Shabbat, which encompasses the entire world. The holiness of the Shabbat is the ultimate knowledge: the knowledge that we know nothing.

On the Shabbat, a person sheds his plague-ridden body, the skin of the Serpent, and puts on Shabbat clothes—a holy body from the Garden of Eden.

Then his *mazal*, the source of his being, is elevated. He gains wealth and his good inclination is strengthened. Depression and sarcasm, which stem from "black bile," are eradicated by the *mazal* of wealth and the good inclination, which correspond to the "right side."

Through the "right side," he can elevate those who fell into evil loves and fears, returning them to holy loves and fears. Their eyes then see wonders. It is as though such a person is creating the world.

The light of the eyes also elevates all of the requests and supplications that are prayed in the direction of the holy Temple. The light of the eyes emerges from the Temple and arouses the redemption. It also eradicates the leavening of the evil inclination of the heart, which has been there since his youth, enticing him to question and judge the Torah sages of the generation.

Through the "flames of love"—the love one has for God—a person's heart is enflamed with learning Torah, and the "many waters" of external love and fear cannot extinguish that flame.

The Divine Presence users Her wings to cover the blood of Israel (a person's sins) with love, so that the seed of the wicked—the floodwaters—will not rule over them.

*

God wants to taste the positive mitzvot of a Tzaddik. But those positive mitzvot correspond to the limb of a living animal, which is forbidden to eat until it is ritually slaughtered. The human equivalent of that is shame, which corresponds to "spilled blood," a form of ritual slaughter. Thus, the Tzaddik must experience shame in order for God to be able to taste his mitzvot.

When the Tzaddik's blood is spilled by shame, he must take care that outer forces will not derive energy from it. His blood needs to be covered—just as the blood of a slaughtered animal must be covered.

There are many fallen souls that can rise only when a great Jew's blood is spilled—whether figuratively or sometimes even literally. The sins of these souls are then transformed into merits and then they are elevated.

רִבּוֹנוֹ שֶׁל עוֹלָם, עָזְרֵנִי וְהוֹשִׁיעֵנִי מֵעַתָּה, וַעֲשֵׂה אֵת אֲשֶׁר תַּעֲשֶׂה בְּרַחֲמֶיךָ הָרַבִּים וּבַחֲסָדֶיךָ הַגְּדוֹלִים וְנִפְלְאוֹתֶיךָ הַנֶּעְלָמוֹת וּדְרָכֶיךָ הַנּוֹרָאִים, וְזַכֵּנִי מֵעַתָּה לִשְׁמֹר אֶת הַבְּרִית קֹדֶשׁ בֶּאֱמֶת.

וְאֶזְכֶּה לָשׁוּב בִּתְשׁוּבָה שְׁלֵמָה בֶּאֱמֶת עַל הֶעָבָר, וְלִזְכּוֹת מֵעַתָּה לְתִקּוּן הַבְּרִית בֶּאֱמֶת, בְּכֹחַ וּזְכוּת הַצַּדִּיקִים אֲמִתִּיִּים אֲשֶׁר זָכוּ לְתִקּוּן הַבְּרִית בְּתַכְלִית הַשְּׁלֵמוּת.

רִבּוֹנוֹ שֶׁל עוֹלָם, מָלֵא רַחֲמִים, אַתָּה הוֹדַעְתָּנוּ שֶׁכָּל הַתִּקּוּנִים וְכָל הַתּוֹרָה כֻּלָּהּ וְכָל תִּקּוּן הָעוֹלָמוֹת, הַכֹּל תָּלוּי בְּתִקּוּן הַבְּרִית קֹדֶשׁ שֶׁהוּא יְסוֹד הַכֹּל כִּמְבֹאָר בְּכָל סִפְרֵי קֹדֶשׁ.

אֲבָל מִגֹּדֶל הַהִתְגַּבְּרוּת שֶׁהִתְגַּבֵּר עָלֵינוּ הַיֵּצֶר הָרָע מִנְּעוּרֵנוּ פָּגַמְנוּ הַרְבֵּה בִּפְגַם הַבְּרִית, כָּל אֶחָד וְאֶחָד כְּפִי פְּגָמָיו כַּאֲשֶׁר יוֹדֵעַ כָּל אֶחָד וְאֶחָד בְּנַפְשׁוֹ (וּבִפְרָט וְכוּ'). עַל כֵּן

Guarding the Holy Covenant

Master of the world, help me and save me from this moment on. In Your vast compassion and Your great kindness, treat me as You wish with Your hidden wonders and awesome ways. Help me from now on to truly guard the holy covenant.

May I truly and completely repent for my past. From now on may I attain a true rectification of the covenant, with the power and aid of the true Tzaddikim who attained the most perfect rectification of the covenant.

Master of the world, You Who are filled with compassion, You informed us that all rectifications, the entire Torah, and the entire rectification of all worlds depend on the rectification of the holy covenant. This is the foundation of everything, as all of the holy books explain.

But the evil inclination has so greatly over-whelmed and overcome us from our youth that we have blemished the covenant a great deal—each person with his own blemishes, which he himself recognizes (and, in particular, [add your own words here]). Now I have no

אֵין לִי עַתָּה שׁוּם דִּבּוּר אֵיךְ לְדַבֵּר בָּזֶה, "נֶאֱלַמְתִּי דוּמִיָּה הֶחֱשֵׁיתִי מִטּוֹב וּכְאֵבִי נֶעְכָּר".

אַךְ כְּבָר הִזְהַרְתָּנוּ וְחִזַּקְתָּנוּ לָנֶצַח, לִזְעֹק וְלִצְעֹק אֵלֶיךָ תָּמִיד, יִהְיֶה אֵיךְ שֶׁיִּהְיֶה.

עַל כֵּן בָּאתִי לִשְׁטוֹחַ כַּפַּי לְרַחֲמֶיךָ וִישׁוּעָתֶךָ, שֶׁתַּעַזְרֵנִי וְתוֹשִׁיעֵנִי שֶׁאֶזְכֶּה מֵעַתָּה לְתִקּוּן הַבְּרִית בֶּאֱמֶת בִּשְׁלֵמוּת כִּרְצוֹנְךָ הַטּוֹב.

חוּס וְחָנֵּנִי וְרַחֵם עָלַי וְהוֹשִׁיעֵנִי, וְלַמְּדֵנִי וְהוֹרֵנִי דַּרְכֵי עֵצוֹתֶיךָ הַקְּדוֹשׁוֹת וְהַנִּפְלָאוֹת הַגְּלוּיוֹת וְהַנִּסְתָּרוֹת בְּסִפְרֵי צַדִּיקֶיךָ הָאֲמִתִּיִּים, וְתָאִיר עֵינֵי דַעְתִּי וְשִׂכְלִי בְּכָל עֵת, בְּאֹפֶן שֶׁאֶזְכֶּה לְהִתְרַחֵק מִתַּאֲוָה הַזֹּאת וּמֵהִרְהוּרִים הָאֵלֶּה וּלְמַלֵּט נַפְשִׁי מֵהֶם בֶּאֱמֶת.

עַד שֶׁאֶזְכֶּה לְגָרְשָׁם וּלְבַטְּלָם מִמֶּנִּי לְגַמְרֵי, בְּאֹפֶן שֶׁאֶזְכֶּה מֵעַתָּה לְתִקּוּן הַבְּרִית בֶּאֱמֶת כִּרְצוֹנְךָ הַטּוֹב.

וּבְכֵן תַּעַזְרֵנִי בְּכֹחַ וּזְכוּת כָּל הַצַּדִּיקִים הָאֲמִתִּיִּים שֶׁזָּכוּ

words with which to speak about this. "I am mute and still, I am silent even in the face of goodness, and my pain is overwhelming."

But the Tzaddikim have always heartened and encouraged us to cry out and call out to You, however things may be.

Therefore, I come to stretch my hands out to gain Your compassion and salvation. Please help me and save me so that from now on I will truly and completely rectify the covenant, in accordance with Your good will.

Have pity on me and be gracious to me. Have compassion on me and save me. Teach me and direct me in the ways of Your holy and wondrous counsel, whether revealed or implicit, in the books of Your true Tzaddikim. Illumine my mind's eye at every moment, so that I will distance myself from this desire and from these fantasies, and truly rescue my soul.

May I expel them and eradicate them entirely, so that from now on I will truly rectify the covenant, in accordance with Your good will.

Help us in the power and merit of all of the true Tzaddikim who attained a complete

לְתִקּוּן הַבְּרִית בִּשְׁלֵמוּת, שֶׁנִּזְכֶּה לְהוֹצִיא הַחִצִּים שֶׁהִיא הַתְּפִלָּה בְּתַכְלִית הַשְּׁלֵמוּת.

שֶׁנִּזְכֶּה תָמִיד לְהִתְפַּלֵּל בְּכַוָּנָה גְדוֹלָה וַעֲצוּמָה בֶּאֱמֶת וּבֶאֱמוּנָה שְׁלֵמָה, בְּחַיּוּת וְהִתְלַהֲבוּת גָּדוֹל דִּקְדֻשָּׁה.

וְתִהְיֶה תְפִלָּתֵנוּ שְׁגוּרָה בְּפִינוּ תָמִיד, עַד שֶׁנִּזְכֶּה לְהוֹצִיא דִבּוּרִים הַקְּדוֹשִׁים שֶׁל הַתְּפִלָּה בְּחַיּוּת גָּדוֹל כְּחִצִּים בְּיַד גִּבּוֹר.

שֶׁיִּפְרַח הַדִּבּוּר הַקָּדוֹשׁ מִפִּינוּ בְּחַיּוּת נִפְלָא כְּמוֹ חֵץ מֵהַקֶּשֶׁת וְיַעֲלֶה לְמַעְלָה לְמַעְלָה. וְיִפְעוֹל וְיַעֲשֶׂה בִּשְׁלֵמוּת כָּל הַתִּקּוּנִים שֶׁצְּרִיכִים לְתַקֵּן עַל יְדֵי תְפִלּוֹתֵינוּ בְּכָל הָעוֹלָמוֹת כֻּלָּם.

עַד אֲשֶׁר נִזְכֶּה עַל יְדֵי הַתְּפִלָּה שֶׁתַּצְמִיחַ לָנוּ מְהֵרָה קֶרֶן מָשִׁיחַ בֶּן דָּוִד, וִיקֻיַּם מְהֵרָה מִקְרָא שֶׁכָּתוּב: "שָׁם אַצְמִיחַ קֶרֶן לְדָוִד, עָרַכְתִּי נֵר לִמְשִׁיחִי", וְעַל יְדֵי זֶה נִזְכֶּה לָצֵאת מֵעַבְדוּת לְחֵרוּת.

לשבת קודש

וּתְזַכֵּנוּ לִקְדֻשַּׁת שַׁבַּת קֹדֶשׁ, וּתְבַטֵּל מֵאִתָּנוּ כָּל עוֹבְדִין

rectification of the covenant. May we draw forth prayer with the ultimate perfection, like drawing forth arrows from a quiver.

May we always pray with truly great and intense concentration, and with complete faith, tremendous vitality and holy fervor.

May our prayer always be smooth in our mouths, until we bring forth holy words of prayer with tremendous vitality, like arrows in the hand of a warrior.

May holy speech blossom from our mouths with wondrous vitality, like an arrow from the bow. May it rise ever higher, powerfully and perfectly rectifying everything that must be rectified in all worlds.

As a result of the prayer that will blossom for us soon, may we attain the horn of the Mashiach, son of David. May the verse quickly be realized, "There I will cause the horn of David to blossom; I have arranged a lamp for My anointed." As a result, may we emerge from slavery to freedom.

For the Holy Shabbat

The Precious Holiness of the Shabbat

Send us the holiness of the Shabbat. Nullify all of our mundane deeds, so that we need not

דְּחוֹל, שֶׁלֹּא נִצְטָרֵךְ לַעֲסֹק בְּשׁוּם מְלָאכָה וְעֵסֶק, רַק נַעֲסוֹק תָּמִיד בְּתוֹרָה וּתְפִלָּה וַעֲבוֹדַת יְהוָֹה בֶּאֱמֶת, וְנִהְיֶה כֻּלָּנוּ בְּנֵי חוֹרִין בֶּאֱמֶת.

מָלֵא רַחֲמִים, אַתָּה נָתַתָּ לָנוּ מַתָּנָה טוֹבָה הַזֹּאת שֶׁהָיְתָה בְּבֵית גְּנָזֶיךָ וְשַׁבָּת שְׁמָהּ. אַתָּה יוֹדֵעַ גֹּדֶל מַעֲלַת יִקְרַת קְדֻשַּׁת שַׁבָּת קֹדֶשׁ, הַמְחַיֶּה וּמְקַיֵּם כָּל הָעוֹלָמוֹת, וְאַתָּה יוֹדֵעַ כַּמָּה אֲנִי רָחוֹק מֵהַקְּדֻשָּׁה וְהַשִּׂמְחָה שֶׁל שַׁבָּת.

אָנָּא אָדוֹן יָחִיד, טוֹב וּמֵטִיב לַכֹּל, "גְּדוֹל הָעֵצָה וְרַב הָעֲלִילִיָּה", עָזְרֵנִי וְהוֹשִׁיעֵנִי וְלַמְּדֵנִי וְהוֹרֵנִי בְּאֹפֶן שֶׁאֶזְכֶּה תָּמִיד לְשִׂמְחָה שֶׁל שַׁבָּת בֶּאֱמֶת.

שֶׁאֶזְכֶּה לִשְׂמֹחַ מְאֹד בְּכָל שַׁבָּת וְשַׁבָּת בְּשִׂמְחַת שַׁבָּת בֶּאֱמֶת. הַטְעִימֵנִי נָא טַעַם שַׁבָּת קֹדֶשׁ, כִּי אַתָּה טוֹב וּמֵטִיב לַכֹּל.

רְצֵה וְהַחֲלִיצֵנוּ יְהוָֹה אֱלֹהֵינוּ בְּמִצְוֹתֶיךָ וּבְמִצְוַת יוֹם הַשְּׁבִיעִי הַשַּׁבָּת הַגָּדוֹל וְהַקָּדוֹשׁ הַזֶּה. כִּי (הוּא) יוֹם זֶה גָּדוֹל וְקָדוֹשׁ הוּא לְפָנֶיךָ לִשְׁבּוֹת בּוֹ וְלָנוּחַ בּוֹ בְּאַהֲבָה כְּמִצְוַת רְצוֹנֶךָ.

engage in any craft or work, but only in Torah, prayer and the true service of HaShem. May we all be truly liberated.

You Who are filled with compassion, You gave us this good gift from Your treasure house—Shabbat is its name. You know the great and precious holiness of the Shabbat, which revives and sustains all worlds. And You know how far I am from the holiness and joy of the Shabbat.

Please, Unique Master, You Who are good and do good to all, "great in counsel and mighty in deed," help me, save me, teach me and guide me so that I will always experience the true joy of the Shabbat.

May I truly rejoice a great deal every Shabbat with the joy of the Shabbat. Please give me a taste of the holy Shabbat, for You are good and do good to all.

Please free us, HaShem our God, with Your mitzvot—and, in particular, with the mitzvah of the seventh day, the great and holy Sabbath. For it is Your great and holy day, meant for us to rest and be tranquil in an atmosphere of love, in accordance with Your will and commandment.

קַדְּשֵׁנוּ בְּמִצְוֹתֶיךָ וְתֵן חֶלְקֵנוּ בְּתוֹרָתֶךָ, שַׂבְּעֵנוּ מִטּוּבֶךָ וְשַׂמְּחֵנוּ בִּישׁוּעָתֶךָ, וְטַהֵר לִבֵּנוּ לְעָבְדְּךָ בֶּאֱמֶת, וְהַנְחִילֵנוּ יְהֹוָה אֱלֹהֵינוּ בְּאַהֲבָה וּבְרָצוֹן שַׁבַּת קָדְשֶׁךָ.

זַכֵּנִי לִשְׂמֹחַ בְּכָל שַׁבָּת וְשַׁבָּת בְּשִׂמְחָה גְדוֹלָה וַעֲצוּמָה, עַד שֶׁאֶזְכֶּה לְהַמְשִׁיךְ הַשִּׂמְחָה שֶׁל שַׁבָּת לְשֵׁשֶׁת יְמֵי הַחוֹל.

וְאֶזְכֶּה לִזְכֹּר אֶת הַשַּׁבָּת קֹדֶשׁ תָּמִיד, כְּמוֹ שֶׁכָּתוּב: "זָכוֹר אֶת יוֹם הַשַּׁבָּת לְקַדְּשׁוֹ", וּלְהַמְשִׁיךְ עָלַי קְדֻשַּׁת שַׁבָּת תָּמִיד בְּכָל שֵׁשֶׁת יְמֵי הַחוֹל, שֶׁיִּהְיוּ כָּל יְמֵי הַחוֹל קְדוֹשִׁים וּטְהוֹרִים בִּקְדֻשַּׁת שַׁבָּת קֹדֶשׁ.

וְעַל יְדֵי קְדֻשַּׁת שַׁבָּת נִזְכֶּה לְקַבֵּל כָּל הַבְּרָכוֹת מִמְּקוֹר הַבְּרָכוֹת.

וּתְזַכֵּנוּ בִּזְכוּת קְדֻשַּׁת שַׁבָּת שֶׁנִּזְכֶּה לְהַגִּיעַ מְהֵרָה אֶל הַתַּכְלִית הָאֲמִתִּי, לְהַשִּׂיג בֶּאֱמֶת תַּכְלִית הַיְדִיעָה שֶׁלֹּא נֵדַע, שֶׁנָּבִין וְנַשְׂכִּיל בֶּאֱמֶת שֶׁרָחוֹק מִמֶּנּוּ הַחָכְמָה, כְּמוֹ שֶׁכָּתוּב: "אָמַרְתִּי אֶחְכָּמָה, וְהִיא רְחוֹקָה מִמֶּנִּי".

Sanctify us with Your mitzvot and give us our portion in Your Torah. Satiate us with Your goodness, gladden us with Your salvation, purify our hearts to truly serve You, and give us an inheritance, HaShem our God, in love and favor, of Your holy Shabbat.

Help me rejoice on every Shabbat with great and intense joy, until I will draw the joy of the Shabbat into the six days of the week.

May I always remember the holy Shabbat, as the verse states, "Remember the day of the Shabbat to sanctify it." During all six days of the week, may I always draw the holiness of the Shabbat onto myself, so that all of the weekdays will be holy and pure with the holiness of the Shabbat.

As a result of the holiness of the Shabbat, may we receive all blessings from the source of blessings.

In the merit of the holiness of the Shabbat, may we quickly attain the true goal, truly reaching the ultimate knowledge that we do not know anything. May we truly understand and realize that wisdom is far from us, as the verse states, "I said that I will be wise, yet it is far from me."

וְנִזְכֶּה לְהִכָּלֵל בִּבְחִינַת 'מְקוֹמוֹ שֶׁל עוֹלָם' שֶׁהוּא הַתַּכְלִית הַזֶּה הַמַּקִּיף אֶת כָּל הָעוֹלָם שֶׁנִּבְרָא בְּחָכְמָה.

רִבּוֹנוֹ שֶׁל עוֹלָם בֶּאֱמֶת יָדַעְתִּי מֵרָחוֹק "כִּי בַעַר אָנֹכִי מֵאִישׁ, וְלֹא בִינַת אָדָם לִי".

וְאִם לְשׁוֹנוֹת כָּאֵלּוּ אָמְרוּ דָּוִד וּשְׁלֹמֹה וּגְדוֹלֵי צַדִּיקִים הַקַּדְמוֹנִים בְּנֵי עֲלִיָּה, חַכְמֵי אֱמֶת, בַּעֲלֵי הַשָּׂגָה וְרוּחַ הַקֹּדֶשׁ, אֲשֶׁר אֵינִי כְדַאי וְרָאוּי לְשָׂא שְׁמוֹתָם עַל שְׂפָתַי, אָנֹכִי מָה אוֹמַר וּמָה אֲדַבֵּר.

אֲשֶׁר אֲנִי מָלֵא עֲוֹנוֹת, אֲשֶׁר עַל יְדֵי זֶה דַעְתִּי עֲכוּרָה מְאֹד, כִּי עֲדַיִן לֹא נִטְהַרְתִּי מֵהָרוּחַ שְׁטוּת הַבָּא עַל יְדֵי הָעֲוֹנוֹת רַחֲמָנָא לִצְלָן, וּמִכָּל שֶׁכֵּן שֶׁאֵין לִי שׁוּם דַּעַת וָשֵׂכֶל לְהָבִין שׁוּם דָּבָר וְהַנְהָגָה שֶׁבָּעוֹלָם.

וְאַף עַל פִּי כֵן מְבַלְבְּלִין אוֹתִי הַחָכְמוֹת הַרְבֵּה מְאֹד, וַאֲנִי צָרִיךְ לְהִתְחַזֵּק הַרְבֵּה לְהַזְכִּיר אֶת עַצְמִי בְּכָל פַּעַם שֶׁאֵינִי יוֹדֵעַ כְּלָל.

May we be subsumed into the level of the "place of the world," which is the intended destination of existence, enveloping the entire world that was created with Your wisdom.

We Know Nothing

Master of the world, I know this only from a distance, for "I am more animal than man, and I lack human understanding."

If David and Solomon and the greatest of the early Tzaddikim—elevated men, true sages, masters of spiritual attainments and Divine inspiration, whose names I am not worthy to pronounce with my lips—used such expressions about themselves, what shall I say and how shall I speak?

I am filled with sins. As a result, my mind is turbulent. I have not yet been cleansed of the spirit of foolishness that comes as a result of sins, may the Compassionate One save us—and, even worse, I have no awareness or intelligence with which to understand how You conduct the world.

My intellect confuses me greatly, and I need to constantly force myself to remember that I do not know anything at all.

וְכַמָּה פְּעָמִים שֶׁאֲנִי שׁוֹכֵחַ בָּזֶה. וַאֲפִלּוּ כְּשֶׁאֲנִי מַזְכִּיר אֶת עַצְמִי, אֵינִי זוֹכֶה לָזֶה בִּשְׁלֵמוּת. וּמִזֶּה בָּאִים כַּמָּה מִכְשׁוֹלוֹת וּבִלְבּוּלִים וּנְפִילוֹת בְּדַעְתָּם, לְכָל אֶחָד וְאֶחָד כְּפִי עֶרֶךְ טָעוּתוֹ בָּזֶה.

כִּי אִם הָיָה יוֹדֵעַ כָּל אֶחָד הָאֱמֶת לַאֲמִתּוֹ שֶׁאֵינוֹ יוֹדֵעַ כְּלָל, לֹא הָיָה שׁוּם דָּבָר יָכוֹל לְהַפִּיל אוֹתוֹ וּלְבַלְבֵּל אוֹתוֹ כְּלָל. וְהָיָה כָּל אֶחָד מִתְחַזֵּק הַרְבֵּה תָּמִיד לְעוֹלָם.

אָנָּא יְהֹוָה "חֲכַם לֵבָב וְאַמִּיץ כֹּחַ", אֲשֶׁר הַחָכְמָה וְהַתְּבוּנָה עִמְּךָ לְבַד, וְלִתְבוּנָתְךָ אֵין מִסְפָּר, וְכָל הַחֲכָמִים כִּבְלִי מַדָּע, מִכָּל שֶׁכֵּן וְכָל שֶׁכֵּן נִבְעָר מִדַּעַת כָּמוֹנִי.

זַכֵּנִי וְהוֹרֵנִי וְלַמְּדֵנִי שֶׁאֶזְכֶּה לֵידַע בֶּאֱמֶת שֶׁאֵינִי יוֹדֵעַ כְּלָל, בְּאֹפֶן שֶׁאֶזְכֶּה לְהִתְחַזֵּק עַל יְדֵי זֶה בַּעֲבוֹדַת יְהֹוָה בְּכָל פַּעַם, וּלְהַתְחִיל בְּכָל עֵת מֵחָדָשׁ.

בֵּין בִּבְחִינַת עֲלִיָּה וּבֵין בִּבְחִינַת יְרִידָה חַס וְשָׁלוֹם, יִהְיֶה אֵיךְ שֶׁיִּהְיֶה, אֶזְכֶּה לְהִתְחַזֵּק לְהַתְחִיל בְּכָל פַּעַם מֵחָדָשׁ.

How many times do I forget this! And even when I remind myself, I do not realize it fully. This results in obstacles, confusions and descents not only in my awareness but in that of every individual, in accordance with the extent of his error.

If every individual would know the ultimate truth—that he does not know anything at all— nothing would have the power to cast him down or unsettle him. Every individual would always strengthen himself extensively and forever.

HaShem, You Who are "wise of heart and mighty of strength," wisdom and understanding remain with You alone. There is no limit to Your understanding, whereas all of the sages are without knowledge—and, how much more, a person as ignorant as I am.

Aid me, guide me and teach me so that I will truly know that I know nothing at all. As a result, may I strengthen myself in the service of HaShem at all times and begin anew at every moment.

Whether I am rising or falling, Heaven forbid, however things may be, may I strengthen myself to constantly begin anew.

וְכָל הַדְּבָרִים שֶׁהֵם רְצוֹנְךָ בֶּאֱמֶת, אֶזְכֶּה לַעֲשׂוֹתָם וְלַעֲסֹק בָּהֶם בִּשְׁלֵמוּת גָּדוֹל בְּהִתְחַזְּקוּת גָּדוֹל בְּלֵב שָׁלֵם בֶּאֱמֶת, וְלֹא יוּכַל לְבַלְבֵּל אוֹתִי שׁוּם דָּבָר שֶׁבָּעוֹלָם.

וְלֹא יוּכְלוּ עֲוֹנוֹתַי הָעֲצוּמִים וְהַמְרֻבִּים מְאֹד לְהַחֲלִישׁ אֶת דַּעְתִּי חַס וְשָׁלוֹם כְּלָל בְּשׁוּם דָּבָר שֶׁבָּעוֹלָם. רַק אֵדַע וְאַבְחִין וְאָבִין וְאַשְׂכִּיל שֶׁאֵינִי יוֹדֵעַ כְּלָל מַה נַּעֲשָׂה בָּעוֹלָם, וּמַה נַּעֲשָׂה עִמָּדִי.

רַק כֹּל אֲשֶׁר תִּמְצָא יָדִי לַעֲשׂוֹת בְּכֹחִי דְּבָרִים שֶׁבִּקְדֻשָּׁה בָּזֶה הָעוֹלָם הָעוֹבֵר, אֶזְכֶּה לַעֲשׂוֹתָם בִּשְׁלֵמוּת, וּלְהִתְפַּלֵּל וּלְהִתְחַזֵּק וְלִזְעֹק וְלִצְעֹק אֵלֶיךָ תָּמִיד, יִהְיֶה אֵיךְ שֶׁיִּהְיֶה.

וְלֹא יִהְיֶה כֹּחַ לְהַדַּעַת וְהַחָכְמָה שֶׁל הֶבֶל לְבַלְבֵּל אוֹתִי מֵהָאֱמֶת חַס וְשָׁלוֹם, רַק אֶזְכֶּה לְדַעַת וְחָכְמָה וּבִינָה אֲמִתִּיִּית לְהָבִין וּלְהַשְׂכִּיל הָאֱמֶת שֶׁרָחוֹק מִמֶּנִּי הַחָכְמָה, וְאֵינִי יוֹדֵעַ כְּלָל.

וְאֶסְמֹךְ עָלֶיךָ לְבַד תָּמִיד בֶּאֱמֶת, וְלֹא אֶחְשׁוֹב מַחֲשָׁבוֹת יְתֵרוֹת כְּלָל (שֶׁקּוֹרִין אִיבֶּער טְרַאכְטִין), וְאַתָּה תַּעֲשֶׂה עִמִּי כִּרְצוֹנְךָ תָּמִיד, וְתִגְמוֹר עִמִּי חֶפְצֵי שָׁמַיִם כִּרְצוֹנְךָ הַטּוֹב בֶּאֱמֶת.

May I do everything that is truly what You want and occupy myself with it completely, in great enthusiasm, with a truly engaged heart, so that nothing in the world will distract me.

May my severe, multiple sins be unable to weaken my mind at all, Heaven forbid. Rather, may I appreciate, comprehend, understand and realize that I know nothing at all of what is going on in this world or what is going on with me.

May I perform perfectly whatever holy matters I have the ability to perform in this transient world. May I pray, strengthen myself, cry out and call out to You always, however things may be.

May I not be distracted from the truth by an unproductive state of mind or cleverness, Heaven forbid. Rather, may I attain true knowledge, wisdom and understanding so that I will truly understand and realize that wisdom is far from me and that I know nothing at all.

May I always truly rely on You alone. May I not engage in any superfluous or obsessive thoughts at all. Always treat me in accordance with Your will. On my behalf, truly realize the desires of Heaven, in accordance with Your good will.

וּבְכֵן תַּעַזְרֵנִי בְּרַחֲמֶיךָ הָרַבִּים שֶׁאֶזְכֶּה לְהַפְשִׁיט גּוּפִי הַמְּצֹרָע שֶׁהוּא מִמִּשְׁכָא דְחִוְיָא, וְלִלְבּוּשׁ בִּגְדֵי שַׁבָּת דְּהַיְנוּ גּוּף קָדוֹשׁ מִגַּן עֵדֶן.

רִבּוֹנוֹ שֶׁל עוֹלָם, יוֹדֵעַ תַּעֲלוּמוֹת, אַתָּה לְבַד יוֹדֵעַ מֵהֵיכָן נִמְשַׁךְ גּוּפִי הַמְגֻשָּׁם, "הֵן בְּעָוֹן חוֹלָלְתִּי, וּבְחֵטְא יֶחֱמַתְנִי אִמִּי. כִּי אָבִי וְאִמִּי עֲזָבוּנִי וַיהוָה יַאַסְפֵנִי".

וּמִלְּבַד מַה שֶּׁגּוּפִי עָכוּר וּמְגֻשָּׁם מִתְּחִלַּת הַהוֹלָדָה, נוֹסַף לָזֶה הוֹסַפְתִּי זוּהֲמָא וַעֲכִירוּת עַל עֲכִירוּת עַל יְדֵי מַעֲשַׂי הָרָעִים וְהַפְּגוּמִים מְאֹד.

וּמֵעֹצֶם גַּשְׁמִיּוּת וַעֲכִירַת הַגּוּף הַמְּצֹרָע הַזֶּה, אֵינִי יָכוֹל לְנַקּוֹת עַצְמִי מִכְּסִילוּת דַּעְתִּי וַעֲכִירַת מַעֲשַׂי הָרָעִים, עַד אֲשֶׁר אֲנִי הוֹלֵךְ בָּעוֹלָם הַזֶּה נָע וָנָד מְבֻלְבָּל וּמְטֹרָף.

וַאֲנִי מְחַפֵּשׂ וּמְבַקֵּשׁ אָנֶה וָאָנָה לִמְצוֹא פֶּתַח הַצָּלָה לִבְרֹחַ מִזּוּהֲמַת טִנּוּף גּוּפִי וּמִתַּאֲוֹתָיו הָרָעִים וַעֲדַיִן לֹא נוֹשַׁעְתִּי.

Attaining a Holy Body from the Garden of Eden

In Your vast compassion, help me so that I will strip myself of my plague-ridden body, which is the skin of the Serpent, and put on the clothes of the Shabbat—that is, a holy body from the Garden of Eden.

Master of the world, You who know hidden things, You alone know where my corporeal body comes from. "Behold, in sin I was conceived and in transgression my mother conceived me." "My father and my mother abandoned me, but HaShem gathered me in."

And in addition to the pollution and coarseness of my body from its inception at birth, I added darkness and pollution upon pollution as a result of all of my evil and blemished deeds.

Due to the profound coarseness and pollution of this plague-ridden body, I cannot cleanse myself of the foolishness of my mind and the pollution of my evil deeds, and I wander about through this world confused and torn.

I search everywhere, seeking an escape from the polluted filth of my body and its evil desires, but I remain unredeemed.

וְאֵינִי יוֹדֵעַ אֵיךְ לְהַצִּיל אֶת עַצְמִי מִמֶּנִּי בְּעַצְמִי, עַד אֲשֶׁר קָשֶׁה וְכָבֵד עָלַי אֲפִלּוּ לְהִתְפַּלֵּל וּלְהִתְחַנֵּן עַל זֶה.

אָבִי שֶׁבַּשָּׁמַיִם רַחֵם עָלַי, לַמְּדֵנִי אֵיךְ לְסַדֵּר תְּחִנָּתִי הַמָּרָה לְפָנֶיךָ עַתָּה, אֵיךְ לְעוֹרֵר רַחֲמֶיךָ הָאֲמִתִּיִּים עָלַי עַתָּה.

בְּאֹפֶן שֶׁאֶזְכֶּה עַל כָּל פָּנִים מֵעַתָּה לַעֲזוֹב דַּרְכֵי הָרַע וּמַחְשְׁבוֹתַי הַמְגֻנּוֹת וְהַמְבֻלְבָּלוֹת. וְאַפְשִׁיט אֶת עַצְמִי מֵעַתָּה מִגּוּפִי הַמְצֹרָע הַמְגֻשָּׁם וְהֶעָכוּר כָּל כָּךְ.

וְאַתְחִיל לְטַהֵר וּלְקַדֵּשׁ אֶת עַצְמִי בְּכָל מִינֵי קְדֻשּׁוֹת וְטָהֳרוֹת, עַד שֶׁאֶזְכֶּה לְהִתְלַבֵּשׁ בְּגוּף קָדוֹשׁ מִגַּן עֵדֶן.

מָרֵיהּ דְּעָלְמָא כֻּלָּא, רוֹפֵא חִנָּם, רְפָאֵנִי נָא בְּרַחֲמֶיךָ הָרַבִּים רְפוּאַת הַנֶּפֶשׁ וּרְפוּאַת הַגּוּף, "רְפָאֵנִי יְהֹוָה וְאֵרָפֵא הוֹשִׁיעֵנִי וְאִוָּשֵׁעָה כִּי תְהִלָּתִי אָתָּה".

רְפָאֵנִי וְאָסְפֵנִי מִצָּרַעְתִּי וּמַהֵר לְהַפְשִׁיט מֵעָלַי, גּוּפִי הַמְצוֹרָע, וְהַלְבֵּשׁ אוֹתִי בַּחֲסָדֶיךָ גּוּף קָדוֹשׁ מִגַּן עֵדֶן.

וְעַל יְדֵי זֶה יִתְרוֹמֵם מַזָּלִי וְאֶזְכֶּה לְעוֹשֶׁר, וּבְבִרְכוֹתֶיךָ

I do not know how to rescue myself from myself, to such an extent that it is difficult and onerous for me even to pray and beg for this.

My Father in Heaven, have compassion on me. Teach me how to arrange my bitter prayer before You now, how to arouse Your true compassion for me now.

At least from this moment on may I abandon my evil ways and my unworthy and confused thoughts, and strip myself of my plague-ridden, coarse and polluted body.

May I begin to purify and sanctify myself with every type of holiness and purity, until I will be clothed in a holy body from the Garden of Eden.

Master of the entire world, charitable Healer, please heal my soul and body in Your vast compassion. "Heal me, HaShem, so that I will be healed. Save me and I will be saved, for You are my praise."

Heal me and cure me of my plague. Quickly strip me of this plague-ridden body and kindly clothe me with a holy body from the Garden of Eden.

As a result, may my fortune be elevated so that I will attain wealth. Send me Your blessings

תְּבָרְכֵנִי וְתַשְׁפִּיעַ לִי עֲשִׁירוּת גָּדוֹל בִּקְדֻשָּׁה וּבְטָהֳרָה.

וְיִתְחַזֵּק יִצְרִי הַטּוֹב, וְתָסִיר לֵב אֶבֶן מִבְּשָׂרִי וְתִתֶּן לִי לֵב בָּשָׂר, וְיִתְבַּטֵּל הָעַצְבוּת וְהַלֵּיצָנוּת הַבָּאִים מִמָּרָה שְׁחוֹרָה.

וְיִתְבַּטֵּל מֵאִתָּנוּ הָעֲנִיּוּת וְהַדַּחֲקוּת, כִּי "כָּשַׁל כֹּחַ הַסַּבָּל" שֶׁל הָעֲנִיּוּת וְהַדַּחֲקוּת שֶׁל עַמְּךָ בֵּית יִשְׂרָאֵל, בִּפְרָט גֹּדֶל הָעֲנִיּוּת וְהַדַּחֲקוּת שֶׁל הַכְּשֵׁרִים הַחֲפֵצִים לִכְנוֹס בְּדֶרֶךְ הַקֹּדֶשׁ בֶּאֱמֶת.

רַחֵם עָלֵינוּ בַּחֲסָדֶיךָ הַנִּפְלָאִים, וְתָאִיר עָלֵינוּ מַזָּל שֶׁל עֲשִׁירוּת, וְיִהְיֶה כָּל הָעֲשִׁירוּת אֵצֶל בֵּית יִשְׂרָאֵל עַמְּךָ הַכְּשֵׁרִים הַחֲפֵצִים לְעָבְדְךָ בֶּאֱמֶת, לְמַעַן יִתְגַּדֵּל וְיִתְקַדֵּשׁ שִׁמְךָ עַל יְדֵי זֶה.

וְיִתְבַּטֵּל מֵאִתָּנוּ כָּל מִינֵי עַצְבוּת וְלֵיצָנוּת הַבָּאִים מִמָּרָה שְׁחוֹרָה, וְיִתְבַּטֵּל הַלֵּיצָנוּת שֶׁל כָּל הַחוֹלְקִים עַל הַכְּשֵׁרִים וְהַיְרֵאִים.

וְתִתֶּן כֹּחַ שֶׁיִּתְגַּבֵּר לֵב חָכָם לִימִין עַל לֵב הַכְּסִיל שֶׁהוּא

and pour great wealth onto me with holiness and purity.

Attaining Abundance

May my good inclination be strengthened. Remove my heart of stone and give me a heart of flesh. And may the sadness and cynicism that come from the "black bile" be eradicated.

May our poverty and oppression end, for "the strength of the porter has collapsed" due to the poverty and oppression of Your nation, the House of Israel—in particular, the great poverty and oppression of worthy people who desire to truly enter upon the way of holiness.

Have compassion on us in Your wondrous kindness. Illumine us with the Heavenly blessing of wealth. May all wealth accompany the worthy people of the House of Israel, Your nation, who desire to truly serve You so that Your Name will be magnified and sanctified.

May every type of sadness and mockery that comes from the "black bile" be eradicated. May the mockery of all those who attack decent, God-fearing people cease.

Grant us strength so that "the heart of the wise man on his right" will overcome the "heart

מִשְּׂמֹאל, אֲשֶׁר מִשָּׁם כָּל הַלֵּיצָנוּת שֶׁלָּהֶם, שֶׁהוּא שְׂחוֹק הַכְּסִיל, וְיִתְבַּטֵּל הַשְּׂמֹאל לְגַבֵּי הַיָּמִין.

לפסח

וְעַל יְדֵי הַיָּמִין הַזֶּה תָּקִים אֶת הַנּוֹפְלִים לְאַהֲבוֹת וְיִרְאוֹת רָעוֹת, לְהָקִים אוֹתָם לְאַהֲבוֹת וְיִרְאוֹת קְדוֹשׁוֹת.

וְהַיָּמִין יַעֲבִיר הַחשֶׁךְ מֵעֵינֵיהֶם עַד אֲשֶׁר עֵינֵיהֶם יִרְאוּ נִפְלָאוֹת, וִיקֻיַּם מְהֵרָה מִקְרָא שֶׁכָּתוּב: "כִּימֵי צֵאתְךָ מֵאֶרֶץ מִצְרַיִם אַרְאֶנּוּ נִפְלָאוֹת".

וְתַמְשִׁיךְ עָלַי קְדֻשַּׁת פֶּסַח תָּמִיד, וְתַעֲזֹר לָנוּ תָּמִיד לְסַפֵּר וְלָשׂוּחַ בְּנִפְלְאוֹתֶיךָ וְתוֹרָתְךָ הָאֲמִתִּיּית, וְנִזְכֶּה לְדַבֵּר וּלְגַלּוֹת תָּמִיד תּוֹרַת אֱמֶת, וִיקֻיַּם בָּנוּ מִקְרָא שֶׁכָּתוּב: "תּוֹרַת אֱמֶת הָיְתָה בְּפִיהוּ".

וּתְרַחֵם עָלֵינוּ וְתוֹשִׁיעֵנוּ וְתַעַזְרֵנוּ מְהֵרָה לְהַעֲבִיר הַחשֶׁךְ שֶׁכִּסָּה פְּנֵי תְהוֹם, וּלְהָאִיר אוֹר הָאֱמֶת בָּעוֹלָם, עַד שֶׁיִּהְיֶה נֶחְשָׁב כְּאִלּוּ בָּרָאנוּ אֶת הָעוֹלָם.

of the fool on the left," from which all of their mockery, the laughter of the fool, comes. May the left be nullified to the right.

For Pesach

Recounting God's Wonders

By means of the dynamic of the "right side," raise up those who fell into evil types of love and fear so that they will rise to holy loves and fears.

May the dynamic of the "right side" remove the darkness from their eyes so they will see wonders. May the verse quickly be realized, "As in the days of your going out from the land of Egypt, I will show him wonders."

Always draw the holiness of Pesach onto us. Help us always recount and tell Your wonders and speak of Your true Torah. May we always speak about and reveal the Torah of truth. May the verse be realized in us, "The Torah of truth was in his mouth."

Have compassion on us. Save us and help us quickly remove the darkness covering the face of the depths. May we shine the light of truth into the world in such a way that it will be as though we created the world.

רִבּוֹנוֹ שֶׁל עוֹלָם הַשֵּׁם פֶּה לָאִלֵּם, תֵּן לָנוּ פֶּה לָשׂוּחַ בְּתוֹרָתְךָ וְנִפְלְאוֹתֶיךָ הָאֲמִתִּיּוֹת תָּמִיד, "לְמַעַן יֵדְעוּ דוֹר אַחֲרוֹן בָּנִים יִוָּלֵדוּ יָקוּמוּ וִיסַפְּרוּ לִבְנֵיהֶם".

וְנִזְכֶּה לְהוֹדִיעַ לְבָנֵינוּ וְלִבְנֵי בָנֵינוּ וּלְכָל בְּנֵי יִשְׂרָאֵל לְדוֹרוֹתָם אֶת כָּל מַעֲשֵׂה יְהֹוָה וְנִפְלְאוֹתָיו אֲשֶׁר עָשָׂה עִמָּנוּ מִיּוֹם יְצִיאַת מִצְרַיִם עַד הַיּוֹם הַזֶּה, כְּמוֹ שֶׁכָּתוּב: "וְהוֹדַעְתָּם לְבָנֶיךָ וְלִבְנֵי בָנֶיךָ".

מָלֵא רַחֲמִים, זַכֵּנוּ אוֹתָנוּ וְאֶת כָּל יִשְׂרָאֵל לְאוֹר הָעֵינַיִם הָאֲמִתִּיִּים, לְהִסְתַּכֵּל וְלִרְאוֹת הָאֱמֶת תָּמִיד, וְנַבִּיט וְנִרְאֶה נִפְלְאוֹת יְהֹוָה תָּמִיד בֶּאֱמֶת.

גַּל עֵינַי וְעֵינֵי כָּל יִשְׂרָאֵל וְנַבִּיט נִפְלָאוֹת מִתּוֹרָתֶךָ, אֲשֶׁר גִּלִּיתָ עַל־יְדֵי צַדִּיקֶיךָ הָאֲמִתִּיִּים, אֲשֶׁר אַתָּה לְבַד יוֹדֵעַ נִפְלְאוֹת תּוֹרָתָם שֶׁגִּלּוּ בָּעוֹלָם.

וְעַל יְדֵי אוֹר הָעֵינַיִם יַעֲלוּ כָּל הַבַּקָּשׁוֹת וְהַתְּחִנּוֹת אֲשֶׁר אָנוּ מִתְפַּלְּלִים אֶל הַבַּיִת הַמִּקְדָּשׁ. וְעַל יְדֵי זֶה תְּעוֹרֵר הַגְּאֻלָּה

Master of the world, You Who give a mouth to the mute, give us a mouth to speak of Your Torah and Your true wonders always, "so that the last generation may know, children will be born and arise and tell their own children."

May we tell our children, our children's children, and all the children of Israel for all generations of the deeds of HaShem and His wonders that He performed on our behalf from the day of the Exodus from Egypt until this day, as the verse states, "You shall make them known to your children and to your children's children."

You Who are filled with compassion, grant us and the entire Jewish people a true illumination of the eyes, so that we will always look and see the truth. May we gaze and always truly see the wonders of HaShem.

Uncover my eyes and the eyes of the entire Jewish people. May we gaze upon the wonders of Your Torah that You revealed through Your true Tzaddikim. You alone know the wonders of their teachings that they revealed to the world.

In consequence of the light of our eyes, may all of our requests and prayers rise to the holy Temple. As a result of that, arouse the

הַתְּלוּיָה בַּלֵּב, כְּמוֹ שֶׁכָּתוּב: "כִּי יוֹם נָקָם בְּלִבִּי, וּשְׁנַת גְּאוּלַי בָּאָה".

וְעַל יְדֵי זֶה תְּבַטֵּל מֵאִתָּנוּ שְׂאוֹר וְחָמֵץ שֶׁל יֵצֶר לֵב הָאָדָם רַע שֶׁנִּשְׁאַר לָנוּ מִנְּעוּרֵנוּ, אֲשֶׁר זֶה הַשְּׂאֹר וְהֶחָמֵץ שֶׁבַּלֵּב, הוּא הַמֵּסִית אֶת הָאָדָם לְהַרְהֵר אַחַר תַּלְמִידֵי חֲכָמִים שֶׁבַּדּוֹר וְלוֹמַר זֶה נָאֶה וְזֶה לֹא נָאֶה.

וְעַל יְדֵי זֶה חָלַק לִבֵּנוּ, וְנֶעֶלְמוּ מֵאִתָּנוּ הַשִּׁבְעִים וּשְׁנַיִם צַדִּיקִים שֶׁבְּדוֹרֵנוּ, וְאֵין אָנוּ יוֹדְעִים בְּבֵרוּר אֶחָד מֵהֶם.

רַחֵם עָלֵינוּ לְמַעַנְךָ וְתָסִיר וּתְבַעֵר וּתְבַטֵּל מֵאִתָּנוּ הַשְּׂאֹר וְהֶחָמֵץ שֶׁבַּלֵּב, עַד שֶׁנִּזְכֶּה לְהַאֲמִין בְּכָל הַצַּדִּיקִים וְלִבְלִי לְהַרְהֵר אַחֲרֵיהֶם כְּלָל, וְלֹא לַעֲשׂוֹת שׁוּם חִלּוּק בֵּינֵיהֶם כְּלָל, רַק כֻּלָּם יִהְיוּ נָאִים וַאֲהוּבִים וִיקָרִים בְּעֵינֵינוּ מְאֹד מְאֹד.

וְעַל יְדֵי זֶה נִזְכֶּה שֶׁיִּתְלַהֵב לִבֵּנוּ בְּלִמּוּד הַתּוֹרָה בְּשַׁלְהוּבִין דִּרְחִימוּתָא. וּמַיִם רַבִּים שֶׁהֵם אַהֲבוֹת וְיִרְאוֹת חִיצוֹנִיּוֹת "לֹא יוּכְלוּ לְכַבּוֹת אֶת הָאַהֲבָה וּנְהָרוֹת לֹא יִשְׁטְפוּהָ".

redemption that is dependent on the heart, as the verse states, "A day of vengeance was in My heart, and the year of My redemption arrived."

Nullify the leavening of the evil inclination in the heart of man, which has remained in us since our youth. This leavening in the heart entices a person to think judgmentally about the Torah sages of the generation and critique their worthiness.

As a result of such behavior, our heart is divided, so that the seventy-two Tzaddikim in our generation are hidden from us, and we do not know any of them clearly.

Have compassion on us for Your sake. Remove, destroy and eradicate the leavening in our heart until we believe in all of the Tzaddikim, and we do not think judgmentally about them at all or make any distinctions among them. Rather, we will view them all as extremely fine, beloved and precious.

"Love Conceals All Sins"

As a result, may our heart blaze to learn Torah with "flames of love." Then "many waters"— which are extraneous loves and fears—"will not extinguish the love, and rivers will not overflow it."

וְעַל יְדֵי אַהֲבָה הַזּאת תְּכַסֶּה הַשְּׁכִינָה בִּכְנָפֶיהָ עַל דִּמְהוֹן שֶׁל יִשְׂרָאֵל שֶׁלֹּא יִשְׁלְטוּ עֲלֵיהֶם זֶרַע מְרֵעִים שֶׁהֵם מֵי הַמַּבּוּל.

וְתַעֲזוֹר לִי שֶׁאֶתְבַּיֵּשׁ בְּעַצְמִי עַל רִבּוּי פְּשָׁעַי וַעֲוֹנוֹתַי הַגְּדוֹלִים, שֶׁפָּגַמְתִּי נֶגְדְּךָ הַרְבֵּה עַד שֶׁאַרְגִּישׁ שֶׁנִּשְׁפָּכִין דָּמַי בְּקִרְבִּי מִגֹּדֶל הַצַּעַר וְהַבּוּשָׁה, עַד אֲשֶׁר הַשְּׁכִינָה תְּכַסֶּה בִּכְנָפֶיהָ אֶת דָּמַי הַנִּשְׁפָּכִין בְּאַהֲבָה הַקְּדוֹשָׁה.

וְעַל יְדֵי זֶה יִתְכַּסּוּ פְּשָׁעַי מִמֵּילָא כִּי "עַל כָּל פְּשָׁעִים תְּכַסֶּה אַהֲבָה", וְתִמְחֹל וְתִסְלַח לִי עַל כָּל חֲטָאַי וַעֲוֹנוֹתַי וּפְשָׁעַי בִּמְחִילָה גְּמוּרָה בֶּאֱמֶת עַל יְדֵי אַהֲבָה הַקְּדוֹשָׁה הַזּאת.

וּבְרַחֲמֶיךָ הָרַבִּים תִּזְכּוֹר אֶת כָּל הַדָּמִים שֶׁנִּשְׁפְּכוּ בְּיִשְׂרָאֵל בִּכְלָל וּבִפְרָט.

הֵן שְׁפִיכוּת דָּמִים מַמָּשׁ שֶׁכְּבָר נִשְׁפַּךְ דַּם יִשְׂרָאֵל הַרְבֵּה הַרְבֵּה מְאֹד, מִיּוֹם הַחֻרְבָּן עַד הֵנָּה, "שָׁפְכוּ דָמָם כַּמַּיִם סְבִיבוֹת יְרוּשָׁלַיִם וְאֵין קוֹבֵר".

הֵן שְׁפִיכוּת דָּמִים עַל יְדֵי בּוּשׁוֹת וְחֶרְפּוֹת שֶׁסָּבְלוּ יִשְׂרָאֵל

As a result of this love, may the Divine Presence cover the blood of the Jewish people with its wings, so that evildoers—the floodwaters—will not rule over them.

Help me so that I will be ashamed for the multitude of my great sins and wrongdoings that caused so many blemishes against You. Out of my pain and shame, may I feel that my own blood is spilled, until, with holy love, the Divine Presence will cover my spilled blood with Her wings.

Then my sins will be covered, because "love conceals all sins." As a result of this holy love, forgive and pardon me for all of my transgressions, sins and offenses with truly complete forgiveness.

In Your vast compassion, recall all of the spilled blood of the Jewish people, collectively and individually.

This refers to the literal shedding of Jewish blood, so much of which has been spilled since the day of the Destruction of the Temple until now. "They spilled their blood like water around Jerusalem, and no one buries them."

And it also refers to bloodshed in the sense of the shame and embarrassment that the Jewish

בְּכָל דּוֹר, וּבִפְרָט שְׁפִיכוּת דָּמִים הַרְבֵּה שֶׁל כָּל הַקְּדוֹשִׁים וְהַצַּדִּיקִים שֶׁנִּשְׁפַּךְ מֵהֶם דָּמָם כַּמַּיִם.

וְכָל אֵלּוּ הַדָּמִים יִהְיוּ בִּמְקוֹם תִּקּוּן הַשְּׁחִיטָה לְהַמַּטְעַמִּים שֶׁל הַמִּצְווֹת שֶׁלֹּא יִהְיוּ בִּבְחִינַת אֵבֶר מִן הַחַי, רַק יִהְיוּ נִתָּרִין בַּאֲכִילָה עַל יְדֵי שְׁפִיכוּת דָּמִים הָאֵלֶּה.

וְעַל יְדֵי זֶה תִּטְעֹם אֶת הַמַּטְעַמִּים הַקְּדוֹשִׁים שֶׁל כָּל הַמִּצְווֹת עֲשֵׂה שֶׁתִּקְּנוּ לְפָנֶיךָ כָּל הַצַּדִּיקִים שֶׁבְּכָל דּוֹר וְכָל יִשְׂרָאֵל בִּכְלָל.

וְעַל יְדֵי זֶה יִתְעוֹרֵר אַהֲבָתְךָ עַל עַמְּךָ יִשְׂרָאֵל, וְאַהֲבָתְךָ אַל תָּסִיר מִמֶּנּוּ לְעוֹלָמִים, וּתְכַסֶּה עַל כָּל הַדָּמִים בָּאַהֲבָה הַקְּדוֹשָׁה הַזֹּאת, וְעַל יְדֵי זֶה יִתְכַּסּוּ כָּל פְּשָׁעֵינוּ מִמֵּילָא.

וּבְרַחֲמֶיךָ תַּעֲלֶה אֶת כָּל הַנְּשָׁמוֹת הַנְּפוּלוֹת שֶׁאֵין לָהֶם עֲלִיָּה כִּי אִם עַל יְדֵי שְׁפִיכוּת דָּמִים שֶׁל אָדָם גָּדוֹל.

רַחֵם עֲלֵיהֶם בִּזְכוּת וְכֹחַ הַשְּׁפִיכוּת דָּמִים הַרְבֵּה שֶׁנִּשְׁפַּךְ

people have suffered in every generation—particularly, the copious bloodshed of all of the holy people and Tzaddikim whose blood has been spilled like water.

May all of this blood serve in place of the animal offerings brought as pleasing sacrifices to You. May their limbs not be the equivalent of the limb of a living animal, but may they be permissible to eat as a result of the spilling of this blood.

As a result, You will taste the holiness and pleasantness of all of the positive mitzvot that all of the Tzaddikim in every generation, and the entire Jewish people overall, have rectified before You.

In consequence of that, arouse Your love for Your nation, the Jewish people. Never remove Your love from us, and cover all of the blood with this holy love. May all of our sins then be concealed automatically.

In Your compassion, elevate all of the fallen souls that can ascend only as a result of the bloodshed of a great Tzaddik.

Have compassion on us in the merit and power of the copious, measureless blood that

מִגְּדוֹלֵי הַצַּדִּיקִים הַנּוֹרָאִים בְּלִי שִׁעוּר בְּחִנָּם, בִּזְכוּתָם רַחֵם עַל כָּל אֵלּוּ הַנְּשָׁמוֹת הַנְּפוּלוֹת.

כִּי אַתָּה לְבַד יוֹדֵעַ הָרַחֲמָנוּת שֶׁעֲלֵיהֶם, וְתַעֲלֶה אוֹתָם מִנְּפִלָּתָם, וּתְכַסֶּה עַל פִּשְׁעֵיהֶם בְּאַהֲבָה, וְיִתְהַפְּכוּ כָּל הָעֲוֹנוֹת לִזְכֻיּוֹת.

מָלֵא רַחֲמִים אוֹהֵב עַמּוֹ יִשְׂרָאֵל, הַבּוֹחֵר בְּעַמּוֹ יִשְׂרָאֵל בְּאַהֲבָה, עוֹרְרָה אַהֲבָתְךָ עָלֵינוּ, וְקוּמָה וְהוֹשִׁיעֵנוּ וּמַלֵּא מִשְׁאֲלוֹתֵינוּ לְטוֹבָה בְּרַחֲמִים.

וְרַחֵם עַל כָּל נִשְׁמוֹת עַמְּךָ יִשְׂרָאֵל הַחַיִּים וְהַמֵּתִים, וְתֵן בְּלֵב הַצַּדִּיקִים אֲמִתִּיִּים שֶׁיַּעַסְקוּ בְּתִקּוּנֵנוּ תָּמִיד, וִימַהֲרוּ לִפְעֹל חֶפְצָם וּרְצוֹנָם לְתַקְּנֵנוּ כֻּלָּנוּ מְהֵרָה.

וְנָשׁוּב אֵלֶיךָ בֶּאֱמֶת מְהֵרָה, וְנִזְכֶּה לִהְיוֹת כִּרְצוֹנְךָ הַטּוֹב תָּמִיד מֵעַתָּה וְעַד עוֹלָם אָמֵן סֶלָה:

was spilled by the great, awesome Tzaddikim, due to no fault of their own. In their merit, have compassion on all of those fallen souls.

Only You know how pitiful these fallen souls are. You raise them from their descent. You cover their sins with love, and transform all of their sins to merits.

You Who are filled with compassion, You Who love Your nation, the Jewish people, and choose Your nation of Israel with love, arouse Your love for us. Rise and save us. Compassionately fulfill our requests for the good.

Have compassion on all of the souls of Your nation, the Jewish people, whether living or dead. Inspire the hearts of the true Tzaddikim to engage in our rectification always. May they swiftly put their desire and will into action to rectify all of us quickly.

May we truly return to You soon. May we be in accordance with Your good will always, from now and forever. Amen, selah.

43 (II, 84)

Prayer is a Gate to God / When Prayer is in Exile, it Causes a Person to Become Egotistical / To Break Free of the Exile of Prayer, a Person Must Pray Forcefully

A person connects and clings to God through prayer. For prayer is the gate through which we enter into the presence of God, and from there we can know Him. The word *TeFiLah* (תפילה, prayer) connotes connectedness, as it is written, "With Divine bonds (נפתולי, *naFTuLei*) have I been bound (נפתלתי, *niFTaLti*)" (Genesis 30:8).

Often, however, when a person prays, he experiences thoughts of self-importance. This is because prayer—which is associated with *malkhut* (sovereignty) and the "I"—is in exile within the *malkhut* of wickedness, which seeks to gain prominence and rule. And when his prayer wishes to leave, the kingdom of wickedness holds onto it. The antidote is for a person to pray forcefully, which empowers his prayer to rectify his ego and the "woman of valor," *malkhut*. Then his prayer can leave that exile.

When *malkhut* is in exile, it wears black clothing.

When a person prays forcefully and takes it out of exile, it becomes a nest for the Holy One.

A person's basic intent should be to rectify the Divine Presence so that She can unite with her Husband. Initially, one needs an arousal from below—the rectification of the Divine Presence—so that She will be clothed in shining garments. Then God's vow to the Patriarchs is renewed.

"אֲדֹנָי שְׂפָתַי תִּפְתָּח וּפִי יַגִּיד תְּהִלָּתֶךָ". רִבּוֹנוֹ שֶׁל עוֹלָם שׁוֹמֵעַ תְּפִלָּה, הַבּוֹחֵר בִּתְפִלַּת עַמּוֹ יִשְׂרָאֵל בְּרַחֲמִים.

זַכֵּנִי בְּרַחֲמֶיךָ הָרַבִּים לְהַרְבּוֹת בִּתְפִלָּה תָּמִיד, וְאֶזְכֶּה לְהִתְפַּלֵּל בְּכַוָּנָה גְדוֹלָה וּבִמְסִירַת נֶפֶשׁ וּבְכֹחַ גָּדוֹל.

וְתַעַזְרֵנִי וְתוֹשִׁיעֵנִי שֶׁאֶזְכֶּה לְהַכְנִיס כָּל הַכֹּחוֹת שֶׁבְּקִרְבִּי בְּתוֹךְ דִּבּוּרֵי הַתְּפִלָּה, בְּאֹפֶן שֶׁאֶזְכֶּה לְהַגְבִּיר אֶת הַתְּפִלָּה שֶׁהִיא מַלְכוּת דִּקְדֻשָּׁה עַל מַלְכוּת הָרִשְׁעָה.

וְעַל יְדֵי זֶה אֶזְכֶּה לְהַכְנִיעַ וּלְשַׁבֵּר וּלְבַטֵּל כָּל הַמַּחֲשָׁבוֹת שֶׁל גַּדְלוּת וּפְנִיּוֹת וְכָל הַמַּחֲשָׁבוֹת זָרוֹת הַבָּאִים לְבַלְבֵּל אֶת תְּפִלָּתִי חַס וְשָׁלוֹם.

כִּי אַתָּה יוֹדֵעַ שֶׁאֵין בִּי כֹּחַ לְבַטְּלָם, כִּי אִם בְּרַחֲמֶיךָ הָרַבִּים וּבַחֲסָדֶיךָ הַגְּדוֹלִים.

רַחֵם עָלַי לְמַעַן שְׁמֶךָ, וְהוֹשִׁיעֵנִי וְעָזְרֵנִי וְחַזְּקֵנִי וְאַמְּצֵנִי בְּכֹחֲךָ הַגָּדוֹל שֶׁאֶזְכֶּה לְהַכְנִיס כָּל הַכֹּחוֹת שֶׁבִּי בְּתוֹךְ הַתְּפִלָּה, וְאֶתְפַּלֵּל לְפָנֶיךָ תְּפִלָּתִי תָּמִיד בְּכֹחַ גָּדוֹל.

עַד שֶׁאֶזְכֶּה עַל יְדֵי זֶה לְבַטֵּל לְגַמְרֵי כָּל הַמַּחֲשָׁבוֹת שֶׁל גַּדְלוּת וּפְנִיּוֹת וְכָל הַמַּחֲשָׁבוֹת זָרוֹת שֶׁבָּעוֹלָם, שֶׁלֹּא יִהְיֶה

Forceful Prayer

"**M**y God, open my lips, and my mouth will speak Your praise." Master of the world, You Who hear prayer, You compassionately choose the prayer of Your nation, the Jewish people.

In Your vast compassion, help me always pray a great deal. May I pray forcefully with great concentration and self-sacrifice.

Help me and save me so that I will bring all of my abilities into my words of prayer, strengthening that prayer—which is the sovereignty of holiness—to overcome the kingdom of wickedness.

As a result, may I subdue, break and nullify all egotistical ideas, impure motives and foreign thoughts that perturb my prayer, Heaven forbid.

You know that I can nullify them only with the aid of Your vast compassion and great love.

Have compassion on me for the sake of Your Name. Save me, help me, strengthen me and bolster me with Your great power so that I will bring all of my abilities into my prayer. May I always pray to You with great forcefulness.

As a result, may I entirely nullify all of my egotistical ideas, impure motives and foreign thoughts, so that none of them will have the

לָהֶם שׁוּם כֹּחַ לְבַלְבֵּל אֶת תְּפִלָּתִי חַס וְשָׁלוֹם.

רַק אֶזְכֶּה לְגָרְשָׁם וּלְסַלְּקָם וּלְבַטְּלָם לְגַמְרֵי מֵעָלַי וּמֵעַל גְּבוּלִי שֶׁלֹּא יוּכְלוּ לַעֲלוֹת עַל דַּעְתִּי כְּלָל, בְּאֹפֶן שֶׁתִּהְיֶה תְּפִלָּתִי זַכָּה וּנְכוֹנָה וּרְצוּיָה וּמְקֻבֶּלֶת לְפָנֶיךָ.

וְאֶזְכֶּה לְהוֹצִיא אֶת הַתְּפִלָּה מִכְּסוּיִין דִּילָהּ מִלְּבוּשִׁין דִּקְלִפָּה, לְבָרְרָהּ וּלְזַכְּכָהּ מֵאֲחִיזַת הַקְּלִפּוֹת מֵאֲחִיזַת מַלְכוּת הָרִשְׁעָה.

וּלְהַעֲלוֹתָהּ וּלְהַלְבִּישָׁהּ בִּלְבוּשִׁין דִּנְהִירִין שֶׁהֵם 'חִוָּר סֻמָּק יָרוֹק', שֶׁהֵם אוֹר הָאָבוֹת.

עַד שֶׁתִּהְיֶה מְתֻקֶּנֶת בְּתַכְלִית הַתִּקּוּן, וְיִהְיֶה לָהּ כֹּחַ לְעוֹרֵר אַהֲבָתְךָ הָעֶלְיוֹנָה, שֶׁתְּחַבֵּר אוֹתָהּ עִמְּךָ בְּאַהֲבָה וְאַחֲוָה וְרֵעוּת.

וִיהְיֶה נַעֲשֶׂה תָּמִיד יִחוּד קֻדְשָׁא בְּרִיךְ הוּא וּשְׁכִינְתֵּיהּ עַל יְדֵי תְּפִלּוֹתֵנוּ, יִחוּדָא שְׁלִים בְּתַכְלִית הַשְּׁלֵמוּת.

וְתִזְכֹּר וּתְקַיֵּם אֶת בְּרִיתְךָ אֲשֶׁר נִשְׁבַּעְתָּ לַאֲבוֹתֵינוּ כַּיּוֹם הַזֶּה, וּתְחַדֵּשׁ הַשְּׁבוּעָה אֲשֶׁר נִשְׁבַּעְתָּ לָהֶם כְּאִלּוּ הַיּוֹם נִשְׁבַּעְתָּ לָהֶם.

slightest power to disorient my prayer, Heaven forbid.

Instead, may I expel them, remove them and nullify them entirely so they will be unable to arise in my mind at all, and my prayer will be pure, well arranged, acceptable and welcome to You.

May I bring my prayer forth from its coverings, from the garments of the "husk." May I separate it and clarify it, purifying it from the grasp of the "husks," from the grasp of the kingdom of wickedness.

May I raise it and clothe in garments of light, the lights of the Patriarchs.

May my prayer attain ultimate rectification. May it have the power to arouse Your supernal love so that You will bind it to You in love, fellowship and friendship.

May our prayers bring about a complete, perfect unification of the Holy One and His Divine Presence.

Remember and maintain Your covenant that You swore to our forefathers as on this day. Renew Your vow to them as though You are making that vow today.

וּתְרַחֵם עָלֵינוּ וּתְמַהֵר לְהוֹצִיאֵנוּ מֵהַגָּלוּת הָאָרֹךְ הַמַּר הַזֶּה, וְתִגְאָלֵנוּ גְּאֻלַּת עוֹלָם לְחַבֵּר אֶת הָאֹהֶל לִהְיוֹת אֶחָד.

מָלֵא רַחֲמִים גּוֹאֵל יִשְׂרָאֵל, רַחֵם עַל כְּנֶסֶת יִשְׂרָאֵל אֲשֶׁר הִיא שְׁכִינַת עֻזֶּךָ, אֲשֶׁר כָּל הִתְגַּלּוּת אֱלָהוּתְךָ וִידִיעַת רוֹמְמוּתְךָ וּתְשׁוּקַת אֱמוּנָתְךָ, הַכֹּל עַל יְדֵי יִשְׂרָאֵל עַמְּךָ אֲשֶׁר בָּהֶם בָּחָרְתָּ.

וְגִלִּיתָ לָנוּ שֶׁעִקַּר הַהִתְחַבְּרוּת וְהַדְּבֵקוּת אֵלֶיךָ הוּא עַל יְדֵי הַתְּפִלָּה, כִּי הַתְּפִלָּה הִיא שַׁעַר שֶׁדֶּרֶךְ שָׁם נִכְנָסִין לְהַשֵּׁם יִתְבָּרַךְ, וּמִשָּׁם מַכִּירִין אוֹתוֹ.

רַחֵם עָלֵינוּ לְמַעַן שְׁמֶךָ, וְזַכֵּנוּ לִתְפִלָּה בִּשְׁלֵמוּת בְּכָל הַכֹּחוֹת בֶּאֱמֶת, וְנִזְכֶּה לְהַרְבּוֹת בִּתְפִלָּה תָמִיד, כְּמוֹ שֶׁגִּלִּיתָ לָנוּ עַל יְדֵי חֲכָמֶיךָ הַקְּדוֹשִׁים שֶׁאָמְרוּ: 'הַלְוַאי שֶׁיִּתְפַּלֵּל אָדָם כָּל הַיּוֹם כֻּלּוֹ'.

Have compassion on us. Quickly deliver us from this long, bitter exile. Redeem us with an everlasting redemption. Bind together the "tent" so that it will be unified.

Help Us Attain Perfect Prayer

You who are filled with compassion, Redeemer of Israel, have compassion on the Congregation of Israel, which is associated with Your mighty Divine Presence. The entire revelation of Your Godliness, the knowledge of Your exaltedness, and the yearning for Your faith comes about by means of Israel, Your nation, whom You have chosen.

You revealed to us that prayer brings about the essence of connecting and clinging to You. Prayer is the gate through which we come into the presence of HaShem, and from which we recognize Him.

Have compassion on us for the sake of Your Name. Help us truly pray perfectly, with unlimited power. May we always increase our prayer, as You indicated we should do through Your holy sages, who said, "If only a person could pray the entire day."

קוּמָה בְּעֶזְרָתֵנוּ וְהוֹשִׁיעֵנוּ תָמִיד, בִּפְרַט בְּעֵת הַתְּפִלָּה, שֶׁאָז מִתְגַּבְּרִים עָלֵינוּ הַמַּחֲשָׁבוֹת זָרוֹת וְהַבִּלְבּוּלִים וְהַמְּנִיעוֹת הַרְבֵּה מְאֹד, אֲשֶׁר אֵין לְשַׁעֵר.

רַחֵם עָלֵינוּ וְהוֹשִׁיעֵנוּ וּמַלֵּא מִשְׁאֲלוֹתֵנוּ בְּרַחֲמִים, שֶׁנִּזְכֶּה לְהִתְפַּלֵּל בְּכֹחַ גָּדוֹל עַד שֶׁנִּזְכֶּה לְשַׁבֵּר וּלְבַטֵּל כָּל הַמַּחֲשָׁבוֹת זָרוֹת לְגַמְרֵי.

וְנִזְכֶּה לִתְפִלָּה בִּשְׁלֵמוּת תָּמִיד, עַד שֶׁנִּזְכֶּה עַל יְדֵי הַתְּפִלָּה לִכְנֹס וּלְהִתְקָרֵב אֵלֶיךָ וּלְהַכִּיר אוֹתְךָ בֶּאֱמֶת, וּלְהִתְחַבֵּר וּלְהִתְדַּבֵּק בְּךָ בְּתַכְלִית הַדְּבֵקוּת בִּשְׁלֵמוּת בֶּאֱמֶת, כִּרְצוֹנְךָ הַטּוֹב.

בְּעָלְמָא דֵין וּבְעָלְמָא דְאָתֵי, לְעוֹלְמֵי עַד וּלְנֵצַח נְצָחִים.

וִיקֻיַּם בָּנוּ מְהֵרָה מִקְרָא שֶׁכָּתוּב: "וְאַתֶּם הַדְּבֵקִים בַּיהוָֹה אֱלֹהֵיכֶם חַיִּים כֻּלְּכֶם הַיּוֹם.

יִהְיוּ לְרָצוֹן אִמְרֵי פִי וְהֶגְיוֹן לִבִּי לְפָנֶיךָ יְהוָֹה צוּרִי וְגוֹאֲלִי", אָמֵן נֶצַח סֶלָה וָעֶד:

Arise to help us and save us always—in particular, when we are praying, since at that time foreign thoughts, distractions and obstacles overwhelm us to an unimaginable extent.

Have compassion on us and compassionately fulfill our requests to pray with great vigor, until we break and nullify all of our foreign thoughts entirely.

May we always attain perfect prayer, until with its aid we will come close to You and truly recognize You, truly bonding with and clinging to You—completely, perfectly, in accordance with Your good will.

May we cling to You in this world and in the World to Come, forever and ever.

Quickly may the verse be realized in us, "You who cling to HaShem your God are alive, all of you, today."

"May the words of my mouth and the meditation of my heart be pleasing before You, HaShem, my Rock and my Redeemer." Amen forever, selah forever.

44 (II, 87, 88)

When a Man Rectifies the Blemish to the Covenant, if He is Unmarried He Finds His Wife, and if He is Married His Wife is in Accord with His Will / A Person Must Not Eat Unripe Fruit / Fruit that is Picked Before its Time Can Draw the Life Force of the Person Who Eats it / By Reciting the Blessing over Fruit with Concentration and Awe of God, One Can Find Lost Sparks of Holiness in it / Angels Holding Shofars Search for Lost Sparks of Holiness and Blow on Their Shofars When They Find Them / People Lose Sparks of Holiness Because of Their Desires / Even Tzaddikim Who Search for Lost Sparks of Holiness are Sometimes Lost Themselves

---

In Elul a person should bear in mind the intention to rectify the blemish to the covenant. That rectification illuminates a "path in the sea."

Should a man does not achieve that rectification, if he is unmarried he may find it hard to find his wife. And even if he finds her, she may oppose him and not accept his will.

This happens because he turned away from *malkhut* and did not illumine her. Thus, *malkhut*, as embodied in the form of a physical wife, has a will that opposes his.

A man can rectify this in the month of Elul. Then he can find his wife and she will not oppose his will.

Our patriarch Abraham imparted this secret to his servant Eliezer when he sent him to find a wife for Isaac. Abraham said, "If the woman is not willing to go after you (ואם לא תאבה האשה ללכת אחריך, *Ve-im Lo toveh ha'ishah Lalekhet Acharekha*)" (Genesis 24:8). The initials of the first two and last two words of this verse spell *ELUL* (אלול), and in the middle are the words *toveh ha'ishah* (תאבה האשה, the woman is willing). Through the mystical intentions of Elul, the woman is willing, since this makes her want him.

*

A person must avoid eating fruit that is not fully ripe. Just as it is forbidden to cut down a tree before its time (Deuteronomy 20:19), one should not pick or eat a fruit before its time.

As long as the fruit is on the tree, it has a "pulling" power with which it draws its nourishment and vitality. It loses this power after it fully ripens. If it is picked before its time, that "pulling" power is still present in it, and will draw the life force of the person who eats the fruit. Then that person can lose his soul.

However, one who recites the blessing over the fruit with concentration and awe of God can be saved from this. One who is strong in his service of God can even extract more vitality from the unripe fruit and find lost sparks of holiness there.

Cooking unripe fruit does not make it suitable to eat. One should allow it to ripen on its own before eating it.

In general, a person should be careful about reciting the blessings over food and drink, and especially the blessings over fruit, because fruits contain many lost sparks of holiness that need to be extracted and elevated.

*

There is an angel with many appointees, all of whom hold shofars in their hands. They stand and dig constantly, searching for lost sparks of holiness. As they dig and search, they sound the *tekiah-teruah-tekiah* on their shofars. When they find something, it generates a great noise and much joy.

People lose sparks of holiness as a result of their desires. Even the Tzaddikim who search for these lost sparks of holiness are sometimes lost themselves.

The verse, "The desire of the wicked will be lost" (Psalms 112:10) hints at the activity of the angels searching for lost things. The initial letters of the Hebrew words of this verse, *Ta'avat Resha'im Toveid* (תאות רשעים תאבד), stand for *Tekiah-teRuah-Tekiah* (תקיעה תרועה תקיעה).

*

The mystical intentions of Elul, which rectify the blemish of the covenant; the prohibition against eating unripe fruit; and the angels holding shofars and searching for lost sparks of holiness, are all one idea.

לחודש אלול

"אֲנִי לְדוֹדִי וְדוֹדִי לִי הָרוֹעֶה בַּשּׁוֹשַׁנִּים". אָבִי שֶׁבַּשָּׁמַיִם, "מַלְכִּי וֵאלֹהָי אֵלֶיךָ אֶתְפַּלָּל.

יְהֹוָה חֲקַרְתַּנִי וַתֵּדָע, אַתָּה יָדַעְתָּ שִׁבְתִּי וְקוּמִי בַּנְתָּה לְרֵעִי מֵרָחוֹק, אָרְחִי וְרִבְעִי זֵרִיתָ וְכָל דְּרָכַי הִסְכַּנְתָּה, כִּי אֵין מִלָּה בִּלְשׁוֹנִי הֵן יְהֹוָה יָדַעְתָּ כֻלָּהּ.

אָחוֹר וָקֶדֶם צַרְתָּנִי וַתָּשֶׁת עָלַי כַּפֶּכָה פְּלִיאָה דַעַת מִמֶּנִּי נִשְׂגְּבָה לֹא אוּכַל לָהּ, אָנָה אֵלֵךְ מֵרוּחֶךָ וְאָנָה מִפָּנֶיךָ אֶבְרָח, אִם אֶסַּק שָׁמַיִם שָׁם אָתָּה וְאַצִּיעָה שְּׁאוֹל הִנֶּךָּ".

רִבּוֹנוֹ שֶׁל עוֹלָם מָלֵא רַחֲמִים, חוֹשֵׁב מַחֲשָׁבוֹת לְבַל יִדַּח מִמְּךָ נִדָּח, רַחֵם עָלֵינוּ לְמַעַן שְׁמֶךָ, וְקַבֵּץ נִדָּחֵינוּ מֵאַרְבַּע כַּנְפוֹת הָאָרֶץ.

בַּקֵּשׁ בְּרַחֲמֶיךָ צֹאן אוֹבְדוֹת, צֹאן נִדָּח וְאֵין מְקַבֵּץ. רִבּוֹנוֹ

For the Month of Elul

Gather Your Scattered People

"I am my Beloved's and my Beloved is mine, Who shepherds among the lilies." My Father in Heaven, "my King and my God, I pray to You."

"HaShem, You have investigated me and You know: You know my sitting and my rising, You understand how to attach me to You from afar. You have encompassed my walking about and my lying down, and You have seen all of my ways. There is no word on my tongue—You know everything, HaShem."

"From the back and front, You formed me, placing Your hand on me. Knowledge is hidden from me. It is exalted, I cannot reach it. Where will I go away from Your spirit and where will I flee from You? If I rise to Heaven, You are there, and if I lie down in Sheol, there You are."

Master of the world, You Who are filled with compassion, You Who think thoughts so that no one will remain cast away from You, have compassion on us for the sake of Your Name. Gather our scattered people from the four corners of the earth.

In Your compassion, seek the lost, scattered sheep that no one gathers in. Master of the

שֶׁל עוֹלָם "תָּעִיתִי כְּשֶׂה אוֹבֵד בַּקֵּשׁ עַבְדֶּךָ".

רִבּוֹנוֹ שֶׁל עוֹלָם מֵרֹב עָנְיִי וַעֲמָלִי וּמֵרֹב עֹצֶם עֲוֹנוֹתַי וּפְשָׁעַי הָרַבִּים וְהָעֲצוּמִים בְּלִי שִׁעוּר וָעֵרֶךְ וּמִסְפָּר.

וּמֵעֹצֶם בִּלְבּוּל דַּעְתִּי מֵרִבּוּי הַפְּגָמִים שֶׁפָּגַמְתִּי בַּעֲוֹנוֹתַי מֵעוֹדִי עַד הַיּוֹם הַזֶּה, עַל כֵּן אֵינִי יָכוֹל לִפְתֹּחַ פִּי לְדַבֵּר כְּלָל, וְקָשֶׁה וְכָבֵד עָלַי מְאֹד מְאֹד לְפָרֵשׁ שִׂיחָתִי לְפָנֶיךָ.

וְגַם אִי אֶפְשָׁר לְפָרֵשׁ כָּל שִׂיחָתִי לְפָנֶיךָ כְּכָל אֲשֶׁר עִם לְבָבִי, כִּי "צָרוֹת לְבָבִי הִרְחִיבוּ" מְאֹד, אֲשֶׁר לֹא יַסְפִּיק הַזְּמַן לְפָרְטָם, "כִּי רַבּוֹת אַנְחוֹתַי וְלִבִּי דַוָּי".

אֲבָל אַף עַל פִּי כֵן הֱצִיקַתְנִי רוּחִי וַעֲצוֹר בְּמִלִּין לֹא אוּכָל, אָמַרְתִּי אָשִׂיחָה וְיִרְוַח לִי, אֲדַבְּרָה וְיַעֲבֹר עָלַי מָה.

אוּלַי אֶזְכֶּה עַתָּה לִמְצֹא הַנְּקֻדָּה טוֹבָה הַשַּׁיָּךְ לְלִבִּי עַתָּה בֶּאֱמֶת, שֶׁאֶזְכֶּה עַל יָדָהּ לָשׁוּב אֵלֶיךָ מֵעַתָּה בֶּאֱמֶת.

world, "I have gone astray like a lost sheep. Seek Your servant."

Master of the world, I suffer great poverty and travail due to the great severity of my many, immeasurable, grievous sins and misdeeds beyond reckoning.

And I suffer severe turmoil in my mind due to the vast amount of blemishes that I brought about with my wrongdoing from my beginning until this day. Therefore, I cannot open my mouth to speak at all. It is very hard and difficult for me to express my speech to You.

Additionally, I cannot express all of my speech to You regarding everything in my heart because "the sorrows of my heart have increased" so much that time would not suffice to list them, "for many are my sighs and my heart is desolate."

Nevertheless, my spirit is agitated and I cannot hold back my words. I have decided to speak in order to gain relief. I will talk, no matter what.

Perhaps now I will truly find the good point within my heart, and in that way truly come back to You from now on.

וְאֵיךְ שֶׁהוּא אֵיךְ שֶׁהוּא, אֵיךְ שֶׁנָּפַלְנוּ וְיָרַדְנוּ בְּגָלוּת הַמַּר הַזֶּה לִמְקוֹמוֹת שֶׁיָּרַדְנוּ כָּל אֶחָד לְפִי יְרִידָתוֹ.

עִם כָּל זֶה עֲדַיִן חוֹבָה עָלֵינוּ עַל כָּל אֶחָד וְאֶחָד, לַחְתֹּר וּלְבַקֵּשׁ וּלְחַפֵּשׂ אַחַר אֲבֵדוֹתֵינוּ הָרַבּוֹת וְהָעֲצוּמוֹת מְאֹד בְּלִי שִׁעוּר וָעֵרֶךְ, אֲשֶׁר אִבַּדְנוּ בְּגִלְגּוּל זֶה וּבְגִלְגּוּלִים אֲחֵרִים, עַל יְדֵי תַאֲוֹתֵינוּ הָרָעוֹת.

אוּלַי נִזְכֶּה לְעוֹרֵר רַחֲמִים גְּדוֹלִים אֵצֶל בַּעַל הָרַחֲמִים הַמְרַחֵם עַל כָּל הָאוֹבְדִים וְהַנִּדָּחִים, הַגּוֹזֵר בְּתוֹרָתוֹ לְהָשִׁיב אֲבֵדוֹת.

אוּלַי יֵשׁ תִּקְוָה לִמְצֹא אֵיזֶה אֲבֵדָה מֵאֲבֵדוֹת נַפְשֵׁנוּ הָרַבִּים, אוּלַי נִזְכֶּה לִמְצֹא מִקְצָתָם אוֹ כֻּלָּם.

וְאַף עַל פִּי שֶׁאֲנִי בְּעַצְמִי הַחַיָּב מִכָּל הַצְּדָדִים, כִּי אִבַּדְתִּי לָדַעַת מַה שֶּׁאִבַּדְתִּי, וּבַעֲוֹנוֹתַי הָרַבִּים מֵחֲמַת תַּאֲוֹתַי הָרָעוֹת, הָיִיתִי כְּמוֹ שׁוֹטֶה הַמְאַבֵּד מַה שֶּׁנּוֹתְנִין לוֹ.

אַף עַל פִּי כֵן אוּלַי אֶזְכֶּה בְּרַחֲמֶיךָ לִמְצֹא עוֹד אֵיזֶה נְקֻדָּה טוֹבָה אֲמִתִּיִּית שֶׁתּוּכַל לְהִתְגַּבֵּר עַל כָּל מַה שֶּׁאֲנִי צָרִיךְ לְהִתְגַּבֵּר.

בְּאֹפֶן שֶׁאֶזְכֶּה מֵעַתָּה לָשׁוּב אֵלֶיךָ בֶּאֱמֶת, וּלְחַפֵּשׂ וּלְבַקֵּשׁ

Things may be however they may be. We may have fallen and descended—each person in his own bitter exile.

Nevertheless, we remain obligated to dig, seek and search for our many and profoundly misplaced objects, which we lost in this incarnation and in previous incarnations as a result of our evil desires.

Perhaps we will arouse the great compassion of the Master of compassion, Who has compassion on all those who are lost and scattered, Who decreed in His Torah that lost objects must be returned.

Perhaps there is hope that we will find some of the many lost objects of our soul. Perhaps we will find some of them or even all of them.

I myself am guilty in all respects, for I purposefully lost what I lost, committing many wrongdoings because of my evil desires. I was like a fool who loses what he has been given.

Nevertheless, because of Your compassion, perhaps I will find another good, true point that will be able to overcome everything that I need to overcome.

From now on may I truly return to You. May I seek, search and find all of my lost objects and

וְלִמְצֹא כָּל אֲבֵדוֹתַי וַאֲבֵדַת אֲחֵרִים לַהֲשִׁיבָם כֻּלָּם לִמְקוֹמָם הָרָאוּי לִמְקוֹר שֶׁנֶּחְצְבוּ מִשָּׁם, בְּאֹפֶן שֶׁיִּתְקְנוּ כֻּלָּם בְּתַכְלִית הַתִּקּוּן בֶּאֱמֶת כִּרְצוֹנְךָ הַטּוֹב.

רִבּוֹנוֹ שֶׁל עוֹלָם מָלֵא רַחֲמִים, אַתָּה גִּלִּיתָ לָנוּ עַל יְדֵי חֲכָמֶיךָ הַקְּדוֹשִׁים, שֶׁהָעִקָּר הוּא תִּקּוּן הַבְּרִית, כִּי זֶה עִקָּר הַנִּסָּיוֹן וְהַמִּתְקְלָא שֶׁל כָּל אָדָם בָּעוֹלָם הַזֶּה.

וְרַק בִּשְׁבִיל זֶה בָּא הָאָדָם לָעוֹלָם הַזֶּה כְּדֵי שֶׁיִּתְנַסֶּה בְּנִסָּיוֹן זֶה, וְעַל יְדֵי זֶה יִזְכֶּה לְמַה שֶּׁיִּזְכֶּה אִם יַעֲמֹד בְּנִסָּיוֹן וּבְצֵרוּף הַזֶּה, אֲשֶׁר כָּל הַתּוֹרָה כֻּלָּהּ תְּלוּיָה בָּזֶה, כִּי שְׁמִירַת הַבְּרִית הוּא יְסוֹד הַכֹּל.

וְעַתָּה מָה אוֹמַר וּמַה אֲדַבֵּר, אַחֲרֵי שֶׁפָּגַמְתִּי הַרְבֵּה בִּפְגַם הַבְּרִית כַּאֲשֶׁר פָּגַמְתִּי (וּבִפְרָט וְכוּ'), "עַל כֵּן דְּבָרַי לָעוּ", וְאֵינִי יוֹדֵעַ מֵהֵיכָן לְהַתְחִיל לְדַבֵּר.

אֲבָל כְּבָר גָּזַרְתָּ עָלֵינוּ עַל יְדֵי צַדִּיקֶיךָ הָאֲמִתִּיִּים לִצְעֹק אֵלֶיךָ תָּמִיד, וּלְהִתְפַּלֵּל וּלְהִתְחַנֵּן לְפָנֶיךָ תָּמִיד בֵּין בַּעֲלִיָּה בֵּין בִּירִידָה לְפִי בְּחִינָתֵנוּ.

the lost objects of others, and return them all to their proper place, to the source from which they were carved, so that all of them will be truly and completely rectified, in accordance with Your good will.

Rectifying the Covenant

Master of the world, You Who are filled with compassion, You revealed to us through Your holy sages that the main thing is the rectification of the covenant. That is the principal test and challenge of every person in this world.

Solely for this did man come into the world: to be administered this test. If he passes this test and this purification, on which the entire Torah depends, he will succeed in guarding the covenant, which is the foundation of everything.

And now what will I say and how shall I speak, after I blemished so much of the covenant (and, in particular, [add your own words here])? "Therefore my words stammer," and I do not know where to begin.

But You commanded us through Your true Tzaddikim to cry out to You always, and to pray and plead before You always, whether we are ascending or descending, according to our level.

יִהְיֶה אֵיךְ שֶׁיִּהְיֶה, לֹא נַחֲרִישׁ וְלֹא נִשְׁקֹט מִלִּזְעֹק וְלִצְעֹק וּלְהִתְחַנֵּן אֵלֶיךָ תָּמִיד, כִּי חֲסָדֶיךָ לֹא תַמּוּ וְרַחֲמֶיךָ לֹא כָלִים.

כִּי אַתָּה יְהֹוָה אֱלֹהֵינוּ גָּדַלְתָּ מְאֹד, וּכְגָדְלָתְךָ כֵּן חֲסָדֶיךָ וְרַחֲמֶיךָ, וְכַאֲשֶׁר לִגְדֻלָּתְךָ אֵין חֵקֶר, כֵּן אֵין חֵקֶר לְרַחֲמֶיךָ וַחֲסָדֶיךָ.

וּבְכֵן יְהִי רָצוֹן מִלְּפָנֶיךָ יְהֹוָה אֱלֹהַי וֵאלֹהֵי אֲבוֹתַי, שֶׁתָּאִיר עֵינַי בְּתוֹרָתֶךָ, וְתוֹרֵנִי וּתְלַמְּדֵנִי שֶׁאֶזְכֶּה לֵידַע וּלְהַשִּׂיג וּלְהָבִין דִּבְרֵי תוֹרָתְךָ הַקְּדוֹשָׁה, אֲשֶׁר צִוִּיתָ עָלֵינוּ לְכַוֵּן כַּוָּנוֹת אֱלוּל בִּשְׁבִיל תִּקּוּן הַבְּרִית.

"כִּי בַעַר אָנֹכִי מֵאִישׁ וְלֹא בִינַת אָדָם לִי", וְאֵינִי יוֹדֵעַ הַדֶּרֶךְ כְּלָל לְכַוֵּן כַּוָּנוֹת.

רַחֵם עָלַי לְמַעַן שְׁמֶךָ, וְקַדְּשֵׁנִי בִּקְדֻשָּׁתְךָ הָעֶלְיוֹנָה, וּפְתַח לִבִּי בְּתַלְמוּד תּוֹרָתֶךָ, וְעָזְרֵנִי וְזַכֵּנִי לִלְמֹד וּלְהָבִין כָּל הַכַּוָּנוֹת

However things may be, we will not be silent. We will not refrain from crying out, calling out and begging You always, for Your kindness has not ended and Your compassion has not ceased.

HaShem our God, You are very great, and Your kindness and Your compassion are in accordance with Your greatness. Just as Your greatness has no boundary, so too, there is no boundary to Your compassion and kindness.

Therefore, may it be Your will, HaShem our God and God of our fathers, that You illumine my eyes in Your Torah, and guide me and teach me so that I will know, appreciate and understand the words of Your holy Torah. You commanded us to have in mind the mystical intentions of Elul for the sake of the rectification of the covenant.

But "I am more animal than man, and I lack human understanding." I do not know any way at all to have intentions in mind.

Have compassion on me for the sake of Your Name. Sanctify me with Your supernal holiness. Open my heart to learn Your Torah. Help me and aid me to learn and understand all of the mystical

אֱלוּל וְכָל הַתּוֹרוֹת הַשַּׁיָּכִים לָזֶה, וְאֶזְכֶּה לִמְצֹא בָּהֶם דֶּרֶךְ נָכוֹן וְיָשָׁר לְהִתְקָרֵב אֵלֶיךָ תָּמִיד בְּכָל עֵת.

וְאֶזְכֶּה לִהְיוֹת בָּקִי בַּהֲלָכָה, בָּקִי בְּרָצוֹא בָּקִי בְּשׁוֹב, בָּקִי בְּעַיִל בָּקִי בְּנָפִיק, וּלְקַיֵּם בֶּאֱמֶת וּבִשְׁלֵמוּת מִקְרָא שֶׁכָּתוּב: "אִם אֶסַּק שָׁמַיִם שָׁם אָתָּה וְאַצִּיעָה שְּׁאוֹל הִנֶּךָּ".

עַד שֶׁאֶזְכֶּה לֵילֵךְ בְּדַרְכֵי הַתְּשׁוּבָה בֶּאֱמֶת תָּמִיד. וְאַתָּה בְּרַחֲמֶיךָ תִּפְתַּח יָדְךָ, וְתִהְיֶה יְמִינְךָ פְּשׁוּטָה לְקַבֵּל שָׁבִים.

עַד אֲשֶׁר נִזְכֶּה לְהַמְשִׁיךְ וּלְתַקֵּן כָּל הַתִּקּוּנִים הַנִּמְשָׁכִין עַל יְדֵי הַיִּחוּדִים וְהַכַּוָּנוֹת שֶׁל אֱלוּל, בְּאֹפֶן שֶׁנִּזְכֶּה מְהֵרָה לְתִקּוּן הַבְּרִית בִּשְׁלֵמוּת.

intentions of Elul and all of the teachings related to that. May I find in them a proper and straight path to come close to You always, at all times.

May I be an expert in Jewish law[9]—an expert in running [to Heaven] and an expert in returning [to earth]; an expert in entering [Heaven] and an expert in exiting [Heaven]. May I truly and completely fulfill the verse, "If I go up to Heaven, You are there, and if I lie down in Sheol, there You are."

May I always truly walk in the ways of repentance. In Your compassion, You open Your hand and stretch Your right hand out to receive penitents.

May we draw down all of the rectifications that come about by means of the unifications and mystical intentions of Elul, so that we will quickly attain a complete rectification of the covenant.

9　In Hebrew, *halakhah*, which literally means "walking." In *Likutey Moharan* I, 6:4, Rebbe Nachman explains that mastery of Jewish law is essential for one who wishes to return to God, so that whether he is spiritually "rising" or "falling," nothing will throw him or distance him from his quest. This corresponds to the verse, "If I go up to Heaven, You are there, and if I lie down in Sheol, there You are" (Psalms 139:8).

וּבְרַחֲמֶיךָ הָרַבִּים תְּצַוֶּה לְמַלְאָכֶיךָ הַקְּדוֹשִׁים הָאוֹחֲזִים בְּיָדָם שׁוֹפָרוֹת הַמְמֻנִּים לְבַקֵּשׁ וּלְחַפֵּשׂ וְלַחְפֹּר וְלַחְתֹּר אַחַר אֲבֵדוֹת, שֶׁיִּשְׁתַּדְּלוּ בְּתִקּוּן נַפְשֵׁנוּ.

וִיבַקְשׁוּ וְיַחְפְּרוּ אַחַר כָּל הָאֲבֵדוֹת שֶׁאִבַּדְנוּ בְּעָנְיֵנוּ מֵעוֹדֵנוּ עַד הַיּוֹם הַזֶּה, עַל יְדֵי תַּאֲוֹתֵינוּ הָרָעוֹת, וּבִפְרַט עַל יְדֵי פְּגַם הַבְּרִית.

אֶת כָּל מַה שֶּׁאִבַּדְנוּ בְּגִלְגּוּל זֶה וּבְגִלְגּוּלִים אֲחֵרִים, הַכֹּל יַחְפְּרוּ וִיחַפְּשׂוּ וְיִמְצְאוּ כֻּלָּם מְהֵרָה, וְיַחֲזִירוּ אוֹתָם לָנוּ, בְּאֹפֶן שֶׁיִּתְקְנוּ נַפְשׁוֹתֵינוּ עַל יְדֵי זֶה בְּתַכְלִית הַתִּקּוּן בֶּאֱמֶת כִּרְצוֹנְךָ הַטּוֹב.

מָלֵא רַחֲמִים, מֵרֹב קִלְקוּלַי אֵינִי יָכוֹל לְהַאֲרִיךְ בִּתְפִלָּה זֹאת הַרְבֵּה.

אַף עַל פִּי שֶׁלֹּא יַסְפִּיקוּ כָּל יְרִיעוֹת שֶׁבָּעוֹלָם לְבָאֵר אֶפֶס קָצֶה מֵהַתְּחִנּוֹת וּבַקָּשׁוֹת וּוִדּוּיִם וְהַפְצָרוֹת וּפִיּוּסִים וּתְפִלּוֹת שֶׁאֲנִי צָרִיךְ לְהִתְפַּלֵּל בְּעִנְיָן זֶה עַל הֶעָבַר וְעַל הַהוֹוֶה וְעַל הֶעָתִיד. אַךְ מָה אֶעֱשֶׂה כִּי דְבָרַי נִסְתַּתְּמִין.

In Your vast compassion, command Your holy angels who grasp shofars in their hands, who are in charge of seeking, searching, digging and burrowing after lost objects, to strive to rectify our souls.

May they seek and dig for all of the objects that we lost in our privation, from the beginning of our existence to this day, as a result of our evil desires—in particular, as a result of the blemish of the covenant.

May they dig, seek and quickly find all that we lost in this incarnation and in previous incarnations and return those to us, so that our souls will be completely rectified, in accordance with Your good will.

You Who are filled with compassion, I am so vastly damaged that I cannot engage at length in this prayer.

All of the paper in the world would not suffice to describe the smallest fraction of the supplications, requests, confessions, pleas, appeals and prayers that I must engage in regarding this matter for my past, present and future. What can I do, for my words are blocked?

אֲבָל עַל זֶה בָּאתִי לְפָנֶיךָ אֲדוֹן כֹּל, חוֹמֵל דַּלִּים, טוֹב וּמֵטִיב לָרָעִים וְלַטּוֹבִים, שֶׁתְּרַחֵם עַל כָּל עַמְּךָ יִשְׂרָאֵל שֶׁקָּשֶׁה לָהֶם לִמְצֹא זִוּוּגָם.

וַאֲפִלּוּ כְּשֶׁמּוֹצְאִים הִיא מְנַגֶּדֶת אֵלָיו, וְאֵין לָהּ רָצוֹן אֵלָיו, וְאֵין שָׁלוֹם בְּבֵיתָם רַחֲמָנָא לִצְּלָן (וּבִפְרָט עַל פִּבּ"פ שֶׁיֵּשׁ לוֹ יִסּוּרִים אֵלּוּ).

רַחֵם עָלָיו וְעַל כָּל זֶרַע עַמְּךָ בֵּית יִשְׂרָאֵל, בְּכֹחַ וּזְכוּת הַצַּדִּיקִים הָאֲמִתִּיִּים הָעוֹסְקִים בְּתִקּוּנֵנוּ תָּמִיד, אֲשֶׁר שָׁמְרוּ אֶת הַבְּרִית קֹדֶשׁ בְּתַכְלִית הַשְּׁלֵמוּת שֶׁאֵין שְׁלֵמוּת אַחֲרָיו, רַחֵם עֲלֵיהֶם לְמַעֲנָם, וְתָשִׂים שָׁלוֹם בְּבֵיתָם.

וְתַעֲזֹר לָהֶם וְתוֹשִׁיעֵם שֶׁיִּזְכּוּ כָּל אֶחָד וְאֶחָד לִמְצֹא זִוּוּגוֹ מְהֵרָה, זִוּוּגָם הֶהָגוּן לָהֶם מִן הַשָּׁמַיִם בֶּאֱמֶת. וְלֹא תִהְיֶה

Finding a Spouse

Regarding this, I come to You, Master of all, You Who are merciful to the poor, You Who are good and do good to both the wicked and the deserving. Have compassion on all those of Your nation, the Jewish people, who are having difficulty finding their marriage partner.

Even if a man does find a woman, she thwarts him and is not positively inclined toward him, and there is no peace in their home, may the Compassionate One protect us (and, in particular, [Hebrew name], the son of [father's Hebrew name], who has these tribulations).

Have compassion on such a person, as well as on all of the children of Your nation, the House of Israel, in the power and merit of the true Tzaddikim who are constantly engaged in our rectification, who have guarded the holy covenant with the ultimate perfection. Have compassion on people in turbulent marriages for the sake of these Tzaddikim, and establish peace in their home.

Help them and save them. May everyone quickly find the marriage partner that is truly proper for him from Heaven. May the wife not

מְנַגֶּדֶת כְּנֶגְדּוֹ כְּלָל, רַק תַּהֲפֹךְ רְצוֹנָהּ לִרְצוֹן בַּעֲלָהּ.

וְלֹא יִהְיֶה בֵּינֵיהֶם שׁוּם שִׂנְאָה וְשׁוּם שִׁנּוּי רָצוֹן כְּלָל, וְיָדוּרוּ בְּאַהֲבָה וְאַחֲוָה וְרֵעוּת בְּשָׁלוֹם וְשַׁלְוָה בֶּאֱמֶת כִּרְצוֹנְךָ הַטּוֹב.

מָלֵא רַחֲמִים, חוּס וַחֲמֹל וְרַחֵם עֲלֵיהֶם לְמַעַנְךָ וּלְמַעַן צַדִּיקֶיךָ הָאֲמִתִּיִּים, וְאַל תַּעֲשֶׂה לָהֶם כַּחֲטָאֵיהֶם וְלֹא תִגְמֹל עֲלֵיהֶם כַּעֲווֹנוֹתֵיהֶם.

רַק תִּתְנַהֵג עִמָּהֶם בְּרַחֲמֶיךָ לִפְנִים מִשּׁוּרַת הַדִּין, כַּאֲשֶׁר אַתָּה מִתְנַהֵג עִם כָּל בְּרִיּוֹתֶיךָ בְּרַחֲמִים וַחֲסָדִים גְּדוֹלִים תָּמִיד.

וּבִזְכוּת אַבְרָהָם אָבִינוּ עָלָיו הַשָּׁלוֹם, שֶׁרָמַז הַסּוֹד הַזֶּה שֶׁל כַּוָּנַת אֱלוּל בְּעֵת שֶׁשָּׁלַח אֶת אֱלִיעֶזֶר עַבְדּוֹ לְבַקֵּשׁ הַזִּוּוּג שֶׁל יִצְחָק בְּנוֹ.

וּבִזְכוּת הַצַּדִּיקִים שֶׁגִּלּוּ הַסּוֹד הַנּוֹרָא הַזֶּה, תָּגֵן עֲלֵיהֶם וְעָלֵינוּ וְעַל זַרְעֵנוּ, וּתְרַחֵם עַל כָּל יִשְׂרָאֵל עַמֶּךָ, וְתָשִׂים

oppose her husband at all, but transform her will to his will.

May there be no hatred or division between them at all. May they live in love, harmony and camaraderie, in true peace and tranquility, in accordance with Your good will.

You Who are filled with compassion, have pity, mercy and compassion on them for Your sake and for the sake of the true Tzaddikim. Do not treat the couple in accordance with their transgressions or recompense them in accordance with their wrongdoing.

Rather, treat them with Your compassion that goes beyond the letter of the law, just as You always treat all of Your creatures with great compassion and kindness.

Do so in the merit of our patriarch Abraham, who alluded to this secret—the mystical meaning of Elul—when he sent Eliezer his servant to seek a wife for his son Isaac.

In the merit of the Tzaddikim who revealed this awesome secret, shield people in contentious relationships, as well as us and our children. Have compassion on all the people of Israel, Your nation. Establish peace among all the

שָׁלוֹם בֵּין כָּל יִשְׂרָאֵל וּבִפְרָט בֵּין אִישׁ לְאִשְׁתּוֹ (וּבִפְרָט וְכוּ').

וְתַעֲזוֹר לְכָל יִשְׂרָאֵל הַצְּרִיכִים לִמְצֹא זִוּוּגָם שֶׁיִּזְכֶּה כָּל אֶחָד לִמְצֹא זִוּוּגוֹ בֶּאֱמֶת מְהֵרָה, וְתִהְיֶה כִּרְצוֹנוֹ וְלֹא תִהְיֶה מְנַגֶּדֶת כְּנֶגְדּוֹ כְּלָל.

רַק תַּהֲפֹךְ רְצוֹנָהּ אֵלָיו בְּשָׁלוֹם וְאַהֲבָה בֶּאֱמֶת, בְּלִי עָרְמָה וּמִרְמָה וּבְלִי שׁוּם שִׂנְאָה וְשִׁנּוּי רָצוֹן בַּלֵּב כְּלָל, וְיִתְנַהֲגוּ בִּקְדֻשָּׁה וּבְטָהֳרָה.

וְיֵצְאוּ מֵהֶם דּוֹרוֹת רַבִּים, בָּנִים וּבָנוֹת חַיִּים וְקַיָּמִים, עוֹשֵׂי רְצוֹנְךָ בֶּאֱמֶת. וְיַעַסְקוּ בְּתוֹרָתְךָ וַעֲבוֹדָתְךָ בֶּאֱמֶת כָּל יְמֵיהֶם לְעוֹלָם.

וִיגַלּוּ וִיפַרְסְמוּ וְיוֹדִיעוּ אֱלָהוּתְךָ וּמֶמְשַׁלְתְּךָ בָּעוֹלָם כְּמוֹ שֶׁכָּתוּב: "דּוֹר לְדוֹר יְשַׁבַּח מַעֲשֶׂיךָ וּגְבוּרֹתֶיךָ יַגִּידוּ".

וְרַחֵם עָלֵינוּ וְהוֹשִׁיעֵנוּ שֶׁנִּזְכֶּה לִשְׁמֹר עַצְמֵנוּ תָּמִיד שֶׁלֹּא לֶאֱכֹל שׁוּם פְּרִי קֹדֶם שֶׁנִּתְבַּשְּׁלָה, וְגַם שֶׁלֹּא נִתְלֹשׁ שׁוּם פְּרִי קֹדֶם זְמַנָּהּ.

people of Israel—in particular, between husband and wife (and, in particular, [Hebrew name], the son/daughter of [father's Hebrew name]).

Quickly help all of the Jewish people who need to find their true match. May the wife be in accord with her husband's will and not oppose him at all.

Rather, transform her will to his in true peace and love, without guile or deceit, without any hatred or division in her heart. And may they conduct themselves with holiness and purity.

May many generations emerge from them, living and healthy sons and daughters who will truly do Your will, engage in Your Torah, and serve You all of their days, forever.

May they reveal, publicize and communicate Your Divinity and sovereignty in the world, as in the verse, "Generation to generation will praise Your deeds and relate Your mighty acts."

Fruits and Blessings

Have compassion on us and save us, so that we will always guard ourselves from eating any fruit before it is ripe, and also from picking any fruit before its time.

כִּי אַתָּה גִּלִּיתָ לָנוּ עֹצֶם הַהֶפְסֵד וְהַהֶזֵּק שֶׁיּוּכַל לְהַגִּיעַ לְהָאָדָם עַל יְדֵי זֶה, כִּי יוּכַל לְאַבֵּד אֶת נַפְשׁוֹ חַס וְשָׁלוֹם עַל יְדֵי זֶה.

רִבּוֹנוֹ שֶׁל עוֹלָם, רַחֵם עָלֵינוּ וְשָׁמְרֵנוּ וְהַצִּילֵנוּ מִזֶּה בְּרַחֲמֶיךָ הָרַבִּים וּבַחֲסָדֶיךָ הָעֲצוּמִים.

וְעָזְרֵנוּ וְהוֹשִׁיעֵנוּ וְזַכֵּנוּ תָּמִיד לְבָרֵךְ בִּרְכַּת הַנֶּהֱנִין וּבִפְרָט בִּרְכַּת הַפֵּרוֹת בְּכַוָּנָה גְדוֹלָה וַעֲצוּמָה. וְלֹא נִזְרוֹק בְּרָכָה מִתּוֹךְ פִּינוּ חַס וְשָׁלוֹם.

רַק נִזְכֶּה תָּמִיד לְהִתְגַּבֵּר וּלְהִתְחַזֵּק בְּכָל עֹז בְּכָל עֵת שֶׁנִּרְצֶה לֶאֱכֹל אֵיזֶה פְּרִי אוֹ לֵיהָנוֹת מֵהָעוֹלָם הַזֶּה אֵיזֶה הֲנָאָה, לְבָרֵךְ הַבְּרָכָה בְּכַוָּנָה גְדוֹלָה כָּרָאוּי, בְּאֹפֶן שֶׁלֹּא יַזִּיק לְנַפְשֵׁנוּ כְּלָל כָּל מַה שֶּׁנֹּאכַל וְנִשְׁתֶּה וְנֶהֱנֶה מִמֶּנּוּ.

רַק אַדְרַבָּא נִזְכֶּה לְהַשְׁלִים אֶת נַפְשׁוֹתֵינוּ וּלְהוֹסִיף בְּנַפְשֵׁנוּ חַיּוּת דִּקְדֻשָּׁה וְהֶאָרָה גְדוֹלָה עַל יְדֵי כָּל דָּבָר שֶׁנֹּאכַל וְנִשְׁתֶּה וְנֶהֱנֶה מִמֶּנּוּ.

וְתַעַזְרֵנוּ וְתוֹשִׁיעֵנוּ שֶׁיִּהְיוּ כָּל אֲכִילוֹתֵינוּ וּשְׁתִיּוֹתֵינוּ וְכָל הֲנָאוֹתֵינוּ בִּקְדֻשָּׁה וּבְטָהֳרָה גְדוֹלָה לְשִׁמְךָ לְבַד בְּלִי שׁוּם

You revealed to us the severe loss and harm that can come to a person as a result of that, because he can lose his soul, Heaven forbid.

Master of the world, have compassion on us. In Your vast compassion and profound kindness, guard us and rescue us from this.

Always help us and save us so that we will recite "blessings of enjoyment"—in particular, the blessing over fruits—with considerable, heightened intent. May we not simply mutter the blessings, Heaven forbid.

Rather, may we always rise in might and strengthen ourselves robustly every time we want to eat some fruit or benefit from something of this world, and recite the blessing with powerful, proper intent, so that everything we eat, drink and otherwise benefit from will not harm our souls in the least.

To the contrary, may we perfect our soul and add holy vitality and great illumination to our soul as a result of everything that we eat and drink.

Help us and save us so that all of our eating and drinking, and everything we derive benefit from, will be in great holiness and purity, for the sake of Your Name alone, without any bodily

הֲנָאַת הַגּוּף כְּלָל, וְנִהְיֶה בִּכְלַל הַצַּדִּיקִים הָאוֹכְלִים לְשֹׂבַע נַפְשָׁם דִּקְדֻשָּׁה.

אָנָּא יְהֹוָה מָלֵא רַחֲמִים עָזְרֵנוּ וְשָׁמְרֵנוּ מֵעַתָּה שֶׁלֹּא נְאַבֵּד עוֹד כְּלָל עַל יְדֵי תַאֲוֹת רָעוֹת חַס וְשָׁלוֹם, רַק נִזְכֶּה מֵעַתָּה לְשַׁבֵּר וּלְבַטֵּל מֵאִתָּנוּ כָּל הַתַּאֲוֹת רָעוֹת.

וּתְצַוֶּה בְּרַחֲמֶיךָ לְהַחֲזִיר וּלְהָשִׁיב לָנוּ כָּל הָאֲבֵדוֹת שֶׁאִבַּדְנוּ מִכְּבָר, הֵן בְּגִלְגּוּל זֶה הֵן בְּגִלְגּוּלִים שֶׁעָבְרוּ.

לראש השנה

וְזַכֵּנוּ בְּרַחֲמֶיךָ הָרַבִּים לְקַיֵּם מִצְוַת תְּקִיעַת שׁוֹפָר בְּרֹאשׁ הַשָּׁנָה בִּשְׁלֵמוּת כָּרָאוּי בְּכָל פְּרָטֶיהָ וְדִקְדּוּקֶיהָ וְכַוָּנוֹתֶיהָ וְתַרְיַ"ג מִצְוֹת הַתְּלוּיִם בָּהּ, בְּאֵימָה וּבְיִרְאָה וּבְאַהֲבָה וּבְשִׂמְחָה וְחֶדְוָה גְּדוֹלָה.

וְתַזְמִין לָנוּ תָמִיד תּוֹקְעִים הֲגוּנִים בְּרֹאשׁ־הַשָּׁנָה צַדִּיקִים וּכְשֵׁרִים, שֶׁיִּהְיֶה לָהֶם כֹּחַ לְעוֹרֵר עַל יְדֵי קוֹל הַשּׁוֹפָר אֶת

pleasure at all. May we be included among the Tzaddikim who eat in order to satiate their holy soul.

Please, HaShem, You Who are filled with compassion, help us and guard us from now on so that we will not lose anything more as a result of evil desires, Heaven forbid. Instead, from now on may we break and nullify all evil desires.

In Your compassion, command that all of the objects that we have lost, whether in this or previous incarnations, be returned and brought back to us.

For Rosh HaShanah
Sound the Great Shofar for Our Freedom

In Your vast compassion, help us fulfill the mitzvah of blowing the shofar on Rosh HaShanah perfectly and properly, with all of its details, particulars, intentions and the 613 commandments that are dependent on it, in great fear, awe, love, joy and delight.

Always send us worthy shofar-blowers on Rosh HaShanah who are noble Tzaddikim. Through the sounding of the shofar, may they have the power to arouse the sound of the

קוֹל הַשּׁוֹפָר הָעֶלְיוֹן אֲשֶׁר אַתָּה עָתִיד לִתְקוֹעַ בּוֹ לְחֵרוּתֵנוּ.

וְעַל יְדֵי זֶה תְּקַבֵּץ נִדָּחֵינוּ, וְתָשִׁיב לָנוּ אֶת כָּל אֲבֵדוֹתֵינוּ שֶׁאִבַּדְנוּ מֵעוֹלָם עַד הַיּוֹם הַזֶּה.

אֱלֹהֵינוּ וֵאלֹהֵי אֲבוֹתֵינוּ תְּקַע בְּשׁוֹפָר גָּדוֹל לְחֵרוּתֵנוּ וְשָׂא נֵס לְקַבֵּץ גָּלֻיּוֹתֵנוּ, וְקָרֵב פְּזוּרֵינוּ מִבֵּין הַגּוֹיִם וּנְפוּצוֹתֵינוּ כַּנֵּס מִיַּרְכְּתֵי אָרֶץ, וְקַבְּצֵנוּ יַחַד מְהֵרָה מֵאַרְבַּע כַּנְפוֹת הָאָרֶץ לְאַרְצֵנוּ.

וִיקֻיַּם מְהֵרָה מִקְרָא שֶׁכָּתוּב: "וְהָיָה בַּיּוֹם הַהוּא יִתָּקַע בְּשׁוֹפָר גָּדוֹל וּבָאוּ הָאוֹבְדִים בְּאֶרֶץ אַשּׁוּר וְהַנִּדָּחִים בְּאֶרֶץ מִצְרָיִם וְהִשְׁתַּחֲווּ לַיהוָֹה בְּהַר הַקֹּדֶשׁ בִּירוּשָׁלָיִם".

וְנֶאֱמַר: "וַאדֹנָי אֱלֹהִים בַּשּׁוֹפָר יִתְקָע וְהָלַךְ בְּסַעֲרוֹת תֵּימָן יְהוָֹה צְבָאוֹת יָגֵן עֲלֵיהֶם, כֵּן תָּגֵן עַל עַמְּךָ יִשְׂרָאֵל בִּשְׁלוֹמֶךָ.

עוֹשֶׂה שָׁלוֹם בִּמְרוֹמָיו הוּא בְּרַחֲמָיו יַעֲשֶׂה שָׁלוֹם עָלֵינוּ וְעַל כָּל יִשְׂרָאֵל וְאִמְרוּ אָמֵן":

supernal shofar that You will blow in the future for our freedom.

As a result of this, gather our dispersed and bring us back everything that we lost from our beginning until this day.

Our God and God of our fathers, blow a great shofar for our freedom. Raise an ensign as a signal to gather our exiles, and bring in our scattered from among the nations and our dispersed from the corners of the earth. Gather us together swiftly from the four corners of the earth to our land.

May the verse quickly be realized, "On that day, a great shofar will be blown, and those lost in the land of Assyria and those cast away in the land of Egypt shall come and bow to HaShem on the holy mountain in Jerusalem."

And, "The Lord God will blow with a shofar and He will go forth with the whirlwinds of the south. The Lord of hosts will protect them." "Shield Your nation Israel with the well-being that You give them."

"May He Who makes peace in His heights, in His compassion make peace upon us and upon all Israel, and say, 'Amen.'"

45 (II, 89)

All Matches are Made by the Tzaddik, Who Bridges Opposites / In Order to Find a Wife, an Unmarried Man Should Listen to a Tzaddik Teach Torah

---

All marriages combine two opposites. That which binds them together is a higher awareness, or knowledge. That being the case, all matches are actually made by the Tzaddik, since he is on such a high plane that he is the master of knowledge.

Sometimes a man finds it hard to find a wife since he and she are far apart, even opposites.

To rectify this situation, the man should go to a master of knowledge to hear Torah from his mouth. In this way, he will be able to find his wife.

As this Tzaddik speaks his insights, he combines sources from far-apart sections of the Torah. In doing so, he creates matches in a spiritual sense, and that creates a dynamic that allows this unmarried man to find his wife.

אֵל בָּרוּךְ גְּדוֹל דֵּעָה, זַכֵּנוּ בְּרַחֲמֶיךָ הָרַבִּים וְגַלֵּה לָנוּ בַּחֲסָדֶיךָ הָעֲצוּמִים אֶת הַצַּדִּיק הָאֱמֶת שֶׁהוּא בַּעַל דַּעַת גָּדוֹל. זַכֵּנוּ לִמְצוֹא אוֹתוֹ וּלְהִתְקָרֵב אֵלָיו בֶּאֱמֶת, וְלִשְׁמֹעַ תּוֹרָה מִפִּיו הַקָּדוֹשׁ.

וְרַחֵם עַל כָּל יִשְׂרָאֵל אֲשֶׁר קָשֶׁה לָהֶם לִמְצוֹא זִוּוּגָם (וּבִפְרָט עַל פְּלוֹנִי בֶּן פְּלוֹנִית), וַעֲזוֹר לָהֶם וְהוֹשִׁיעָה לָהֶם מְהֵרָה שֶׁיִּזְכּוּ כָּל אֶחָד וְאֶחָד לִמְצוֹא זִוּוּגוֹ הָאֲמִתִּי הֶהָגוּן לוֹ מִן הַשָּׁמַיִם חִישׁ קַל מְהֵרָה, בְּלִי שׁוּם עִכּוּב וּבְלִי שׁוּם צַעַר וְיִסּוּרִים כְּלָל.

כִּי אֵין אִתָּנוּ יוֹדֵעַ עַד מָה, שׁוּם עֵצָה וְתַחְבּוּלָה אֵיךְ לְבַקֵּשׁ הַזִּוּוּג לְכָל אֶחָד. כִּי אַתָּה יוֹדֵעַ כַּמָּה קָשֶׁה לָאָדָם לִמְצוֹא זִוּוּגוֹ הָאֲמִתִּי, כִּי כָּל הַזִּוּוּגִים הֵם שְׁנֵי הֲפָכִים.

וּבִפְרָט כִּי לִפְעָמִים הֵם בְּהֵפֶךְ גָּדוֹל מְאֹד, אֲשֶׁר קָשֶׁה לְזַוְּגָן כִּקְרִיעַת יַם סוּף, וְאִי אֶפְשָׁר לְחַבְּרָם וּלְזַוְּגָם כִּי אִם עַל יְדֵי הַדַּעַת הָאֲמִתִּי הַמְשַׁדֵּךְ כָּל הַשִּׁדּוּכִים.

Getting Married

Blessed God Who is great in knowledge, in Your vast compassion and mighty kindness, reveal to us the true Tzaddik who is the great master of awareness. Help us find him, truly come close to him, and hear Torah from his holy mouth.

Have compassion on all Jews who have difficulty finding their marriage partners (and, in particular, [Hebrew name], the son/daughter of [mother's Hebrew name]). Help them and save them quickly, so that each one will find his true partner meant for him from Heaven—quickly, swiftly and speedily, without any obstacle, difficulty or suffering at all.

No one knows of any advice or stratagem for how to find a spouse for each unmarried person. You know how hard it is for a person to find his true match, because all potential couples are opposites.

Sometimes they are very much at odds, so much so that it is as hard to bring them together as it was to split the Red Sea. It is possible to join and couple them only by means of true awareness, which brings about all marriages.

עַל כֵּן צְרִיכִים לִשְׁמֹעַ תּוֹרָה מִפִּי הַבַּר דַּעַת הָאֲמִתִּי שֶׁהוּא מְחַדֵּשׁ חִדּוּשִׁים נִפְלָאִים בַּתּוֹרָה, וּמְחַבֵּר וּמְיַחֵד אַתְוָן רַבְרְבִין וְאַתְוָן זְעִירִין, וּמְקַשֵּׁר וּמְשַׁדֵּךְ דִּבְרֵי תּוֹרָה מִמָּקוֹם לְמָקוֹם.

אֲשֶׁר עַל יָדוֹ נִגְמָרִים כָּל הַשִּׁדּוּכִים שֶׁבָּעוֹלָם, בְּסוֹד "כִּי שִׂ'פְתֵי כֹ'הֵן יִ'שְׁמְרוּ דַ'עַת וְ'תוֹרָה יְבַקְשׁוּ מִפִּיהוּ" רָאשֵׁי־תֵבוֹת שִׁידּוּ"ךְ.

אֲבָל בַּעֲווֹנוֹתֵינוּ הָרַבִּים נֶעְלַם מֵאִתָּנוּ וְלֹא נֵדַע אֵיךְ לִמְצֹא אֶת הַבַּעַל דַּעַת הַקָּדוֹשׁ הַזֶּה וְלִשְׁמֹעַ תּוֹרָה מִפִּיו, וְעַתָּה מֵאַיִן יָבֹא עֶזְרֵנוּ.

עַל כֵּן עֵינֵינוּ תְלוּיוֹת אֵלֶיךָ לְבַד מָלֵא רַחֲמִים יוֹשֵׁב וּמְזַוֵּג זִוּוּגִים, שֶׁתַּחְמֹל עַל כָּל עַמְּךָ יִשְׂרָאֵל הַצְּרִיכִים לִמְצוֹא זִוּוּגָם (וּבִפְרָט וְכוּ'), וְתִשְׁלַח לְכָל אֶחָד מְהֵרָה זִוּוּגוֹ הֶהָגוּן לוֹ מִן הַשָּׁמַיִם בֶּאֱמֶת.

Therefore, we must hear Torah from the mouth of the true man of awareness, who creates wondrous insights into the Torah by joining and uniting large letters and small letters, tying and marrying words of Torah in one place to those in other.

Through him, all marriages are consummated. This is expressed in the verse, "The lips of the Kohen guard knowledge; people seek Torah from his mouth"—whose initial letters in Hebrew spell *ShIDdUKh* (match).

But because of our many sins, this holy master of awareness is concealed from us, and we do not know how to find him and hear Torah from his mouth. And so, from where will our help come?

Therefore, our eyes are turned to You alone. You are filled with compassion, and You "sit and arrange matches."[10] Have mercy on all those of Your nation, the Jewish people, who need to find their match (and, in particular, [Hebrew name], the son/daughter of [mother's Hebrew name]). Quickly send each man his marriage partner who is truly fitting for him from Heaven.

---

10   *Midrash Rabbah* 68:4.

וְתִהְיֶה כִּרְצוֹנוֹ וְתִהְיֶה לוֹ לְעֵזֶר וּלְהוֹעִיל, וִיקֻיַּם בּוֹ וּבְכָל הַצְּרִיכִים לִמְצוֹא זִווּגָם "מָצָא אִשָּׁה מָצָא טוֹב וַיָּפֶק רָצוֹן מֵיְהֹוָה".

אָדוֹן יָחִיד, מָלֵא רַחֲמִים, צוֹפֶה וּמַבִּיט עַד סוֹף כָּל הַדּוֹרוֹת, הַמְנַהֵג עוֹלָמוֹ בְּחֶסֶד וּבְרִיּוֹתָיו בְּרַחֲמִים.

חוּס וְרַחֵם וַחֲמֹל עַל יְמֵי הַנְּעוּרִים שֶׁל נַעֲרֵי עַמְּךָ בֵּית יִשְׂרָאֵל, וְהוֹדִיעֵנוּ נָא אֶת דְּרָכֶיךָ, אֵיךְ נִזְכֶּה לָדַעַת לִמְצוֹא זִווּגָם הָאֲמִתִּי שֶׁל כָּל הַתְּלוּיִם בָּנוּ.

זַכֵּנוּ וְעָזְרֵנוּ שֶׁבְּכֹחַ וּזְכוּת הַצַּדִּיקִים הַגְּדוֹלִים הָאֲמִתִּיִּים שֶׁהֵם הַדַּעַת הַקָּדוֹשׁ שֶׁל כָּל הָעוֹלָמוֹת, אֲשֶׁר הִמְשִׁיכוּ וְגִלּוּ דַּעַת גָּדוֹל וְנִפְלָא בֶּאֱמֶת גַּם בָּעוֹלָם הַזֶּה.

בְּכֹחָם וּזְכוּתָם נִזְכֶּה מְהֵרָה לִמְצֹא בַּת זִווּגָם שֶׁל כָּל אֶחָד וְאֶחָד מֵעַמְּךָ בֵּית יִשְׂרָאֵל, וְנִזְכֶּה לְהַשִּׂיאָם מְהֵרָה לְמַזָּל טוֹב לְחַיִּים טוֹבִים אֲרוּכִים וּלְשָׁלוֹם.

וְתִהְיֶה כִּרְצוֹנוֹ, וְלֹא תִהְיֶה מְנַגֶּדֶת אֵלָיו כְּלָל חַס וְשָׁלוֹם,

May she be attuned to his will. May she be helpful and useful to him. May he and all men who need to find their marriage partners realize the verse, "He who has found a wife has found good and attained HaShem's favor."

Unique Master, filled with compassion, looking out and gazing to the end of all generations, You guide Your world with kindness and Your creatures with compassion.

Have pity, compassion and mercy on the young people of Your nation, the House of Israel. Please tell us Your ways and how we may find true spouses for all those who are dependent on us.

Help us attain the power and merit of the great, true Tzaddikim who constitute the holy awareness of all of the worlds, and who draw forth and reveal truly great and awesome awareness even in this world.

In their might and merit, may we quickly find the marriage partner for each individual of Your nation, the House of Israel. May we marry these couples off quickly and happily for a good, long and flourishing life.

May each wife be in accordance with her husband's will and not oppose him at all, Heaven

רַק יָדוּרוּ בְּאַהֲבָה וְשָׁלוֹם בִּקְדֻשָּׁה וּבְטָהֳרָה כִּרְצוֹנְךָ בֶּאֱמֶת.

וְיִזְכּוּ כָּל עַמְּךָ בֵּית יִשְׂרָאֵל לִשְׁמוֹר אֶת הַבְּרִית קֹדֶשׁ בִּקְדֻשָּׁה גְדוֹלָה בֶּאֱמֶת, אֲשֶׁר כָּל הַתּוֹרָה כֻּלָּהּ תְּלוּיָה בָּזֶה, וְהוּא עִקַּר הַנִּסָּיוֹן וְהַבְּחִירָה שֶׁל כָּל אָדָם בְּזֶה הָעוֹלָם, כַּאֲשֶׁר גִּלִּיתָ לָנוּ עַל יְדֵי חֲכָמֶיךָ הַקְּדוֹשִׁים.

וְיִזְכֶּה כָּל אֶחָד וְאֶחָד לְהוֹלִיד מֵאִשְׁתּוֹ בָּנִים וּבָנוֹת דּוֹרוֹת וְדוֹרֵי דוֹרוֹת עַד עוֹלָם, וְכֻלָּם יִהְיוּ חַיִּים וְקַיָּמִים לַעֲבוֹדָתְךָ וּלְיִרְאָתְךָ לְאֹרֶךְ יָמִים וְשָׁנִים טוֹבִים.

וְיַכִּירוּ וְיֵדְעוּ אוֹתְךָ וְאֶת גְּדֻלַּת צַדִּיקֶיךָ הָאֲמִתִּיִּים אֲשֶׁר בָּהֶם בָּחַרְתָּ, וְיִתְגַּלֶּה לָהֶם הַדַּעַת הַקָּדוֹשׁ שֶׁהִשְׁאִירוּ כָּל הַצַּדִּיקִים בָּזֶה הָעוֹלָם.

רִבּוֹנוֹ שֶׁל עוֹלָם, לֹא כַחֲטָאֵינוּ עָשִׂיתָ לָנוּ וְלֹא כַעֲווֹנוֹתֵינוּ גָמַלְתָּ עָלֵינוּ, גַּם עַתָּה חוּס וַחֲמֹל עָלֵינוּ, וּשְׁמַע תְּפִלָּתֵנוּ,

forbid. Rather, may the couple dwell together in love, peace, holiness and purity, truly in accordance with Your will.

May the Tzaddikim help Your entire nation, the House of Israel, truly guard the holy covenant with great holiness. The entire Torah depends on this. It is the essence of every person's test and free will, as You revealed to us through Your holy sages.

May every man's wife be the mother of sons and daughters for generations and generations, forever. May they all live to serve and fear You for length of days and good years.

May they recognize and know You and the greatness of Your true Tzaddikim whom You have chosen. May the holy awareness that all of the Tzaddikim have left in this world be revealed to them.

We Rely on Your Compassion

Master of the world, You do not treat us in accordance with our transgressions. You do not recompense us in accordance with our wrongdoing. Now, as well, have pity and mercy on us. Hear our prayer. Turn Your face away from our

וְהַסְתֵּר פָּנֶיךָ מֵחֲטָאֵינוּ וְכָל עֲוֹונוֹתֵינוּ מְחֵה, וְאַל תַּבִּיט עַל מַעֲשֵׂינוּ.

רַק תַּבִּיט עַל זְכוּת הַצַּדִּיקִים הָאֲמִתִּיִּים שֶׁאָנוּ סוֹמְכִים עֲלֵיהֶם בְּכָל עֵת, אֲשֶׁר מֵימֵי דַעְתֵּיהֶם הַקָּדוֹשׁ אָנוּ שׁוֹתִין וּמִפִּיהֶם אָנוּ חַיִּין, עַד הַיּוֹם הַזֶּה. וְעַל יְדֵי זֶה יִזְכֶּה כָּל אֶחָד מִיִּשְׂרָאֵל לִמְצוֹא זִוּוּגוֹ הָאֲמִתִּי מְהֵרָה.

וּתְמַלֵּא כָּל מִשְׁאֲלוֹתֵנוּ בְּרַחֲמִים, כְּכֹל אֲשֶׁר שָׁאַלְתִּי מֵאִתְּךָ בַּעַל הָרַחֲמִים בַּעַל הַחֶמְלָה בַּעַל הַחֲנִינָה.

כִּי רַחֲמֶיךָ לֹא כָלִים, וְאַתָּה חָפֵץ שֶׁגַּם גָּרוּעַ וּפָחוּת כָּמוֹנִי כָּמוֹנִי, יְבַקֵּשׁ אוֹתְךָ עַל כָּל הַטּוֹב וְהַחֶסֶד.

כִּי אַתָּה טוֹב וּמֵטִיב לַכֹּל, וְזֶה עִקַּר גְּדֻלָּתְךָ כְּשֶׁאַתָּה עוֹשֶׂה חֶסֶד נִפְלָא עִם הָרְחוֹקִים מִמְּךָ וּבִפְרַט עִם רָחוֹק כָּמוֹנִי. כִּי אַתָּה חוֹנֵן אֶת מִי שֶׁאֵינוֹ רָאוּי לָחוֹן, וּמְרַחֵם עַל מִי שֶׁאֵינוֹ רָאוּי לְרַחֵם.

וּבִפְרַט שֶׁאֲנִי רוֹאֶה בְּכָל עֵת אֶת כָּל הַחֲסָדִים וְהַטּוֹבוֹת

wrongdoing, erase all of our sins, and do not look at our deeds.

Rather, gaze at the merit of the true Tzaddikim on whom we rely at all times. We drink from the waters of this holy awareness, and to this day we live from the words of their mouths. As a result, may every Jewish man find his true match quickly.

Compassionately fulfill all of our requests in accordance with all that I have requested of You, Master of compassion, Master of mercy, Master of graciousness.

Your compassion has not ended. You desire that even someone as lowly and worthless as I am will ask You for all good and kindness.

For You are good and do good to all. That is the essence of Your greatness. You perform wondrous kindness for those who are far from You—in particular, for someone who is as far away as I am. You are gracious with a person undeserving of graciousness, and You have compassion on a person undeserving of compassion.

In particular, at every moment I see all of the kindnesses, benefits and wonders of Your

וְהַנִּפְלָאוֹת אֲשֶׁר אַתָּה מַפְלִיא חַסְדְּךָ עָלַי בְּכָל יוֹם וּבְכָל עֵת וּבְכָל שָׁעָה.

"כִּי חַסְדְּךָ גָּדוֹל עָלָי וְהִצַּלְתָּ נַפְשִׁי מִשְּׁאוֹל תַּחְתִּיָּה. חַסְדְּךָ גָּדוֹל עָלַי" בְּלִי שִׁעוּר וָעֵרֶךְ וּמִסְפָּר, "כִּי גָבַר עָלֵינוּ חַסְדּוֹ וֶאֱמֶת יְהֹוָה לְעוֹלָם הַלְלוּיָהּ".

עַל כֵּן מָצָא עַבְדְּךָ אֶת לִבּוֹ לְהִתְחַנֵּן לְפָנֶיךָ עַל כָּל אֵלֶּה. כִּי לֹא עַל צִדְקוֹתַי אֲנִי מַפִּיל תְּחִנָּתִי לְפָנֶיךָ, כִּי עַל רַחֲמֶיךָ הָרַבִּים וְעַל כֹּחַ וּזְכוּת הַצַּדִּיקִים הָאֲמִתִּיִּים הַזּוֹכִים וּמְזַכִּים אֶת הָרַבִּים.

אֲשֶׁר כֹּחָם וּזְכוּתָם מַסְפִּיק גַּם עָלַי, לְהוֹשִׁיעַ גַּם אוֹתִי וְאֶת זַרְעִי וְזֶרַע זַרְעִי וְכָל עַמְּךָ בֵּית יִשְׂרָאֵל עַד עוֹלָם בְּכָל הַיְשׁוּעוֹת שֶׁבָּעוֹלָם.

כִּי בְשֵׁם קָדְשְׁךָ הַגָּדוֹל וְהַנּוֹרָא בָטָחְנוּ, נָגִילָה וְנִשְׂמְחָה בִּישׁוּעָתֶךָ, "יִהְיוּ לְרָצוֹן אִמְרֵי פִי וְהֶגְיוֹן לִבִּי לְפָנֶיךָ יְהֹוָה צוּרִי וְגוֹאֲלִי", אָמֵן וְאָמֵן:

wondrous kindness that You perform on my behalf every day, every hour and every moment.

"Your kindness toward me is great; You have rescued my spirit from the lowest depths of Sheol." "Your kindness to me is great"— without measure and beyond evaluation and calculation—"for His kindness has overwhelmed us and HaShem is true forever, praise God!"

Therefore, Your servant has found it in his heart to beg You for all of this. I do not rely on my righteousness to cast my prayer before You, but on Your vast compassion, and on the power and merit of the true Tzaddikim who gain merit and who give merit to the masses.

Their power and merit suffices for me as well, in order to save me, my children and my grandchildren—as well as Your entire nation, the House of Israel—forever with all of the salvations in the world.

We trust in the Name of Your great and awesome holiness. We will rejoice and delight in Your salvation. "May the words of my mouth and the meditation of my heart be pleasing before You, HaShem, my Rock and my Redeemer." Amen and amen.

46 (II, 90)

One Should Not Divorce His Wife Even if She is Bad,
for She Saves Him from the Suffering of Gehinnom /
A Person Should Not Indulge His Carnal Appetites

There are two reasons for breaking a plate at the time of an engagement.

A man must be very careful not to divorce his wife. A man who has a bad wife will not see Gehinnom (*Eruvin* 41b)—thus, a man in such a circumstance should accept his situation with equanimity.

This is alluded to in the breaking of the plate. There was a Gate of Shards in Jerusalem, traditionally described as standing opposite the entrance to Gehinnom. The breaking of the plate hints to the man that even if she will be a bad wife, he should not be disloyal to her, but accept that situation with love, for as a result he will not see Gehinnom.

Conversely, if she is a good wife, he should remember that Gehinnom exists and not be drawn after his carnal appetites, but sanctify himself.

"אֵלֶיךָ יְהֹוָה אֶקְרָא וְאֶל יְהֹוָה אֶתְחַנָּן, מַה בֶּצַע בְּדָמִי בְּרִדְתִּי אֶל שָׁחַת הֲיוֹדְךָ עָפָר הֲיַגִּיד אֲמִתֶּךָ.

שְׁמַע יְהֹוָה וְחָנֵּנִי יְהֹוָה הֱיֵה עוֹזֵר לִי", וְרַחֵם עָלַי וְעַל זַרְעִי וְעַל כָּל עַמְּךָ בֵּית יִשְׂרָאֵל, וְהַצִּילֵנוּ מִדִּינָהּ שֶׁל גֵּיהִנָּם.

רַחֵם עָלֵינוּ מֵעַתָּה עַל כָּל פָּנִים, וְהַצִּילֵנוּ מִתַּאֲוַת הַמִּשְׁגָּל, שָׁמְרֵנוּ וְהַצִּילֵנוּ בְּרַחֲמֶיךָ וַחֲסָדֶיךָ וְנִפְלְאוֹתֶיךָ הַנּוֹרָאוֹת, וֶהְיֵה בְּעֶזְרֵנוּ שֶׁלֹּא נַרְבֶּה תַּאֲוָתֵנוּ אֲפִלּוּ בְּהֶתֵּר.

רַק נִזְכֶּה לִזְכֹּר אָז בָּעֹנֶשׁ הַקָּשֶׁה וְהַמַּר שֶׁל הַגֵּיהִנָּם, וְלֹא נְמַלֵּא תַּאֲוָתֵנוּ חַס וְשָׁלוֹם, רַק נִזְכֶּה לְמַעֵט תַּאֲוָתֵנוּ בְּתַכְלִית הַמִּעוּט, עַד אֲשֶׁר נִזְכֶּה לְשַׁבְּרָהּ לְגַמְרֵי.

וְלֹא נִהְיֶה רְגִילִים בָּזֶה כְּלָל חַס וְשָׁלוֹם, כִּי אִם בִּשְׁבִיל קִיּוּם הַמִּין, בִּקְדֻשָּׁה וּבְטָהֳרָה גְדוֹלָה, בְּאֵימָה וְיִרְאָה בִּרְתֵת וָזִיעַ,

Rescue Us from the Judgment of Gehinnom

"To You, HaShem, I call, and to HaShem I pray." "What profit is there in my blood, in my descending to the grave? Will the earth acknowledge You, will it tell Your truth?"

"Hear, HaShem, and be gracious to me. HaShem, help me!" Have compassion on me, my offspring, and Your entire nation, the House of Israel, and save us from the judgment of Gehinnom!

Have compassion on us—from now on, at any rate. Rescue us from the desire for intimate relations. In Your compassion, kindness and awesome wonders, guard us and save us. Help us so that we will not indulge our desire inordinately, even when it is permissible.

Rather, may we remember the harsh and bitter punishment of Gehinnom. May we not satiate our desires, Heaven forbid, but reduce them completely until we break them entirely.

May we not be accustomed to engage in marital relations at all, Heaven forbid, except in order to maintain the human race. May we do so in great holiness and purity, with dread and awe, trembling and trepidation, humility and

בַּעֲנָוָה בְּבֹשֶׁת פָּנִים, בְּלִי שׁוּם חֲצִיפוּת וְעַזּוּת דְּסִטְרָא אַחֲרָא כְּלָל.

מִכָּל שֶׁכֵּן וְכָל שֶׁכֵּן שֶׁנִּהְיֶה נִשְׁמָרִים בְּתַכְלִית הַשְּׁמִירָה מִתַּאֲוָה זֹאת בְּאֵיזֶה צַד אִסּוּר חַס וְשָׁלוֹם.

שֶׁנִּזְכֶּה לְהִזָּהֵר וּלְהִשָּׁמֵר מִכָּל מִינֵי צַד הִרְהוּרִים וּמַחֲשָׁבוֹת רָעוֹת וּמִכָּל מִינֵי הִסְתַּכְּלוּת רָעִים, וּמִכָּל מִינֵי פְּגַם הַבְּרִית בְּמַחֲשָׁבָה דִּבּוּר וּמַעֲשֶׂה, בְּכָל הַחוּשִׁים וּבְכָל הַכֹּחוֹת.

בְּכֻלָּם נִהְיֶה נִזְהָרִים וְנִשְׁמָרִים בְּתַכְלִית הַשְּׁמִירָה מִכָּל מִינֵי פְּגַם הַבְּרִית, בְּאִסּוּר וּבְהֶתֵּר בְּשׁוֹגֵג וּבְמֵזִיד בְּאֹנֶס וּבְרָצוֹן, בְּאֹפֶן שֶׁנִּזְכֶּה לְהִנָּצֵל מִדִּינָהּ שֶׁל גֵּיהִנָּם.

רַחֵם עָלֵינוּ בְּרַחֲמֶיךָ הָרַבִּים בְּרַחֲמֶיךָ הַגְּדוֹלִים בְּחֶמְלָתְךָ וַחֲנִינוֹתֶיךָ, כִּי אַתָּה יוֹדֵעַ גֹּדֶל הַצַּעַר הַמַּר וְהַקָּשֶׁה מְאֹד שֶׁל גֵּיהִנָּם אֲפִלּוּ שָׁעָה אַחַת.

רַחֵם עָלֵינוּ בְּחַיֵּינוּ, וְעָזְרֵנוּ וְהוֹשִׁיעֵנוּ וְזַכֵּנוּ שֶׁנִּתְגַּבֵּר וְנִכְבּוֹשׁ

shame, and without any insolence or arrogance of the Side of Evil at all.

How much more should we guard ourselves to the ultimate degree against any forbidden aspect of this desire, Heaven forbid.

May we succeed in protecting and guarding ourselves from all kinds of fantasies and evil thoughts, from every kind of evil gazing, and from every kind of blemish to the covenant in thought, speech and deed, in all of our senses and with all of our faculties.

In all of them, may we carefully guard ourselves to the ultimate degree against every kind of blemish to the covenant—whether forbidden or permitted, unintentional or purposeful, under duress or willingly—so that we will be saved from the judgment of Gehinnom.

In Your vast and great compassion, in Your mercy and graciousness, have compassion on us. For You know the severe, bitter suffering of Gehinnom, even if it lasts for but a single hour.

Have compassion on us during our lifetime. Help us and save us so that we will overcome and vanquish our evil inclination, and thus

אֶת יִצְרֵנוּ, בְּאֹפֶן שֶׁנַּצִּיל עַצְמֵנוּ לְגַמְרֵי מִדִּינָהּ שֶׁל גֵּיהִנֹּם.

וְכָל מַה שֶּׁפָּגַמְנוּ נֶגְדְּךָ עַד הֵנָּה בִּפְרָט בִּפְגַם הַבְּרִית, עַד אֲשֶׁר "עֲוֹנוֹתֵינוּ רָבוּ לְמַעְלָה רֹאשׁ" וְעָצְמוּ עַד גָּבְהֵי שָׁמַיִם, וְכָבְדוּ מֵחוֹל יַמִּים, וְרַבּוּ מֵעֲפַר הָאָרֶץ, עַל הַכֹּל תִּמְחֹל וְתִסְלַח לָנוּ אֱלוֹהַּ סְלִיחוֹת חַנּוּן הַמַּרְבֶּה לִסְלוֹחַ.

כִּי אֵין בְּיָדֵינוּ לְתַקֵּן אֶחָד מֵהֶם אַף כִּי כֻלָּם, כִּי אִם בִּתְפִלָּה וְתַחֲנוּנִים שֶׁתַּחְמֹל וְתָחוּס עָלֵינוּ, וְתִמְחוֹל לָנוּ עַל הֶעָבַר בִּמְחִילָה גְמוּרָה בֶּאֱמֶת.

וְתַעַזְרֵנוּ וְתוֹשִׁיעֵנוּ עַל הֶעָתִיד, שֶׁתִּהְיֶה בְּעֶזְרֵנוּ בְּכָל עֵת וְתִשְׁמְרֵנוּ שֶׁלֹּא נֶחֱטָא עוֹד, וְלֹא נִפְגֹּם עוֹד שׁוּם פְּגַם כְּלָל, בִּפְרַט בִּבְרִית קֹדֶשׁ.

חֲמֹל עָלֵינוּ, כִּי אֵין רַחֲמָנוּת בָּעוֹלָם כַּאֲשֶׁר עַל הַפּוֹגֵם בִּבְרִית קֹדֶשׁ. חֲמֹל עָלֵינוּ אָבִינוּ שֶׁבַּשָּׁמַיִם, וַעֲשֵׂה אֶת אֲשֶׁר תַּעֲשֶׂה בְּרַחֲמֶיךָ הָרַבִּים בְּאֹפֶן שֶׁלֹּא נֶחֱטָא וְלֹא נִפְגֹּם עוֹד כְּלָל.

rescue ourselves entirely from the judgment of Gehinnom.

We have caused blemishes against You until now—in particular, blemishes of the covenant—until "our sins have risen over our head," rising to the heights of Heaven, and growing heavier than the sand of the sea and more numerous than the dust of the earth. Regarding all of this, forgive us and grant us atonement, God of atonement, You Who are gracious and generous to forgive.

We do not have the power to rectify even one of these blemishes—certainly not all of them—except by praying and beseeching You to have mercy and pity on us, and to forgive our past with truly complete forgiveness.

Help us and save us in the future. Assist us at every moment by guarding us so that we will no longer sin and no longer cause any blemishes at all—in particular, to the holy covenant.

Have mercy on us, for there is nothing more pitiful than one who causes a blemish to the holy covenant. Have mercy on us, our Father in Heaven. In Your vast compassion, do what You will so that we will no longer sin and no longer cause any blemishes at all.

וְנִזְכֶּה לִשְׁמוֹר חֻקֶּיךָ וּמִצְוֹתֶיךָ כִּרְצוֹנְךָ הַטּוֹב כָּל יְמֵי חַיֵּינוּ לְעוֹלָם, בְּאֹפֶן שֶׁנִּזְכֶּה לְהִנָּצֵל לְגַמְרֵי מִדִּינָהּ שֶׁל גֵּיהִנָּם, וְלֹא נִרְאֶה פְּנֵי גֵּיהִנָּם כְּלָל.

כִּי רַחֲמֶיךָ רַבִּים מְאֹד מְאֹד, וְאַתָּה שׁוֹמֵעַ תְּפִלַּת כָּל פֶּה, וּבִפְרָט כִּי אֲנַחְנוּ בְטוּחִים וּסְמוּכִים עַל כֹּחָם שֶׁל הַצַּדִּיקִים הָאֲמִתִּיִּים שׁוֹמְרֵי הַבְּרִית בֶּאֱמֶת.

אֲשֶׁר הֵם חִזְּקוּנוּ וְזֵרְזוּנוּ לְהַרְבּוֹת בִּתְפִלָּה וּבְבַקָּשׁוֹת וְתַחֲנוּנִים וּצְעָקָה וְשַׁוְעָה אֵלֶיךָ יִהְיֶה אֵיךְ שֶׁיִּהְיֶה.

עַל כֵּן עֵינֵינוּ תְלוּיוֹת אֶל רַחֲמֶיךָ וַחֲסָדֶיךָ לְבַד כְּעֵינֵי עֲבָדִים אֶל יַד אֲדוֹנֵיהֶם, עַד אֲשֶׁר תְּרַחֵם עָלֵינוּ מִן הַשָּׁמַיִם וּתְזַכֵּנוּ מֵעַתָּה עַל כָּל פָּנִים לְתִקּוּן הַבְּרִית בֶּאֱמֶת, כִּרְצוֹנְךָ וְכִרְצוֹן צַדִּיקֶיךָ הָאֲמִתִּיִּים, זְכוּתָם יָגֵן עָלֵינוּ.

וּבְכֵן תְּרַחֵם עַל כָּל עַמְּךָ בֵּית יִשְׂרָאֵל הַצְּרִיכִים לִמְצוֹא

May we guard Your laws and commandments in accordance with Your good will all of the days of our lives, forever, so that we will be entirely rescued from the judgment of Gehinnom and never see the face of Gehinnom.

Your compassion is extremely vast. You hear the prayer of every mouth. In particular, we trust and rely on the power of the true Tzaddikim who truly guard the covenant.

They have encouraged and inspired us to engage in much prayer, and to plead, beg, cry out and call out to You, however things may be.

Therefore, our eyes are turned to Your compassion and kindness alone, like the eyes of servants turned to the hand of their masters, until You will have compassion on us from Heaven and help us—from now on, at any rate—truly rectify the covenant, in accordance with Your will and in accordance with the will of Your true Tzaddikim, may their merit protect us.

May We Find Our True Spouse

Have compassion on every one of Your nation, the House of Israel, who need to find

זִוּוּגָם, שֶׁיִּזְכּוּ לִמְצוֹא זִוּוּגָם מְהֵרָה, זִוּוּגָם הָאֲמִתִּי, זִוּוּגָם הֶהָגוּן לָהֶם מִן הַשָּׁמַיִם.

וְיִזְכֶּה כָּל אֶחָד לְהִתְעוֹרֵר אֵלֶיךָ בִּשְׁעַת הַהִתְקַשְּׁרוּת, לִזְכֹּר בְּהַתַּכְלִית וְהַסּוֹף, בִּשְׁעַת שְׁבִירַת כְּלִי חֶרֶס בְּעֵת הַתְּנָאִים.

שֶׁיִּזְכֹּר עַל יְדֵי זֶה בְּשַׁעַר הַחַרְסִית שֶׁהָיָה בִּירוּשָׁלַיִם שֶׁהוּא פִּתְחָהּ שֶׁל גֵּיהִנָּם, לְמַעַן לֹא יִבְגֹּד בְּאִשְׁתּוֹ הַכְּשֵׁרָה, וְיִזָּהֵר מִלְּגָרְשָׁהּ אֲפִלּוּ אִם יֵשׁ לוֹ יִסּוּרִים מִמֶּנָּה חַס וְשָׁלוֹם.

כִּי יִזְכֹּר בְּעֹנֶשׁ הַמַּר שֶׁל גֵּיהִנָּם שֶׁיִּנָּצֵל מִמֶּנּוּ עַל יְדֵי זֶה, כְּמוֹ שֶׁאָמְרוּ רַבּוֹתֵינוּ זִכְרוֹנָם לִבְרָכָה שֶׁמִּי שֶׁיֵּשׁ לוֹ אִשָּׁה רָעָה אֵינוֹ רוֹאֶה פְּנֵי גֵּיהִנָּם, וְצָרִיךְ לְקַבֵּל בְּאַהֲבָה.

וְכֵן יַזְכִּיר אֶת עַצְמוֹ שֶׁאִם תִּהְיֶה אִשָּׁה טוֹבָה כִּרְצוֹנוֹ, שֶׁיִּהְיֶה זָהִיר וְזָהִיר מִלְּהַרְבּוֹת תַּאֲוָתוֹ חַס וְשָׁלוֹם, וְיִזְכֹּר וְיִזְכֹּר שֶׁיֵּשׁ גֵּיהִנָּם.

וְיַחְמֹל עַל עַצְמוֹ וִיקַדֵּשׁ אֶת עַצְמוֹ בְּזִוּוּגוֹ בְּתַכְלִית הַקְּדֻשָּׁה

a spouse, so that each one will find his spouse quickly—his true spouse, his spouse meant for him from Heaven.

During the engagement ceremony—the *tena'im*—at the time of the breaking of the plate, may everyone be inspired for Your sake to recall his goal and purpose.

May the man then remember the Gate of Shards that was in Jerusalem, which is the entrance to Gehinnom—so that he will not be disloyal to his worthy wife, and take care not to divorce her even if she causes him suffering, Heaven forbid.

He should recall the bitter punishment of Gehinnom from which a man is rescued as a result of having a bad wife. As our sages said, "A man who has a bad wife does not see the face of Gehinnom." He must accept this with love.

And he should remind himself that if she will be a good wife, acting in accordance with his will, he should be extremely careful not to overindulge his sexual desire, Heaven forbid, and truly remember that Gehinnom exists.

He should have pity on himself and sanctify himself with ultimate holiness when he engages

כָּרָאוּי לְאִישׁ יִשְׂרְאֵלִי, וְיִזְכֹּר וְלֹא יִשְׁכַּח עֹנֶשׁ הַמַּר שֶׁל גֵּיהִנָּם שֶׁבָּא עַל פְּגַם הַבְּרִית חַס וְשָׁלוֹם רַחֲמָנָא לִצְלַן.

רַחֵם עָלַי וְעַל זַרְעִי וְעַל כָּל יִשְׂרָאֵל, וּתְסַבֵּב בְּרַחֲמֶיךָ סִבּוֹת לְטוֹבָה, בְּאֹפֶן שֶׁנִּזְכֶּה לְמַלֵּט וּלְהַצִּיל נַפְשֵׁנוּ מִן הַגֵּיהִנָּם וּמִכָּל מִינֵי עֳנָשִׁים וְדִינִים בָּזֶה וּבַבָּא.

כִּי "מַה בֶּצַע בְּדָמִי בְּרִדְתִּי אֶל שַׁחַת הֲיוֹדְךָ עָפָר הֲיַגִּיד אֲמִתֶּךָ". חוּסָה עָלֵינוּ כְּרוֹב רַחֲמֶיךָ וְהַצִּילֵנוּ מִזַּעְמֶךָ, "שָׁמְרָה נַפְשִׁי וְהַצִּילֵנִי אַל אֵבוֹשׁ כִּי חָסִיתִי בָךְ, הַצִּילָה מֵחֶרֶב נַפְשִׁי מִיַּד כֶּלֶב יְחִידָתִי".

חוּס וְרַחֵם וַחֲמֹל עָלֵינוּ בִּזְכוּת וְכֹחַ הַצַּדִּיקִים אֲשֶׁר קֵרְבוּנוּ אֵלֶיךָ בְּרַחֲמֶיךָ.

"הַצִּילֵנִי מִטִּיט וְאַל אֶטְבָּעָה, אִנָּצְלָה מִשּׂוֹנְאַי וּמִמַּעֲמַקֵּי

in marital relations, as is fitting for a Jewish man, and recall and never forget the bitter punishment of Gehinnom that comes on account of a blemish of the covenant, Heaven forbid, may the Compassionate One protect us.

Have compassion on me, on my offspring and on every Jew. In Your compassion, bring about a chain of events for the good, so that we will aid and rescue our soul from Gehinnom and from every type of punishment and judgment in this world and the World to Come.

"What profit is there in my blood, in my descending to the grave? Will the earth acknowledge You, will it tell Your truth?" Protect us in Your great compassion and rescue us from Your wrath. "Guard my soul and rescue me. May I not be ashamed, for I have taken refuge in You." "Save my spirit from the sword, my soul from the dogs."

Have pity, compassion and mercy on us in the merit and power of the Tzaddikim who, aided by Your compassion, have brought us close to You.

"Rescue me from the mud so that I will not sink. May I be delivered from my enemies and

מָיִם. אַל תִּשְׁטְפֵנִי שִׁבֹּלֶת מַיִם וְאַל תִּבְלָעֵנִי מְצוּלָה, וְאַל תֶּאְטַר עָלַי בְּאֵר פִּיהָ.

עֲנֵנִי יְהוָה כִּי טוֹב חַסְדֶּךָ כְּרֹב רַחֲמֶיךָ פְּנֵה אֵלָי. וְאַל תַּסְתֵּר פָּנֶיךָ מֵעַבְדֶּךָ כִּי צַר לִי מַהֵר עֲנֵנִי. קָרְבָה אֶל נַפְשִׁי גְּאָלָהּ לְמַעַן אוֹיְבַי פְּדֵנִי. הֲשִׁיבֵנִי וְאָשׁוּבָה כִּי אַתָּה [יְהוָה] אֱלֹהָי.

הֲשִׁיבֵנוּ יְהוָה אֵלֶיךָ וְנָשׁוּבָה חַדֵּשׁ יָמֵינוּ כְּקֶדֶם.

יִהְיוּ לְרָצוֹן אִמְרֵי פִי וְהֶגְיוֹן לִבִּי לְפָנֶיךָ יְהוָה צוּרִי וְגוֹאֲלִי":

from the depths of the water." "May the waves of water not pour over me, may the depths not swallow me up, and may the wellspring not shut its mouth upon me."

"Answer me, HaShem, for Your loving-kindness is good; in accordance with Your compassion, turn to me. Do not hide Your face from Your servant, for I am in distress; answer me soon." "Bring redemption close to my spirit; despite my enemies, redeem me." "Bring me back and I will return, for You are [HaShem] my God."

"Return us to You, HaShem, and we will return; renew our days as of old."

"May the words of my mouth and the meditation of my heart be pleasing before You, HaShem, my Rock and my Redeemer."

47 (I, Prologue)

Through Rabbi Shimon bar Yochai, the Jewish People Will Not Forget the Torah / In the Merit of Rabbi Shimon's Zohar, the Jewish People Will Emerge from Exile

Rabbi Shimon bar Yochai promised the Jewish people that through him, the Torah would not be forgotten. When the sages entered the yeshivah in Yavneh, they said, "The Torah will one day be forgotten by the Jews," but Rabbi Shimon said it would not be, quoting the verse, "For it will not be forgotten from the mouth of his offspring (כי לא תשכח מפי זרעו, *ki loa tisha'khach mipiy zaro*)" (Deuteronomy 31:21). Moreover, it states in the Zohar, "With this Zohar, they [the Jews] will be redeemed from exile" (Zohar III, 124b).

The final letters of the words in the verse from Deuteronomy, *kI loA tisha'khaCh mipiY zarO*, spell *YOChAI*. Thus, the verse is hinting that the Torah will not be forgotten from the mouth of *his offspring*—namely, the offspring of Yochai: the sage Rabbi Shimon. Because of Rabbi Shimon's Zohar, the Jews will be redeemed from exile.

The mystery of Rabbi Shimon himself is alluded to in another verse, "A wakeful, holy angel descended from Heaven (עיר וקדיש מן שמיא נחית, *Ir Ve-kaddish Min Shemaya Nachit*)" (Daniel 4:10), the first letters of which spell *ShIMON*.

תפילה זאת מיוסדת על פי הסוד הנורא שגילה (רבינו ז"ל) על גדולת רשב"י ז"ל, שהבטיח לישראל שלא תשכח התורה על ידו כי בזוהר דא יפקון מן גלותא, עיין שם בתחלת הספר, ומה טוב לאומרה על קברו הקדוש של רשב"י ז"ל, מי שזוכה לבוא לשם, אך גם בכל מקום האומרה לא הפסיד, כי התפשטות נשמת הצדיק הוא בכל העולם כמובן בזוה"ק.

לל"ג בעומר הילולת התנא רבי שמעון בר יוחאי

רַבִּי שִׁמְעוֹן בֶּן יוֹחָאי עִיר וְקַדִּישׁ מִן שְׁמַיָּא נָחִית, בּוֹצִינָא קַדִּישָׁא, בּוֹצִינָא עִלָּאָה, בּוֹצִינָא רַבָּא, בּוֹצִינָא יַקִּירָא. אַתֶּם הִבְטַחְתֶּם לְיִשְׂרָאֵל שֶׁלֹּא תִשְׁתַּכַּח הַתּוֹרָה מִיִּשְׂרָאֵל עַל יְדְכֶם, כִּי "בְּזֹהַר דָּא יִפְקוּן מִן גָּלוּתָא".

וַאֲפִלּוּ בְּתֹקֶף הַהַסְתָּרָה שֶׁבְּתוֹךְ הַסְתָּרָה בְּעִקְּבוֹת מְשִׁיחָא בְּאַחֲרִית הַיָּמִים הָאֵלֶּה, הִבְטַחְתֶּם שֶׁאַף עַל פִּי כֵן לֹא תִשָּׁכַח הַתּוֹרָה מִפִּי זַרְעֵנוּ.

The following prayer is based on the awesome secret that Rebbe Nachman revealed regarding the greatness of Rabbi Shimon bar Yochai, who promised the Jewish people that through him, the Torah would not be forgotten—because "with this Zohar, they will be redeemed from exile." If a person has the privilege of being at Rabbi Shimon bar Yochai's holy gravesite, it is good to recite this prayer there. However, one does well to recite it anywhere, because—as the holy Zohar states—the Tzaddik's soul spreads throughout the entire world.

For Lag BaOmer, the Hilula of Rabbi Shimon bar Yochai

May Rabbi Shimon bar Yochai and the Other Tzaddikim Help Us

Rabbi Shimon bar Yochai, "a wakeful, holy angel descended from Heaven," a holy light, an exalted light, a great light, a precious light—you promised the Jewish people that because of you, they will never forget the Torah, for "with this Zohar they will be redeemed from exile."

Even in the midst of concealment within concealment, in the "footsteps of the Mashiach" at these end of days, Rabbi Shimon bar Yochai, you have promised that the Torah will not be forgotten from the mouths of our children.

כְּמוֹ שֶׁכָּתוּב: "וְאָנֹכִי הַסְתֵּר אַסְתִּיר פָּנַי בַּיּוֹם הַהוּא עַל כָּל אֲשֶׁר עָשָׂה, וְעָנְתָה הַשִּׁירָה הַזֹּאת לְפָנָיו לְעֵד כִּי לֹא תִשָּׁכַח מִפִּי זַרְעוֹ".

וְהִנֵּה עַתָּה הִגִּיעוּ הַיָּמִים אֲשֶׁר אֵין לָנוּ בָּהֶם חֵפֶץ, כִּי אָרַךְ עָלֵינוּ הַגָּלוּת וּמָשַׁךְ עָלֵינוּ הַשִּׁעְבּוּד, וּבְכָל יוֹם אָנוּ הוֹלְכִים וְדַלִּים, וּמָטָה יָדֵינוּ מְאֹד.

"כִּי אָזְלַת יָד וְאֶפֶס עָצוּר וְעָזוּב". כִּי נִשְׁאַרְנוּ כִּיתוֹמִים וְאֵין אָב, וְאֵין מִי יַעֲמוֹד בַּעֲדֵנוּ.

וְהִנֵּה בְּתֹקֶף סוֹף הַגָּלוּת הַמַּר הַזֶּה, וּכְבָר הִתְחִיל לְהִתְנוֹצֵץ הִתְנוֹצְצוּת מָשִׁיחַ מִימֵי הָאֱלֹהִי הָאֲרִ"י זֵכֶר צַדִּיק לִבְרָכָה, וְעַמְּךָ בֵּית יִשְׂרָאֵל מִשְׁתּוֹקְקִים וּמִתְגַּעְגְּעִים מְאֹד לְהַשֵּׁם יִתְבָּרַךְ.

וְהַכֹּל חֲפֵצִים לְיִרְאָה אֶת שְׁמֶךָ בְּהִשְׁתּוֹקְקוּת נִמְרָץ וְנִפְלָא אֲשֶׁר לֹא הָיְתָה כָּזֹאת מִימֵי קֶדֶם.

As the verse states, "When I hide My face on that day...this song will speak before [the Jews] as a witness, for it will not be forgotten from the mouths of [their] children."

And now, days have come from which we derive no pleasure. Our exile has grown long and our subjugation has been protracted, and every day we grow poorer and our hands are feeble.

"The enemy's hand gains strength and there is no savior to strengthen us." We are left like orphans without a father, with no one to stand up on our behalf.

In the denouement of this bitter exile, the spark of the Mashiach began to shine in the days of the Godly ARI,[11] may the memory of a Tzaddik be for a blessing, and Your nation, the House of Israel, yearn and languish profoundly for HaShem, may He be blessed.

Everyone desires to fear Your Name with an urgent and wondrous yearning that has not existed since the earliest days.

---

11 Acronym for *Adoneinu Rabbeinu Yitzchak*, Rabbi Isaac Luria (1534-1572), founder of the modern study of Kabbalah.

"הֶקִיצוֹתִי וְעוֹדִי עִמָּךְ", בָּאתִי עַד קֵץ כָּל הַדּוֹרוֹת וְעוֹדִי עִמָּךְ. עֲדַיִן אָנוּ אֲחוּזִים בָּךְ, וּמִשְׁתּוֹקְקִים לַעֲבוֹדָתְךָ בִּכְלוֹת הַנֶּפֶשׁ.

אֲבָל אַף עַל פִּי כֵן, גַּם גֹּדֶל רִחוּקֵנוּ מִמְּךָ בָּעִתִּים הַלָּלוּ הוּא גַּם כֵּן בְּלִי שִׁעוּר, כִּי טָבַעְנוּ בִּיוֵן מְצוּלָה וְאֵין מָעֳמָד בָּאנוּ בְמַעֲמַקֵּי מַיִם וְשִׁבֹּלֶת שְׁטָפָתְנוּ.

וּרְאֵה אֶת עַמְּךָ יִשְׂרָאֵל מְרוּדִים מְאֹד, אֲשֶׁר אִי אֶפְשַׁר לְבָאֵר וּלְסַפֵּר גֹּדֶל הִתְגָּרוּת הַבַּעַל דָּבָר אֲשֶׁר הִתְגָּרָה בָּנוּ מְאֹד, עַד אֲשֶׁר הִפִּיל אוֹתָנוּ מְאֹד.

וְהִנֵּה אָנֹכִי בְּעָנְיִי מִי אָנֹכִי לְסַפֵּר צָרוֹת יִשְׂרָאֵל, רַק אַתֶּם לְבַד יְדַעְתֶּם אֶת כָּל הַמַּעֲמָד וּמַצָּב שֶׁל יִשְׂרָאֵל בְּאַחֲרִית הַיָּמִים הָאֵלֶּה.

אַךְ בָּאתִי לְסַפֵּר וְלִצְעֹק עָלַי וְעַל נַפְשִׁי, עַל עֹצֶם רְחוּקִי מֵהַשֵּׁם יִתְבָּרַךְ, וְעֹצֶם פְּגָמַי וַעֲווֹנוֹתַי הָרַבִּים וּפְשָׁעַי הָעֲצוּמִים.

"I have reached the end, and I am still with You." I have come to the end of all of the generations, and I continue to be with You. We continue to hold on to You, and we yearn to serve You with an outpouring of our soul.

Nevertheless, our great distance from You in these times is also without measure, because we are sunken into the deep mire, without a place to stand. We have entered into the depths of the waters, and the floodwaters have poured over us.

Look: Your nation, the Jewish people, are deeply downtrodden. It is impossible to describe or recount the tremendous temptations of the Evil One, who has enticed us so considerably and cast us down so tremendously.

In my poverty, who am I to tell the troubles of the Jewish people? Only you, Rabbi Shimon bar Yochai, know the totality of the circumstances and situation of the Jewish people at this end of days.

However, I have come to recount and cry out in regard to myself and my soul, in regard to my intense distance from HaShem, and in regard to my intense blemishes, my many sins and my profound iniquities.

וְ"עַל אֵלֶּה אֲנִי בוֹכִיָּה עֵינִי עֵינִי יוֹרְדָה מַּיִם", כִּי אֵינִי יוֹדֵעַ שׁוּם דֶּרֶךְ אֵיךְ לְהַחֲזִיר לִי הַכֹּחַ דִּקְדֻשָּׁה, וְאֵיךְ לִזְכּוֹת לִתְשׁוּבָה שְׁלֵמָה.

וּבְאֵיזֶה דֶּרֶךְ אַתְחִיל לַעֲזוֹב דַּרְכֵי הָרָע וּמַחְשְׁבוֹתַי הַמְגֻנּוֹת, וְאֵיךְ וּבַמֶּה אֶזְכֶּה לְתַקֵּן קִלְקוּלִים וּפְגָמִים כָּאֵלֶּה.

"לֹא יָדַעְתִּי נַפְשִׁי, אָנָה אֲנִי בָא", אָנָה אוֹלִיךְ אֶת חֶרְפָּתִי הָעֲצוּמָה, אָנָה אֶבְרַח, אָנָה אֶטָּמֵן מִפְּנֵי בָשְׁתִּי וּכְלִמָּתִי, וְאֹמַר לֶהָרִים כַּסּוּנִי וְלַגְּבָעוֹת נִפְלוּ עָלַי, אוֹי מֶה הָיָה לִי, אוֹי מֶה הָיָה לִי.

"עַל כֵּן אָמַרְתִּי שְׁעוּ מִנִּי אֲמָרֵר בַּבֶּכִי", אוּלַי יָחוּס אוּלַי יְרַחֵם, כִּי אֵין מַעְצוֹר לַיהוָה לְהוֹשִׁיעַ גַּם אוֹתִי בָּעֵת הַזֹּאת, כִּי הַרְבֵּה רֶוַח וְהַצָּלָה לְפָנָיו.

כְּמוֹ שֶׁכָּתוּב: "הֵן כֹּל תּוּכָל וְלֹא יִבָּצֵר מִמְּךָ מְזִמָּה, וּמִי יֹאמַר לְךָ מַה תַּעֲשֶׂה".

עַל כֵּן בָּאתִי כְּעָנִי בַּפֶּתַח, רָשׁ דַּל וְאֶבְיוֹן, נָגוּעַ וּמְעֻנֶּה,

"For these I weep—my eye, my eye sheds tears." I do not know how to restore the power of holiness to myself, or how to attain complete repentance.

How will I begin to abandon my evil ways and despicable thoughts? How will I rectify such damage and blemishes?

"I have not known my soul." "Where will I go?" Where will I bear my intense humiliation? Where will I flee? Where will I hide from my shame and self-reproach? I tell the mountains, "Cover me!" and the hills, "Fall on me!" Woe, what has become of me? Woe, what has happened to me?

"Therefore, I said, 'Leave me alone; let me cry bitterly.'" Perhaps He will have pity. Perhaps He will have compassion. Nothing can keep HaShem from saving even me at this time, because He has such power to rescue.

As the verses state, "You can do everything; no purpose can be withheld from You," and, "Who tells You, 'What are You doing?'"

Therefore, I have come like a pauper at the door—impoverished, gaunt, needy, plagued and

מְבֻלְבָּל וּמְטֹרָף עָנִי וְכוֹאֵב, לִצְעֹק וְלִזְעוֹק לִפְנֵי הַדְרַת קְדֻשַּׁתְכֶם.

רַבִּי רַבִּי רַבִּי "אָבִי אָבִי רֶכֶב יִשְׂרָאֵל וּפָרָשָׁיו", נְהִירוּ דְבוֹצִינָא דְאוֹרַיְיתָא, "עוּרָה לָמָּה תִישַׁן", אֵיךְ תּוּכְלוּ לִסְבּוֹל צָרוֹת יִשְׂרָאֵל.

קוּמוּ וְהִתְעוֹרְרוּ עִם כָּל הַצַּדִּיקֵי אֱמֶת לְהִסְתַּכֵּל וְלִרְאוֹת בִּמְרִירוּת צָרוֹת נַפְשֵׁנוּ, "הָקִיצוּ וְרַנְּנוּ שׁוֹכְנֵי עָפָר", קוּמוּ יְשֵׁנֵי מַכְפֵּל לְסַעֲדֵינוּ.

צַדִּיקֵי יְסוֹדֵי עוֹלָם, קוּמוּ בְּעֶזְרָתֵנוּ בְּעֵת צָרָה הַזֹּאת, חוּסוּ וְחִמְלוּ עַל כָּל עֲדַת בְּנֵי יִשְׂרָאֵל, וּבְתוֹכָם עָלַי הַחוֹטֵא וְהַפָּגוּם, הַמָּלֵא חֲטָאִים מִכַּף רֶגֶל וְעַד רֹאשׁ.

אַתֶּם יְדַעְתֶּם "אֵת כָּל הַתְּלָאָה אֲשֶׁר מְצָאָתְנוּ" מִיּוֹם גָּלוּת

tormented, so confused that I am driven mad, poor and pained—to cry out and call out before Rabbi Shimon bar Yochai's splendid holiness.

My master! My master! My master! "My father, my father, chariot of Israel and its horsemen," light of the lamp of the Torah, "awake, why do you sleep?" Rabbi Shimon bar Yochai, how can you bear the sufferings of the Jewish people?

Arise and awaken together with all of the true Tzaddikim to look and see the bitter sufferings of our soul. "You who dwell in the dust, awake and sing!" Arise, you who sleep in the Cave of Makhpelah,[12] to assist us!

Tzaddikim, foundations of the world, arise to help us at this time of trouble. Have pity and mercy on the entire congregation of the children of Israel—including me, the sinner and blemished person filled with transgressions from head to foot.

Tzaddikim, you know "all of the hardship that has befallen us" from the day of the exile

---

12   Reb Noson refers to the Patriarchs and Matriarchs buried in the Cave of Makhpelah in Hebron—Abraham and Sarah, Isaac and Rebecca, and Jacob and Leah.

הָאָרֶץ עַד הֵנָּה, כָּל מַה שֶּׁעָבַר עַל כְּלָל יִשְׂרָאֵל בִּכְלָלִיּוּת, וּבִפְרָטִיּוּת מַה שֶּׁעָבַר עַל כָּל אֶחָד וְאֶחָד.

וּבִפְרַט מַה שֶּׁעָבַר עָלַי מִיּוֹם שֶׁנֶּאֶצְלוּ וְנִבְרְאוּ וְנוֹצְרוּ וְנַעֲשׂוּ נִשְׁמָתִי וְרוּחִי וְנַפְשִׁי וְגוּפִי, כָּל מַה שֶּׁעָבַר עָלַי בְּכָל גִּלְגּוּל וְגִלְגּוּל.

וּבִפְרָט מַה שֶּׁעָבַר עָלַי בַּגּוּף הַזֶּה, כָּל מַה שֶּׁעָבַרְתִּי מֵעוֹדִי עַד הַיּוֹם הַזֶּה, מַה שֶּׁאֲנִי זוֹכֵר עֲדַיִן וּמַה שֶּׁנִּשְׁכַּח מִמֶּנִּי.

הֲיַסְפִּיקוּ כָּל אֵילֵי נְבָיוֹת לְבָאֵר וּלְסַפֵּר אֶפֶס קָצֶה מֵהַפְּגָמִים שֶׁפָּגַמְתִּי בְּיוֹם אֶחָד כְּפִי מַה שֶּׁנּוֹגְעִים הַפְּגָמִים בְּמָקוֹם שֶׁנּוֹגְעִים כְּפִי שֹׁרֶשׁ נִשְׁמָתִי.

וּמִכָּל שֶׁכֵּן וְכָל שֶׁכֵּן מַה שֶּׁפָּגַמְתִּי בְּכָל הַיָּמִים שֶׁעָבְרוּ עָלַי מִיּוֹם הֱיוֹתִי עַד הַיּוֹם הַזֶּה (וּבִפְרָט וְכוּ'), מִי יוּכַל לְסַפֵּר, מִי

from the Holy Land until now—all that has occurred to the Jewish people collectively and that has occurred to every individual.

In particular, the Tzaddikim know what I have undergone since the day that my soul and body were emanated, created, formed and made—all that I have experienced in every incarnation.

And, in particular, the Tzaddikim know what I have undergone in this body, everything that I have experienced from my beginning until this day—that which I remember and that which I have forgotten.

Parchment made of the hides of all of the "rams of Nebayot" would not suffice to describe or relate the slightest fraction of the blemishes that I have incurred in a single day—blemishes that reach the levels that they reach, in accordance with the level of the root of my soul.

And how much more is this true of the blemishes that I have incurred all of the days that I have lived, from the day that I came into being until this day (and, in particular, [add your own words here])? Who can tell, who can

יוּכַל לְשַׁעֵר, מָה אֲדַבֵּר מָה אֶתְאוֹנֵן, מָה אוֹמַר מָה אֲדַבֵּר וּמָה אֶצְטַדָּק.

רִבּוֹנוֹ שֶׁל עוֹלָם, תֵּן בְּלֵב הַצַּדִּיק הַקָּדוֹשׁ וְהַנּוֹרָא הַזֶּה (אם יזכה להיות בא"י על קבר רשב"י יאמר: הַשּׁוֹכֵן פֹּה). וּבְלֵב כָּל הַצַּדִּיקִים אֲמִתִּיִּים לְבַל יַסְתִּירוּ פְּנֵיהֶם מִמֶּנִּי. וְיַעַמְדוּ בַּעֲדִי לְמְלִיצֵי יֹשֶׁר, לַהֲפוֹךְ בִּזְכוּתִי וּלְבַקֵּשׁ וְלִמְצֹא בִּי נְקֻדּוֹת טוֹבוֹת.

וְיַמְלִיצוּ טוֹב בַּעֲדִי שֶׁתְּקָרְבֵנִי אֵלֶיךָ בְּרַחֲמִים, וְתִתֵּן בִּי לֵב חָדָשׁ וְרוּחַ חֲדָשָׁה תִּתֵּן בְּקִרְבִּי, שֶׁאֶזְכֶּה לְהִתְעוֹרֵר מֵעַתָּה בֶּאֱמֶת לָשׁוּב אֵלֶיךָ בֶּאֱמֶת וּבְלֵב שָׁלֵם.

אִי שָׁמַיִם הַפְגִּינוּ בַּעֲדִי, כָּל בַּעֲלֵי רַחֲמִים וְחֶמְלָה חִמְלוּ עָלַי. כָּל שׁוֹכְנֵי עָפָר הַעְתִּירוּ בְּעַד מְטֻבָּע "בִּיוַן מְצוּלָה וְאֵין מַעֲמָד" כָּמוֹנִי.

רַבִּי רַבִּי שִׁמְעוֹן בֶּן יוֹחַאי, זִכְרוּ זֹאת וְתָשִׂימוּ עַל לֵב,

imagine? How can I speak? How can I complain? What will I say? How will I speak and how can I justify myself?

Master of the world, place me in the heart of this holy and awesome Tzaddik (if you have the privilege to be in the Land of Israel, standing at the gravesite of Rabbi Shimon bar Yochai, add, "who dwells here"), and in the hearts of all of the true Tzaddikim, so that they will not hide their faces from me, but stand on my behalf as my upright advocates to consider my merit, and seek and find my good points.

May they advocate on my behalf so that You will compassionately bring me close to You and give me a new heart and a new spirit. May I truly be inspired from now on to truly return to You with all my heart.

O heavens, speak up on my behalf. All masters of compassion and mercy, have mercy on me. All who sleep in the dust, plead on my behalf, for I am sunken "in the deep mud, without any place to stand."

Rabbi Shimon's Promise

Rabbi Shimon bar Yochai, bear in mind and place on your heart the fact that in these

שֶׁזָּכִינוּ בַּדּוֹרוֹת הַלָּלוּ לִשְׁמֹעַ נִפְלְאוֹת נוֹרְאוֹת גְּדֻלַּתְכֶם. אֵיךְ מְרֻמָּז בַּתּוֹרָה שֶׁעַל יֶדְכֶם לֹא תִשָּׁכַח הַתּוֹרָה.

כִּי הַפָּסוּק שֶׁהֲבֵאתֶם רְאָיָה מִמֶּנּוּ, שֶׁהוּא כִּי' לֹא' תִשָּׁכַח' מִפִּי' זַרְעוֹ' הוּא סוֹפֵי תֵבוֹת יוֹחַא"י, וְשִׁמְכֶם הַקָּדוֹשׁ בְּעַצְמוֹ מְרֻמָּז בַּפָּסוּק "עִ'יר וְ'קַדִּישׁ מִ'ן שְׁ'מַיָּא נָ'חִית".

אֲשֶׁר אַתֶּם לְבַד יוֹדְעִים סוֹד דְּבָרִים הָאֵלֶּה, אַתֶּם לְבַד יוֹדְעִים גְּדֻלַּת הַהַבְטָחָה שֶׁהִבְטַחְתֶּם לְיִשְׂרָאֵל שֶׁהַתּוֹרָה לֹא תִשָּׁכַח מִיִּשְׂרָאֵל עַל יֶדְכֶם, וְאֵיךְ מֹשֶׁה רַבֵּנוּ עָלָיו הַשָּׁלוֹם נִבָּא עַל זֶה בְּתוֹרָתוֹ הַקְּדוֹשָׁה מִקֹּדֶם.

עַל כֵּן בָּאתִי לְהַזְכִּיר, נָא רַבּוֹתַי הַקְּדוֹשִׁים, חִמְלוּ עָלַי וְאַל תִּסְתַּכְּלוּ עַל כָּל הָרַע שֶׁעָשִׂיתִי מֵעוֹדִי עַד הַיּוֹם הַזֶּה, בְּמַחֲשָׁבָה דִּבּוּר וּמַעֲשֶׂה, אֲשֶׁר הִמְרֵיתִי אִמְרֵי אֵל וַעֲצַת

generations, we have heard of the wondrous awesomeness of your greatness: how the Torah itself hints that through you, the Torah will not be forgotten.

Rabbi Shimon bar Yochai, in the verse that you brought as a proof text, "For it will not be forgotten from the mouth of his offspring," the final letters spell *Yochai*. And your own holy name, Shimon, is alluded to in the acronym formed by the verse, "A wakeful, holy angel, descended from Heaven."[13]

Rabbi Shimon bar Yochai, you alone know the secret of these words. You alone know the greatness of your promise to the Jewish people, that because of you, they will not forget the Torah—something that Moses prophesied about in his holy Torah.

Therefore, Tzaddikim, my holy masters, I come to remind you to please have mercy on me. Do not look upon any of the evils that I have committed from my beginning until this day in thought, speech and deed, disobeying the word of God and scorning the counsel of the Supernal

13   See above, pp. 460-461.

עֶלְיוֹן נִאָצְתִּי. אַל תַּבִּיטוּ בְּמַעֲשַׂי הָרָעִים, וְאַל תַּעֲשׂוּ עִמִּי כַּחֲטָאַי, וְאַל אָקוּץ בְּעֵינֵיכֶם.

עַל אֲשֶׁר זֶה כַּמָּה אֲשֶׁר מְעוֹרְרִים אוֹתִי בַּאֲלָפִים וּרְבָבוֹת רְמָזִים וְהִתְעוֹרְרוּת, וּבְכַמָּה מִינֵי עֵצוֹת נְכוֹנוֹת בְּכָל יוֹם וּבְכָל עֵת, לְהִתְקָרֵב לְהַשֵּׁם יִתְבָּרַךְ, וַאֲנִי בְּעֹצֶם קַשְׁיוּת עָרְפִּי קִלְקַלְתִּי וּפָגַמְתִּי בְּכָל זֶה, וְלֹא הִטֵּיתִי אָזְנִי וְלִבִּי לְכָל זֶה.

חוּסוּ עָלַי וְאַל תָּשִׁיתוּ לֵב לְכָל זֶה, וְאַל יִחַר אַפְּכֶם בִּי חָלִילָה, רַק תַּחְשְׁבוּ מַחֲשָׁבוֹת עוֹד מֵעַתָּה לְבַל אֶהְיֶה נִדְחֶה מֵהַשֵּׁם יִתְבָּרַךְ וּמִכֶּם חָלִילָה. כִּי עֲדַיִן "אֵין מַעְצוֹר לַיהוָה לְהוֹשִׁיעַ" גַּם בָּעֵת הַזֹּאת.

כִּי אֵין לִי שׁוּם כֹּחַ עַתָּה אֶלָּא בְּפִי לְבַד, וְגַם זֶה מֵאִתּוֹ יִתְבָּרַךְ אֲשֶׁר לֹא עָזַב חַסְדּוֹ וַאֲמִתּוֹ מֵעִמִּי, וְנָתַן כֹּחַ לְיָעֵף כָּמוֹנִי, לְדַבֵּר עַתָּה מְעַט דְּבָרִים הָאֵלֶּה.

וְעַל זֶה תָּמַכְתִּי יְתֵדוֹתַי, שֶׁתְּרַחֲמוּ עָלַי וְתַעֲשׂוּ אֶת אֲשֶׁר

One. Do not gaze at my evil deeds, do not treat me in accordance with my transgressions, and may I not be burdensome in your eyes.

It is so long that the Tzaddikim have been arousing me with thousands and tens of thousands of hints and types of inspiration, and with all sorts of proper advice every day and every moment to come close to HaShem. But I am stiff-necked and have damaged and blemished all of this, and I have not inclined my ear or my heart to any of this.

Tzaddikim, have pity on me. Do not take heed of any of this. Do not be angry at me, Heaven forbid. Instead, think thoughts from now on so that I will not be cast away from HaShem and from you, Heaven forbid, because "there is no limitation on HaShem's ability to save"—even now.

My only strength at present is in my mouth. And this, too, comes from Him. He has not withheld His kindness and truth from me, but has given strength to a person as weary as I am to speak these few words now.

I rely on you, Rabbi Shimon bar Yochai, to have compassion on me and act so that I will

אֶזְכֶּה לָשׁוּב בֶּאֱמֶת לְהַשֵּׁם יִתְבָּרַךְ (וְלָבֹא לְאֶרֶץ יִשְׂרָאֵל מְהֵרָה בְּשָׁלוֹם, וּלְדַבֵּר כָּל זֶה וְיוֹתֵר מִזֶּה שָׁם עַל צִיּוּן שֶׁלָּכֶם הַקָּדוֹשׁ).

וַיהוָה הַטּוֹב בְּרַחֲמָיו יִשְׁמַע תְּפִלַּתְכֶם וְיַעֲזֹר וְיָגֵן וְיוֹשִׁיעַ אוֹתִי וְאֶת כָּל יִשְׂרָאֵל לְמַעַנְכֶם, וַיַּחֲזִירֵנִי בִּתְשׁוּבָה שְׁלֵמָה לְפָנָיו מְהֵרָה.

וְיֹאחֲזֵנִי וְלֹא יַרְפֵּנִי, וְאַל יַעַזְבֵנִי וְאַל יִטְּשֵׁנִי בְּשׁוּם אֹפֶן, עַד שֶׁאֶזְכֶּה לָשׁוּב אֵלָיו בֶּאֱמֶת, וְלִהְיוֹת כִּרְצוֹנוֹ הַטּוֹב מֵעַתָּה וְעַד עוֹלָם.

וּלְתַקֵּן בְּחַיַּי אֶת כָּל אֲשֶׁר פָּגַמְתִּי, בְּכֹחַ וּזְכוּת הַצַּדִּיקִים אֲמִתִּיִּים, אֲשֶׁר עֲלֵיהֶם לְבַד אֲנִי נִשְׁעָן לְסַדֵּר דִּבְרֵי אֵלֶּה לִפְנֵיהֶם, וְלִפְנֵי הַשֵּׁם יִתְבָּרַךְ בַּעַל הָרַחֲמִים יוֹדֵעַ תַּעֲלוּמוֹת.

"יְהוָה יִגְמֹר בַּעֲדִי, יְהוָה חַסְדְּךָ לְעוֹלָם מַעֲשֵׂי יָדֶיךָ אַל תֶּרֶף, הוֹצִיאָה מִמַּסְגֵּר נַפְשִׁי לְהוֹדוֹת אֶת שְׁמֶךָ, בִּי יַכְתִּירוּ צַדִּיקִים כִּי תִגְמֹל עָלָי":

truly return to HaShem. (And may I come to the Land of Israel quickly and in peace, and recite all this and more at your holy resting place.)

May HaShem, Who is good, compassionately hear your prayer, Rabbi Shimon bar Yochai. May He help, shield and save me and the entire Jewish people for your sake, and bring us back to Him quickly, in complete repentance.

May He hold on to me and never let me go, never abandon me and never desert me in any way, until I truly return to Him and am in accordance with His good will, from now and forever.

In this lifetime, may I rectify everything that I blemished, in the power and merit of the true Tzaddikim. I rely on them alone to arrange these words of mine before them and before HaShem, the Master of compassion, Who knows hidden things.

"HaShem will act on my behalf. HaShem, Your kindness is forever; do not forsake the work of Your hands." "Bring my soul forth from imprisonment to acknowledge Your Name; because of me, the righteous will crown You, because You will recompense me."

48 (Sichot HaRan 89)

When a Person Commits a Sin, That Leads Him to Commit Bundles of Sins / Each Bundle of Sins Demands That a Person Feed it and Maintain it / When a Person Enacts the Thirteen Traits of Compassion, Heaven Treats Him with Those Same Traits / The Sins of Jews Come from Edom / Poor People and Those Lacking Merit Must Petition God to Arouse the Thirteen Traits of Compassion

---

"One sin draws along another" (*Avot* 4:2). When a person commits a sin, that pulls along other sins related to it. When he commits a different sort of sin, that pulls along sins related to it. These turn into bundles of sins.

Each bundle creates a group of destructive spiritual enemies that cry out to the sinner, "Give us life! Give us food!" (*Tikkuney Zohar* 22a). The sinner—who is the owner of these sins—must feed them and keep them alive. He is responsible for the first sin since he committed it without compulsion. As for the subsequent sins, although he was, as it were, compelled to commit them, they can argue that he should have performed a mitzvah immediately after the first sin, and doing so would have guarded him spiritually.

His rectification is to learn and observe the thirteen traits of compassion. As a result of being compassionate and kind, he will arouse Heaven's thirteen supernal traits of compassion, and they will overcome the destructive forces. Then God will remove the first sin in each bundle, and the remaining sins will return to Him.

God gives these sins life—but from where does He give them life?

In the realm of the Side of Evil, Edom is the first of the first sins. All subsequent sins come about through it.

The Jewish people are so holy that it is not fitting for them to commit any sort of sin. But they sin because of the pressure of the exile imposed upon them by the nations with taxes and levies. Because we are in Edom's exile, our sins derive from Edom. And so God places the responsibility for these sins upon Edom, who must give them life.

When a person has compassion, he arouses the thirteen traits of compassion. However, the poor—who are associated with the trait of judgment—lack the trait of compassion. Indeed, as we can see, poor people are cruel. They need to petition God to arouse His compassion and remove the first sin first.

And we ourselves are like these poor, since we lack merit. Therefore, the verse states, "Do not recall our first sins against us. May Your compassion come to us quickly, for we are very poor" (Psalms 79:8). We spread our hands out to God, begging that He Himself awaken the thirteen traits of compassion.

ליום סליחה של שלש עשרה מדות

"אַל תִּזְכָּר לָנוּ עֲוֹנוֹת רִאשׁוֹנִים מַהֵר יְקַדְּמוּנוּ רַחֲמֶיךָ כִּי דַלּוֹנוּ מְאֹד".

רִבּוֹנוֹ שֶׁל עוֹלָם בַּעַל הָרַחֲמִים וּבַעַל הַסְּלִיחוֹת.

"אֵל מֶלֶךְ יוֹשֵׁב עַל כִּסֵּא רַחֲמִים, מִתְנַהֵג בַּחֲסִידוּת, מוֹחֵל עֲוֹנוֹת עַמּוֹ מַעֲבִיר רִאשׁוֹן רִאשׁוֹן מַרְבֶּה מְחִילָה לַחַטָּאִים וּסְלִיחָה לַפּוֹשְׁעִים".

רַב חֶסֶד וּמַרְבֶּה לְהֵטִיב, אֲשֶׁר רַחֲמֶיךָ וַחֲסָדֶיךָ אֵינָם כָּלִים לְעוֹלָם. לַמְּדֵנוּ וְהוֹרֵנוּ אֵיךְ לְהַמְשִׁיךְ עָלֵינוּ בֶּאֱמֶת בִּשְׁלֵמוּת שְׁלֹשׁ עֶשְׂרֵה מִדּוֹתֶיךָ שֶׁל רַחֲמִים.

בְּאֹפֶן שֶׁנִּזְכֶּה כָּל אֶחָד וְאֶחָד אֲפִלּוּ הַגָּרוּעַ שֶׁבַּגְּרוּעִים וְהַפָּחוּת שֶׁבַּפְּחוּתִים אֲפִלּוּ כָּמוֹנִי הַיּוֹם, לְהַמְשִׁיךְ עָלֵינוּ רַחֲמֶיךָ וַחֲסָדֶיךָ הַפְּשׁוּטִים שֶׁאֵין בָּהֶם שׁוּם תַּעֲרֹבֶת דִּין כְּלָל.

For the Day of the Selichah of the Thirteen Traits of Compassion[14]

Drawing God's Kindness onto Ourselves

"**D**o not recall our first sins against us. May Your compassion come to us quickly, for we are very poor."

You are the Master of the world, the Master of compassion and forgiveness.

"God, King Who sits on the throne of compassion, You act kindly, forgiving Your people's sins and setting them aside one by one. You are great in forgiving transgressors and excusing the sinful."

You Who are profoundly kind, You Who vastly aid us, Your compassion and kindness never end. Teach us and direct us to truly draw Your thirteen traits of compassion onto ourselves fully.

May each one of us—even the lowest of the low and the least of the least, even someone such as myself—drawn onto himself Your pure compassion and kindness that contain no admixture of judgment whatsoever.

---

14 This refers to the *selichah* recited on the eighth day of the Ten Days of Repentance, which mentions the thirteen traits of compassion.

בְּאֹפֶן שֶׁתִּמְחֹל וְתִסְלַח וּתְכַפֵּר לָנוּ עַל כָּל חַטֹּאתֵינוּ וַעֲוֹונוֹתֵינוּ וּפְשָׁעֵינוּ שֶׁחָטָאנוּ וְשֶׁעָוִינוּ וְשֶׁפָּשַׁעְנוּ לְפָנֶיךָ מֵעוֹדֵינוּ עַד הַיּוֹם הַזֶּה.

וְתַעֲבִיר רִאשׁוֹן רִאשׁוֹן, עַד אֲשֶׁר יִתְבַּטְּלוּ וְיִתְכַּפְּרוּ כָּל הָעֲווֹנוֹת מִמֵּילָא לְגַמְרֵי.

רִבּוֹנוֹ שֶׁל עוֹלָם, מָה אוֹמַר לְפָנֶיךָ יוֹשֵׁב מָרוֹם וּמָה אֲסַפֵּר לְפָנֶיךָ שׁוֹכֵן שְׁחָקִים, אַתָּה יוֹדֵעַ כַּמָּה וְכַמָּה חֲטָאִים וַעֲווֹנוֹת וּפְשָׁעִים וּפְגָמִים גְּדוֹלִים וְנוֹרָאִים שֶׁעָשִׂיתִי מֵעוֹדִי עַד הַיּוֹם הַזֶּה, עַד אֲשֶׁר נַעֲשׂוּ מֵהֶם כַּמָּה וְכַמָּה חֲבִילוֹת חֲבִילוֹת שֶׁל עֲבֵרוֹת.

וְאַתָּה לְבַד יוֹדֵעַ כָּל עֲבֵרָה וַעֲבֵרָה אֵיךְ נִגְרְרָה וְנִמְשְׁכָה מֵהָעֲבֵרָה הָרִאשׁוֹנָה הַשַּׁיָּכָה אֵלֶיהָ, וְכֵן מֵעֲבֵרָה לַעֲבֵרָה הַסְּמוּכָה לָהּ, עַד אֲשֶׁר נַעֲשֵׂית חֲבִילָה שֶׁל עֲבֵרוֹת.

וּבַעֲווֹנוֹתַי הָרַבִּים חָזַרְתִּי וְעָשִׂיתִי מֵחָדָשׁ עֲבֵרָה שֶׁהִיא רִאשׁוֹנָה לַחֲבִילָה שְׁנִיָּה, כִּי עַל יָדָהּ חָזְרוּ וְנִמְשְׁכוּ וְנִגְרְרוּ כַּמָּה וְכַמָּה עֲבֵרוֹת, וַעֲבֵרוֹת מֵעֲבֵרוֹת רַחֲמָנָא לִצְּלָן, עַד שֶׁחָזְרָה וְנַעֲשֵׂית חֲבִילָה שְׁנִיָּה שֶׁל עֲבֵרוֹת.

Please redress, forgive and grant atonement for all of our transgressions, sins and offenses that we have committed before You from our beginning until this day.

Remove them one by one until all of them will be entirely nullified, and we will thus gain atonement.

Master of the world, You Who sit in the heights, what shall I say to You? You Who dwell in the heavens, what shall I tell You? You know how many transgressions, sins and offenses I have committed from my beginning until this day, creating major, terrible blemishes, until these sins have become numerous bundles of wrongdoing.

You alone know how my every sin is drawn and pulled along from a previous sin connected to it, one after the other, until a bundle of wrongdoings is created.

In my sinfulness, I did wrong, committing a sin that became the first sin of a second bundle. That sin drew in its wake a number of other wrongdoings in an ongoing chain, may the Compassionate One save us, until a second bundle of wrongdoings was created.

וְכֵן עָשִׂיתִי כַּמָּה פְּעָמִים, עַד אֲשֶׁר ״הִשְׂתָּרְגוּ עָלוּ עַל צַוָּארִי״ חֲבִילוֹת חֲבִילוֹת שֶׁל עֲבֵרוֹת.

אוֹי לִי וַי לִי, אוֹי מִי יַעֲצָר כֹּחַ לִזְכֹּר חֵלֶק אֶלֶף וּרְבָבָה מִמַּעֲשַׂי הָרָעִים וִיוּכַל לִחְיוֹת, אִם לֹא בְּדֶרֶךְ נִסֶּיךָ וְנִפְלְאוֹתֶיךָ הַנּוֹרָאוֹת.

וְעַתָּה אָבִי שֶׁבַּשָּׁמַיִם אָבִי שֶׁבַּשָּׁמַיִם מָה אֶעֱשֶׂה, אָבִי אָב הָרַחֲמָן מָה אֶפְעַל, לְהֵיכָן אֶפְנֶה, לְהֵיכָן אֲשׁוֹטֵט, לְהֵיכָן אֶבְרַח.

בַּמָּה אֶזְכֶּה לְהַמְשִׁיךְ פִּלְאֵי רַחֲמֶיךָ וַחֲסָדֶיךָ הַפְּשׁוּטִים עָלַי, בְּאֹפֶן שֶׁאֶזְכֶּה עַל כָּל פָּנִים מֵעַתָּה לְהִנָּצֵל וּלְהִשָּׁמֵר מִכָּל מַה שֶּׁאֲנִי צָרִיךְ לְהִנָּצֵל וּלְהִשָּׁמֵר.

רִבּוֹנוֹ שֶׁל עוֹלָם רִבּוֹנוֹ שֶׁל עוֹלָם רִבּוֹנוֹ דְעַלְמָא כֻּלָּא, מִי כָמוֹךָ אַב הָרַחֲמִים, מִי כָמוֹךָ מַרְבֶּה לְהֵטִיב, מִי כָמוֹךָ רַב לְהוֹשִׁיעַ, רַב סְלִיחוֹת וּבַעַל הָרַחֲמִים.

And I acted in this way a number of times, until my sins "have become interwoven, they have risen up to my neck" in numerous bundles of sins.

Woe to me! Who has the strength to recall a thousandth or even a ten-thousandth of my evil deeds and maintain the ability to continue living without the aid of Your awesome miracles and wonders?

And now, my Father in Heaven, my compassionate Father, what shall I do? What shall I undertake? Where will I turn? Where will I go? Where will I flee?

How will I draw the wonders of Your simple compassion and kindness onto me so that—from now on, at any rate—I will be rescued and protected from everything that I need to be rescued and protected from?

Remove Our Sins

Master of the world, Master of the world! Who is like You, Master of the entire world, Who does boundless good? Who is like You, Master of compassion, Who saves and forgives so greatly?

עֲשֵׂה לְמַעַנְךָ וּסְלַח לָנוּ וּמְחַל לָנוּ וְכַפֵּר לָנוּ כָּל הָעֲווֹנוֹת הָרִאשׁוֹנִים שֶׁבְּכָל חֲבִילָה וַחֲבִילָה, וְתַעֲבִיר רִאשׁוֹן רִאשׁוֹן.

בְּאֹפֶן שֶׁכָּל הָעֲווֹנוֹת הַנִּשְׁאָרִים שֶׁבְּכָל חֲבִילָה וַחֲבִילָה יָשׁוּבוּ אֵלֶיךָ, וְלֹא יְקַטְרְגוּ עוֹד עָלֵינוּ כְּלָל.

וְאַתָּה תְרַחֵם עָלֵינוּ וְתַחֲזֹר וְתִתֵּן אוֹתָם עַל הָרִאשׁוֹן לַעֲווֹנוֹת רִאשׁוֹנִים, שֶׁהוּא עֵשָׂו הוּא אֱדוֹם, אֲשֶׁר אֲנַחְנוּ בְּגָלוּת אֶצְלוֹ.

אֲשֶׁר הוּא הַגּוֹרֵם הָרִאשׁוֹן לְכָל הָעֲווֹנוֹת הָרִאשׁוֹנִים וְהָאַחֲרוֹנִים, עַל יְדֵי עֹצֶם הַגָּלוּת הַמַּר שֶׁמִּתְגַּבֵּר עָלֵינוּ בְּכָל יוֹם, אֲשֶׁר "כָּשַׁל כֹּחַ הַסַּבָּל".

אֲשֶׁר כִּמְעַט בְּכָל יוֹם מוֹצִיאִין הַדָּמִים מִקֶּרֶב עַמְּךָ יִשְׂרָאֵל עַל יְדֵי רִבּוּי הַמִּסִּים וְאַרְנוֹנִיּוֹת וְהַנְּתִינוֹת שׁוֹנוֹת וְהַגְּזֵלוֹת וְהַשְׁחָדִים שֶׁמּוֹצִיאִין מֵעַמְּךָ יִשְׂרָאֵל.

אֲשֶׁר זֹאת הָיָה בְּעוֹכְרֵינוּ, כִּי עַל יְדֵי זֶה בָּאנוּ לְכַמָּה וְכַמָּה עֲווֹנוֹת, כַּאֲשֶׁר הוֹדַעְתָּ לָנוּ עַל יְדֵי חֲכָמֶיךָ הַקְּדוֹשִׁים.

רִבּוֹנוֹ שֶׁל עוֹלָם רִבּוֹנוֹ שֶׁל עוֹלָם, רַחֵם עָלַי וְעַל כָּל יִשְׂרָאֵל בְּעֵת צָרָה הַזֹּאת, "כִּי בָאוּ בָנִים עַד מַשְׁבֵּר, וְכֹחַ אַיִן לְלֵדָה".

Act for Your sake. Forgive us, excuse us and grant us atonement for the first sin in each bundle, and remove it.

Then may all of the remaining sins in each bundle return to You and no longer cast any accusations against us.

Have compassion on us. Load these sins upon the firstborn, Esau, who is responsible for the first sins. He is Edom, in whose exile we are now living.

He is the first cause of all of our sins, whether ancient or recent, due to the force of the bitter exile that overpowers us every day, an exile in which "the strength of the porter has collapsed."

Almost every day, the gentiles extract money from Your nation, the Jewish people, with a multitude of tariffs, real-estate taxes, and various levies, thievery and bribes.

This has disoriented us. As a result, we have engaged in a number of wrongdoings, as You informed us would be the case via Your holy sages.

Master of the world, Master of the world, have compassion on me and on the entire Jewish people at this time of trouble, for "the children have come as far as the birth stool, and there is no strength to give birth."

רַחֵם עָלַי לְמַעַן שְׁמֶךָ, בְּאֹפֶן שֶׁאֶזְכֶּה עַל כָּל פָּנִים מֵעַתָּה לִפְעֹל בַּקָּשָׁתִי בְּרַחֲמִים אֶצְלְךָ שֶׁתַּעֲשֶׂה אֶת אֲשֶׁר בְּחֻקֶּיךָ אֵלֵךְ וְאֶת מִצְוֹתֶיךָ אֶשְׁמוֹר, וְלֹא אָשׁוּב עוֹד לְכִסְלָה.

רַחֵם עָלַי מָלֵא רַחֲמִים, בְּרַחֲמִים הַיְדוּעִים לְךָ שֶׁיֵּשׁ בָּהֶם כֹּחַ לְהוֹצִיאֵנִי מִכָּל הַמְּקוֹמוֹת שֶׁיָּרַדְתִּי בָּהֶם וְלָשׁוּב אֵלֶיךָ בֶּאֱמֶת מֵעַתָּה וְעַד עוֹלָם.

חֲמֹל עָלַי בַּחֲסָדֶיךָ וְהוֹרֵינִי דְּרָכֶיךָ, וְזַכֵּנִי לֶאֱחֹז בְּמִדּוֹתֶיךָ הַקְּדוֹשׁוֹת וּבְדַרְכֵי טוּבְךָ וְרַחֲמֶיךָ הַכְּלוּלִים בִּשְׁלֹשׁ עֶשְׂרֵה מִדּוֹת שֶׁל רַחֲמִים שֶׁאַתָּה מִתְנַהֵג בָּהֶם עִם בְּרִיּוֹתֶיךָ.

שֶׁאֶזְכֶּה גַּם אָנֹכִי לֵילֵךְ בִּדְרָכֶיךָ, לְרַחֵם עַל הַבְּרִיּוֹת בְּרַחֲמָנוּת אֲמִתִּי, בְּכָל מִינֵי רַחֲמָנוּת הַכְּלוּלִים בִּשְׁלֹשׁ עֶשְׂרֵה מִדּוֹת שֶׁל רַחֲמִים.

וְאֶזְכֶּה לִהְיוֹת טוֹב לַכֹּל, וּלְהַשְׁפִּיעַ צְדָקָה וְטוֹב וָחֶסֶד וְרַחֲמִים לְכָל הַצְּרִיכִים חֶסֶד, בְּאֹפֶן שֶׁאֶזְכֶּה לְעוֹרֵר וּלְהַמְשִׁיךְ עָלַי שְׁלֹשׁ עֶשְׂרֵה מִדּוֹתֶיךָ שֶׁל רַחֲמִים, שֶׁתְּרַחֵם

Have compassion on me for the sake of Your Name, so that—from now on, at any rate—I will succeed in imploring You to help me follow Your laws, keep Your commandments, and no longer return to foolishness.

Have compassion on me, You Who are filled with compassion, with the compassion familiar to You that has the power to extricate me from all of the places into which I fell. May I truly return to You from now on and forever.

In Your kindness, have mercy on me and direct me in Your ways. Help me grasp Your holy traits, Your good ways, and Your compassion composed of the thirteen traits of compassion with which You relate to Your creatures.

Being Kind to Others

May I, too, walk in Your ways and perform true compassion on people's behalf—all sorts of compassion composed of the thirteen traits of compassion.

May I be good to everyone. May I bestow charity, goodness, kindness and compassion upon everyone who needs kindness, so that I will arouse and draw down Your thirteen traits of compassion onto myself. Please have compassion

עָלַי וְעַל כָּל יִשְׂרָאֵל בְּכֻלָּם.

וְתִמְחֹל וְתִסְלַח וּתְכַפֵּר לָנוּ עַל [כָּל] חַטֹּאתֵינוּ וַעֲווֹנוֹתֵינוּ וּפְשָׁעֵינוּ הָרִאשׁוֹנִים וְהָאַחֲרוֹנִים, וְלֹא יִהְיֶה נִשְׁאַר מֵהֶם שׁוּם זֵכֶר וְרשֶׁם כְּלָל.

וּתְמַהֵר וְתָחִישׁ לְגָאֳלֵנוּ וּלְהוֹצִיאֵנוּ מֵהַגָּלוּת הַמַּר וְהָאָרֹךְ הַזֶּה.

וְתִשְׁמְרֵנוּ וְתַצִּילֵנוּ מֵעַתָּה מִכָּל מִינֵי חֲטָאִים וַעֲווֹנוֹת וּפְשָׁעִים בְּשׁוֹגֵג וּבְמֵזִיד בְּאֹנֶס וּבְרָצוֹן, וּתְשִׁיבֵנוּ אֵלֶיךָ בִּתְשׁוּבָה שְׁלֵמָה.

עַד אֲשֶׁר נִזְכֶּה לִהְיוֹת כִּרְצוֹנְךָ הַטּוֹב בֶּאֱמֶת תָּמִיד, אֲנַחְנוּ וְזַרְעֵנוּ וְזֶרַע זַרְעֵנוּ מֵעַתָּה וְעַד עוֹלָם.

וְתִהְיֶה בְּעֶזְרִי וְתוֹשִׁיעֵנִי שֶׁאֶזְכֶּה לְזַכּוֹת גַּם אֲחֵרִים, שֶׁאֶזְכֶּה לְלַמֵּד פֹּשְׁעִים דְּרָכֶיךָ, שֶׁיֵּלְכוּ כֻּלָּם בִּדְרָכֶיךָ הַקְּדוֹשִׁים, לֶאֱחוֹז בְּדַרְכֵי טוּבְךָ וְרַחֲמֶיךָ לְרַחֵם עַל הַבְּרִיּוֹת בְּכָל מִינֵי רַחֲמָנוּת וָחֶסֶד הַכְּלוּלִים בִּשְׁלֹשׁ עֶשְׂרֵה מִדּוֹת שֶׁל רַחֲמִים.

וִיקֻיַּם בִּי מִקְרָא שֶׁכָּתוּב: "אֲלַמְּדָה פֹשְׁעִים דְּרָכֶיךָ וְחַטָּאִים אֵלֶיךָ יָשׁוּבוּ".

on me and on the entire Jewish people with all of Your thirteen traits.

Forgive, excuse and grant atonement for all of our transgressions, sins and offenses, whether long ago or recent. May no memory or impression of them remain at all.

Hurry! Quickly redeem us and extricate us from this bitter and long exile.

From now on, guard us and rescue us from every type of transgression, wrongdoing and sin, whether accidental or purposeful, compelled or willful. Bring us back to You in complete repentance.

May we, our children and our grandchildren always be truly in accordance with Your good will, from now and forever.

Help me and save me so that I will bestow merit upon others as well. May I teach sinners Your ways, so that they will all walk on Your holy paths, clinging to the ways of Your goodness and compassion. May I grant people every type of compassion and kindness composed of the thirteen traits of compassion.

May I fulfill the verse, "I will teach transgressors Your ways, so that the sinners will return to You."

מָלֵא רַחֲמִים אַתָּה יוֹדֵעַ כַּמָּה אֲנִי רָחוֹק מֵרַחֲמָנוּת מִלְּרַחֵם עַל הַבְּרִיּוֹת כָּרָאוּי, כִּי עָנִי וְאֶבְיוֹן אָנֹכִי דַּל וְנִשְׁחָת.

וְאֵין בְּיָדִי לְרַחֵם עַל הַבְּרִיּוֹת וְלִגְמוֹל עִמָּהֶם חֶסֶד וּלְהַרְבּוֹת בִּצְדָקָה, אֲפִלּוּ חֵלֶק אֶחָד מֵאֶלֶף וּרְבָבָה מֵהָרָאוּי לְפִי רִבּוּי עֲווֹנוֹתַי.

וְגַם מְעַט דִּמְעַט שֶׁיֵּשׁ בְּיָדִי לִפְעָמִים לִתֵּן צְדָקָה וְלִגְמוֹל חֶסֶד, רַבּוּ הַמְּנִיעוֹת כְּנֶגְדִּי בְּלִי שִׁעוּר, כִּי נִתְקַלְקֵל הַרְבֵּה הָרַחֲמָנוּת אֶצְלִי עַל יְדֵי חֶסְרוֹן דַּעְתִּי וַעֲנִיּוּתִי בְּגַשְׁמִיּוּת וְרוּחָנִיּוּת.

וְעַתָּה "מֵאַיִן יָבֹא עֶזְרִי", מֵאַיִן תָּבֹא תְּשׁוּעָתִי, בַּמָּה אֶזְכֶּה לְהַמְשִׁיךְ עָלַי שְׁלֹשׁ עֶשְׂרֵה מִדּוֹתֶיךָ שֶׁל רַחֲמִים.

עַל כֵּן בָּאתִי לְפָנֶיךָ בַּעַל הָרַחֲמִים, יֶהֱמוּ נָא מֵעֶיךָ וְרַחֲמֶיךָ עָלֵינוּ לְמַעַן שְׁמֶךָ, וְתַמְשִׁיךְ עָלֵינוּ שְׁלֹשׁ עֶשְׂרֵה מִדּוֹתֶיךָ

Seeking an Arousal from Above

You Who are filled with compassion, You know how far I am from granting people proper compassion, because I am poor, needy and wanting, impoverished and corrupt.

I lack the ability to grant compassion to people and requite them with kindness and increased charity—not even with a thousandth or a ten-thousandth of what would be fitting for me, considering the large number of my wrongdoings.

At times I am able to give very little charity and perform very few acts of kindness. Regarding even that, innumerable obstacles have multiplied against me because my empathy has been damaged a great deal as a result of my lack of awareness and my poverty—both material and spiritual.

And now, "from where will my help come?" From where will my salvation come? How will I draw Your thirteen traits of compassion onto myself?

Therefore, I come to You, Master of compassion. For the sake of Your Name, please arouse Your feelings of compassion on our behalf. Draw Your thirteen traits of compassion onto us for the

שֶׁל רַחֲמִים בְּעַצְמְךָ וּבִכְבוֹדְךָ בְּלִי אִתְעֲרוּתָא דִלְתַתָּא כְּלָל.

כִּי בְּדַלּוּתֵנוּ אֵין בָּנוּ כֹּחַ לְעוֹרְרָם מִלְּמַטָּה עַל יְדֵי רַחֲמָנוּתֵינוּ, כִּי דַלּוֹנוּ מְאֹד, וַאֲנוּ רְחוֹקִים מֵרַחֲמָנוּת. לְמַעַנְךָ לְמַעַנְךָ עֲשֵׂה וְלֹא לָנוּ רְאֵה עֲמִידָתֵנוּ דַּלִּים וְרֵקִים.

עוֹשֶׂה צְדָקוֹת עִם כָּל בָּשָׂר וְרוּחַ לֹא כְרָעוֹתֵינוּ תִגְמֹל. "מַהֵר יְקַדְּמוּנוּ רַחֲמֶיךָ" מֵעַצְמְךָ "כִּי דַלּוֹנוּ מְאֹד" וְאֵין לָנוּ כֹּחַ לְעוֹרֵר רַחֲמֶיךָ עַל יְדֵי רַחֲמָנוּתֵינוּ.

רַחֵם מָלֵא רַחֲמִים, וּזְכֹר לָנוּ בְּרִית שְׁלֹשׁ עֶשְׂרֵה, וְהַעֲבֵר פְּשָׁעֵינוּ וְחַטֹּאתֵנוּ וַעֲווֹנוֹתֵינוּ מִנֶּגֶד עֵינֶיךָ, וְתִמְחֹל וְתִסְלַח וּתְכַפֵּר לָנוּ עַל כֻּלָּם.

וְלֹא יִהְיֶה נִשְׁאָר מֵהֶם שׁוּם רֹשֶׁם כְּלָל, רַק תַּהֲפֹךְ אוֹתָם לְטוֹבָה, שֶׁיִּהְיוּ כָּל עֲווֹנוֹתֵינוּ נִתְהַפְּכִין לִזְכֻיּוֹת, כְּאִלּוּ עָשִׂינוּ

sake of Your honor, without any initiative from below at all.

For in our impoverishment, we lack the power to arouse these traits of compassion from here below with our own compassion, because we are so very poor and far from compassion. Act for Your sake and not for ours. Look upon our impoverished and fruitless circumstances.

You Who perform kind deeds for every creature that possesses flesh and spirit, do not recompense us in accordance with our baseness. "May Your compassion come to us quickly," of Your own initiative, to those of us "who are deeply impoverished"—those of us who lack the strength to arouse Your compassion by means of our own compassion.

You Who are filled with compassion, compassionately remember the covenant of the thirteen traits of compassion. Remove our sins, transgressions and wrongdoings from before Your eyes. Forgive, excuse and grant atonement for all of them.

May no impression of them remain whatsoever. Instead, transform all of them to good, so that all of our sins will be transformed into

תְּשׁוּבָה שְׁלֵמָה הָרְאוּיָה לַהֲפוֹךְ עֲוונות לִזְכֻיּוֹת.

כִּי לֹא עַל צִדְקוֹתֵינוּ אֲנַחְנוּ מַפִּילִים תַּחֲנוּנֵינוּ לְפָנֶיךָ, כִּי עַל רַחֲמֶיךָ הָרַבִּים, בְּכֹחַ וּזְכוּת הַצַּדִּיקִים הָאֲמִתִּיִּים, אֲשֶׁר הִמְשִׁיכוּ דַּרְכֵי טוּבְךָ וְרַחֲמֶיךָ בָּעוֹלָם.

וְגִלּוּ לָנוּ לְבַקֵּשׁ אוֹתְךָ וְלִצְעֹק אֵלֶיךָ וּלְהַפְצִיר אוֹתְךָ תָּמִיד יִהְיֶה אֵיךְ שֶׁיִּהְיֶה, בְּכֹחָם הַגָּדוֹל לְבַד בָּטַחְנוּ לָבֹא וּלְהִתְחַנֵּן לְפָנֶיךָ עַל כָּל אֵלֶּה.

וְאַתָּה הַטּוֹב בְּעֵינֶיךָ עֲשֵׂה עִמָּנוּ, כִּי "אֲנַחְנוּ הַחֹמֶר וְאַתָּה יוֹצְרֵנוּ וּמַעֲשֵׂה יָדְךָ כֻּלָּנוּ, זְכוֹר רַחֲמֶיךָ יְהֹוָה וַחֲסָדֶיךָ כִּי מֵעוֹלָם הֵמָּה. אַל תִּזְכָּר לָנוּ עֲוֹנוֹת רִאשׁוֹנִים מַהֵר יְקַדְּמוּנוּ רַחֲמֶיךָ כִּי דַלּוֹנוּ מְאֹד.

אַתָּה יְהֹוָה לֹא תִכְלָא רַחֲמֶיךָ מִמֶּנִּי חַסְדְּךָ וַאֲמִתְּךָ תָּמִיד יִצְּרוּנִי.

יִהְיוּ לְרָצוֹן אִמְרֵי פִי וְהֶגְיוֹן לִבִּי לְפָנֶיךָ יְהֹוָה צוּרִי וְגוֹאֲלִי":

merits as though we had repented fully and properly, turning sins into merits.

We do not cast our plea before You based on our righteousness, but on Your vast compassion, and on the power and merit of the true Tzaddikim who have drawn the ways of Your goodness and compassion into the world.

They have revealed that we should always seek You, cry out to You and beseech You, however things may be. We have trusted solely in their great power to come and plead before You regarding all of these matters.

Treat us in a way that is good in Your eyes. "We are the clay and You are our Maker. All of us are the work of Your hand." "Recall Your compassion, HaShem, and Your lovingkindness, because they are forever." "Do not recall our first sins against us. May Your compassion come to us quickly, for we are very poor."

"HaShem, do not withhold Your compassion from me. May Your kindness and truth always protect me."

"May the words of my mouth and the meditation of my heart be pleasing before You, HaShem, my Rock and my Redeemer."

49 (Sichot HaRan 96)

A Person Should Minimize His Physical Desires, as Though He is Already in the World to Come / Incomplete Awareness of the World to Come is Necessary for a Person to Live in This World / Out of the Basic Elements of Dispute, a Tzaddik Builds 310 Worlds That He Will Inherit / Dispute Hides a Tzaddik's Light So the World Can Bear it / Dispute Against a Tzaddik Protects Him from the Attacks of Spiritual Opponents / Dispute Against a Tzaddik Conducted by Another Tzaddik Can Raise Him to Higher Levels

A person should accustom himself to be in the World to Come—that is to say, to separate himself from desires as though he is already in the World to Come, which has no eating and no drinking—no animalistic, temporal desires. Similarly, when a person is sick, he does not want to eat, drink, and so forth, since he is close to the World to Come.

One should accustom himself to this way of being even when he is well.

If a person were to be completely aware of the delights of the World to Come, of the great angels in Heaven and of his own lowly sinfulness, he could not bear the life and pleasures of this world and he could not serve God at all. So a lack of awareness is a great thing. Nevertheless, a person should not entirely ignore his real, eternal world.

*

In the future, God will give every Tzaddik 310 worlds. Think how many houses there will be, how many courtyards, alleys, cities and countries, stars, constellations and galaxies.

God constructs these 310 worlds for the Tzaddik from dispute. All of the letters and words of dispute are disconnected stones. The Tzaddik puts them together as houses and puts the houses together to form a city, until an entire world comes into being, and so forth until 310 worlds are brought into being.

The Tzaddik tends toward kindness and judges those who oppose him positively, viewing their intentions as good.

This opposition has various positive outcomes.

First, if the Tzaddik's light were not concealed by opposition, the world could not bear it at all.

Second, sometimes when people judge and attack the Tzaddik, they silence spiritual judgments and spiritual opponents that otherwise would have attacked him even more vigorously.

And third, when a Tzaddik is attacked by another Tzaddik, if he demonstrates the strength to stand in the King's palace, he is elevated to higher spiritual levels.

"אַחַת שָׁאַלְתִּי מֵאֵת יְהֹוָה אוֹתָהּ אֲבַקֵּשׁ, שִׁבְתִּי בְּבֵית יְהֹוָה כָּל יְמֵי חַיַּי, לַחֲזוֹת בְּנוֹעַם יְהֹוָה וּלְבַקֵּר בְּהֵיכָלוֹ".

רִבּוֹנוֹ שֶׁל עוֹלָם מָלֵא רַחֲמִים, חוּס וַחֲמֹל עָלַי, וְהוֹשִׁיעֵנִי וְעָזְרֵנִי וְחַזֵּק אֶת לְבָבִי שֶׁאַתְחִיל מֵעַתָּה לְהַרְגִּיל אֶת עַצְמִי לִהְיוֹת בָּעוֹלָם הַבָּא.

שֶׁאַמְשִׁיךְ וְאַשְׁמִיט אֶת עַצְמִי מִתַּאֲווֹת עוֹלָם הַזֶּה וַהֲבָלָיו, רַק אַרְגִּיל אֶת עַצְמִי לִהְיוֹת בְּלֹא אֲכִילָה וּשְׁתִיָּה וּמִשְׁגָּל כְּמוֹ בָּעוֹלָם הַבָּא, שֶׁשָּׁם אֵין שׁוּם תַּאֲוָה מִתַּאֲווֹת עוֹלָם הַזֶּה כְּלָל.

כִּי כְבָר "כָּלוּ בְיָגוֹן חַיַּי", וְעָבְרוּ הַרְבֵּה הַרְבֵּה מִשְּׁנוֹתַי, וּכְבָר בָּאתִי בַּיָּמִים, וִימֵי הַחֲלִיפוֹת הוֹלְכִים וּבָאִים, וּבְכָל יוֹם וָיוֹם מִתְקָרְבִים לְיוֹם הַמִּיתָה, וּבְהֶכְרֵחַ לֵילֵךְ בַּדֶּרֶךְ הַזֶּה, "בְּדֶרֶךְ כָּל הָאָרֶץ".

זַכֵּנִי שֶׁאַתְחִיל לְהִתְנַהֵג אֶת עַצְמִי בְּמִנְהַג הַמָּקוֹם הַהוּא שֶׁאֲנִי עָתִיד לֵילֵךְ לְשָׁם בְּלִי סָפֵק, אִם קָרוֹב וְאִם רָחוֹק, אִם

Living a Life of the World to Come

"**O**ne thing have I asked of HaShem, that do I seek: May I sit in the House of HaShem all the days of my life, gazing upon the pleasantness of HaShem and visiting in His palace."

Master of the world, filled with compassion, have pity and mercy on me. Save me and help me. Strengthen my heart so that from now on I will start to accustom myself to be in the World to Come.

May I move and shift myself away from the desires and vanities of this world, and accustom myself to do without eating, drinking and marital relations as in the World to Come, where there are no this-worldly desires at all.

"My life has been worn out with grief." A great many of my years have passed and I have grown old, my passing days move onward continuously, and every day I come closer to the day of my death. And everyone must go on this path, "on the way of all the earth."

Help me begin to act in accordance with the customs of the place to which I am destined to go without any doubt—whether sooner or later,

מְעַט וְאִם הַרְבֵּה אֶחְיֶה עוֹד, אֲבָל עַל כָּל פָּנִים הַכֹּל יַעֲבֹר כְּצֵל עוֹבֵר, וַאֲנִי מֻכְרָח לֵילֵךְ לְשָׁם.

אֲשֶׁר שָׁם אֵין שׁוּם תַּאֲוָה וּמִדָּה רָעָה, וְלֹא שׁוּם מִנְהָג מִמִּנְהֲגֵי עוֹלָם הַזֶּה וְלֹא שׁוּם כָּבוֹד וְהִתְנַשְּׂאוּת שֶׁל שֶׁקֶר.

כִּי שָׁם עַלְמָא דִקְשׁוֹט עוֹלָם הָאֱמֶת, וְאֵין מְלַוִּין לוֹ לָאָדָם לֹא כֶסֶף וְלֹא זָהָב וְלֹא אֲבָנִים טוֹבוֹת וּמַרְגָּלִיּוֹת, וְלֹא שׁוּם תַּאֲוָה וְכָבוֹד שֶׁל עוֹלָם הַזֶּה.

אַדְרַבָּא אִי אֶפְשָׁר לִזְכּוֹת וּלְהַצְלִיחַ שָׁם כִּי אִם כְּשֶׁנִּקְיִים וְזַכִּים מִכָּל הַתַּאֲוֹת בִּקְדֻשָּׁה וּבְטָהֳרָה גְדוֹלָה, וְכַמָּה אֲנִי רָחוֹק מִזֶּה.

וְאִם כְּבָר עָבַר עָלַי מַה שֶּׁעָבַר וְעָשִׂיתִי מַה שֶּׁעָשִׂיתִי, זַכֵּנִי עַל כָּל פָּנִים מֵעַתָּה שֶׁאַתְחִיל לָחוּס וּלְרַחֵם עָלַי בְּרַחֲמָנוּת אֲמִתִּי, וְאַתְחִיל לְהָכִין צְעָדַי וּפְעָמַי אֶל עַלְמָא דְאָתֵי, אֲשֶׁר אֲנִי מֻכְרָח לָבוֹא לְשָׁם בְּלִי סָפֵק.

וְאִם אֶלֶף שָׁנִים אֶחְיֶה אֵינוֹ מַסְפִּיק לְהָכִין צֵדָה לְדֶרֶךְ רָחוֹק כָּל כָּךְ, אֲפִלּוּ אִם לֹא הָיִיתִי פוֹגֵם כָּל יָמַי שׁוּם פְּגַם כְּלָל.

whether I will live a little more or much more. Either way, everything will slip away like a passing shadow, and I must go there.

In that place, there are no desires or evil traits, none of the characteristics of this world, no false honor or prestige.

That is the world of truth. There a person is not accompanied by silver, gold, precious stones or pearls, or by any desires or honors of this world.

To the contrary, only those who are cleansed and purified of all desires with special holiness and purity can succeed there. And I am so far from that.

I have experienced what I have experienced, and I have done what I have done. Purify me—at any rate, from now on—so that I will begin to have true pity and compassion on myself. May I begin to prepare my steps for the World to Come, to which I am destined to go without any doubt.

Even if I were to live a thousand years, that would not give me enough time to prepare provisions for that distant journey—even if during all of my days I had not incurred any blemishes.

מִכָּל שֶׁכֵּן וְכָל שֶׁכֵּן שֶׁפָּגַמְתִּי כָּל כָּךְ, וַאֲנִי מָלֵא חֲטָאִים וַעֲוֹונוֹת וּפְשָׁעִים וְתַאֲווֹת רָעוֹת וּפְגָמִים גְּדוֹלִים וְקִלְקוּלִים הַרְבֵּה בְּלִי שִׁעוּר וָעֵרֶךְ וּמִסְפָּר.

וְרַחֵם עָלַי וְזַכֵּנִי עַל כָּל פָּנִים מֵעַתָּה שֶׁאַתְחִיל לְרַחֵם עָלַי בֶּאֱמֶת, וְאַתָּה תְּרַחֵם עָלַי מִן הַשָּׁמַיִם, וְתַעַזְרֵנִי וְתוֹשִׁיעֵנִי בְּכָל עֵת וָרֶגַע, בְּאֹפֶן שֶׁלֹּא אָשׁוּב עוֹד לְכִסְלָה.

רַק אֶזְכֶּה לְהַתְחִיל מֵעַתָּה לְהַרְגִּיל אֶת עַצְמִי לִהְיוֹת בָּעוֹלָם הַבָּא, לְהַרְגִּיל אֶת עַצְמִי לִהְיוֹת בְּלֹא אֲכִילָה וּשְׁתִיָּה וּמִשְׁגָּל וְשַׁאֲרֵי תַאֲווֹת.

חוּסָה עָלַי כְּרוֹב רַחֲמֶיךָ, יֶהֱמוּ מֵעֶיךָ וְרַחֲמֶיךָ עָלַי, עַל פָּגוּם הָרוּס וְנִשְׁחָת כָּמוֹנִי, "לֵב נִשְׁבָּר וְנִדְכֶּה" כָּמוֹנִי, "נִבְזֶה בְּעֵינָיו נִמְאָס" כָּמוֹנִי.

"זְכוֹר אַל תִּשְׁכַּח" אֶת כָּל הַצְּעָקוֹת וְהַזְּעָקוֹת וְהָאֲנָחוֹת וְהַתְּפִלּוֹת וּתְחִנּוֹת וּבַקָּשׁוֹת שֶׁשָּׁפַכְתִּי לְפָנֶיךָ בּוֹחֵן לִבּוֹת

How much more is it the case now that I have blemished so much, and I am filled with transgressions, sins, offenses, evil desires, extensive flaws and a great deal of damages beyond measure, evaluation or accounting!

Have compassion on me. From now on, at any rate, may I truly begin to have compassion on myself. You Who have compassion on me from Heaven, help me and save me at every hour and minute, so that I will no longer return to my foolishness.

Instead, from now on may I begin to accustom myself to be in the World to Come: to accustom myself to do without eating, drinking, marital relations or other desires.

Hearken to the Good in My Prayers

In Your vast compassion, have pity on me. Arouse Your compassion for me, a person as blemished, maimed and corrupt as I am, with "a broken and crushed heart," "a base person despised in people's eyes."

Recall, do not forget, all of my outcries, clamors, sighs, prayers, pleas and requests—of which not even a single word is lost, Heaven

וּכְלָיוֹת, אֲשֶׁר אֵין שׁוּם דִּבּוּר נֶאֱבָד מֵהֶם כְּלָל חַס וְשָׁלוֹם.

וְאִם הֵם מְעוֹרָבִים בִּפְסֹלֶת הַרְבֵּה, הֲלֹא אַתָּה מִסְתַּכֵּל עַל מְעַט הַטּוֹב וְהַנְּקֻדּוֹת טוֹבוֹת שֶׁבָּהֶם.

וְכַמָּה וְכַמָּה דִבּוּרִים אֲמִתִּיִּים וּנְקֻדּוֹת טוֹבוֹת שֶׁהָיוּ בָּהֶם, אֲשֶׁר בֶּאֱמֶת עוֹרְרוּ רַחֲמֶיךָ עָלַי כַּמָּה וְכַמָּה פְּעָמִים וַעֲזַרְתַּנִי הַרְבֵּה עַל יָדָם.

כִּי לוּלֵא רַחֲמֶיךָ וּפִלְאֵי חֲסָדֶיךָ אֲשֶׁר הִפְלֵאתָ עִמִּי עַד הַיּוֹם הַזֶּה, כְּבָר אָבַדְתִּי בְעָנְיִי חָלִילָה. "לוּלֵא יְהֹוָה עֶזְרָתָה לִּי כִּמְעַט שָׁכְנָה דוּמָה נַפְשִׁי".

אֲבָל עֲדַיִן "עָלַי לִבִּי דַוָּי, מַר לִי מְאֹד", כִּי עֲדַיִן אֲנִי רָחוֹק מֵהַתַּכְלִית מְאֹד מְאֹד וַעֲדַיִן לֹא יָצָאתִי מֵהַחוֹל אֶל הַקֹּדֶשׁ אֲפִלּוּ כִּמְלֹא הַחוּט.

מָה אוֹמַר מָה אֲדַבֵּר, מָה אוֹמַר מָה אֲדַבֵּר מָה אֶצְטַדָּק, מָה אוֹמַר לְפָנֶיךָ יוֹשֵׁב מָרוֹם וּמָה אֲסַפֵּר לְפָנֶיךָ שׁוֹכֵן שְׁחָקִים,

forbid—that I have expressed before You Who test the heart and kidneys.

Although these prayers are adulterated with a great deal of worthless material, You look at the little bit of good, at the good points within them.

You look at a number of true words and good points in them, which have in truth aroused Your compassion for me a number of times, and because of which You have helped me extensively.

An Opening of Hope

If not for Your compassion and the tremendous kindness with which You have wondrously treated me until this day, I would have been lost in my poverty, Heaven forbid. "If HaShem had not been my help, in an instant my soul would have dwelled in silence."

But still, "my heart is distraught within me." "It is very bitter for me," for I am still extremely far from my goal, and still I have not left behind the mundane for the holy by even a hairsbreadth.

What shall I say? How shall I speak? How can I justify myself? What shall I say to You Who sit in the heights? What shall I tell You

וְאַתָּה אֶת עַבְדְּךָ יָדַעְתָּ, אֶת כָּל מַה שֶּׁעָבַר עָלַי, וְכָל מַה שֶּׁעָבַרְתִּי עַד הֵנָּה.

וְעַתָּה אַחֲרֵי כָּל אֵלֶּה, עֲדַיִן אֲנִי מַאֲמִין בֶּאֱמֶת שֶׁאֵין שׁוּם יֵאוּשׁ בָּעוֹלָם כְּלָל.

וְעַל זֶה אֲנִי סוֹמֵךְ עֲדַיִן בְּכֹחַם הַגָּדוֹל שֶׁל הַצַּדִּיקִים הָאֲמִתִּיִּים, לַחְתֹּר חֲתִירוֹת עֲדַיִן אוּלַי אֶמְצָא פֶּתַח תִּקְוָה לָשׁוּב אֵלֶיךָ, לְהַחֲיוֹת אֶת נַפְשִׁי, לְהַצִּיל וּלְמַלֵּט אֶת נַפְשִׁי מִמַּה שֶּׁאֲנִי צָרִיךְ לְהִנָּצֵל וּלְהִמָּלֵט.

רִבּוֹנוֹ שֶׁל עוֹלָם, רִבּוֹנוֹ שֶׁל עוֹלָם, רִבּוֹנוֹ שֶׁל עוֹלָם, יוֹדֵעַ מַחֲשָׁבוֹת, יוֹדֵעַ תַּעֲלוּמוֹת, בּוֹחֵן לִבּוֹת וּכְלָיוֹת, חוֹשֵׁב מַחֲשָׁבוֹת לְבַל יִדַּח מִמְּךָ נִדָּח.

חָפֵץ חֶסֶד, מַרְבֶּה לְהֵטִיב, עוֹשֶׂה צְדָקוֹת עִם כָּל בָּשָׂר וְרוּחַ, מָלֵא רַחֲמִים בְּכָל עֵת, צוֹפֶה וּמַבִּיט עַד סוֹף כָּל הַדּוֹרוֹת.

אַתָּה יוֹדֵעַ אֶת כָּל מַצְפּוּנֵי לְבָבִי עַד הַסּוֹף יוֹתֵר מִמֶּנִּי, וְרַק אַתָּה יוֹדֵעַ בְּאֵיזֶה דֶּרֶךְ בְּאֵיזֶה עֵצָה לְהַחֲיוֹת אֶת נַפְשִׁי הָעֲלוּבָה וְהָאֻמְלָלָה מְאֹד מְאֹד.

כִּי לְפָנֶיךָ נִגְלוּ כָּל תַּעֲלוּמוֹת לֵב וַהֲמוֹן נִסְתָּרוֹת שֶׁמִּבְּרֵאשִׁית,

Who dwell in the heavens? You know Your servant—everything that has happened to me and all that I have gone through until now.

Yet even after all of this, I still truly believe that there is no despair in the world at all.

Regarding this, I still rely on the great power of the true Tzaddikim to drill through and open up channels. Perhaps I will find an opening of hope through which to return to You—to renew my spirit, to rescue and liberate my soul from whatever I need to be rescued and liberated from.

Master of the world, Master of the world, Master of the world! You know thoughts, You know hidden things, You investigate the heart and kidneys, You think thoughts so that no one will remain cast away from You.

You desire kindness. You do boundless good. You perform charity for every mortal creature. You are filled with compassion at all times. You gaze and look to the end of all generations.

You know all of the hidden matters in my heart to their end, even more than I do. Only You know which path and which counsel will revive my utterly shamed and feeble spirit.

For all of the hidden matters of my heart, the multitude of hidden matters from my beginning,

וְכַמָּה וְכַמָּה מַחֲשָׁבוֹת וְרַעְיוֹנוֹת עוֹבְרִים עָלַי.

וְכַמָּה וְכַמָּה סְפֵקוֹת וַחֲלוּקוֹת הָעֵצָה, מַה שֶּׁאֲנִי חוֹשֵׁב בְּכָל פַּעַם לִמְצוֹא עֵצָה וְתַחְבּוּלָה לְהִתְגַּבֵּר עַל יִצְרִי וְלָצֵאת מִמַּה שֶּׁאֲנִי צָרִיךְ לָצֵאת וְלָשׁוּב אֵלֶיךָ בֶּאֱמֶת, וַעֲדַיִן לֹא נוֹשַׁעְתִּי.

"וְאַתָּה יְהֹוָה עַד מָתָי, עַד אָנָה אָשִׁית עֵצוֹת בְּנַפְשִׁי, יָגוֹן בִּלְבָבִי יוֹמָם, עַד אָנָה יָרוּם אֹיְבִי עָלָי, הַבִּיטָה עֲנֵנִי יְהֹוָה אֱלֹהָי הָאִירָה עֵינַי פֶּן אִישַׁן הַמָּוֶת".

תֵּן לִי תִקְוָה וְלֹא אֹבַד, עָזְרֵנִי וְהוֹשִׁיעֵנִי מָלֵא רַחֲמִים בְּכָל מִינֵי יְשׁוּעוֹת הַיְדוּעוֹת לְךָ, בְּאֹפֶן שֶׁאֶזְכֶּה מֵעַתָּה לְהוֹצִיא אֶת עַצְמִי מֵהַבְלֵי הָעוֹלָם הַזֶּה, וְלָשׁוּב אֵלֶיךָ בֶּאֱמֶת.

זַכֵּנִי לוֹמַר תְּהִלִּים בְּכָל יוֹם וָיוֹם בְּכַוָּנָה גְדוֹלָה בְּלֵב שָׁלֵם, וַאֲקַשֵּׁר דַּעְתִּי וּמַחֲשַׁבְתִּי וּלְבָבִי אֶל הַדִּבּוּרִים הַקְּדוֹשִׁים שֶׁל תְּהִלִּים.

עַד שֶׁאֶתְקַשֵּׁר בֶּאֱמֶת בְּרוּחַ הַקֹּדֶשׁ שֶׁהִכְנִיס דָּוִד הַמֶּלֶךְ עָלָיו הַשָּׁלוֹם בְּהַדִּבּוּרִים הַקְּדוֹשִׁים שֶׁל תְּהִלִּים.

and all of the many thoughts and ideas that I experience are revealed to You.

I experience many doubts and uncertain counsel. I constantly look for advice and stratagems to overcome my evil inclination, so that I will emerge from what I need to emerge from and truly return to You—but still I am not saved.

"And You, HaShem, how long will I take counsel in my soul, mourning in my heart by day? How long will my enemy rise up against me?" "Gaze, answer me, HaShem my God, illumine my eyes, lest I sleep in death."

Give me hope. May I not be lost. You Who are filled with compassion, help me and save me with all kinds of salvation—as are known to You—so that from now on I will extricate myself from the vanities of this world and truly return to You.

Reciting Psalms

Help me recite psalms every day with great feeling, with all my heart. May I connect my awareness, thought and heart to the holy words of the psalms.

May I truly attach myself to the spirit of holiness that King David inserted into the holy words of psalms.

עַד שֶׁיִּהְיֶה נֶחְשַׁב אֲמִירַת תְּהִלִּים שֶׁלִּי כְּאִלּוּ אֲמָרָם דָּוִד הַמֶּלֶךְ עָלָיו הַשָּׁלוֹם בְּעַצְמוֹ, זְכוּתוֹ יָגֵן עָלֵינוּ.

וְאֶזְכֶּה לִמְצֹא אֶת עַצְמִי בְּכָל יוֹם וּבְכָל עֵת בִּפְסוּקֵי תְהִלִּים שֶׁאֶעֱסוֹק בָּהֶם אָז, בְּאֹפֶן שֶׁאֶזְכֶּה עַל יְדֵי אֲמִירַת תְּהִלִּים לָשׁוּב בִּתְשׁוּבָה שְׁלֵמָה לְפָנֶיךָ בֶּאֱמֶת, כַּאֲשֶׁר גִּלִּיתָ לָנוּ שֶׁאֲמִירַת תְּהִלִּים מְסֻגָּל לִתְשׁוּבָה.

רַחֵם עָלַי מָלֵא רַחֲמִים, וְהַחֲיֵינִי וְקַיְּמֵנִי וְזַכֵּנִי מֵעַתָּה עַל כָּל פָּנִים לָשׁוּב אֵלֶיךָ בֶּאֱמֶת, הָשֵׁב אֶת נַפְשִׁי בְּ"שִׁבְעָה מְשִׁיבֵי טָעַם", בְּכָל מִינֵי מַטְעַמִּים הַמְּשִׁיבִין אֶת הַנֶּפֶשׁ דִּקְדֻשָּׁה.

חוּס וַחֲמֹל עַל פִּזּוּר נַפְשִׁי, עַל מְרִירוּת נַפְשִׁי, עַל חֲלִישׁוּת דַּעְתִּי, עַל חֲלִקַּת עֲצָתִי, יֶהֱמוּ וְיִכְמְרוּ מֵעֶיךָ וְרַחֲמֶיךָ עָלַי, כִּי "מַה בֶּצַע בְּדָמִי בְּרִדְתִּי אֶל שָׁחַת".

מַה בֶּצַע כִּי תְיַסֵּר וְתַעֲנִשׁ אֶת בָּנֶיךָ בַּעֲנָשֶׁיךָ הַקָּשִׁים וְהַמָּרִים רַחֲמָנָא לִצְלַן. מַה בֶּצַע כִּי תְבַזֶּה וּתְבַיֵּשׁ חַס וְשָׁלוֹם אֶת נַפְשִׁי.

הֲלֹא אַתָּה חָפֵץ בְּתִקּוּנִי, וְאַתָּה וְצַדִּיקֶיךָ הָאֲמִתִּיִּים

May my recital of psalms be considered as though King David said them himself.

May I find myself every day and every moment in the verses of psalms that I recite, so that by reciting them, I will truly return to You in complete repentance—for, as You revealed to us, reciting psalms helps a person repent.

You Who are filled with compassion, have compassion on me. Revive me, maintain me and help me—from now on, at any rate—truly return to You. Restore my soul—as though with "seven wise men who give advice"—with every sort of advice that restores the holy soul.

Have pity and mercy on my distracted, embittered soul, on my weakened awareness, on my divided counsel. May Your inner being be moved and roused. Have compassion on me, for "what profit is there in my blood if I descend to the grave?"

What profit is there if You torment and punish Your children with onerous and bitter punishments, may the Compassionate One protect us? What profit is there if You insult and abase my soul, Heaven forbid?

You desire my rectification. You and Your true Tzaddikim who engage in our rectification

הָעוֹסְקִים בְּתִקּוּנֵנוּ חֲפֵצִים לְהֵיטִיב עִמִּי בְּכָל הַטּוֹבוֹת שֶׁבְּכָל הָעוֹלָמוֹת בְּתוֹךְ כְּלַל יְרֵאֶיךָ וּתְמִימֶיךָ הַחֲפֵצִים לֵילֵךְ בִּדְרָכֶיךָ.

וְלָמָּה "זָנַחְתָּ וַתִּמְאָס", וְאַתָּה מַנִּיחַ אוֹתִי כָּל כָּךְ זֶה יָמִים וְשָׁנִים בִּמְקוֹמוֹת כָּאֵלּוּ הָרְחוֹקִים מִמְּךָ כָּל כָּךְ.

וְאִם בֶּאֱמֶת אֵין שׁוּם תֵּרוּץ בָּעוֹלָם, אַף עַל פִּי כֵן אַתָּה יָכוֹל לְלַמֵּד עָלַי זְכוּת, וּלְעוֹרֵר רַחֲמֶיךָ הָאֲמִתִּיִּים עָלַי.

וּלְקָרְבֵנִי אֵלֶיךָ מֵעַתָּה, וּלְהַדְרִיכֵנִי בַּאֲמִתֶּךָ בְּכָל עֵת וּבְכָל שָׁעָה, בְּאֹפֶן שֶׁאָשׁוּב אֵלֶיךָ בֶּאֱמֶת מֵעַתָּה וְעַד עוֹלָם.

עַד שֶׁאֶזְכֶּה גַּם אָנֹכִי לְחַיֵּי עוֹלָם הַבָּא בֶּאֱמֶת, וְלִהְיוֹת נִכְלָל בִּכְלַל הַצַּדִּיקִים הָאֲמִתִּיִּים הַזּוֹכִים לְשַׁ"י עוֹלָמוֹת, כְּמוֹ שֶׁכָּתוּב: "לְהַנְחִיל אוֹהֲבַי יֵ"שׁ וְאוֹצְרוֹתֵיהֶם אֲמַלֵּא".

וְאִם אֲנִי רָחוֹק מֵעוֹלָם אֶחָד מִבַּיִת אֶחָד כְּמוֹ שֶׁאֲנִי רָחוֹק, עִם כָּל זֶה מִמְּךָ לֹא יִפָּלֵא כָּל דָּבָר.

desire to benefit me with all good things in all worlds, so that I will be among those who fear You, among Your upright ones who desire to walk in Your ways.

Then why "have You rejected and despised" me? You set me aside for so many days and years in places that are so far from You.

And if, indeed, there is no explanation for this, nevertheless, You can find merit in me and arouse Your true compassion on my behalf.

Bring me close to You from now on. Guide me in Your truth at every hour and moment, so that I will truly return to You from now and forever.

Among the Tzaddikim

May I attain the life of the World to Come and be accepted among all of the true Tzaddikim who inherit 310 worlds, as in the verse, "That I may give those who love Me substance (*yesh*), and I will fill their treasuries."[15]

Although I am so far from inheriting even one world—even one house—nothing is beyond You.

15 In this verse from Proverbs 8:21, the word *YeSh* (יש, substance) has the numerical value of 310. These are the 310 worlds. Thus, "That I may give those who love Me 310."

וְשָׁמְרֵנִי וְהַצִּילֵנִי מֵרִיב וּמַחֲלֹקוֹת, וֶהְיֵה בְעֶזְרִי שֶׁלֹּא יַזִּיק לִי הַמַּחֲלֹקֶת כְּלָל לֹא בְּרוּחָנִיּוּת וְלֹא בְּגַשְׁמִיּוּת.

רַק אֶזְכֶּה לְהִתְקַשֵּׁר וּלְהִכָּלֵל בְּהַצַּדִּיקִים אֲמִתִּיִּים שֶׁיּוֹדְעִים לְהַטּוֹת כְּלַפֵּי חֶסֶד, וְלָדוּן אֶת הַכֹּל לְכַף זְכוּת אֲפִלּוּ אֶת הַחוֹלְקִים עֲלֵיהֶם.

וּמַמְשִׁיכִים אַהֲבָה וְשָׁלוֹם בָּעוֹלָם, וּמַמְתִּיקִים כָּל מִינֵי מַחֲלֹקֶת וְעוֹשִׂים מֵהַמַּחֲלֹקֶת שְׁלוֹם בַּיִת, וּבוֹנִים מֵהֶם בָּתִּים נִפְלָאִים וְנוֹרָאִים עַד שֶׁנִּבְנִין מֵהֶם שַׁ״י עוֹלָמוֹת.

עָזְרֵנוּ שֶׁנִּזְכֶּה לֵילֵךְ בְּדַרְכֵי הַצַּדִּיקִים הָאֵלּוּ, וּלְהִתְקַשֵּׁר לָהֶם וּלְהִכָּלֵל בָּהֶם, עַד שֶׁנִּזְכֶּה גַּם אֲנַחְנוּ עַל יָדָם לְשַׁ״י עוֹלָמוֹת.

חֲמֹל עָלֵינוּ וְעָזְרֵנוּ שֶׁנַּזְכִּיר אֶת עַצְמֵנוּ בְּכָל עֵת בְּנִפְלְאוֹת עֲרֵבַת נְעִימַת הַתַּעֲנוּגִים וְהַשַּׁעֲשׁוּעִים שֶׁיִּהְיֶה לְהַצַּדִּיקִים לֶעָתִיד, שֶׁיִּזְכֶּה כָּל אֶחָד לִנְחֹל שַׁ״י עוֹלָמוֹת.

וְנַעֲמִיק דַּעְתֵּנוּ בָּזֶה, וּנְשַׁעֵר בְּדַעְתֵּנוּ גֹּדֶל עוֹלָם אֶחָד, וְכַמָּה וְכַמָּה כּוֹכָבִים וּמַזָּלוֹת וְגַלְגַּלִּים נִפְלָאִים וְנוֹרָאִים שֶׁיֵּשׁ בְּכָל עוֹלָם וְעוֹלָם.

Guard me and rescue me from argument and dispute. Help me so that discord will not harm me at all—neither spiritually nor physically.

Instead, may I connect myself to and be incorporated into the true Tzaddikim who know how to tend toward kindness and who judge all people favorably, even those who malign them.

They draw love and peace into the world, soften every sort of dispute, turn dispute into a peaceful home, and build wondrous and awesome houses, until 310 worlds are constructed.

Help us so that we will emulate these Tzaddikim, connect ourselves to them and be incorporated into them, until through them, we will attain the 310 worlds.

Have mercy on us and help us, so that at every moment we will recall the wonders of the sweet pleasantness of the delights and pleasures that the Tzaddikim will experience in the future, when each one will inherit 310 worlds.

May we delve into that with our mind and imagine the greatness of just one world: how many wondrous, awesome stars, constellations and galaxies exist in every world.

וְכַמָּה וְכַמָּה עֲיָרוֹת וּמְדִינוֹת, וְכַמָּה וְכַמָּה מְבוֹאוֹת וַחֲצֵרוֹת וּבָתִּים וְחִדּוּשִׁים נִפְלָאִים וְעִנְיָנִים נוֹרָאִים שֶׁיֵּשׁ בְּכָל עוֹלָם וְעוֹלָם.

מִכָּל שֶׁכֵּן וְכָל שֶׁכֵּן שׁ"י עוֹלָמוֹת שֶׁיֵּשׁ לְכָל צַדִּיק, מִי יְשַׁעֵר גְּדֻלַּת הַצַּדִּיק הַזּוֹכֶה לָזֶה, וְתַעֲנוּגָיו וְשַׁעֲשׁוּעָיו אַשְׁרֵי לוֹ.

זַכֵּנוּ שֶׁלֹּא נַחֲלִיף עוֹלָמוֹת כָּאֵלּוּ הַקַּיָּמִים לָעַד בָּעוֹלָם הָעוֹבֵר הַזֶּה. חֲמֹל עָלֵינוּ וְעַל כָּל עַמְּךָ יִשְׂרָאֵל שֶׁנִּזְכֶּה כֻּלָּנוּ לִהְיוֹת בִּכְלַל צַדִּיקֵי אֱמֶת הַזּוֹכִים לְשַׁ"י עוֹלָמוֹת.

כִּי אַתָּה חָפֵץ לְהֵיטִיב לַכֹּל, וְאֵין מַעְצוֹר לְךָ לְהוֹשִׁיעַ גַּם אוֹתִי, לִזְכּוֹת לְכָל טוּב אֲמִתִּי וְנִצְחִי, לְמַעַן אֶזְכֶּה לְגַדֵּל וּלְקַדֵּשׁ אֶת שִׁמְךָ הַגָּדוֹל לְעוֹלְמֵי עַד וּלְנֵצַח נְצָחִים.

וְזַכֵּנִי לְבַשֵּׂר בְּשׂוֹרוֹת טוֹבוֹת תָּמִיד לְעַמְּךָ יִשְׂרָאֵל, וְעַל יְדֵי זֶה אֶזְכֶּה לוֹמַר תְּהִלִּים בְּכַוָּנָה גְדוֹלָה.

וְעָזְרֵנוּ וְהוֹשִׁיעֵנוּ שֶׁנִּזְכֶּה לְרַחֵק אֶת עַצְמֵנוּ מֵרוֹפְאִים

And every world contains many towns and cities, alleys, courtyards, houses and wondrous new things and awesome matters.

How much more regarding the 310 worlds that every Tzaddik has—who can imagine the greatness of the Tzaddik who attains that, and his delights and pleasures? Fortunate is he!

Help us so that we will not exchange such eternal worlds for this temporary world. Have mercy on us and on Your entire nation, the Jewish people, so that we all will be among the true Tzaddikim who inherit 310 worlds.

You desire to benefit everyone. Nothing can prevent You from saving me as well, so that I will attain all true and eternal goodness, magnifying and sanctifying Your great Name forever and for all eternity.

Help us so that we will always have good tidings to deliver to Your nation, the Jewish people. And then may I recite psalms with great feeling.

Healing from Heaven

Help us and save us so that we will completely distance ourselves from physicians. Guard us

וְדָאקְטוֹרִים בְּתַכְלִית הָרִחוּק. וְתִשְׁמְרֵנוּ וְתַצִּילֵנוּ מִכָּל מִינֵי חֳלָאִים וּמַכְאוֹבִים וּמֵחוּשִׁים.

וְאִם בְּרַחֲמֶיךָ נִצְטָרֵךְ לִפְעָמִים לְאֵיזֶה רְפוּאָה, תְּרַחֵם עָלֵינוּ וּתְחַזֵּק אֶת לְבָבֵנוּ שֶׁלֹּא יַעֲלֶה עַל דַּעְתֵּנוּ לְהִשְׁתַּמֵּשׁ עִם שׁוּם רוֹפֵא וְדָאקְטוֹר.

רַק לִסְמוֹךְ עָלֶיךָ לְבַד, וּלְהַרְבּוֹת בַּאֲמִירַת תְּהִלִּים בִּשְׁבִיל הַחוֹלֶה, וְלִהְיוֹת נָכוֹן וּבָטוּחַ וְנִשְׁעָן עַל אֲמִירַת תְּהִלִּים, שֶׁעַל יְדֵי זֶה תִּשְׁלַח רְפוּאָה שְׁלֵמָה לְכָל הַצְּרִיכִים רְפוּאָה.

וְתִתֶּן לָנוּ כֹּחַ, וְתַעַזְרֵנוּ וְתוֹשִׁיעֵנוּ לוֹמַר תְּהִלִּים בְּכַוָּנָה גְדוֹלָה כָּל כָּךְ, עַד שֶׁנִּזְכֶּה לְעוֹרֵר וּלְהָקִיץ אֶת דָּוִד הַמֶּלֶךְ עָלָיו הַשָּׁלוֹם בְּעַצְמוֹ שֶׁהוּא "רוּחַ אַפֵּנוּ מְשִׁיחַ יְהֹוָה", וְיִהְיֶה נֶחְשָׁב כְּאִלּוּ אֲמָרָם דָּוִד הַמֶּלֶךְ עָלָיו הַשָּׁלוֹם בְּעַצְמוֹ.

עַד שֶׁיִּהְיֶה כֹּחַ לְעַמְּךָ יִשְׂרָאֵל לְהַחֲיוֹת מֵתִים עַל יְדֵי אֲמִירַת

and rescue us from every sort of illness, pain or discomfort.

If, in Your compassion, we occasionally require some healing, have compassion on us and strengthen our heart so that we will not contemplate going to any physician.[16]

Instead, may we rely on You alone. May we recite many psalms on behalf of a sick person, and be firm and certain that as a result of the recital of psalms, You will send complete healing to all who need healing.

Give us strength. Help us and save us, so that we will recite psalms with such great feeling that we will arouse and awaken King David himself, who is "the spirit of our nostrils, the Mashiach of HaShem." May it be considered as though King David recited them himself.

May Your nation, the Jewish people, acquire the strength to revive the dead by means of

---

16   Rebbe Nachman often denounced the primitive medicine of Eastern Europe of his day. Yet even in our day, physicians cannot do everything, and ultimately, a person must depend on God. The title of doctor does not make one a superman, and physicians still make mistakes. Controversial and experimental treatments are still used. Modern-day followers of Breslov avoid doctors except in serious cases, and then are careful to obtain only the best possible medical care.

תְּהִלִּים, וְיָשׁוּבוּ כָּל חוֹלֵי עַמְּךָ בֵּית יִשְׂרָאֵל לְאֵיתָנָם, וְתִרְפָּאֵם וְתַחֲלִימֵם וּתְחַיֵּם בְּחַיִּים טוֹבִים וַאֲרוּכִים בֶּאֱמֶת.

וְנִזְכֶּה כֻּלָּנוּ לָשׁוּב אֵלֶיךָ בֶּאֱמֶת, וְלִהְיוֹת כִּרְצוֹנְךָ וְכִרְצוֹן צַדִּיקֶיךָ הָאֲמִתִּיִּים כָּל יְמֵי חַיֵּינוּ לְעוֹלָם.

"הֲשִׁיבֵנִי וְאָשׁוּבָה כִּי אַתָּה [יְהֹוָה] אֱלֹהָי", הֲשִׁיבֵנוּ אָבִינוּ לְתוֹרָתֶךָ וְקָרְבֵנוּ מַלְכֵּנוּ לַעֲבוֹדָתֶךָ וְהַחֲזִירֵנוּ בִּתְשׁוּבָה שְׁלֵמָה לְפָנֶיךָ.

זַכֵּנִי מֵעַתָּה לְהַרְגִּיל אֶת עַצְמִי לִהְיוֹת בָּעוֹלָם הַבָּא כְּכֹל אֲשֶׁר שָׁאַלְתִּי מֵאִתְּךָ אָבִי מַלְכִּי וּקְדוֹשִׁי צוּרִי וְגוֹאֲלִי.

זַכֵּנִי שֶׁאֶזְכֶּה לִשְׁמֹעַ אֶת קוֹל הַשִּׁיר הַקָּדוֹשׁ שֶׁיִּתְעַר לֶעָתִיד.

"אַל תַּשְׁלִיכֵנִי מִלְּפָנֶיךָ, וְרוּחַ קָדְשְׁךָ אַל תִּקַּח מִמֶּנִּי. אַל תַּשְׁלִיכֵנִי לְעֵת זִקְנָה, כִּכְלוֹת כֹּחִי אַל תַּעַזְבֵנִי. אַל תַּעַזְבֵנִי יְהֹוָה, אֱלֹהַי אַל תִּרְחַק מִמֶּנִּי. חוּשָׁה לְעֶזְרָתִי אֲדֹנָי תְּשׁוּעָתִי":

reciting psalms. May all the sick of Your nation, the House of Israel, return to their vigor. May You heal them, cure them and revive them with a truly good and long life.

May we all truly return to You, and be in accordance with Your will and with the will of Your true Tzaddikim all the days of our lives, forever.

"Bring me back and I will return, for You are [HaShem] my God." Our Father, return us to Your Torah. Our King, bring us close to serving You. Bring us back to You in complete repentance.

Help me from now on accustom myself to be in the World to Come, in accordance with everything that I have asked of You, my Father, my King, my Holy One, my Rock and my Redeemer.

Help me hear the voice of the holy song that will be aroused in the future.

"Do not cast me away from You, and do not take Your holy spirit away from me." "Do not cast me away in a time of old age. When my strength is worn away, do not abandon me." "Do not abandon me, HaShem my God. Do not be far from me. Hasten to help me, God of my salvation."

50 (II, 29)

Spiritual Unifications Nullify Prohibited Substances and States of Being / If Some Forbidden Substance Renders a Person's Kosher Food Unfit, it is a Sign That He Caused Damage to Some Supernal Unification

If a non-kosher substance falls into a kosher food, it makes the entire mixture non-kosher, unless it is nullified in the volume of the kosher food. If a non-kosher substance falls into someone's kosher food and renders it non-kosher, that is a sign that he is being shown from Heaven that he caused damage to some supernal unification.

This is because all unifications are a nullification of something forbidden. One of the blessings recited at a wedding is, "He forbade us women who are engaged and allowed us women who are married [to us]." Thus, when there is a union, that which was forbidden becomes allowed.

And so, when something forbidden is not made permissible, that is a sign that a person caused damage to a supernal unification.

"אֱלֹהִים מוֹשִׁיב יְחִידִים בַּיְתָה מוֹצִיא אֲסִירִים בַּכּוֹשָׁרוֹת, אַךְ סוֹרְרִים שָׁכְנוּ צְחִיחָה.

אֱלֹהִים אֵלִי אַתָּה אֲשַׁחֲרֶךָּ, צָמְאָה לְךָ נַפְשִׁי כָּמַהּ לְךָ בְשָׂרִי, בְּאֶרֶץ צִיָּה וְעָיֵף בְּלִי מָיִם. כֵּן בַּקֹּדֶשׁ חֲזִיתִךָ לִרְאוֹת עֻזְּךָ וּכְבוֹדֶךָ".

רִבּוֹנוֹ שֶׁל עוֹלָם, מָלֵא רַחֲמִים קָרְבֵנִי לַעֲבוֹדָתֶךָ, וְהַחֲזִירֵנִי בִּתְשׁוּבָה שְׁלֵמָה לְפָנֶיךָ וְיַחֵד לְבָבִי לְאַהֲבָה וּלְיִרְאָה אֶת שְׁמֶךָ.

וְעָזְרֵנִי וְזַכֵּנִי לְיַחֵד יִחוּדִים קְדוֹשִׁים בְּכָל עֵת, שֶׁאֶזְכֶּה לְהֵיטִיב מַעֲשַׂי וּלְקַדֵּשׁ מַחֲשַׁבְתִּי בִּקְדֻשָּׁתְךָ הָעֶלְיוֹנָה עַד שֶׁיִּהְיֶה נִתְיַחֵד [וְיִהְיוּ נַעֲשִׂים] עַל יְדֵי יִחוּדִים עֶלְיוֹנִים קְדוֹשִׁים וּטְהוֹרִים בְּכָל הָעוֹלָמוֹת כֻּלָּם.

כִּי לְכָךְ נוֹצַרְתִּי לְיַחֵד וּלְחַבֵּר כָּל הָעוֹלָמוֹת וְכָל הַשֵּׁמוֹת הַקְּדוֹשִׁים בְּיִחוּדָא שְׁלִים, בְּאֹפֶן שֶׁיִּתְגַּלֶּה וְיִתְפַּשֵּׁט וְיָאִיר יִחוּדְךָ וְאַחְדוּתְךָ לְכָל בָּאֵי עוֹלָם, וְיֵדְעוּ כֻּלָּם אוֹתְךָ לְמִקְטַנָּם וְעַד גְּדוֹלָם.

Making Unifications

"**G**od settles solitary individuals in their home. He brings forth those imprisoned in chains, but those who have rebelled dwell in an arid land."

"God, You are my God; in the morning I will appeal to You." "My spirit thirsts for You; my flesh yearns for You in a land that is dry and weary, without water." "As I saw You in the Sanctuary, so do I long to see Your might and honor."

Master of the world, You Who are filled with compassion, draw me close to You so that I will serve You. Bring me back to You in complete repentance. Unite my heart to love and fear Your Name.

Help me engage in holy unifications constantly. May I improve my deeds and sanctify my thoughts so they will partake of Your supernal holiness, until my thoughts will be unified [and created] in all of the worlds by means of supernal, holy and pure unifications.

I was created to unify and bind all of the worlds and all of the holy Names completely, so that Your Unity and Oneness will be revealed, spread and shine to all people in the world. May they all know You, from small to great.

וּבְכֵן יְהִי רָצוֹן מִלְּפָנֶיךָ יְהֹוָה אֱלֹהֵינוּ וֵאלֹהֵי אֲבוֹתֵינוּ, עוֹשֶׂה נִפְלָאוֹת בְּכָל עֵת, שֶׁתִּהְיֶה עִמִּי תָּמִיד וְתִשְׁמֹר אוֹתִי שֶׁלֹּא אֶכָּשֵׁל לְעוֹלָם בְּשׁוּם מַאֲכָלוֹת אֲסוּרוֹת חַס וְשָׁלוֹם, וְלֹא יִזְדַּמֵּן שׁוּם תַּעֲרֹבוֹת אִסּוּר בְּהֶתֵּר בְּבֵיתִי לְעוֹלָם.

וַאֲפִלּוּ אִם לִפְעָמִים בְּאֵיזֶה אֹנֶס יִתְעָרֵב מְעַט אִסּוּר בְּהֶתֵּר, יִהְיֶה בָּטֵל בְּמִעוּטוֹ בְּהֶתֵּר, שֶׁיִּהְיֶה הַהֶתֵּר מְרֻבֶּה מִמֶּנּוּ כְּשִׁעוּר שֶׁיּוּכַל לְבַטְּלוֹ כְּפִי דִּינֵי תּוֹרָתְךָ הַקְּדוֹשָׁה.

וְתִשְׁמְרֵנִי תָּמִיד שֶׁלֹּא אֶפְגֹּם בְּשׁוּם יִחוּד שֶׁלְּמַעְלָה, וְכָל מַה שֶּׁפָּגַמְתִּי עַד הֵנָּה בְּיִחוּדֵי שְׁמוֹתֶיךָ הַקְּדוֹשִׁים עַל יְדֵי מַעֲשַׂי הָרָעִים, הַכֹּל תְּתַקֵּן בְּרַחֲמֶיךָ.

וְיִתְהַפְּכוּ הָעֲוֹנוֹת לִזְכֻיּוֹת וְיִתְבַּטְּלוּ עֲווֹנוֹתַי בְּרִבּוּי טוּבְךָ וַחֲסָדֶיךָ הַנִּפְלָאִים, שֶׁאַתָּה מַשְׁפִּיעַ וּמֵאִיר עָלֵינוּ בְּכָל עֵת.

בְּכֹחַ וּזְכוּת צַדִּיקֶיךָ הָאֲמִתִּיִּים אֲשֶׁר הֵם מְיַחֲדִים כָּל הַיִּחוּדִים

Avoiding Any Mixture of Forbidden Foods

Therefore, may it be Your will, HaShem our God and God of our fathers, You Who perform wonders at all times, that You will be with me always and guard me so that I will never accidentally eat any forbidden foods, Heaven forbid, and so that no mixture of forbidden food with permitted food will ever be in my home.

Even if at times, due to some unpreventable circumstance, a little bit of a forbidden substance is mixed into a permitted substance, may it be nullified in the permitted majority, so that the permitted amount will nullify it according to the laws of the holy Torah.

Guard me always so that I will not blemish any Heavenly unification. In Your compassion, rectify all of the blemishes that I have caused until now in the unifications of Your holy Names, as a result of my evil deeds.

May my wrongdoings be transformed into merits. May my wrongdoings be nullified in Your multitudinous goodness and wondrous kindness, which You send forth and shine onto us constantly.

In the might and merit of Your true Tzaddikim, who unify all of the supernal unifications with

הָעֶלְיוֹנִים בְּתַכְלִית הַשְּׁלֵמוּת, וּמְגַלִּין וּמְפַרְסְמִין יִחוּדְךָ וְאַחְדוּתְךָ לְכָל בָּאֵי עוֹלָם.

בְּכֹחָם וּזְכוּתָם אָנוּ נִשְׁעָנִים שֶׁגַּם פְּשָׁעֵינוּ וְחַטֹּאתֵינוּ וַעֲווֹנוֹתֵינוּ הַמְרֻבִּים וְהָעֲצוּמִים מְאֹד מְאֹד, כֻּלָּם יִתְבַּטְּלוּ בְּבִטּוּל גָּמוּר בְּתוֹךְ עֹצֶם רִבּוּי קְדֻשָּׁתָם וְצִדְקָתָם עַד שֶׁיִּתְהַפְּכוּ הָעֲוֹנוֹת לִזְכֻיּוֹת.

רִבּוֹנוֹ שֶׁל עוֹלָם אֶחָד יָחִיד וּמְיֻחָד, רַחֵם עָלֵינוּ לְמַעַן שְׁמֶךָ וְזַכֵּנוּ לְהַכִּיר אוֹתְךָ בֶּאֱמֶת, וּלְהוֹדִיעַ שִׁמְךָ לְכָל בָּאֵי עוֹלָם, "לְמַעַן דַּעַת כָּל עַמֵּי הָאָרֶץ כִּי יְהוָֹה הוּא הָאֱלֹהִים אֵין עוֹד.

בָּרוּךְ יְהוָֹה אֱלֹהִים אֱלֹהֵי יִשְׂרָאֵל עוֹשֵׂה נִפְלָאוֹת לְבַדּוֹ. וּבָרוּךְ שֵׁם כְּבוֹדוֹ לְעוֹלָם וְיִמָּלֵא כְבוֹדוֹ אֶת כָּל הָאָרֶץ אָמֵן וְאָמֵן":

ultimate perfection, reveal and publicize Your Unity and Oneness to everyone in the world.

We trust that in the power and merit of the Tzaddikim, our multitudinous and grave offenses, transgressions and sins will all be nullified completely due to the intense force of their holiness and righteousness, until our wrongdoings will be transformed into merits.

Master of the world, Singular and Unique One, have compassion on us for the sake of Your Name. Help us truly recognize You and make Your Name known to all who come into the world. "Then all of the nations of the land will know that HaShem is God—there is no other."

"Blessed is HaShem, God, God of Israel, Who alone does wonders. And blessed is the Name of His glory forever, and may His glory fill the entire earth. Amen and amen."

51 (II, 44)

When a Person Speaks Words of Faith, That Increases His Faith / One Should Not Repeat the Words of Heretics, Even if He Means to Mock Them / One Should Not Learn Philosophy, Even of Great Jews, for That Damages Faith / A Person Should be Simple in Serving God / No One is Expected to Perfectly Fulfill His Obligations in Serving God / God Does Not Want a Person's Thoughts, but His Heart

---

A person's faith depends on the declarations of his mouth. When a person declares his faith, that itself is faith and it leads to greater faith. Conversely, a person must be careful not to speak any heretical words, even if he does not believe them and in fact means to mock them.

One should not read the works of heretics. In addition, he should not even read philosophical works written by great Jews, for doing so damages faith. It is enough that we have the faith that we received from our holy forefathers. And the foundation of faith is to serve God simply and uprightly.

A person must distance himself from over-thinking in his service of God. The thoughts of those who are beginning to serve God are not wisdom but fantasy, foolishness and confusion. For instance, a person may be focusing on whether he is fulfilling his obligations—but that will cast him down from serving God, because the fact is that no creature of flesh and blood can fulfill his obligations. As the sages tell us, God does not demand the impossible and the Torah was not given to the angels.

All of those people who are inordinately strict in their religious practice have no life and are always depressed, because they are always worried that they are not fulfilling their obligations.

Even if a person is genuinely intelligent, he must cast that away and serve God with absolute simplicity. That is the greatest wisdom of all. There is no wisdom or understanding before God. God wants the heart.

"תְּהִלַּת יְהוָה יְדַבֶּר פִּי, וִיבָרֵךְ כָּל בָּשָׂר שֵׁם קָדְשׁוֹ לְעוֹלָם וָעֶד. יִמָּלֵא פִי תְּהִלָּתֶךָ כָּל הַיּוֹם תִּפְאַרְתֶּךָ. חַסְדֵי יְהוָה עוֹלָם אָשִׁירָה, לְדוֹר וָדוֹר אוֹדִיעַ אֱמוּנָתְךָ בְּפִי".

רִבּוֹנוֹ שֶׁל עוֹלָם רַחֵם עָלַי וְעַל כָּל יִשְׂרָאֵל, וְזַכֵּנִי לְהַאֲמִין בְּךָ בֶּאֱמוּנָה שְׁלֵמָה תָּמִיד, וְלֹא יַעֲלֶה עַל לִבִּי שׁוּם כְּפִירָה וְסָפֵק וּבִלְבּוּל בֶּאֱמוּנָתְךָ הַקְּדוֹשָׁה.

וְאֶהְיֶה רָגִיל תָּמִיד לוֹמַר הָאֱמוּנָה בְּפִי בְּפֵרוּשׁ, לְדַבֵּר בְּכָל עֵת בְּפֶה מָלֵא שֶׁאֲנִי מַאֲמִין בְּךָ יְהוָה אֱלֹהֵינוּ.

שֶׁאַתָּה הוּא יָחִיד קַדְמוֹן בְּלִי רֵאשִׁית בְּלִי תַכְלִית, וּבִרְצוֹנְךָ בָּרָאתָ עוֹלָמְךָ יֵשׁ מֵאַיִן הַמֻּחְלָט אַחַר הֶעְדֵּר הַגָּמוּר.

וְאַתָּה מוֹשֵׁל בַּכֹּל וּמַנְהִיג וּמַשְׁגִּיחַ בְּעוֹלָמְךָ כִּרְצוֹנֶךָ, וְאַתָּה עָתִיד לְחַדֵּשׁ אֶת עוֹלָמֶךָ.

וְאַתָּה נָתַתָּ לָנוּ תוֹרָתְךָ הַקְּדוֹשָׁה בִּכְתָב וּבְעַל פֶּה עַל יְדֵי

We Declare Our Faith

"**M**ay my mouth speak the praise of HaShem, and all flesh bless His holy Name forever and ever." "May my mouth be filled with Your praise, the entire day with Your glory." "I will sing the kindness of HaShem forever; for all generations, I will make Your faithfulness known with my mouth."

Master of the world, have compassion on me and on the entire Jewish people. Help me believe in You always with complete faith. May no heresy, doubt or confusion regarding Your holy faith arise in my heart.

May I always be accustomed to express my faith explicitly with my mouth, to declare unabashedly at all times that I believe in You, HaShem our God.

You are the Primal One, without beginning and without end. With Your will, You created Your world completely *ex nihilo* after total nothingness.

You rule over all, and guide and supervise Your world in accordance with Your will. And in the future, You will renew Your world.

You gave us Your holy Torah—both the Written Torah and the Oral Torah—through

משֶׁה נְבִיאֶךָ נֶאֱמַן בֵּיתֶךָ, וְעַל יָדוֹ בָּחַרְתָּ בָּנוּ מִכָּל הָאֻמּוֹת וְקִדַּשְׁתָּנוּ בְּמִצְוֹתֶיךָ.

וְנָתַתָּ לָנוּ נְבִיאִים וְצַדִּיקִים אֲמִתִּיִּים וְתַנָּאִים וַאֲמוֹרָאִים וְכָל חַכְמֵי יִשְׂרָאֵל הַקְּדוֹשִׁים הָאֲמִתִּיִּים שֶׁהָיוּ בְּכָל הַדּוֹרוֹת עַד הַיּוֹם הַזֶּה.

רַחֵם עָלֵינוּ לְמַעַן שְׁמֶךָ, וְחַזְּקֵנוּ וְאַמְּצֵנוּ בֶּאֱמוּנָתְךָ הַקְּדוֹשָׁה תָּמִיד, כִּי אַתָּה יָדַעְתָּ שֶׁכָּל חַיּוּתֵנוּ וּמְגַמָּתֵנוּ הוּא רַק הָאֱמוּנָה הַקְּדוֹשָׁה שֶׁהִיא יְסוֹד כָּל הַתּוֹרָה כֻּלָּהּ.

כְּמוֹ שֶׁכָּתוּב: "כָּל מִצְוֹתֶיךָ אֱמוּנָה". וּכְמוֹ שֶׁכָּתוּב: "וְצַדִּיק בֶּאֱמוּנָתוֹ יִחְיֶה". וְהוּא יְסוֹד כָּל הָעוֹלָמוֹת כְּמוֹ שֶׁכָּתוּב: "וְכָל מַעֲשֵׂהוּ בֶּאֱמוּנָה".

וּבִפְרַט אָנֹכִי הַפָּגוּם אֲשֶׁר בַּעֲווֹנוֹתַי הָרַבִּים קִלְקַלְתִּי כְּמוֹ שֶׁקִּלְקַלְתִּי, וְכָל חַיּוּתִי וְתִקְוָתִי הוּא רַק הָאֱמוּנָה הַקְּדוֹשָׁה.

רַחֵם רַחֵם מָלֵא רַחֲמִים, רַחֵם רַחֵם חוֹשֵׁב מַחֲשָׁבוֹת לְבַל יִדַּח מִמְּךָ נִדָּח. חוּס וַחֲמֹל עָלַי וְזַכֵּנִי לֶאֱמוּנָה חֲזָקָה כָּזֹאת

Moses Your prophet, the faithful one of Your house, and through him, You chose us from all of the nations and sanctified us with Your commandments.

You gave us prophets, true Tzaddikim, Tannaim, Amoraim, and all of the holy, true sages of Israel who lived in all of the generations until this day.

Have compassion on us for the sake of Your Name. Strengthen and support us in Your holy faith always. You know that our entire life force and purpose is solely our holy faith, which is the foundation of the entire Torah.

As the verses state, "All of Your commandments are faithful," and, "The Tzaddik lives by his faith." This is a foundation of all of the worlds, as the verse states, "All of His deeds are with faith."

In particular, I am blemished due to the damage that I caused with my many sins. All of my life force and hope are entirely holy faith.

You Who are filled with compassion, have compassion on me. You Who think thoughts so that none will remain cast away from You, have compassion on me. Have pity and mercy on

בְּכָל עֵת וָרֶגַע, עַד שֶׁאֶזְכֶּה עַל יְדֵי הָאֱמוּנָה לָשׁוּב אֵלֶיךָ בֶּאֱמֶת וּבְלֵב שָׁלֵם.

כִּי אַתָּה יוֹדֵעַ גֹּדֶל כֹּחַ אֲמִתַּת אֱמוּנָה הַקְּדוֹשָׁה שֶׁיֵּשׁ לָהּ כֹּחַ לְהוֹצִיא גַּם אוֹתִי מִכָּל הַמְּקוֹמוֹת וְהָעִנְיָנִים שֶׁיָּרַדְתִּי לְשָׁם עַל יְדֵי מַעֲשַׂי הָרָעִים.

רִבּוֹנוֹ שֶׁל עוֹלָם, "הֲלֹא אַתָּה תָּשׁוּב תְּחַיֵּינוּ וְעַמְּךָ יִשְׂמְחוּ בָךְ", תֵּן לִי עֵצָה שְׁלֵמָה עַתָּה בִּמְקוֹמִי בְּאֹפֶן שֶׁאֶזְכֶּה לְהַתְחִיל לָשׁוּב אֵלֶיךָ בֶּאֱמֶת, וְלֹא אָשׁוּב עוֹד לְכִסְלָה.

זַכֵּנִי לְהַחֲיוֹת אֶת עַצְמִי עַל יְדֵי הָאֱמוּנָה הַקְּדוֹשָׁה בֶּאֱמֶת, בְּאוֹפֶן שֶׁאֶזְכֶּה לְהִתְדַּבֵּק בְּךָ בְּכָל עֵת וְלִהְיוֹת סָמוּךְ וְקָרוֹב אֵלֶיךָ תָּמִיד בְּכָל הַמְּקוֹמוֹת וְהַדְּרָגוֹת שֶׁבָּעוֹלָם.

כִּי מְלֹא כָל הָאָרֶץ כְּבוֹדֶךָ וּבְכָל מְקוֹמוֹת מֶמְשַׁלְתֶּךָ, וְאַתָּה מְחַיֶּה אֶת כֻּלָּם, וְאַתָּה מְמַלֵּא כָל עָלְמִין וְסוֹבֵב כָּל עָלְמִין וְלֵית אֲתַר פָּנוּי מִנָּךְ, "אֵל אֱמוּנָה וְאֵין עָוֶל צַדִּיק וְיָשָׁר הוּא".

אָיוֹם וְנוֹרָא, תֵּן לִי אֱמוּנָה שְׁלֵמָה, תֵּן לִי אֱמוּנָה חֲזָקָה

me, and bring me to possess such strong faith at every hour and minute that I will truly return to You with all my heart.

You know the magnitude of the true power of holy faith. It has the power to bring even me out of all of the places and problems into which I fell because of my evil deeds.

Master of the world, "will You not return and revive us, so that Your nation will rejoice in You?" Give me perfect counsel now, in the place where I am now, so that I will begin to truly return to You, and I will no longer return to foolishness.

Reviving Ourselves by Means of Holy Faith

Help me truly revive myself by means of holy faith, so that I will cling to You at every moment, relying on You and coming close to You always, in every place and on every level.

The whole world is filled with Your glory. Your governance exists everywhere. You revive all beings. You fill and surround all worlds, and no place is empty of You. "A faithful God without injustice, He is righteous and upright."

You Who are fearsome and awesome, give me complete faith. Give me truly strong and proper

וּנְכוֹנָה בֶּאֱמֶת, תֶּן לִי אֱמוּנָה כָּזֹאת שֶׁיִּהְיֶה לָהּ כֹּחַ לְהַחֲיוֹת אוֹתִי בְּכָל עֵת בְּכָל מַה שֶּׁעוֹבֵר עָלַי.

בְּאֹפֶן שֶׁאֶזְכֶּה תָּמִיד לְהִתְקָרֵב אֵלֶיךָ וּלְהִתְדַּבֵּק בְּךָ תָּמִיד בְּכָל [מִכָּל] הַמְּקוֹמוֹת שֶׁבָּעוֹלָם.

עַד שֶׁאֶזְכֶּה חִישׁ קַל מְהֵרָה לִתְשׁוּבָה שְׁלֵמָה בֶּאֱמֶת, וּלְתַקֵּן כָּל מַה שֶּׁקִּלְקַלְתִּי, וְלָא אֵיעוּל בְּכִסוּפָא קַמָּךְ, כְּכֹל אֲשֶׁר שָׁאַלְתִּי מֵאִתְּךָ בַּעַל הָרַחֲמִים זֶה כַּמָּה וְכַמָּה.

רִבּוֹנוֹ שֶׁל עוֹלָם אֲדוֹנִי מַלְכִּי וֵאלֹהַי, אָבִי גוֹאֲלִי וּפוֹדִי צוּר לְבָבִי וְחֶלְקִי. הֲלֹא אַתָּה יוֹדֵעַ בְּעַצְמְךָ עֹצֶם רַחֲמֶיךָ וְאַהֲבָתְךָ אֵלַי, וְכַמָּה נִפְלָאוֹת וְנִסִּים וְטוֹבוֹת בְּלִי שִׁעוּר עָשִׂיתָ עִמָּדִי.

וְאֵיךְ תּוּכַל לְהִתְאַפֵּק כָּל כָּךְ מִלַּעֲזוֹר וּמִלְּהוֹשִׁיעַ לִי יְשׁוּעָה שְׁלֵמָה לְגָאֳלֵנִי גְאֻלָּה שְׁלֵמָה שֶׁאֵין אַחֲרֶיהָ גָּלוּת, שֶׁאֶזְכֶּה לָשׁוּב אֵלֶיךָ בֶּאֱמֶת בִּבְחִינַת תְּשׁוּבָה שֶׁל שַׁבָּת. הֲלֹא אֵין דָּבָר נִמְנָע מִמְּךָ, כְּמוֹ שֶׁכָּתוּב: "הֲיִפָּלֵא מֵיְהוָה דָּבָר".

רַחֵם עָלַי מָלֵא רַחֲמִים, וְאַל תַּשְׁלִיכֵנִי מִן הָאֱמוּנָה לְעוֹלָם,

faith. Give me a faith that will have the power to revive me at every moment in all that I undergo.

May I always come close to You and cling to You from every place in the world.

In accordance with everything that I have asked of You so many times, Master of compassion, may I quickly, swiftly, speedily, truly and completely repent and rectify all that I spoiled, so that I will not enter before You in shame.

Master of the world, my Lord, my King, my God, my Father, my Redeemer, my Deliverer, Rock of my heart, my Portion—You know how intense is Your compassion and love for me, and how many wonders, miracles and favors without measure You have done for me.

How can You restrain Yourself from helping and saving me with complete salvation, from redeeming me with a complete redemption that is not followed by exile, so that I will truly return to You on the level of the repentance of the Shabbat? Nothing is impossible for You. As the verse states, "Is any matter too wondrous for HaShem?"

You Who are filled with compassion, have compassion on me. Never cast me away from

וְאַל תַּעֲשֶׂה עִמִּי כַּחֲטָאַי וְאַל תִּגְמְלֵנִי כְּמִפְעָלַי.

רַק תְּחָנֵּנִי בְּרַחֲמֶיךָ הָרַבִּים וּבַחֲסָדֶיךָ הַגְּדוֹלִים וּתְחַזְּקֵנִי וּתְאַמְּצֵנִי בֶּאֱמוּנָתְךָ הַקְּדוֹשָׁה תָּמִיד, וְאֶזְכֶּה בְּכָל עֵת לְדַבֵּר וּלְהוֹדִיעַ הָאֱמוּנָה בְּפִי.

עַד שֶׁאֶזְכֶּה לְתַכְלִית שְׁלֵמוּת הָאֱמוּנָה בֶּאֱמֶת בְּאֹפֶן שֶׁאֶזְכֶּה לָשׁוּב עַל יְדֵי זֶה אֵלֶיךָ בֶּאֱמֶת, בִּתְשׁוּבָה שְׁלֵמָה כִּרְצוֹנְךָ וְכִרְצוֹן צַדִּיקֶיךָ הָאֲמִתִּיִּים.

וְזַכֵּנִי לֵילֵךְ וּלְהִתְנַהֵג בִּתְמִימוּת וּבִפְשִׁיטוּת בְּלִי שׁוּם חָכְמוֹת שֶׁל הָעוֹלָם כְּלָל, וְלֹא אֲדַקְדֵּק יוֹתֵר מִדַּאי בְּחֻמְרוֹת יְתֵרוֹת (שֶׁקּוֹרִין אִיבֶּער טְרַאכְטִין) שֶׁאֵינָם כִּרְצוֹנְךָ, וְלֹא אֶחְשׁוֹב מַחֲשָׁבוֹת יְתֵרוֹת.

רִבּוֹנוֹ שֶׁל עוֹלָם, רִבּוֹנוֹ שֶׁל עוֹלָם, שֶׁטַּחְתִּי אֵלֶיךָ כַּפַּי, עֲזֹר עֲזֹר הוֹשִׁיעָה הוֹשִׁיעָה, הוֹשִׁיעֵנִי עַל כָּל פָּנִים מֵעַתָּה אַחֲרֵי שֶׁלֹּא זָכִיתִי לְהִוָּשַׁע בֶּאֱמֶת [בִּשְׁלֵמוּת] עַד הֵנָּה.

רַחֵם עָלַי מֵעַתָּה בַּעַל הָרַחֲמִים בַּעַל הַיְשׁוּעוֹת. "אַל

faith. Do not treat me in accordance with my transgressions. Do not recompense me in accordance with my deeds.

Instead, be gracious to me in Your vast compassion and great kindness. Strengthen me and bolster me in Your holy faith always. At all times may I speak and publicize faith in You with my mouth.

May I truly attain the ultimate perfection of faith, so that I will truly return to You in complete repentance, in accordance with Your will and the will of Your true Tzaddikim.

Help me act wholeheartedly and simply, without any worldly cleverness at all. May I not be overcautious with unnecessary stringencies (ruminating) that are not in accordance with Your will, and may I not think into matters inordinately.

Master of the world, Master of the world, I spread my hands out to You. Help me! Help me! Save me! Save me! Save me—from now on, at any rate—since I have not merited to be truly [and completely] saved until now.

Have compassion on me from now on, Master of compassion, Master of salvation. "Do not cast

תַּשְׁלִיכֵנִי מִלְּפָנֶיךָ וְרוּחַ קָדְשְׁךָ אַל תִּקַּח מִמֶּנִּי, אַל תַּשְׁלִיכֵנִי לְעֵת זִקְנָה כִּכְלוֹת כֹּחִי אַל תַּעַזְבֵנִי".

עָזְרֵנִי לְמַעַן שְׁמֶךָ הוֹשִׁיעֵנִי לְמַעַן רַחֲמֶיךָ לְמַעַן חֲסָדֶיךָ הָעֲצוּמִים שֶׁאֵינָם תַּמִּים וְאֵינָם כָּלִים לְעוֹלָם, כְּמוֹ שֶׁכָּתוּב: "חַסְדֵי יְהוָה כִּי לֹא תָמְנוּ כִּי לֹא כָלוּ רַחֲמָיו.

כִּי שָׁחָה לֶעָפָר נַפְשֵׁנוּ דָּבְקָה לָאָרֶץ בִּטְנֵנוּ. קוּמָה עֶזְרָתָה לָנוּ וּפְדֵנוּ לְמַעַן חַסְדֶּךָ.

יִהְיוּ לְרָצוֹן אִמְרֵי פִי וְהֶגְיוֹן לִבִּי לְפָנֶיךָ יְהוָה צוּרִי וְגוֹאֲלִי":

me aside from You; do not take Your holy spirit away from me." "Do not cast me away in a time of old age. When my strength is worn away, do not abandon me."

Help me for the sake of Your Name. Save me for the sake of Your compassion, for the sake of Your mighty kindness that never ends and never ceases. As the verse states, "The kindness of HaShem has not ceased, for His compassion has not been exhausted."

"Our soul is cast down to the dust, our belly clings to the earth. Arise to help us, and redeem us for the sake of Your kindness."

"May the words of my mouth and the meditation of my heart be pleasing before You, HaShem, my Rock and my Redeemer."

52 (II, 56)

When a Person is Close to God, Place Has No Meaning for Him / One Should Not Say That a Particular Place is Not Good for Him

When a person has Godliness in his heart, he is close to God, and just as "[God] is the Place of the world, but the world is not His place" (Rashi on Exodus 33:21), so too, place has no meaning for this person.

Thus, a person who has a Jewish heart should not say that a particular place is not good for him, since he is the place of the world, and the world is not his place.

"מִי לִי בַשָּׁמָיִם וְעִמְּךָ לֹא חָפַצְתִּי בָאָרֶץ, כָּלָה שְׁאֵרִי וּלְבָבִי צוּר לְבָבִי וְחֶלְקִי אֱלֹהִים לְעוֹלָם".

רִבּוֹנוֹ שֶׁל עוֹלָם, אֲדוֹן כֹּל, אֲשֶׁר בְּכָל מְקוֹמוֹת מֶמְשַׁלְתֶּךָ, כִּי אַתָּה מְקוֹמוֹ שֶׁל עוֹלָם וְאֵין הָעוֹלָם מְקוֹמֶךָ.

רַחֵם עָלַי לְמַעַן שְׁמֶךָ, וְתֵן לִי בֶּאֱמֶת לֵב כָּשֵׁר וְטָהוֹר לַעֲבוֹדָתְךָ וּלְיִרְאָתְךָ לֵב יִשְׂרְאֵלִי בֶּאֱמֶת.

עַד שֶׁאֶזְכֶּה שֶׁיִּהְיֶה לִבִּי מִשְׁכַּן כְּבוֹדְךָ [שֶׁיִּהְיֶה נִמְשָׁךְ לְתוֹךְ לִבִּי שְׁכִינַת כְּבוֹדְךָ] הַגָּדוֹל וְהַקָּדוֹשׁ הַשּׁוֹכֵן בְּתוֹךְ לְבָבוֹת שֶׁל כָּל אֶחָד וְאֶחָד מִיִּשְׂרָאֵל עַמְּךָ הַקָּדוֹשׁ.

כְּמוֹ שֶׁכָּתוּב: "וְשָׁכַנְתִּי בְּתוֹכָם", וְדָרְשׁוּ רַבּוֹתֵינוּ זִכְרוֹנָם לִבְרָכָה: 'מְלַמֵּד שֶׁהַקָּדוֹשׁ־בָּרוּךְ־הוּא מַשְׁרֶה שְׁכִינָתוֹ בְּתוֹךְ כָּל אֶחָד וְאֶחָד מִיִּשְׂרָאֵל'.

וְעִקַּר הָאֱלָהוּת הוּא בַּלֵּב כְּמוֹ שֶׁנֶּאֱמַר: "צוּר לְבָבִי וְחֶלְקִי אֱלֹהִים לְעוֹלָם".

רַחֵם עָלַי וְעָזְרֵנִי וְזַכֵּנִי שֶׁיִּהְיֶה לִבִּי מָלֵא מֵאֱלָהוּתְךָ עַד שֶׁלֹּא

Making Our Heart a Tabernacle for HaShem's Glory

"**W**hom do I have in Heaven? Besides You, I have desired no one on earth. My flesh and my heart yearn; God is the Rock of my heart and my Portion forever."

Master of the world, Master of everything, Your governance prevails everywhere, for You are the Place of the world and the world is not Your place.

Have compassion on me for the sake of Your Name. Truly give me a worthy and pure heart, a true Jewish heart, to serve You and fear You.

May my heart be a sanctuary for Your glory. May the Presence of Your great and holy glory that dwells in the heart of every Jew, Your holy people, be drawn into my heart.

As the verse states, "I will dwell in their midst"—and our sages explained that this teaches that the Holy One, blessed be He, brings His Presence to rest within every Jew.

The essence of Godliness is in the heart. As the verse states, "God is the Rock of my heart and my Portion forever."

Have compassion on me and help me so that my heart will be filled with Your Godliness, until

יוּכַל שׁוּם מָקוֹם בָּעוֹלָם לְבַלְבֵּל וְלִמְנֹעַ אוֹתִי מֵעֲבוֹדָתֶךָ וּמִיִּרְאָתֶךָ.

רַק אֶזְכֶּה לְהַכִּיר אוֹתְךָ וְלִמְצֹא אוֹתְךָ בְּכָל הַמְּקוֹמוֹת שֶׁבָּעוֹלָם וּבְכָל דַּרְגָּא וְדַרְגָּא שֶׁבָּעוֹלָם, כִּי לֵית אֲתַר פָּנוּי מִנָּךְ.

זַכֵּנִי לִהְיוֹת נִכְלָל בְּךָ בְּכָל לְבָבִי בֶּאֱמֶת עַד שֶׁאֶהְיֶה גַּם כֵּן בִּבְחִינַת מְקוֹמוֹ שֶׁל עוֹלָם וְאֵין הָעוֹלָם מְקוֹמוֹ.

עַד שֶׁכָּל הַמְּקוֹמוֹת שֶׁבָּעוֹלָם יִהְיוּ בְּטֵלִין וּמְבֻטָּלִין נֶגְדִּי בְּתַכְלִית הַבִּטּוּל, וְלֹא יִהְיֶה לָהֶם שׁוּם כֹּחַ לְבַלְבֵּל אוֹתִי חַס וְשָׁלוֹם מִשּׁוּם דָּבָר שֶׁבִּקְדֻשָּׁה.

רַק אוּכַל לְהַשִּׂיג אוֹתְךָ, וְלִמְצֹא אוֹתְךָ וּלְהִתְדַּבֵּק בְּךָ בֶּאֱמֶת בְּכָל הַמְּקוֹמוֹת שֶׁבָּעוֹלָם.

וְתוֹרֵנִי וּתְלַמְּדֵנִי בְּכָל עֵת וָעֵת אֵיךְ לְהִתְנַהֵג בְּעִנְיַן כָּל הַטִּלְטוּלִים וּנְסִיעוֹת לִדְרָכִים שֶׁיִּהְיֶה הַכֹּל עַל פִּי רְצוֹנְךָ בֶּאֱמֶת, עַל פִּי יְהֹוָה אֶחֱנֶה בְּבֵיתִי, וְעַל פִּי יְהֹוָה אֶסַּע כָּל נְסִיעָה וּנְסִיעָה.

וְכָל סֵדֶר הַנְהָגַת הַנְּסִיעָה וְהַחֲנִיָּה בִּכְלָלִיּוּת וּבִפְרָטִיּוּת

no place in the world will be able to distract or prevent me from serving You and fearing You.

May I recognize You and find You in all places in the world and on every level in the world, because there is no place that is empty of You.

Help me truly be absorbed into You with all my heart until I, too, will be on the level of the "place of the world," so that the world is not my place.

Finding God in Every Place

May every place in the world be completely nullified and eradicated. May no place have the power to distract me, Heaven forbid, from any holy matter.

Instead, may I truly come to You, find You and cling to You in all places in the world.

Constantly guide me and teach me how to act in regard to all movements and travels, so that everything will truly be in accordance with Your will. In accordance with the word of HaShem, may I camp in my house, and in accordance with the word of HaShem, may I travel on every journey.

May every detail of the management of each journey and encampment—overall, in

וּבִפְרָטֵי פְּרָטִיּוּת יִהְיֶה הַכֹּל כִּרְצוֹנְךָ בֶּאֱמֶת.

וּבְכָל מָקוֹם וּמָקוֹם שֶׁאָבוֹא לְשָׁם בַּחֲנִיָּה וּבִנְסִיעָה כְּפִי רְצוֹנְךָ, אֶזְכֶּה לִמְצוֹא שָׁם אֱלָהוּתְךָ בֶּאֱמֶת וּלְהִתְקָרֵב אֵלֶיךָ וּלְהִתְדַּבֵּק בְּךָ בֶּאֱמֶת.

וְאַל יְבַלְבֵּל אוֹתִי שׁוּם מָקוֹם שֶׁבָּעוֹלָם מֵעֲבוֹדָתְךָ וּמִיִּרְאָתְךָ, רַק אֶהְיֶה סָמוּךְ וְקָרוֹב וְדָבוּק אֵלֶיךָ בֶּאֱמֶת בְּכָל הַמְּקוֹמוֹת שֶׁבָּעוֹלָם בְּכָל דַּרְגָּא וְדַרְגָּא שֶׁבָּעוֹלָם.

רַחֵם עָלַי לְמַעַן שְׁמֶךָ וּמַלֵּא מִשְׁאֲלוֹת לִבִּי לְטוֹבָה בְּרַחֲמִים, כִּי צְרָכַי מְרֻבִּים מְאֹד וְדַעְתִּי קְצָרָה מְאֹד לְבָאֵר חֵלֶק אֶלֶף וּרְבָבָה מֵהֶם.

רַחֲמָן מָלֵא רַחֲמִים, טַהֵר לִבִּי לְעָבְדְּךָ בֶּאֱמֶת, "יַחֵד לְבָבִי לְיִרְאָה שְׁמֶךָ, לֵב טָהוֹר בְּרָא לִי אֱלֹהִים וְרוּחַ נָכוֹן חַדֵּשׁ בְּקִרְבִּי.

יִהְיוּ לְרָצוֹן אִמְרֵי פִי וְהֶגְיוֹן לִבִּי לְפָנֶיךָ יְהֹוָה צוּרִי וְגוֹאֲלִי", אָמֵן:

detail, and in the smallest detail—all truly be in accordance with Your will.

May I truly find Your Godliness in every place that I come to as I camp and travel, in accordance with Your will. May I truly come close to You and cling to You.

May no place in the world distract me from serving You and fearing You. Rather, may I be truly near and close to You, clinging to You in every place in the world, on every level.

Have compassion on me for the sake of Your Name and compassionately fulfill the requests of my heart for the good, because my needs are many and my awareness is too abbreviated to explain even a thousandth or a ten-thousandth of them.

Compassionate One, You Who are filled with compassion, purify my heart to truly serve You. "Unite my heart to fear Your Name." "God, create within me a pure heart, and renew a steadfast spirit within me."

"May the words of my mouth and the meditation of my heart be pleasing before You, HaShem, my Rock and my Redeemer." Amen.

53 (II, 60)

When Wars and Violence Rage, the Mists Cease to Create Rain and Instead Create Bloodshed / Without Rain, Crops Do Not Grow and Inflation Results / Teaching an Unworthy Student Also Results in Lack of Rain / When a Teacher Teaches an Unworthy Student, Godliness is Imprisoned in That Student's Mind / One Who Teaches an Unworthy Student Also Suffers Imprisonment

---

When wars rage throughout the world, reason tells us that there should be inflation as well.

After Cain killed Abel, God cursed him, "When you work the land, it will no longer give its strength to you" (Genesis 4:12). This curse came about because of the spilling of blood, for the earth must respond this way when blood is shed.

Normally, mists that rise from the ground create rain. But after Cain killed Abel and the ground was guilty of swallowing up Abel's blood, God cursed the ground. Then the mists that rose from the ground did not create rain. In fact, they became spilled blood.

Similarly, when there are wars and bloodshed,

and the ground swallows up the blood, the mists do not produce rain but spilled blood.

Thus, without rain, crops do not grow and inflation results.

*

Rainfall is also withheld when someone who teaches Torah publicly is heard by an unworthy student. This is because rain is associated with the honor of the Torah. When a person teaches an unworthy student, that is the opposite of honor, and so the rain stops.

*

When a person reveals Torah insights, Godliness is drawn down into the listener's mind. There that Godliness may be said to be imprisoned to some degree. Nevertheless, God is pleased.

But if a teacher teaches an unworthy student, the Godliness is fully imprisoned in the listener's mind. And so the teacher, too, is punished with imprisonment.

יְהִי רָצוֹן מִלְּפָנֶיךָ יְהוָה אֱלֹהֵינוּ וֵאלֹהֵי אֲבוֹתֵינוּ, שֶׁתְּבַטֵּל מִלְחָמוֹת וּשְׁפִיכוּת דָּמִים מִן הָעוֹלָם, וְתַמְשִׁיךְ שָׁלוֹם גָּדוֹל וְנִפְלָא בָּעוֹלָם, וְלֹא יִשְׂאוּ עוֹד "גּוֹי אֶל גּוֹי חֶרֶב וְלֹא יִלְמְדוּ עוֹד מִלְחָמָה".

רַק יַכִּירוּ וְיֵדְעוּ כָּל יוֹשְׁבֵי תֵבֵל הָאֱמֶת לַאֲמִתּוֹ, אֲשֶׁר לֹא בָּאנוּ לָזֶה הָעוֹלָם בִּשְׁבִיל רִיב וּמַחֲלֹקֶת חַס וְשָׁלוֹם, וְלֹא בִּשְׁבִיל שִׂנְאָה וְקִנְאָה וְקִנְטוּר וּשְׁפִיכוּת דָּמִים חַס וְשָׁלוֹם, רַק בָּאנוּ לָעוֹלָם כְּדֵי לְהַכִּיר וְלָדַעַת אוֹתְךָ תִּתְבָּרַךְ לָנֶצַח.

וּבְכֵן תְּרַחֵם עָלֵינוּ, וְתִתֵּן הַגֶּשֶׁם וְהַמָּטָר בְּעִתּוֹ וּבִזְמַנּוֹ, וְלֹא תַעֲצֹר הַשָּׁמַיִם מִן הַמָּטָר בְּכָל עֵת שֶׁהָעוֹלָם צְרִיכִין לוֹ.

וִיקֻיַּם מִקְרָא שֶׁכָּתוּב: "וְנָתַתִּי גִשְׁמֵיכֶם בְּעִתָּם, וְנָתְנָה הָאָרֶץ יְבוּלָהּ, וְעֵץ הַשָּׂדֶה יִתֵּן פִּרְיוֹ, וְנָתַתִּי שָׁלוֹם בָּאָרֶץ וּשְׁכַבְתֶּם וְאֵין מַחֲרִיד. וְהִשְׁבַּתִּי חַיָּה רָעָה מִן הָאָרֶץ, וְחֶרֶב לֹא תַעֲבֹר בְּאַרְצְכֶם".

An End to War and a Season of Abundance

May it be Your will, HaShem our God and God of our fathers, that You eradicate war and bloodshed, and draw great and wondrous peace into the world, so that "nation will not lift sword against nation and they shall no longer learn war."

Instead, may all inhabitants of the earth recognize and know the ultimate truth: that we did not come to this world for fighting and dispute, Heaven forbid, or for hatred, jealousy, hostility and bloodshed, Heaven forbid. We came to the world only to recognize and know You, may You be blessed forever.

Therefore, have compassion on us. Give us the rains in their time and season. Do not stop the heavens from giving rain whenever the world needs it.

May the verse be fulfilled, "I will give you your rains in their time and the land will give its produce, and the tree of the field shall give its fruit…I will establish peace in the land, and when you will lie down, no one will frighten you. I will remove the wild animals from the land, and the sword will not pass through your land."

וְתַשְׁגִּיחַ בְּרַחֲמֶיךָ הָרַבִּים שֶׁיַּעֲלוּ כָּל הָאֵדִים מִן הָאָרֶץ לְטוֹבָה, שֶׁיִּהְיוּ נַעֲשִׂים מִן הָאֵדִים תָּמִיד גִּשְׁמֵי בְּרָכָה וּנְדָבָה בְּעִתָּם וּבִזְמַנָּם, וְלֹא יִתְהַפְּכוּ הָאֵדִים לִשְׁפִיכַת דָּמִים חַס וְשָׁלוֹם.

וְתוֹצִיא אֶת הָאֲדָמָה מִקִּלְלוֹתֶיהָ שֶׁנִּתְקַלְּלָה בַּעֲוֹן אֲבוֹתֵינוּ וּבַעֲווֹנֵינוּ, וְתַהֲפֹךְ כָּל הַקְּלָלוֹת לִבְרָכוֹת, "כִּי אַתָּה כֹּל תּוּכָל וְלֹא יִבָּצֵר מִמְּךָ מְאוּמָה".

רִבּוֹנוֹ שֶׁל עוֹלָם, רַחֵם עָלֵינוּ וּבָרְכֵנוּ בְּכָל מַעֲשֵׂי יָדֵינוּ, וְתֵן לָנוּ פַּרְנָסָתֵנוּ מֵאִתְּךָ בְּהַרְחָבָה גְדוֹלָה בִּקְדֻשָּׁה וּבְטָהֳרָה.

וְתִתֵּן לָנוּ כָּל מַחְסוֹרֵנוּ וְכָל הִצְטָרְכוּתֵינוּ קוֹדֶם שֶׁנִּצְטָרֵךְ לָהֶם, וְתַצִּילֵנוּ וְתִשְׁמְרֵנוּ תָּמִיד מֵחוֹבוֹת וְהַלְוָאוֹת כִּי הֵם מַטְרִידִים וּמְבַלְבְּלִים אֶת דַּעְתֵּנוּ מְאֹד.

רַחֵם עָלַי וְעָלֵינוּ מֵעַתָּה וְעָזְרֵנוּ וְהוֹשִׁיעֵנוּ בִּישׁוּעָתְךָ הַנּוֹרָאָה לְסַלֵּק כָּל הַחוֹבוֹת שֶׁאָנוּ חַיָּבִים מִכְּבָר, וְהַצִּילֵנוּ מֵעַתָּה מֵחוֹבוֹת וְהַלְוָאוֹת וְלֹא נִצְטָרֵךְ לִלְווֹת שׁוּם הַלְוָאָה מֵאֲחֵרִים.

In Your vast compassion, see to it that all of the mists will rise from the earth for the good. May these mists always turn into rains of blessing and prosperity in their proper time and season, and not be transformed into bloodshed, Heaven forbid.

Extricate the earth from the curses that it received because of the sins of our forefathers and because of our own sins. Transform all of the curses to blessings, "because You can do everything; no purpose can be withheld from You."

Master of the world, have compassion on us. Bless all of the work of our hands. Give us our income with great generosity, holiness and purity.

Give us everything we lack and everything that we need before we need it. Rescue and protect us always from debts and loans, which profoundly perturb and unsettle our awareness.

Have compassion on me and on us from now on. Help us and save us. In Your awesome salvation, remove all of our past debts, and rescue us from now on from taking on more debts and loans. May we not need to borrow any money from others.

רַחֵם עָלֵינוּ מָלֵא רַחֲמִים זָן וּמְפַרְנֵס לַכֹּל, וְאַל תַּצְרִיכֵנוּ לִידֵי מַתְּנַת בָּשָׂר וָדָם וְלֹא לִידֵי הַלְוָאָתָם.

וּבְכֵן תְּרַחֵם עָלַי וְתוֹשִׁיעֵנִי שֶׁאֶזְכֶּה לִהְיוֹת בִּכְלַל הַתַּלְמִידִים הַהֲגוּנִים אֵצֶל הַצַּדִּיקִים הָאֲמִתִּיִּים.

כִּי בְּרַחֲמֶיךָ וּבְחֶמְלָתֶךָ עֲזַרְתַּנִי הַרְבֵּה לִשְׁמֹעַ וּלְקַבֵּל כָּל כַּךְ תּוֹרָה קְדוֹשָׁה וְנוֹרָאָה וְנִשְׂגָּבָה מִפִּי הַצַּדִּיקִים הָאֲמִתִּיִּים מִימוֹת אֲבוֹתֵינוּ עַד הַיּוֹם הַזֶּה.

רַחֵם עָלַי וְעַל כָּל יִשְׂרָאֵל וְעָזְרֵנוּ וְהוֹשִׁיעֵנוּ שֶׁנִּזְכֶּה עַל יְדֵי הַתּוֹרָה הַקְּדוֹשָׁה לְהַמְשִׁיךְ עָלֵינוּ אֱלָהוּתְךָ לְכָל הַמְּקוֹמוֹת אֲשֶׁר אֲנַחְנוּ בָּהֶם.

כִּי בְּאַהֲבָתְךָ הַגְּדוֹלָה שֶׁאַתָּה אוֹהֵב אֶת עַמְּךָ יִשְׂרָאֵל, אַתָּה נוֹתֵן רְשׁוּת לְהַצַּדִּיקִים אֲמִתִּיִּים לְהַמְשִׁיךְ אֱלָהוּתְךָ לְתוֹךְ מֹחֵנוּ וְשִׂכְלֵנוּ, וְלִתְפֹּס וְלֶאֱסֹר אוֹתְךָ אֶצְלֵנוּ כִּבְיָכוֹל,

Have compassion on us, You Who are filled with compassion, You Who feed and sustain everyone. May we not need the gifts or loans of flesh and blood.

Growing in Torah

Have compassion on me and save me so that I will be among the worthy students of the true Tzaddikim.

In Your compassion and mercy, You helped us a great deal so that we would listen to and receive a great deal of holy, awesome and elevated Torah teachings from the mouths of the true Tzaddikim, since the days of our forefathers until this day.

Have compassion on me and on the entire Jewish people. Help us and save us so that by means of the holy Torah, we will draw Your Godliness onto ourselves, to all of the places where we stand.

For in Your great love for Your nation, the Jewish people, You give permission to the true Tzaddikim to draw Your Godliness into our mind and intellect, which grasp and imprison You, as it were—as alluded to in the verses,

בִּבְחִינַת: "מֶלֶךְ אָסוּר בָּרְהָטִים", בִּבְחִינַת: "עָלִיתָ לַמָּרוֹם שָׁבִיתָ שֶּׁבִי".

רַחֵם עָלֵינוּ לְמַעַן שְׁמֶךָ וְעָזְרֵנוּ וְהוֹשִׁיעֵנוּ שֶׁיִּגְמְרוּ הַצַּדִּיקִים עִמָּנוּ מַה שֶּׁהִתְחִילוּ לַעֲסוֹק בְּתִקּוּנֵנוּ לְגַלּוֹת לָנוּ אֱלָהוּתֶךָ.

זַכֵּנוּ לְדַבֵּק מַחְשְׁבוֹתֵינוּ תָּמִיד בְּתוֹרָתְךָ הַקְּדוֹשָׁה יוֹמָם וָלַיְלָה, בְּקֶשֶׁר אַמִּיץ וְחָזָק וּבִדְבֵקוּת נִפְלָא, בְּאֹפֶן שֶׁיִּהְיֶה נִמְשָׁךְ וְנִתְפָּס אֱלָהוּתְךָ לְתוֹךְ מֹחֵנוּ וְשִׂכְלֵנוּ בִּקְדֻשָּׁה וּבְטָהֳרָה גְדוֹלָה, בֶּאֱמֶת בֶּאֱמוּנָה בְּאֵימָה וְיִרְאָה וְרֶתֶת וְזִיעַ, וִיקֻיַּם בִּי מִקְרָא שֶׁכָּתוּב: "אֲחַזְתִּיו וְלֹא אַרְפֶּנּוּ".

וַחֲמֹל עָלַי בְּחֶמְלָתְךָ הַגְּדוֹלָה וְעָזְרֵנוּ וְהוֹשִׁיעֵנוּ לְהַתְמִיד בְּתוֹרָתְךָ הַקְּדוֹשָׁה לִשְׁמָהּ וְלַהֲגוֹת בָּהּ יוֹמָם וָלַיְלָה.

עַד שֶׁנִּזְכֶּה בְּעַצְמֵנוּ לְחַדֵּשׁ חִדּוּשִׁים רַבִּים אֲמִתִּיִּים בְּתוֹרָתְךָ הַקְּדוֹשָׁה עַל פִּי הַדְּרָכִים שֶׁקִּבַּלְנוּ מֵאֲבוֹתֵינוּ וְרַבּוֹתֵינוּ הַצַּדִּיקִים הַקְּדוֹשִׁים הָאֲמִתִּיִּים, זְכוּתָם יָגֵן עָלֵינוּ.

רַחֵם עָלֵינוּ לְמַעַן שְׁמֶךָ שֶׁנִּזְכֶּה לְקַשֵּׁר מַחְשְׁבוֹתֵינוּ תָּמִיד

"The king is caught in the tresses," and, "You rose to the heights, you took captives."

Have compassion on us for the sake of Your Name. Help us and save us so that the Tzaddikim will finish what they have begun, engaging in our rectification by revealing Your Godliness to us.

Help our thoughts always cling to Your holy Torah day and night, with a firm and strong bond and with wondrous attachment, so that Your Godliness will be drawn into and grasped by our mind and intellect with great holiness and purity, with true faith, awe, fear, trembling and trepidation. May the verse be realized in me, "I took hold of him and I would not let him go."

In Your great mercy, have mercy on me. Help me and save me so that I will learn Your holy Torah for its own sake and always contemplate it day and night.

May we create many true insights in Your holy Torah, in accordance with the approaches that we received from our fathers and rabbis, the holy, true Tzaddikim, may their merit protect us.

Have compassion on us for the sake of Your Name. May we always connect our thoughts to

בְּתוֹרָתְךָ הַקְּדוֹשָׁה, וְלַחְשֹׁב וּלְעַיֵּן בָּהּ בְּעִיּוּן גָּדוֹל לִשְׁמָהּ וּלְהִתְפַּלֵּל לְפָנֶיךָ הַרְבֵּה שֶׁתָּאִיר עֵינֵינוּ בְּתוֹרָתֶךָ.

וְתִפְקַח עֵינֵי שִׂכְלֵנוּ וְדַעְתֵּנוּ לְטוֹבָה, עַד שֶׁנִּזְכֶּה לְחַדֵּשׁ חִדּוּשִׁים אֲמִתִּיִּים בְּתוֹרָתְךָ הַקְּדוֹשָׁה וְהַנּוֹרָאָה וְהַנִּשְׂגָּבָה מְאֹד מְאֹד.

וְנִזְכֶּה עַל יְדֵי כָּל הַחִדּוּשִׁים שֶׁנְּחַדֵּשׁ בְּתוֹרָתֶךָ, לְהַמְשִׁיךְ אֵלֵינוּ תָּמִיד אֱלָהוּתְךָ לְתוֹךְ מֹחֵנוּ וְשִׂכְלֵנוּ, וִימַלֵּא כְבוֹדְךָ אֶת כָּל מֹחֵנוּ וְשִׂכְלֵנוּ וְדַעְתֵּנוּ וּלְבָבֵנוּ וּרְמַ"ח אֵבָרֵנוּ וּשְׁסָ"ה גִּידֵנוּ וְכָל קוֹמָתֵנוּ.

וְאֶהְיֶה מֶרְכָּבָה לִשְׁכִינַת אֱלָהוּתְךָ, וְלֹא אֵצֵא עוֹד מִן הַקְּדֻשָּׁה חַס וְשָׁלוֹם אֲפִלּוּ כְּחוּט הַשַּׂעֲרָה. וְלֹא אֶחְשֹׁב שׁוּם מַחֲשֶׁבֶת חוּץ חַס וְשָׁלוֹם.

רַק אֶהְיֶה תָמִיד דָּבוּק בְּךָ וּבְתוֹרָתְךָ הַקְּדוֹשָׁה עַד שֶׁאֶזְכֶּה לְהַכְנִיס גַּם בַּאֲחֵרִים יְדִיעַת אֲמִתַּת אֱלָהוּתְךָ, לְהוֹדִיעַ לִבְנֵי הָאָדָם גְּבוּרוֹתֶךָ וּכְבוֹד הֲדַר מַלְכוּתֶךָ.

שֶׁאֶזְכֶּה לְהַמְשִׁיךְ אֱלָהוּתְךָ לְתוֹךְ מֹחָם וְשִׂכְלָם וּלְבָבָם עַל

Your holy Torah, and contemplate and study it with great diligence for its own sake. May we beseech You a great deal to illumine our eyes in Your Torah.

Open the eyes of our intellect and awareness for the good, until we will create true insights in Your exceedingly holy, awesome and elevated Torah.

By means of all of the original ideas that we generate in Your Torah, may we always draw Your Godliness into our consciousness and mind. May Your glory fill the entirety of our consciousness, mind, awareness, heart, our 248 limbs and 365 sinews, and our entire anatomy.

May I be a chariot for Your Godly Presence. May I no longer stray even a hairsbreadth from holiness, Heaven forbid, and may I not entertain any extraneous thoughts, Heaven forbid.

Rather, may I always cling to You and to Your holy Torah, so that I will be able to implant in others the knowledge of the truth of Your Godliness, informing people of Your might and the glorious splendor of Your sovereignty.

May I draw Your Godliness into their consciousness, mind and heart by means of the

יְדֵי דִבְרֵי הַתּוֹרָה הַקְּדוֹשָׁה שֶׁתְּזַכֵּנִי לְהַשְׁמִיעַ בְּאָזְנֵיהֶם וּבִלְבָבֵיהֶם.

וְתִפְתַּח עֵינָם וְשִׂכְלָם וּלְבָבָם שֶׁיַּרְגִּישׁוּ נְעִימוּת הַתּוֹרָה, וְתַטְעִימֵם נוֹעַם זִיוָךְ עַד שֶׁנִּזְכֶּה כֻלָּנוּ, עַמְּךָ בֵּית יִשְׂרָאֵל, לְהַכִּיר אוֹתְךָ בֶּאֱמֶת מְהֵרָה.

"לַחֲזוֹת בְּנֹעַם יְהֹוָה וּלְבַקֵּר בְּהֵיכָלוֹ. תּוֹדִיעֵנִי אוֹרַח חַיִּים, שֹׂבַע שְׂמָחוֹת אֶת פָּנֶיךָ, נְעִימוֹת בִּימִינְךָ נֶצַח".

וְשָׁמְרֵנוּ וְהַצִּילֵנוּ תָמִיד מִתַּלְמִידִים שֶׁאֵינָם הֲגוּנִים, כִּי אַתָּה יָדַעְתָּ כִּי בָשָׂר וָדָם אֲנַחְנוּ וְאֵין אִתָּנוּ יוֹדֵעַ עַד מָה אֵיךְ לְהִזָּהֵר וּלְהִשָּׁמֵר מֵהֶם.

חוּסָה עַל כְּבוֹד הַתּוֹרָה הַקְּדוֹשָׁה שֶׁלֹּא תַגִּיעַ לְתַלְמִידִים שֶׁאֵינָם הֲגוּנִים שֶׁאֵינָם רְאוּיִם לְקַבְּלָהּ.

[וְתָחוּס] וּתְרַחֵם עֲלֵיהֶם, וּתְשִׁיבֵם מְהֵרָה בִּתְשׁוּבָה שְׁלֵמָה לְפָנֶיךָ, בְּאֹפֶן שֶׁיּוּכְלוּ בְּרַחֲמֶיךָ לְקַבֵּל אֲמִתַּת נְעִימוּת הַתּוֹרָה הַקְּדוֹשָׁה.

words of the holy Torah that You will help me speak in their ears and heart.

Open their eyes, mind and heart so that they will sense the pleasantness of the Torah. Allow them to taste the pleasantness of Your radiance until we all, Your nation, the House of Israel, quickly and truly recognize You.

May we "gaze upon the pleasantness of HaShem and visit in His palace." "Let me know the way of life, the satiety of joy before Your countenance, the pleasantness at Your right hand forever."

Avoiding Unworthy Students

Guard us and rescue us always from unworthy students. You know that we are flesh and blood, and no one knows how to protect and guard himself from such students.

Have pity on the glory of the holy Torah, so that it will not come to unworthy students who are unfit to receive it.

And have [pity and] compassion on those unworthy students. Quickly bring them back to You in complete repentance, so that with Your compassion, they will receive the true pleasantness of the holy Torah.

וּתְגַלֶּה הָאֱמֶת בָּעוֹלָם וְלֹא יִהְיֶה כֹּחַ לְהַשֶּׁקֶר לְהַסְתִּיר וּלְהַעֲלִים הָאֱמֶת חַס וְשָׁלוֹם.

וְשָׁמְרֵנוּ וְהַצִּילֵנוּ בְּרַחֲמֶיךָ כָּל יָמֵינוּ לְעוֹלָם מֵעוֹנֶשׁ תְּפִיסָה וּבֵית הָאֲסוּרִים חַס וְשָׁלוֹם שֶׁלֹּא נָבֹא לְעוֹלָם לִתְפִיסָה וּבֵית הָאֲסוּרִים.

וּתְרַחֵם עַל כָּל עַמְּךָ בֵּית יִשְׂרָאֵל שֶׁכְּבָר נִתְפְּסוּ בְּבֵית הָאֲסוּרִים שֶׁתְּמַהֵר לְהוֹצִיאָם מִשָּׁם בְּשָׁלוֹם וָנַחַת.

כִּי אַתָּה יוֹדֵעַ צַעֲרָם וּמַכְאוֹבָם, וְעֹצֶם הָרַחֲמָנוּת אֲשֶׁר עֲלֵיהֶם, הוֹצִיאֵם מֵחֹשֶׁךְ וְצַלְמָוֶת וּמוֹסְרוֹתֵיהֶם תְּנַתֵּק. "יְהֹוָה מַתִּיר אֲסוּרִים, אֱמוֹר לַאֲסוּרִים צְאוּ וְלַאֲשֶׁר בַּחֹשֶׁךְ הִגָּלוּ".

וְתֵן לָנוּ פַּרְנָסָתֵנוּ בְּהַרְחָבָה גְּדוֹלָה מֵאִתְּךָ לְחַיִּים טוֹבִים וּלְשָׁלוֹם, בְּאֹפֶן שֶׁנִּזְכֶּה לִהְיוֹת כִּרְצוֹנְךָ הַטּוֹב בֶּאֱמֶת כָּל יְמֵי חַיֵּינוּ לְעוֹלָם.

"וִיהִי נֹעַם יְהֹוָה אֱלֹהֵינוּ עָלֵינוּ, וּמַעֲשֵׂה יָדֵינוּ כּוֹנְנָה עָלֵינוּ, וּמַעֲשֵׂה יָדֵינוּ כּוֹנְנֵהוּ.

Reveal the truth to the world. May falsehood have no ability to hide or conceal the truth, Heaven forbid.

In Your compassion, guard and rescue us all of our days, forever, from the punishment of imprisonment and incarceration, Heaven forbid, so that we will never be imprisoned or confined.

Have compassion on Your entire nation, the House of Israel, who have already been imprisoned. Hurry to bring them forth in well-being and comfort.

You know their suffering and pain, and the acute pity that they deserve. Bring them out from darkness and the shadow of death, release the bound. "HaShem frees the imprisoned." "Tell the imprisoned, 'Go forth!' and the darkness, 'Show yourself!'"

Give us our income with great generosity, for a good life and peace, so that we will truly be in accordance with Your good will all of the days of our lives, forever.

"May the pleasantness of HaShem our God be upon us. May He establish the work of our hands for us, and may He establish the work of our hands."

יִהְיוּ לְרָצוֹן אִמְרֵי פִי וְהֶגְיוֹן לִבִּי לְפָנֶיךָ יְהֹוָה, צוּרִי וְגוֹאֲלִי.

וַאֲנִי תְפִלָּתִי לְךָ יְהֹוָה עֵת רָצוֹן אֱלֹהִים בְּרָב חַסְדֶּךָ עֲנֵנִי בֶּאֱמֶת יִשְׁעֶךָ. יְהֹוָה עֹז לְעַמּוֹ יִתֵּן יְהֹוָה יְבָרֵךְ אֶת עַמּוֹ בַשָּׁלוֹם. בָּרוּךְ יְהֹוָה לְעוֹלָם אָמֵן וְאָמֵן":

"May the words of my mouth and the meditation of my heart be pleasing before You, HaShem, my Rock and my Redeemer."

"HaShem, may my prayer come before You at a time of favor. God, in Your vast kindness, answer me in the truth of Your salvation." "HaShem will give might to His nation; HaShem will bless His nation with peace." "Blessed is HaShem forever, amen and amen."

54 (II, 66)

The Tzaddik Must Repent on Behalf of the Jewish People / Punishment of Sinners Hurts the Tzaddik and Hurts God Himself, as it were / One Who Looks at the Tzaddik's Face Can Gain Greater Insight into Himself / The Day After Yom Kippur is Called "God's Name"

The Tzaddik must repent on behalf of the Jewish people. In other words, when people throw off the yoke of obedience of God, the Tzaddik must engage in repentance for them.

This may be compared to a horse that went wild. The owner beat the horse with his fist, but that hurt his hand. He whipped the horse, but the horse ran away. He tied the horse to a tree and whipped him, but he grew tired. And he didn't want to shoot the horse.

The wild horse is the sinner and the owner is the Tzaddik. Punishing the sinner hurts the Tzaddik himself. In fact, it will even hurt God, as it were.

When a person is punished, he is uprooted from his life force. The name is the life force, as in the verse, "A living soul is its name" (Genesis 2:19). And God's Name is partnered with our name, as it were. Therefore, when the Jewish people suffer some punishment, that hurts God Himself, as it were.

*

There is a simple element from which the four elements that compose the world derive. The Tzaddik corresponds to that simple element, and man as a whole, including his character traits, is composed of these four elements.

When a person looks at a Tzaddik's face, he looks at the simple element from which his own character traits are derived. Thus, he can gain greater insight into himself.

*

On the first Yom Kippur, which followed the sin of the golden calf, God was reconciled to the Jews and told them to make the Mishkan (Tabernacle). Directly following Yom Kippur, Moses admonished the Jews to keep the Shabbat and not think that making the Mishkan overrode the prohibitions of the Shabbat.

Shabbat is the Name of God. The day after Yom Kippur, the Name of God was revealed. Thus, that day is called *Shem HaShem*, "God's Name."

אֵל רַחוּם שְׁמֶךָ, אֵל חַנּוּן שְׁמֶךָ, בָּנוּ נִקְרָא שְׁמֶךָ, "יְהוָה עֲשֵׂה לְמַעַן שְׁמֶךָ. "אִם עֲוֹנֵינוּ עָנוּ בָנוּ, יְהוָה עֲשֵׂה לְמַעַן שְׁמֶךָ, לְמַעַן שִׁמְךָ יְהוָה וְסָלַחְתָּ לַעֲוֹנֵינוּ כִּי רַב הוּא.

יַעֲנֵנוּ יְהוָה בְּיוֹם צָרָה יְשַׂגְּבֵנוּ שֵׁם אֱלֹהֵי יַעֲקֹב, "אַל יָשֹׁב דַּךְ נִכְלָם עָנִי וְאֶבְיוֹן יְהַלְלוּ שְׁמֶךָ.

לֹא לָנוּ יְהוָה לֹא לָנוּ, כִּי לְשִׁמְךָ תֵּן כָּבוֹד עַל חַסְדְּךָ עַל אֲמִתֶּךָ, לְמַעַן שִׁמְךָ יְהוָה תְּחַיֵּנִי, בְּצִדְקָתְךָ תוֹצִיא מִצָּרָה נַפְשִׁי. יְהוָה שִׁמְךָ לְעוֹלָם יְהוָה זִכְרְךָ לְדוֹר וָדוֹר".

הַבִּיטָה וּרְאֵה "לְמִי עוֹלַלְתָּ כֹּה", רְאֵה נָא בְעָנְיֵנוּ וְרִיבָה רִיבֵנוּ, כִּי צָרוֹת סְבָבוּנוּ בִּכְלָל וּבִפְרָט.

כִּי אָנוּ רְחוֹקִים מִמְּךָ כְּמוֹ שֶׁאָנוּ רְחוֹקִים, כַּאֲשֶׁר יוֹדֵעַ כָּל אֶחָד בְּנַפְשׁוֹ, וּבְתוֹךְ כַּךְ יָצְאוּ עָלֵינוּ גְּזֵרוֹת קָשׁוֹת וּמָרוֹת

We Seek God's Mercy

Compassionate God, gracious God—that is Your Name. And Your Name is called upon us. "HaShem, act for the sake of Your Name." "If our sins have testified against us, HaShem, act for the sake of Your Name." "For the sake of Your Name, HaShem, forgive our sinfulness, for it is great."

"May HaShem answer us on a day of trouble. May the Name of the God of Jacob elevate us." "Do not let the poor turn back in disgrace; may the poor and needy praise Your Name."

"Not to us, HaShem, not to us—but give honor to Your Name, for Your kindness, for Your truthfulness." "For the sake of Your Name, HaShem give me life. In Your righteousness, take my soul out of trouble. "HaShem, Your Name is forever. HaShem, Your remembrance is for generations."

Gaze and see "whom You have treated so." Please see our impoverishment and battle on our behalf, because troubles have surrounded us—collectively and individually.

We are so very far from You, as everyone knows in his soul. In the midst of this, such harsh and bitter decrees have been promulgated against us that it is impossible to bear them,

כָּאֵלּוּ, אֲשֶׁר אִי אֶפְשָׁר לְסָבְלָן, וּזְכוּת וּמַעֲשִׂים טוֹבִים אֵין בָּנוּ לְרַצּוֹתְךָ בָּהֶם.

וּבַעֲווֹנוֹתֵינוּ הָרַבִּים כָּשַׁל כֹּחֵנוּ אֲפִלּוּ לִצְעֹק וְלִזְעֹק אֵלֶיךָ כָּרָאוּי, וּבַמֶּה נִתְרַצֶּה אֶל אֲדוֹנֵנוּ מַלְכֵּנוּ.

עַל כֵּן עַתָּה אֵין לָנוּ שׁוּם פִּתְחוֹן פֶּה וְלֹא שׁוּם דֶּרֶךְ לָבוֹא לְפָנֶיךָ וְלֹא שׁוּם מִשְׁעָן וּמִבְטָח, כִּי אִם בְּשִׁמְךָ לְבַד.

בְּשִׁמְךָ בָּאנוּ לְפָנֶיךָ יְהוָֹה אֱלֹהֵינוּ וֵאלֹהֵי אֲבוֹתֵינוּ, אֲשֶׁר בְּרַחֲמֶיךָ הָרַבִּים קָרָאתָ שִׁמְךָ עָלֵינוּ מִימוֹת אֲבֹתֵינוּ.

שֶׁתַּעֲשֶׂה לְמַעַן שִׁמְךָ הַגָּדוֹל הַמְשֻׁתָּף בִּשְׁמֵנוּ וּלְמַעַן שֵׁם כָּל הַצַּדִּיקִים הָאֲמִתִּיִּים אֲשֶׁר הֵם שְׁמֶךָ.

וְתָחוּס וְתַחְמֹל וּתְרַחֵם עָלֵינוּ וְתַמְתִּיק וְתָקֵל וּתְבַטֵּל כָּל הַדִּינִים וְכָל הַגְּזֵרוֹת מֵעָלֵינוּ וּמֵעַל עַמְּךָ בֵּית יִשְׂרָאֵל, וּבִפְרָט הַגְּזֵרָה הַקָּשָׁה וְהַמָּרָה שֶׁיָּצְאָה בְּסָמוּךְ.

and we do not have the merit or good deeds with which to appease You.

Because of our many sins, our power has diminished so far that we cannot even cry out or call to You properly. How will we appease our Master, our King?

Therefore, at present, we cannot open our mouths and we have no way to come to You. We have no support or haven but Your Name alone.

We come before You in Your Name, HaShem our God and God of our fathers. In Your great compassion, You placed Your Name upon us from the days of our forefathers.

Please act for the sake of Your great Name that is partnered with our Name, and for the sake of the names of all of the true Tzaddikim, who are one with Your Name.

Have pity, mercy and compassion on us. Soften, lighten and nullify all judgments and decrees against us and against Your nation, the House of Israel—in particular, the harsh and bitter decree that was recently passed.[17]

---

17   This refers to the Cantonist decree of 1827 calling for the forced conscription of twelve-year-old Jewish boys into the Czar's army for a period of twenty-five years. If there weren't enough twelve-year-old boys in a village, the draft officers would take boys as young as eight or nine years of age. The Cantonist decree was abolished in 1856.

רַחֵם עָלֵינוּ לְמַעַן שְׁמֶךָ וּתְסִירָהּ וּתְבַטְּלָהּ מֵעָלֵינוּ מְהֵרָה, כִּי אֵין מִי יַעֲמֹד בַּעֲדֵנוּ שִׁמְךָ הַגָּדוֹל יַעֲמוֹד לָנוּ בְּעֵת צָרָה.

כִּי כְבָר גִּלִּיתָ לָנוּ כִּי אֵין טוֹב בְּעֵינֶיךָ לַהֲמִיתֵנוּ אוֹ לְהַעֲנִישֵׁנוּ חַס וְשָׁלוֹם, כִּי "בְּכָל צָרָתָם לוֹ צָר", וּכְתִיב: "גַּם עֲנוֹשׁ לַצַּדִּיק לֹא טוֹב".

כִּי שִׁמְךָ מְשֻׁתָּף בָּנוּ, וְכָל הָעֳנָשִׁים חַס וְשָׁלוֹם נוֹגְעִים בְּךָ כִּבְיָכוֹל וּבְהַצַּדִּיקֵי אֱמֶת, בִּפְרַט גְּזֵרָה קָשָׁה וּמָרָה כָּזֹאת, אֲשֶׁר עִקָּרָהּ עַל דָּתְךָ הַקָּדוֹשׁ, כִּי לֹא עָלֵינוּ תְלֻנֹּתָם וְשִׂנְאָתָם, כִּי אִם עָלֶיךָ וְעַל דַּת תּוֹרָתְךָ הַקְּדוֹשָׁה וְהַטְּהוֹרָה וְהַתְּמִימָה.

רַחֵם רַחֵם מָלֵא רַחֲמִים, כִּי שִׁמְךָ נִקְרָא עָלֵינוּ אַל תַּנִּיחֵנוּ. יֶהֱמוּ מֵעֶיךָ וְרַחֲמֶיךָ עָלֵינוּ בְּעֵת צָרָה כָּזֹאת, "הַצִּילֵנוּ מִיַּד אוֹיְבֵנוּ וְנַעַבְדֶךָּ".

רַחֵם עָלֵינוּ בִּזְכוּת הַצַּדִּיקִים הַגְּדוֹלִים הָאֲמִתִּיִּים שֶׁסָּבְלוּ

Have compassion on us for the sake of Your Name. Remove that decree and eradicate it quickly, because there is no one to stand up on our behalf. Your great Name will stand on our behalf at a time of trouble.

You have revealed to us that You do not desire to kill us or punish us, Heaven forbid, for "in all of their suffering, He suffers," and, "punishment for the righteous man is not good."

Your Name is partnered with us. All punishments, Heaven forbid, touch upon You, as it were, and upon the true Tzaddikim—in particular, this harsh and bitter decree that fundamentally threatens our holy religion. The complaint and hatred of its creators are not against us, but against You and Your holy, pure and perfect Torah.

Have compassion, have compassion, You Who are filled with compassion, for Your Name is called upon us. Do not cast us aside. In Your compassion, be moved on our behalf at this time of trouble. "Rescue us from the hand of our enemy and we will serve You."

The Tzaddikim Atoned for Us

Have compassion on us in the merit of the great, true Tzaddikim who bore many harsh

יִסּוּרִים קָשִׁים הַרְבֵּה וְעָשׂוּ תְשׁוּבָה שְׁלֵמָה עֲבוּר כָּל יִשְׂרָאֵל.

אֲשֶׁר רִבּוּי יִסּוּרֵיהֶם וּתְשׁוּבָתָם הַגְּדוֹלָה שֶׁעָשׂוּ עֲבוּר כָּל יִשְׂרָאֵל הוּא כְּדַאי וְהָגוּן לְכַפֵּר וְלִסְלֹחַ עֲוֹנוֹת וּפְשָׁעִים שֶׁל כָּל יִשְׂרָאֵל מֵרֹאשׁ וְעַד סוֹף.

כִּי רַק אַתָּה לְבַד יוֹדֵעַ גֹּדֶל הַכֹּחַ הַנּוֹרָא וְהַנִּשְׂגָּב שֶׁל תְּשׁוּבָתָם הַנִּפְלָאָה שֶׁעָשׂוּ עֲבוּר כָּל יִשְׂרָאֵל.

וּבַעֲווֹנוֹתֵנוּ הָרַבִּים עַתָּה וּבַחֲלִישׁוּתֵנוּ הָעֲצוּם, אֵין לָנוּ שׁוּם סְמִיכָה כִּי אִם עֲלֵיהֶם וְעַל כֹּחַ תְּשׁוּבָתָם הַגְּדוֹלָה שֶׁעָשׂוּ עֲבוּרֵנוּ, כִּי שְׁמָם הַקָּדוֹשׁ נִקְרָא עָלֵינוּ.

וּבִזְכוּת שְׁמוֹתָם הַקְּדוֹשִׁים אֲשֶׁר הֵם שִׁמְךָ אֲשֶׁר נִקְרָא עָלֵינוּ, עַל זֶה לְבַד תָּמַכְנוּ יְתֵדוֹתֵנוּ עַתָּה לָבוֹא לְפָנֶיךָ שֶׁתָּחוּס וְתַחְמֹל וּתְרַחֵם עַל דּוֹר עָנִי כָּזֶה דּוֹר חָלוּשׁ כָּזֶה.

וּתְמַהֵר וְתָחִישׁ לַעֲקֹר וּלְשַׁבֵּר וּלְבַטֵּל [הַגְּזֵרָה הַקָּשָׁה שֶׁיָּצְאָה עָלֵינוּ לִיקַח בְּנֵי יִשְׂרָאֵל לְחַיִל עִם שְׁאָר] כָּל הַגְּזֵרוֹת שֶׁיָּצְאוּ כְּבָר וְשֶׁרוֹצִים לְהוֹצִיא חַס וְשָׁלוֹם.

sufferings and repented fully for the sake of all Jews.

The multitude of their sufferings, and the great repentance that they engaged in on behalf of the entire Jewish people, are capable and worthy of atoning for and granting forgiveness for sins and offenses committed by all Jews, from beginning to end.

Only You know the great, awesome and elevated power of the wondrous repentance in which they engaged for the sake of all Jews.

Because of our many sins at present and due to our acute weakness, we have no one on whom to rely except them and the power of their great repentance that they performed on our behalf, since their holy name is called upon us.

We rely solely on the merit of their holy names—which are Your Name that is called upon us—to come to You and ask You to have pity, mercy and compassion on such a poor and weak generation.

Hurry and swiftly uproot, shatter and nullify [the harsh decree that came out against us to take the children of Israel to the army, as well as] all of the decrees that have been issued and those that they intend to promulgate, Heaven forbid.

חֲמֹל עַל שְׁאֵרִית עַמְּךָ יִשְׂרָאֵל לְמַעַן שִׁמְךָ וְשֵׁם הַצַּדִּיקִים שֶׁנִּקְרָאִים עָלֵינוּ, כִּי אַתָּה הוּא מַלְכֵּנוּ מֶלֶךְ אֲבוֹתֵינוּ גּוֹאֲלֵנוּ גּוֹאֵל אֲבוֹתֵינוּ, צוּרֵנוּ צוּר יְשׁוּעָתֵנוּ, פּוֹדֵנוּ וּמַצִּילֵנוּ מֵעוֹלָם הוּא שְׁמֶךָ, וְאֵין לָנוּ עוֹד אֱלֹהִים זוּלָתֶךָ סֶלָה.

ליום כיפור

עֲשֵׂה לְמַעַן שְׁמֶךָ וְקַדֵּשׁ אֶת שְׁמֶךָ, וֶהְיֵה עִמָּנוּ וְעָזְרֵנוּ שֶׁנִּזְכֶּה מְהֵרָה לָשׁוּב אֵלֶיךָ בֶּאֱמֶת וְלֵב שָׁלֵם.

וּבִפְרָט בַּיָּמִים הַנּוֹרָאִים הַקְּדוֹשִׁים וְהַמְאֻיָּמִים מְאֹד מְאֹד שֶׁהֵם יְמֵי אֱלוּל וְרֹאשׁ הַשָּׁנָה, וַעֲשֶׂרֶת יְמֵי תְשׁוּבָה וְיוֹם הַכִּפּוּרִים.

שֶׁהֵם אַרְבָּעִים יְמֵי רָצוֹן, שֶׁבָּהֶם נִתְרַצֵּיתָ לְמֹשֶׁה רַבֵּנוּ עָלָיו הַשָּׁלוֹם וְנָתַתָּ לוֹ אֶת הַלּוּחוֹת [שְׁנִיּוֹת] הָאַחֲרוֹנִים.

עַד שֶׁבַּיּוֹם הָאַחֲרוֹן נִתְרַצֵּיתָ לוֹ בִּשְׁלֵמוּת וְאָמַרְתָּ לוֹ בְּשִׂמְחָה 'סָלַחְתִּי כִּדְבָרֶךָ', וְנִקְבַּע לְיוֹם מְחִילָה וּסְלִיחָה

Have mercy on the remnant of Your nation, the Jewish people, for the sake of Your Name and the name of the Tzaddikim that is called upon us. For You are our King, the King of our fathers; our Redeemer, the Redeemer of our fathers; our Rock, the Rock of our salvation; our Redeemer and Rescuer. Your Name is eternal and we have no other God but You, forever.

For Yom Kippur
Forty Days of Divine Favor

Act for the sake of Your Name and sanctify Your Name. Be with us and help us, so that we will quickly and truly return to You with all our heart.

May this be particularly so on the extremely awesome, holy and imposing days of the month of Elul, Rosh HaShanah, the Ten Days of Repentance and Yom Kippur.

These are forty days of Divine favor, during which You were reconciled to Moses and gave him the [Second] Tablets.

On the last day, You were appeased with him fully and told him joyfully, "I have forgiven in accordance with your word!" And that day was established as a day of forgiveness and absolution

לְדוֹרוֹת, הוּא יוֹם הַכִּפּוּרִים הַקָּדוֹשׁ וְהַנּוֹרָא וְהַנִּשְׂגָּב, יוֹם אֶחָד בַּשָּׁנָה.

וְהַכֹּל עָשִׂיתָ לְמַעַן שִׁמְךָ הַגָּדוֹל וְהַקָּדוֹשׁ שֶׁנִּקְרָא עָלֵינוּ.

רַחֵם עָלֵינוּ וְעָזְרֵנוּ וְהוֹשִׁיעֵנוּ שֶׁנִּזְכֶּה לְקַבֵּל הַיָּמִים הַקְּדוֹשִׁים הַנּוֹרָאִים הַלָּלוּ בִּקְדֻשָּׁה וּבְטָהֳרָה גְדוֹלָה.

וְנִזְכֶּה לָשׁוּב בָּהֶם בִּתְשׁוּבָה שְׁלֵמָה בֶּאֱמֶת, וּלְקַבֵּל עָלֵינוּ בֶּאֱמֶת וּבְלֵב שָׁלֵם לֵילֵךְ בִּדְרָכֶיךָ וּלְקַיֵּם מִצְווֹתֶיךָ וְלַעֲסוֹק בְּתוֹרָתְךָ בֶּאֱמֶת כֹּל יְמֵי חַיֵּינוּ.

וּלְהִתְפַּלֵּל בְּכַוָּנָה שְׁלֵמָה וְנִשְׁפֹּךְ לִבֵּנוּ כַּמַּיִם נֹכַח פְּנֵי יְהוָה, פַּלְגֵי מַיִם תֵּרֵד עֵינֵינוּ עַל חַטֹּאתֵינוּ וַעֲווֹנוֹתֵינוּ וּפְשָׁעֵינוּ וְעַל רִבּוּי צָרוֹתֵינוּ.

עַד אֲשֶׁר נִזְכֶּה לְרַצּוֹת וּלְפַיֵּס אוֹתְךָ שֶׁתִּמְחֹל וְתִסְלַח וּתְכַפֵּר לָנוּ אֶת כָּל חַטֹּאתֵינוּ וַעֲווֹנוֹתֵינוּ וּפְשָׁעֵינוּ שֶׁחָטָאנוּ וְשֶׁעָוִינוּ וְשֶׁפָּשַׁעְנוּ לְפָנֶיךָ.

וּתְעַקֵּר וּתְשַׁבֵּר וּתְבַטֵּל כָּל הַגְּזֵרוֹת שֶׁאֵינָם טוֹבוֹת מֵעָלֵינוּ, הֵן אוֹתָם שֶׁכְּבָר נִגְזְרוּ הֵן אוֹתָם שֶׁרוֹצִים לִגְזֹר חַס וְשָׁלוֹם.

for generations. That is the holy, awesome, exalted and unique day of the year, Yom Kippur.

You did all of this for the sake of Your great and holy Name that is called upon us.

Have compassion on us. Help us and save us, so that we will receive these holy, awesome days with great holiness and purity.

May we return to You on these days in true, complete repentance, and truly and wholeheartedly resolve to walk in Your ways, fulfill Your commandments and truly engage in Your Torah all the days of our lives.

May we pray with complete concentration and pour out our hearts like water before the countenance of HaShem. May our eyes pour forth streams of water because of our transgressions, sins and offenses, and the multitude of our troubles.

May we reconcile with You and appease You, so that You will forgive, absolve and grant atonement for all of the transgressions, sins and offenses that we committed before You.

Uproot, shatter and nullify all evil decrees against us—both those that have already been decreed and those that they wish to decree, Heaven forbid.

עַד שֶׁנִּזְכֶּה שֶׁיִּתְגַּדֵּל וְיִתְקַדֵּשׁ שִׁמְךָ הַגָּדוֹל עַל יָדֵינוּ תָּמִיד.

וּכְשֵׁם שֶׁעָנִיתָ לְמשֶׁה רַבֵּנוּ וְאָמַרְתָּ לוֹ בְּיוֹם הַכִּפּוּרִים בְּשִׂמְחָה 'סָלַחְתִּי', כֵּן תִּתְרַצֶּה וְתִתְפַּיֵּס לְעַמְּךָ יִשְׂרָאֵל בְּיוֹם הַכִּפּוּרִים וְתַעֲנֶה וְתֹאמַר לָהֶם 'סָלַחְתִּי' בְּשִׂמְחָה וְחֶדְוָה רַבָּה וְיִגְדַּל שִׁמְךָ עַד עוֹלָם.

עַד שֶׁנִּזְכֶּה בְּמָחֳרַת יוֹם הַכִּפּוּרִים שֶׁיִּהְיֶה רָאוּי לִקְרוֹתוֹ "שֵׁם יְהֹוָה" בֶּאֱמֶת לַאֲמִתּוֹ, עַל יְדֵי שֶׁיִּגְדַּל בּוֹ שֵׁם יְהֹוָה לָנֶצַח עַל יְדֵי הַמְּחִילָה וְהַסְּלִיחָה שֶׁל יוֹם הַכִּפּוּרִים, וְעַל יְדֵי בִּטּוּל כָּל הַגְּזֵרוֹת וְכָל הַצָּרוֹת מֵעָלֵינוּ.

שֶׁאָז דַּיְקָא שִׁמְךָ הַגָּדוֹל בִּשְׁלֵמוּת, כַּאֲשֶׁר הוֹדַעְתָּ לָנוּ עַל יְדֵי חֲכָמֶיךָ הַקְּדוֹשִׁים [זִכְרוֹנָם לִבְרָכָה] זְכוּתָם יָגֵן עָלֵינוּ.

וְנִזְכֶּה עַל יְדֵי זֶה לְקַבֵּל יְמֵי חַג הַסֻּכּוֹת וּשְׁמִינִי עֲצֶרֶת וְשִׂמְחַת תּוֹרָה בְּשִׂמְחָה וְחֶדְוָה גְּדוֹלָה, בִּקְדֻשָּׁה וּבְטָהֳרָה בְּיִרְאָה וְאַהֲבָה.

May Your great Name be magnified and sanctified through us always.

Just as You joyfully told Moses on Yom Kippur, "I have forgiven!" so may You be reconciled with and appeased by Your nation, the Jewish people, on Yom Kippur and tell them with great joy and gladness, "I have forgiven!" May Your Name be magnified forever.

The Days Following Yom Kippur

And may the day after Yom Kippur be fit to be called "God's Name" in ultimate truth, as a result of the Name of God having been magnified upon it forever, in consequence of the forgiveness and absolution of Yom Kippur, and in consequence of the nullification of all of the decrees and troubles against us.

Then, in particular, Your great Name will be whole—as You informed us through Your holy sages [may their memory be for a blessing], may their merit shield us.

As a result, may we receive the days of Sukkot, Shemini Atzeret and Simchat Torah with great joy and gladness, with holiness and purity, fear and love.

וּלְקַיֵּם כָּל הַמִּצְווֹת הַנּוֹרָאוֹת הַנּוֹהֲגוֹת בַּיָּמִים הָאֵלּוּ בִּשְׁלֵמוּת גָּדוֹל וּבְשִׂמְחָה עֲצוּמָה בְּשִׁמְךָ הַגָּדוֹל וְהַקָּדוֹשׁ, "אֶשְׂמְחָה וְאֶעֶלְצָה בָךְ אֲזַמְּרָה שִׁמְךָ עֶלְיוֹן. יוֹדוּ שִׁמְךָ גָּדוֹל וְנוֹרָא קָדוֹשׁ הוּא".

רַחֵם עָלֵינוּ אָבִינוּ מַלְכֵּנוּ לְמַעַן שִׁמְךָ לְבַד, בַּטֵּל מֵעָלֵינוּ כָּל גְּזֵרוֹת קָשׁוֹת וְהַחֲזִירֵנוּ בִּתְשׁוּבָה שְׁלֵמָה לְפָנֶיךָ.

וְהַצִּילֵנוּ מִכָּל מִינֵי עֳנָשִׁים בְּגוּף וָנֶפֶשׁ וּמָמוֹן בָּעוֹלָם הַזֶּה וּבָעוֹלָם הַבָּא, וְתֵן לָנוּ חַיִּים טוֹבִים וַאֲרוּכִים, בָּנֵי חַיֵּי וּמְזוֹנֵי וְעֹשֶׁר וְכָבוֹד וְכָל טוּב לָנֶצַח בָּזֶה וּבַבָּא.

וְהַכֹּל לְמַעַן שְׁמֶךָ, כִּי בְּשֵׁם קָדְשְׁךָ לְבַד בָּטָחְנוּ, נָגִילָה וְנִשְׂמְחָה בִּישׁוּעָתֶךָ. "אֱלֹהִים בְּשִׁמְךָ הוֹשִׁיעֵנִי וּבִגְבוּרָתְךָ תְדִינֵנִי.

עָזְרֵנוּ אֱלֹהֵי יִשְׁעֵנוּ עַל דְּבַר כְּבוֹד שְׁמֶךָ, וְהַצִּילֵנוּ וְכַפֵּר עַל חַטֹּאתֵינוּ לְמַעַן שְׁמֶךָ, הוֹשִׁיעֵנוּ יְהוָֹה אֱלֹהֵינוּ וְקַבְּצֵנוּ מִן הַגּוֹיִם לְהוֹדוֹת לְשֵׁם קָדְשֶׁךָ לְהִשְׁתַּבֵּחַ בִּתְהִלָּתֶךָ".

May we fulfill all of the awesome mitzvot that apply to these days with great perfection and intense joy in Your great and holy Name. "I will rejoice and exult in You. I will sing to Your supernal Name." "They will acknowledge Your great and awesome Name, which is holy."

Have compassion on us, our Father, our King, for the sake of Your Name alone. Nullify all harsh decrees against us. Bring us back to You in complete repentance.

Rescue us from every sort of punishment in body, soul and financial matters—in this world and the next. Give us a good and long life, children, life, sustenance, wealth, honor, and all good forever—in this world and the next.

Do all of this for the sake of Your Name, for we trust only in Your holy Name. May we be glad and rejoice in Your salvation. "God, with Your Name, save me and with Your might, avenge me."

"Help us, God of our salvation, for the sake of the glory of Your Name. Rescue us and atone for our transgressions for the sake of Your Name. Save us, HaShem our God, and gather us from the nations to thank Your holy Name, to rejoice in Your praise."

וִיקַיֵּם בָּנוּ מִקְרָא שֶׁכָּתוּב: "וַיּוֹשִׁיעֵם לְמַעַן שְׁמוֹ לְהוֹדִיעַ אֶת גְּבוּרָתוֹ". וְנֶאֱמַר: "וְאַתָּה אֱלֹהִים אֲדֹנָי עֲשֵׂה אִתִּי לְמַעַן שְׁמֶךָ כִּי טוֹב חַסְדְּךָ הַצִּילֵנִי".

וְנֶאֱמַר: "כָּל גּוֹיִם סְבָבוּנִי, בְּשֵׁם יְהֹוָה כִּי אֲמִילַם, סַבּוּנִי גַם סְבָבוּנִי, בְּשֵׁם יְהֹוָה כִּי אֲמִילַם, סַבּוּנִי כִדְבוֹרִים דֹּעֲכוּ כְּאֵשׁ קוֹצִים בְּשֵׁם יְהֹוָה כִּי אֲמִילַם".

וְנֶאֱמַר: "וְלֹא נָסוֹג מִמֶּךָּ תְּחַיֵּנוּ וּבְשִׁמְךָ נִקְרָא", וְנֶאֱמַר: "עֶזְרֵנוּ בְּשֵׁם יְהֹוָה עוֹשֵׂה שָׁמַיִם וָאָרֶץ". וְנֶאֱמַר: "וְיֵדְעוּ כִּי אַתָּה שִׁמְךָ יְהֹוָה לְבַדֶּךָ, עֶלְיוֹן עַל כָּל הָאָרֶץ".

וְנֶאֱמַר: "יְהִי שֵׁם יְהֹוָה מְבֹרָךְ מֵעַתָּה וְעַד עוֹלָם. הוֹצִיאָה מִמַּסְגֵּר נַפְשִׁי לְהוֹדוֹת אֶת שְׁמֶךָ, בִּי יַכְתִּירוּ צַדִּיקִים כִּי תִגְמֹל עָלָי.

בָּרוּךְ יְהֹוָה אֱלֹהִים אֱלֹהֵי יִשְׂרָאֵל עוֹשֵׂה נִפְלָאוֹת לְבַדּוֹ, וּבָרוּךְ שֵׁם כְּבוֹדוֹ לְעוֹלָם, וְיִמָּלֵא כְבוֹדוֹ אֶת כָּל הָאָרֶץ אָמֵן וְאָמֵן":

May the verses be realized in us, "He saved them for the sake of His Name, to make His might known," and, "You, God Lord, act with me for the sake of Your Name, for Your kindness is good; rescue me."

And, "All of the nations surround me; in the Name of HaShem, I will cut them off. They surround me, indeed, they surround me; in the Name of HaShem, I will cut them off. They surround me like bees; they will be extinguished like a thorn fire. In the Name of HaShem, I will cut them off."

"We will not turn back from You. Give us life and we shall call in Your Name." "Our help is in the Name of HaShem, Maker of Heaven and earth." "They will know that it is You alone Whose Name is HaShem, supernal over all the earth."

"May the Name of HaShem be blessed from now and forever." "Bring forth my soul from imprisonment to thank Your Name; because of me, the righteous will crown You, because You will recompense me."

"Blessed is HaShem, God, God of Israel, Who alone does wonders. And blessed is the Name of His glory forever, and may His glory fill the entire earth. Amen and amen."

55 (II, 76)

Wherever Jews Go, They Subjugate That Place to Holiness / While in Exile, the Jews Elevate the Low and Fallen Places

Wherever the Jewish people go in exile, at first they are subjugated, but afterward they become masters to their masters. For they conquer that place, insofar as they elevate the low and fallen places.

Therefore, when they are in exile, the Jewish people are called "children of the Diaspora (*golah*)." GOLaH (גולה) is an acronym for *Ve-nishar Gam Hu L'Eloheinu* (ונשאר גם הוא לאלהנו, then he, too, will remain for our God). In other words, whatever remains from our sojourn in exile will be for God—the fallen sparks of holiness will be elevated and returned to Him.

"בַּיהֹוָה חָסִיתִי אֵיךְ תֹּאמְרוּ לְנַפְשִׁי נוּדִי הַרְכֶם צִפּוֹר".

רִבּוֹנוֹ שֶׁל עוֹלָם, אֱלֹהֵי יִשְׂרָאֵל, אַתָּה יוֹדֵעַ גֹּדֶל עֹצֶם מְרִירוּת הַגָּלוּת בִּכְלָל וּבִפְרָט וּבִפְרָטֵי פְּרָטִיּוּת.

כִּי מִפְּנֵי חֲטָאֵינוּ גָּלִינוּ מֵאַרְצֵנוּ וְנִתְרַחַקְנוּ מֵעַל אַדְמָתֵנוּ, וּמִגּוֹלָה אֶל גּוֹלָה הָלַכְנוּ וּמִכְּלִי אֶל כְּלִי הוּרַקְנוּ, הֵן כְּלַל יִשְׂרָאֵל בִּכְלָל וְהֵן כָּל אֶחָד וְאֶחָד בִּפְרָטִיּוּת.

כִּי כַמָּה וְכַמָּה גָלֻיּוֹת וְטִלְטוּלִים עוֹבְרִים עַל כָּל אֶחָד וְאֶחָד מִיִּשְׂרָאֵל בְּגַשְׁמִיּוּת וּבְרוּחָנִיּוּת, "כְּצִפּוֹר נוֹדֶדֶת מִן קִנָּהּ, כֵּן אִישׁ נוֹדֵד מִמְּקוֹמוֹ".

וּבְעֹצֶם צָרוֹתֵינוּ בְּגוּף וָנֶפֶשׁ וּמָמוֹן, גַּם כְּשֶׁאָנוּ יוֹשְׁבִים בְּבָתֵּינוּ אָנוּ נָעִים וְנָדִים כִּי אֵין לָנוּ שׁוּם מְנוּחָה מֵרוֹדְפֵינוּ וְשׂוֹנְאֵינוּ בְּגַשְׁמִיּוּת וְרוּחָנִיּוּת.

בִּפְרָט עַתָּה בְּעֵת צָרָה הַמָּרָה הַזֹּאת אֲשֶׁר כָּל אֶחָד חוֹשֵׁב מַחֲשָׁבוֹת אֵיךְ לִבְרֹחַ וּלְהִטָּמֵן וּלְהִסָּתֵר מִפְּנֵי הַצָּרוֹת

Finding God in the Exile

"I have taken refuge in HaShem. How shall you say to my soul, 'Flee to your mountain like a bird'?"

Master of the world, God of Israel, You know the profoundly intense bitterness of the exile, overall and in detail, and in the most particular details.

Due to our transgressions, we were exiled from our Land and distanced from our soil. We went from exile to exile and were cast from vessel to vessel—the Jewish people as a whole and every individual in particular.

Every Jew has experienced so many exiles and upheavals, material and spiritual. "Like a bird wandering from her nest, so a man wanders from his place."

We suffer intensely in body, soul and financial matters. Even when we sit in our homes, we are in a state of upheaval, because we have no rest from our persecutors and enemies, whether material or spiritual.

This is particularly so at this time of bitter trouble, when everyone thinks of how to flee, protect himself and hide from these difficult

הַקָּשׁוֹת הָאֵלֶּה, אֲשֶׁר "כָּשַׁל כֹּחַ הַסַּבָּל".

רַחֵם עָלַי וְעַל כָּל יִשְׂרָאֵל הַכְּבוּשִׁים בַּגּוֹלָה, שֶׁבְּכָל מָקוֹם שֶׁנָּבוֹא שָׁם בְּגָלוּת וְטִלְטוּל בְּגַשְׁמִיּוּת וְרוּחָנִיּוּת, שֶׁתִּהְיֶה עִמָּנוּ, וְתַעַזְרֵנוּ לְהָרִים וּלְנַשֵּׂא וּלְהַגְבִּיהַּ כָּל הַמְּקוֹמוֹת הָאֵלֶּה אֵלֶיךָ וּלְתוֹרָתֶךָ וְלַעֲבוֹדָתֶךָ.

עַד שֶׁגַּם כָּל הַמְּקוֹמוֹת הָרְחוֹקִים מֵהַקְּדֻשָּׁה מְאֹד שֶׁאָנוּ כְּבוּשִׁים בַּגּוֹלָה שָׁם, יָשׁוּבוּ כֻּלָּם אֵלֶיךָ תִּתְבָּרַךְ לָנֶצַח.

עַד שֶׁבְּכָל הַמְּקוֹמוֹת הָרְחוֹקִים מִמְּךָ מְאֹד יַעַסְקוּ בָּהֶם בַּתּוֹרָה וּבַעֲבוֹדָה בֶּאֱמֶת וְיִלְמְדוּ בָּהֶם תּוֹרָה בָּרַבִּים, וִיקֻיַּם מְהֵרָה מִקְרָא שֶׁכָּתוּב: "וְנִשְׁאַר גַּם הוּא לֵאלֹהֵינוּ".

מָלֵא רַחֲמִים, רְאֵה נָא בְעָנְיֵנוּ וְרִיבָה רִיבֵנוּ וּמַהֵר לְגָאֳלֵנוּ גְּאֻלָּה שְׁלֵמָה מְהֵרָה לְמַעַן שְׁמֶךָ, רְאֵה "כִּי אָזְלַת יָד וְאֶפֶס עָצוּר וְעָזוּב".

רְאֵה אֶת עַמְּךָ מְרוּדִים מְאֹד בִּכְלָל וּבִפְרָט, הַבֵּט יָמִין וְאֵין

troubles, when "the strength of the porter has collapsed."

Have compassion on me and on all Jews who are subjugated in the exile, so that wherever we come to in our exile and upheavals—in both the material and spiritual realms—You will be with us, and You will help us raise, lift and elevate all of these places to You, Your Torah and Your service.

May all of the places that are so far from holiness, in which we are subjugated in exile, return to You Who are blessed forever.

In all of these places that are so far from You, may people truly learn Torah, serve You and teach Torah publicly. May the verse quickly be realized, "The remnant there will be for our God."

You Who are filled with compassion, please look upon our impoverishment, battle on our behalf, and hurry to redeem us with a complete redemption for the sake of Your Name. See how "the enemy's hand gains strength, and there is no savior to strengthen us."

See how Your nation is profoundly crushed— collectively and individually. Gaze to the right,

עוֹזֵר לִשְׂמֹאל וְאֵין סוֹמֵךְ, "כִּי שָׁחָה לֶעָפָר נַפְשֵׁנוּ, דָּבְקָה לָאָרֶץ בִּטְנֵנוּ. קוּמָה עֶזְרָתָה לָנוּ וּפְדֵנוּ לְמַעַן חַסְדֶּךָ.

יִהְיוּ לְרָצוֹן אִמְרֵי פִּי וְהֶגְיוֹן לִבִּי לְפָנֶיךָ יְהֹוָה צוּרִי וְגוֹאֲלִי. בָּרוּךְ יְהֹוָה אֱלֹהִים אֱלֹהֵי יִשְׂרָאֵל עוֹשֵׂה נִפְלָאוֹת לְבַדּוֹ. וּבָרוּךְ שֵׁם כְּבוֹדוֹ לְעוֹלָם וְיִמָּלֵא כְבוֹדוֹ אֶת כָּל הָאָרֶץ אָמֵן וְאָמֵן":

and there is no one to help; to the left, and there is no one to support. "For our soul is cast down to the dust, our belly clings to the earth. Arise to help us, and redeem us for the sake of Your kindness."

"May the words of my mouth and the meditation of my heart be pleasing before You, HaShem, my Rock and my Redeemer." "Blessed is HaShem, God, God of Israel, Who alone does wonders. And blessed is the Name of His glory forever, and may His glory fill the entire earth. Amen and amen."

56 (II, 91)

Being Connected to Tzaddikim Allows a Person to Attain Repentance / When a Person Repents, Judgments Against Him are Eradicated and Divine Unifications Occur / A Person Must Connect His Mind to the Upper Wisdom of Torah and to God / A Tzaddik Elevates and Binds Lower Wisdom with Upper Wisdom / A Tzaddik Speaks Simple Words Containing Torah to Guide Simple and Unworthy People to Repentance / God is Grieved When a Tzaddik Dies

---

Being connected to true Tzaddikim is of great value. It allows a person to attain complete repentance and atonement. Judgments against him are softened until they are entirely eradicated, and that brings about a unification of the Holy One and the Divine Presence.

There are two types of wisdom: upper and lower, the latter derived from the former.

This is comparable to the relationship between a teacher and student. The student's understanding comes through his heart. Thus, the teacher must say things that the student's heart can comprehend, and the student must focus his heart and concentrate.

Upper wisdom is the holy Torah, and lower wisdom is the source of the wisdoms of this world. When worldly wisdoms are disconnected from the upper wisdom of Torah and from God, that corresponds to the diminishment of the moon and the exile of the Divine Presence.

Wherever a person is, he must connect his mind to the upper wisdom of Torah and to God. If he separates his wisdom from God, he causes a blemish in the moon.

The true Tzaddik rebuilds destroyed worlds, elevating lower wisdom in order to connect it to upper wisdom. He connects the intellect of common folk—even that of wicked people—to God. In the course of doing so, he speaks with unworthy people and non-Jews. In this way, he raises their intellect and connects it to God.

He speaks with these people with wonderful sagacity and adroitness, clothing the Torah in other modes of expression,[18] because if he were to speak Torah directly with wicked people, they might grow worse. By speaking with them in this way, he leads them to repentance.

God is grieved when the Tzaddik dies, for He does not desire the death of the wicked but their good—that is, He desires that they will come to repentance.

---

18   Such as everyday conversations and talk about the news.

"מִי יָקוּם לִי עִם מְרֵעִים מִי יִתְיַצֵּב לִי עִם פּוֹעֲלֵי אָוֶן. לוּלֵי יְהֹוָה עֶזְרָתָה לִי כִּמְעַט שָׁכְנָה דוּמָה נַפְשִׁי. אִם אָמַרְתִּי מָטָה רַגְלִי חַסְדְּךָ יְהֹוָה יִסְעָדֵנִי. בְּרֹב שַׂרְעַפַּי בְּקִרְבִּי תַּנְחוּמֶיךָ יְשַׁעַשְׁעוּ נַפְשִׁי".

רִבּוֹנוֹ שֶׁל עוֹלָם מָלֵא רַחֲמִים, חָפֵץ חֶסֶד וּמַרְבֶּה לְהֵטִיב, טוֹב וּמֵטִיב לָרָעִים וְלַטּוֹבִים, הַחוֹשֵׁב מַחֲשָׁבוֹת לְבַל יִדַּח מִמְּךָ נִדָּח.

"פְּקַח עֵינֶיךָ וּרְאֵה שׁוֹמְמוֹתֵינוּ", רְאֵה "כִּי אָזְלַת יָד וְאֶפֶס עָצוּר וְעָזוּב", כִּי אֵין מִי יַעֲמוֹד בַּעֲדֵנוּ.

מַה נַּעֲשֶׂה וּמַה נִּפְעַל אַחֲרֵי אֲשֶׁר [לָקַחְתָּ] לָקַח מֵאִתָּנוּ עֲטֶרֶת רֹאשֵׁנוּ גְאוֹנֵי עֻזֵּנוּ מַחְמַדֵּי עֵינֵינוּ, הֵן הֵמָּה צַדִּיקֵי אֱמֶת אֲשֶׁר נִסְתַּלְּקוּ בְּדוֹרוֹתֵינוּ.

Connecting to God Through the True Tzaddikim

"**W**ho will rise up for me against evildoers? Who will stand firm for me against workers of violence? If HaShem had not assisted me, my soul would have dwelt in silence. If I said, 'My foot has slipped,' Your kindness, HaShem, supported me. In the multitude of my thoughts within me, Your consolations delighted my soul."

Master of the world, You Who are filled with compassion, You Who desire kindness and do much to greatly benefit, You Who are good and do good for both the wicked and the good, You think thoughts so that no will remain cast away from You.

"Open Your eyes and see our desolation." See: "The enemy's hand gains strength and there is no savior to strengthen us," because there is no one to stand up on our behalf.

What shall we do and how shall we act, now that the crown of our head—our mighty geniuses, beloved in our eyes, the true Tzaddikim who passed away in our generations—have been taken away from us?

אֲשֶׁר כָּל יְמֵי חַיֵּיהֶם הַקְּדוֹשִׁים הָיִינוּ עוֹמְדִים וּמְצַפִּים לִישׁוּעָה, שֶׁבְּדִבְרֵיהֶם [שֶׁבְּדַרְכֵיהֶם] הַנּוֹרָאִים וּבְתַחְבּוּלוֹתֵיהֶם הַנִּפְלָאוֹת יְקָרְבוּ אוֹתָנוּ כֻּלָּנוּ לְהַשֵּׁם יִתְבָּרַךְ.

וּבַעֲווֹנוֹתֵינוּ הָעֲצוּמִים וְהָרַבִּים וְהַכְּבֵדִים מְאֹד, חָשַׁךְ הַשֶּׁמֶשׁ בַּצָּהֳרַיִם וְנִשְׁאַרְנוּ כִּיתוֹמִים וְאֵין אָב, וּמַה נַּעֲשֶׂה עַתָּה אֶל מִי מִקְּדוֹשִׁים נִפְנֶה.

מָלֵא רַחֲמִים לַמְּדֵנוּ אֵיךְ לִזְעֹק וְלִבְכּוֹת וּלְקוֹנֵן וְלִסְפּוֹד עַל הִסְתַּלְּקוּת הַצַּדִּיקִים הָאֲמִתִּיִּים, בְּאֹפֶן שֶׁנִּזְכֶּה לְעוֹרֵר רַחֲמֶיךָ עַל עֲנִיִּים כָּמוֹנוּ הַיּוֹם.

שֶׁתּוֹרֵנוּ וּתְלַמְּדֵנוּ אֵיךְ לְבַקֵּשׁ וּלְחַפֵּשׂ וְלִמְצֹא אֶת הַצַּדִּיקִים הָאֲמִתִּיִּים שֶׁבַּדּוֹר הַזֶּה, שֶׁיֵּשׁ לָהֶם כֹּחַ לְהַנְהִיג אוֹתָנוּ בְּדֶרֶךְ הָאֱמֶת, וּלְקָרְבֵנוּ לְתוֹרָתֶךָ וְלַהֲשִׁיבֵנוּ אֵלֶיךָ בֶּאֱמֶת.

וְנִזְכֶּה לְהִתְקָרֵב אֲלֵיהֶם בֶּאֱמֶת וּבִשְׁלֵמוּת, לְהַאֲמִין בְּדִבְרֵיהֶם [הַנֶּאֱמָנִים] הַנְּעִימִים בֶּאֱמוּנָה שְׁלֵמָה בֶּאֱמֶת שֶׁכָּל דִּבְרֵיהֶם וְשִׂיחוֹתֵיהֶם צְרִיכִים לִמּוּד.

כִּי גַם בְּשִׂיחָתָם שִׂיחַת חֻלִּין נֶעְלַם בָּהֶם תּוֹרָה נִפְלָאָה וְסוֹדוֹת עִלָּאִין וְרָזִין הַרְבֵּה, וְאַטֶּה אָזְנִי וַאֲקַשֵּׁר דַּעְתִּי הֵיטֵב

During all of the days of their holy lives, we looked forward to salvation, hoping that their awesome words [their ways] and wonderful advice would bring all of us close to HaShem.

But because of our profoundly intense, numerous and grave sins, the sun has grown dark at noon and we remain like orphans without a father. What shall we do now? To which of the holy ones will we turn?

You Who are filled with compassion, teach us how to cry out, weep, wail and mourn over the death of the true Tzaddikim, so that we will arouse Your compassion upon us, as poor as we are today.

Guide us and teach us how to ask for, seek and find the true Tzaddikim in this generation, who have the power to guide us on the true path, bring us close to Your Torah, and truly bring us back to You.

May we truly and completely come close to them. May we truly believe in their [faithful] pleasant words, all of which require study.

Even their mundane conversation conceals wondrous Torah teachings, supernal secrets and many mysteries. May I bend my ear and connect

לְשִׂיחָתָם הַקְּדוֹשָׁה, עַד שֶׁאֶזְכֶּה שֶׁיִּקַּשְּׁרוּ אוֹתִי עַל יְדֵי שִׂיחָתָם אֵלֶיךָ בֶּאֱמֶת.

רַחֵם עָלַי מָלֵא רַחֲמִים, וַעֲשֵׂה אֶת אֲשֶׁר תַּעֲשֶׂה בְּרַחֲמֶיךָ וּבְנִפְלְאוֹתֶיךָ הַנּוֹרָאוֹת, בְּאֹפֶן שֶׁאֶזְכֶּה עַל כָּל פָּנִים מֵעַתָּה לָשׁוּב אֵלֶיךָ בֶּאֱמֶת. וְלָנוּחַ וְלִשְׁקֹט מִמַּחְשְׁבוֹתַי הָרָעוֹת וּמִמַּעֲשַׂי הָרָעִים וְהַפְּגוּמִים, וְלֹא אֶפְגֹּם עוֹד כְּלָל.

רַחֵם רַחֵם הַצֵּל הַצֵּל, עָזְרֵנִי וְהוֹשִׁיעֵנִי שֶׁאֶזְכֶּה לְקַשֵּׁר כָּל מַחֲשַׁבְתִּי וְדִבּוּרִי וַעֲשִׂיָּתִי וְכָל חָכְמָתִי וְדַעְתִּי וְשִׂכְלִי אֵלֶיךָ בֶּאֱמֶת.

וּמִכָּל הַמְּקוֹמוֹת אֲשֶׁר אֲנִי שָׁם בְּכָל עֵת וָעֵת, אֶזְכֶּה לְקַשֵּׁר מַחֲשַׁבְתִּי וְשִׂכְלִי וְדַעְתִּי אֵלֶיךָ וּלְתוֹרָתֶךָ וְלַעֲבוֹדָתֶךָ בֶּאֱמֶת, בְּאֹפֶן שֶׁאֶזְכֶּה לְקַשֵּׁר חָכְמָה תַּתָּאָה בְּחָכְמָה עִלָּאָה.

רַחֲמָן מָלֵא רַחֲמִים הֱיֵה בְעֶזְרֵנוּ בְּעֵת צָרָה הַזֹּאת בְּעִקְּבוֹת מְשִׁיחָא, אֲשֶׁר אַתָּה לְבַד יוֹדֵעַ מְרִירוּת נַפְשֵׁנוּ בְּצוֹק הָעִתִּים הָאֵלֶּה.

אֲשֶׁר נִתְרַחַקְנוּ מִמְּךָ כְּמוֹ שֶׁנִּתְרַחַקְנוּ, כַּאֲשֶׁר יוֹדֵעַ כָּל אֶחָד וְאֶחָד בִּלְבָבוֹ אֶת נִגְעֵי לְבָבוֹ וּמַכְאוֹבָיו.

my mind well to their holy conversation, until they will truly connect me to You by means of their conversation.

You Who are filled with compassion, have compassion on me. Act in Your compassion and awesome wonders so that—from now on, at any rate—I will truly return to You. May I attain rest and silence from my base thoughts and my evil, blemished deeds, and may I no longer cause any blemishes at all.

Have compassion on me! Rescue me! Help me and save me so that I will truly connect all of my thoughts, speech, deeds, intelligence, mind and intellect to You.

From wherever I may be at any moment, may I truly connect my thoughts, intellect and mind to You, to Your Torah and to serving You, thus connecting lower wisdom to upper wisdom.

Compassionate One, filled with compassion, help us at this time of trouble in the era known as the "footsteps of the Mashiach." You alone know the bitterness of our spirit in these troubled times.

We have been greatly distanced from You. Everyone knows the issues and pains of his heart.

רַחֵם עָלֵינוּ לְמַעַן שְׁמֶךָ, חוּסָה עָלֵינוּ כְּרוֹב רַחֲמֶיךָ וְהַדְרִיכֵנוּ בַּאֲמִתֶּךָ, וְלַמְּדֵנוּ אֵיךְ לְבַקֵּשׁ וּלְחַפֵּשׂ אֶת הַצַּדִּיקִים הָאֲמִתִּיִּים שֶׁבַּדּוֹר הַזֶּה.

וְאֵיךְ לְהִתְפַּלֵּל וּלְהִתְחַנֵּן לְפָנֶיךָ עַל זֶה בֶּאֱמֶת בְּאֹפֶן שֶׁנִּזְכֶּה לְמָצְאָם וּלְהִתְקָרֵב אֲלֵיהֶם בֶּאֱמֶת.

וְהֵם יְרַחֲמוּ עָלֵינוּ בְּרַחֲמֵיהֶם הַגְּדוֹלִים וִיקָרְבוּ אוֹתָנוּ כֻּלָּנוּ, כָּל אֶחָד וְאֶחָד מִמְּקוֹמוֹ בַּאֲשֶׁר הוּא שָׁם, אֵלֶיךָ לְתוֹרָתֶךָ וְלַעֲבוֹדָתֶךָ בֶּאֱמֶת.

עַד אֲשֶׁר יוֹצִיאוּ אוֹתָנוּ לְגַמְרֵי מִכָּל הַמְּקוֹמוֹת הָרָעִים שֶׁנָּפַלְנוּ לְשָׁם, כָּל אֶחָד וְאֶחָד לְפִי מְקוֹמוֹ שֶׁיָּרַד לְשָׁם וְנִתְרַחֵק מִמְּךָ כְּמוֹ שֶׁנִּתְרַחֵק.

מִכֻּלָּם יוֹצִיאוּ אוֹתָנוּ, וִיקָרְבוּנוּ אֵלֶיךָ, וְיָשִׁיבוּ אוֹתָנוּ בִּתְשׁוּבָה שְׁלֵמָה בֶּאֱמֶת וּבְלֵב שָׁלֵם.

בְּאֹפֶן שֶׁתִּתְקַשֵּׁר וְתִתְחַבֵּר חָכְמָה תַּתָּאָה בְּחָכְמָה עִלָּאָה, וְיִהְיוּ נַעֲשִׂים יִחוּדִים גְּדוֹלִים וְנוֹרָאִים עַל יָדֵינוּ תָּמִיד.

וּתְמַלֵּא פְּגִימַת הַלְּבָנָה וְתוֹצִיא וְתָקִים הַשְּׁכִינָה מִגָּלוּתָהּ וְיִהְיֶה נַעֲשֶׂה יִחוּד קֻדְשָׁא בְּרִיךְ הוּא וּשְׁכִינְתֵּיהּ תָּמִיד בְּיִחוּדָא שְׁלִים.

Have compassion on us for the sake of Your Name. In Your vast compassion, have pity on us. Guide us in Your truth and teach us how to ask for and seek the true Tzaddikim of this generation.

Teach us how to truly pray and beg You for this, so that that we will truly find them and come close to them.

May they have compassion on us in their great compassion, and truly bring us all of us— each person from wherever he is—close to You, to Your Torah and to serving You.

May they extricate us entirely from all of the evil places into which we have fallen, where we have been distanced from You.

May they take us out of all of these places and bring us close to You. May they truly bring us back in complete and wholehearted repentance.

Connect and bind lower wisdom to upper wisdom. May great and awesome unifications always come about through us.

Rectify the blemish of the moon. Bring forth and establish the Divine Presence from Her exile. May there always be a complete unification of the Holy One and the Divine Presence.

וְתַמְתִּיק וּתְבַטֵּל כָּל הַדִּינִים שֶׁבָּעוֹלָם, וְתִמְחֹל וְתִסְלַח וּתְכַפֵּר כָּל חַטֹּאתֵנוּ וַעֲוֹנוֹתֵינוּ וּפְשָׁעֵינוּ, וְיִהְיוּ כָּל הָאַנְפִּין נְהִירִין, וְכָל חֵידוּ וְכָל חֵירוּ יִשְׁתַּכַּח בְּכָל עָלְמִין, וְיִתְקַיֵּם: "וַתֵּרֶב חָכְמַת שְׁלֹמֹה".

וְיָאִירוּ כָּל הָאוֹרוֹת בְּאוֹר גָּדוֹל וְנִפְלָא וְיִתְתַּקְּנוּ כָּל הָעוֹלָמוֹת בִּשְׁלֵמוּת, וְיִתְגַּדֵּל וְיִתְגַּלֶּה הַדַּעַת וְהַשֵּׂכֶל הָאֱמֶת בָּעוֹלָם.

וְיֵדַע כָּל פָּעוּל כִּי אַתָּה פְּעַלְתּוֹ וְיָבִין כָּל יָצוּר כִּי אַתָּה יְצַרְתּוֹ וְיֹאמַר כָּל אֲשֶׁר נְשָׁמָה בְּאַפּוֹ, יְהֹוָה אֱלֹהֵי יִשְׂרָאֵל מֶלֶךְ וּמַלְכוּתוֹ בַּכֹּל מָשָׁלָה.

וְנִהְיֶה מְקֻשָּׁרִים בְּךָ בְּקֶשֶׁר אַמִּיץ וְחָזָק תָּמִיד לְעוֹלָם וָעֶד, וְנִזְכֶּה לְקַיֵּם מִקְרָא שֶׁכָּתוּב: "אֲחַזְתִּיו וְלֹא אַרְפֶּנּוּ עַד שֶׁהֲבֵאתִיו אֶל בֵּית אִמִּי וְאֶל חֶדֶר הוֹרָתִי".

חוֹמֵל דַּלִּים חֲמֹל עָלֵינוּ בְּרַחֲמֶיךָ וְקָרְבֵנוּ מְהֵרָה לְצַדִּיקִים

Soften and nullify all judgments in the world. Forgive, exculpate and grant atonement for all of our transgressions, sins and offenses. May all of our faces shine. May joy and freedom be found in all worlds. May the verse be realized, "The wisdom of Solomon multiplied."

May all of the spiritual lights shine greatly and wondrously. May all of the worlds be completely rectified. May true awareness and mindfulness be magnified and revealed in the world.

May every being know that You brought him about, may every creature understand that You created him, and may everyone who has breath in his body say, "HaShem, the God of Israel, is King, and His sovereignty governs all."

May we be connected to You with a firm and strong bond, always and forever. May we realize the verse, "I took hold of him and I would not let him go, until I brought him to the house of my mother and to the chamber of she who conceived me."

You Who have mercy on the poor, have mercy on us in Your compassion. Quickly bring us close to the true Tzaddikim in this generation,

אֲמִתִּיִּים שֶׁבַּדּוֹר הַזֶּה, אֲשֶׁר כָּל תִּקְוָתֵינוּ בָּעוֹלָם הַזֶּה וּבָעוֹלָם הַבָּא עַל יָדָם.

כִּי הֵם חַיֵּינוּ וְאֹרֶךְ יָמֵינוּ לְעוֹלָם וָעֶד, רַחֵם עָלֵינוּ לְמַעַן שְׁמֶךָ וּמַלֵּא מִשְׁאֲלוֹתֵנוּ לְטוֹבָה בְּרַחֲמִים. חָנֵּנוּ וַעֲנֵנוּ וּשְׁמַע תְּפִלָּתֵנוּ, כִּי אַתָּה שׁוֹמֵעַ תְּפִלַּת כָּל פֶּה, בָּרוּךְ אַתָּה שׁוֹמֵעַ תְּפִלָּה:

who provide all of our hope in this world and in the World to Come.

They are our life and the length of our days forever. Have compassion on us for the sake of Your Name, and compassionately fulfill our requests for the good. Be gracious to us, answer us and hear our prayer, for You hear the prayer of every mouth. Blessed are You Who hears prayer.

57 (Sichot HaRan 87)

The Quality of a Person's Days of Awe Determines the Quality of the Etrog That He Will Acquire / Jews Instinctively Appreciate the Profound Value of the Mitzvah of Etrog

The quality of a person's experience during the Days of Awe influences the beauty of the *etrog* that he will have on Sukkot.

A human being cannot fully appreciate the precious nature of the mitzvah of *etrog*. But because the Jews are a holy and wise people who are not easily fooled, they realize its importance and thus spend more money on this than they do on other mitzvot.

לראש השנה ויום כיפור

"שִׁמְעָה תְפִלָּתִי יְהֹוָה וְשַׁוְעָתִי הַאֲזִינָה אֶל דִּמְעָתִי אַל תֶּחֱרַשׁ, כִּי גֵר אָנֹכִי עִמָּךְ תּוֹשָׁב כְּכָל אֲבוֹתָי, סוּרוּ מִמֶּנִּי כָּל פּוֹעֲלֵי אָוֶן, כִּי שָׁמַע יְהֹוָה קוֹל בִּכְיִי".

רִבּוֹנוֹ שֶׁל עוֹלָם מָלֵא רַחֲמִים שׁוֹמֵעַ קוֹל בְּכִיּוֹת עַמּוֹ יִשְׂרָאֵל בְּרַחֲמִים, עָזְרֵנוּ לִבְכּוֹת הַרְבֵּה בְּכָל יוֹם וָיוֹם בְּלֵב נִשְׁבָּר וְנִדְכֶּה בֶּאֱמֶת, בְּלֵב נִשְׁבָּר הַבָּא מִתּוֹךְ שִׂמְחָה.

עָזְרֵנִי שֶׁאֶזְכֶּה לִבְכּוֹת לְפָנֶיךָ בְּכָל עֵת בִּדְמָעוֹת שָׁלִישׁ כְּבֵן הַבּוֹכֶה לִפְנֵי אָבִיו, עַל גֹּדֶל רִחוּקִי מִמְּךָ, בְּאֹפֶן שֶׁיֶּהֱמוּ מֵעֶיךָ וְיִכָּמְרוּ רַחֲמֶיךָ הָאֲמִתִּיִּים עָלַי, וַהֲשִׁיבֵנוּ אֵלֶיךָ בִּתְשׁוּבָה שְׁלֵמָה מְהֵרָה.

רִבּוֹנוֹ שֶׁל עוֹלָם, בַּעַל הָרַחֲמִים, מֶלֶךְ מִתְרַצֶּה בִּדְמָעוֹת, אַתָּה יוֹדֵעַ עֹצֶם הָרַחֲמָנוּת שֶׁעָלַי, וְכַמָּה וְכַמָּה אֲנִי צָרִיךְ לִבְכּוֹת לְפָנֶיךָ עַל גֹּדֶל רִחוּקִי מִמְּךָ בִּלִי שִׁעוּר כַּאֲשֶׁר אַתָּה יָדַעְתָּ.

For Rosh HaShanah and Yom Kippur

Weeping with a Full Heart

"**H**ear my prayer, HaShem, and take heed of my outcry. Do not be apathetic to my tears, for I am a stranger with You, a sojourner like all of my fathers." "Turn aside from me, all you workers of sin, for HaShem has heard the voice of my weeping."

Master of the world, You Who are filled with compassion, You Who hear the sound of the weeping of Your nation, the Jewish people, with compassion, help us weep a great deal every day with a truly broken and crushed heart—with a heart that is broken out of joy.

Help me cry before You at all times with many tears, like a son weeping before his father, because of my great distance from You. May You be deeply moved and may Your true compassion for me be aroused, so that You will quickly restore me to You in complete repentance.

Master of the world, Master of compassion, King Who is appeased by tears! You know how truly woeful I am and how much I need to weep before You, because I am so immeasurably distant from You, as You know.

רַחֵם עָלַי וּפְתַח לִבִּי שֶׁאֶזְכֶּה לְהַרְגִּישׁ כְּאֵבִי בֶּאֱמֶת, עַד שֶׁאֶבְכֶּה לְפָנֶיךָ הַרְבֵּה בְּכָל יוֹם וָיוֹם. וּבִפְרָט בַּיָּמִים הַנּוֹרָאִים שֶׁהֵם יְמֵי אֱלוּל, וְרֹאשׁ הַשָּׁנָה, וַעֲשֶׂרֶת יְמֵי תְּשׁוּבָה, וְיוֹם הַכִּפּוּרִים, וְהוֹשַׁעְנָא רַבָּה, שֶׁהֵם יְמֵי רָצוֹן יְמֵי תְּשׁוּבָה, יָמִים קְדוֹשִׁים וְנוֹרָאִים מְאֹד.

עָזְרֵנִי וְהוֹשִׁיעֵנִי בְּרַחֲמֶיךָ הָרַבִּים לִבְכּוֹת בָּהֶם הַרְבֵּה בְּלֵב שָׁלֵם בֶּאֱמֶת. "פַּלְגֵי מַיִם תֵּרֵד עֵינַי עַל לֹא שָׁמְרוּ תוֹרָתֶךָ".

וְאֶזְכֶּה לְהַשְׁלִיךְ מֵאִתִּי כָּל הַחָכְמוֹת וְכָל הַמַּחֲשָׁבוֹת הַמְּבַלְבְּלִים וּמַטְרִידִים וּמוֹנְעִים מִתְּמִימוּת [מִנְּקֻדַּת הָאֱמֶת] בְּכָל עֵת.

כֻּלָּם אֶזְכֶּה לְשַׁבֵּר וּלְבַטֵּל וּלְהַשְׁלִיכָם מֵאִתִּי לְגַמְרֵי, וְאֶזְכֶּה לְהִתְפַּלֵּל וְלַעֲסוֹק בַּעֲבוֹדָתֶךָ בִּפְשִׁיטוּת וּבִתְמִימוּת בֶּאֱמֶת.

מָלֵא רַחֲמִים, זַכֵּנִי בִּכְלָל יִשְׂרָאֵל שֶׁאֶהְיֶה בְּכָל הַיָּמִים הַנּוֹרָאִים בִּבְחִינַת "נַעַר בּוֹכֶה".

וְאַתָּה תַּחְמֹל עָלַי בְּחֶמְלָה גְדוֹלָה וּבְרַחֲמִים רַבִּים, בְּאֹפֶן שֶׁאֶזְכֶּה מֵעַתָּה עַל כָּל פָּנִים לְהַשְׁלִיךְ כָּל הָרַע וְכָל

Have compassion on me and open my heart, so that I will truly feel my pain and weep before You a great deal every day—and, in particular, on the awesome days of the month of Elul, Rosh HaShanah, the Ten Days of Repentance, Yom Kippur and Hoshana Rabbah, which are extremely holy and awesome days of favor and repentance.

In Your vast compassion, help me and save me so that I will then weep a great deal with a truly full heart. "Streams of water run down from my eyes, because they do not keep Your Torah."

May I cast aside all cleverness and all thoughts that constantly interfere with, upset and inhibit simplicity [from the point of truth].

May I break them all. May I nullify them and cast them away from me entirely. And may I truly pray and serve You simply and wholeheartedly.

You Who are filled with compassion, grant me the merit, among all of the people of Israel, to be on the level of "a weeping youth" throughout the Days of Awe.

Have mercy, great mercy and vast compassion, so that—from now on, at any rate—I will

הַבִּלְבּוּלִים מֵאִתִּי, וְאֶעֱזֹב דַּרְכֵי הָרָע וּמַחְשְׁבוֹתַי הַמְגֻנּוֹת וְהַמְבֻלְבָּלוֹת.

רַחֵם עָלַי לְמַעַן שִׁמְךָ מָלֵא רַחֲמִים, וְתֵן לִי יָמִים נוֹרָאִים טוֹבִים קְדוֹשִׁים וּטְהוֹרִים בֶּאֱמֶת. זַכֵּנִי לְהִתְקַדֵּשׁ מֵעַתָּה בִּפְרָט בְּאֵלּוּ הַיָּמִים הַנּוֹרָאִים הַקְּדוֹשִׁים הַנִּשְׂגָּבִים מְאֹד.

זַכֵּנִי לִשְׁפּוֹךְ אֶת לִבִּי כַּמַּיִם נוֹכַח פָּנֶיךָ יְהֹוָה תָּמִיד, בִּפְרָט בְּרִבּוּי הַסְּלִיחוֹת וְהַתְּפִלּוֹת שֶׁמַּרְבִּים בְּאֵלּוּ הַיָּמִים הַנּוֹרָאִים הַמַּרְעִידִים וּמַרְעִישִׁים מְאֹד.

מִי לֹא יִירָא מִי לֹא יִפְחַד בְּיָמִים כָּאֵלּוּ הַמְּלֵאִים פַּחַד וְאֵימָה וְיִרְאָה, חִיל וּרְעָדָה וְחַלְחָלָה מִפָּנֶיךָ. מִי לֹא נִפְקָד בַּיָּמִים הָהֵם.

כִּי הֵם נוֹרָאִים וַאֲיֻמִּים מְאֹד מְאֹד, וּמַלְאָכִים בָּהֶם יֵחָפֵזוּן, וְחִיל וּרְעָדָה יֹאחֵזוּן, וְיֹאמְרוּ הִנֵּה יוֹם הַדִּין.

רִבּוֹנוֹ שֶׁל עוֹלָם, רִבּוֹנוֹ שֶׁל עוֹלָם, אָיֹם וְנוֹרָא, תֵּן לִי דִּבּוּרִים

cast aside all evil and confusions. May I abandon my evil ways and my disgraceful, agitated thoughts.

You Who are filled with compassion, have compassion on me for the sake of Your Name. Give me truly good, holy and pure Days of Awe. Help me sanctify myself from now on—in particular, on these extremely holy, elevated Days of Awe.

HaShem, help me always pour forth my heart like water before Your countenance—in particular, with the multitude of *selichot* and other prayers during the stormy and volcanic Days of Awe.

Who is not fearful? Who does not feel dread on these days that are filled with apprehension, terror and fear, trepidation, shivering and trembling before You? Who is not judged on these days?

These days are extremely awesome and fearful. On these days, the angels rush about, seized by trembling and shuddering, and they proclaim, "Behold, it is the Day of Judgment!"

Master of the world, Master of the world, You Who are fearsome and awesome, give me new

חֲדָשִׁים עַתָּה, תֶּן לִי דִּבּוּרִים עַתָּה לְרַצּוֹתְךָ בָּהֶם מִמָּקוֹם שֶׁאֲנִי שָׁם עַתָּה עַתָּה, שֶׁאֶזְכֶּה לָשׁוּב אֵלֶיךָ בֶּאֱמֶת מֵעַתָּה.

עָזְרֵנִי מָלֵא רַחֲמִים, הוֹשִׁיעֵנִי הוֹשִׁיעֵנִי מָלֵא יְשׁוּעוֹת, מָשְׁכֵנִי לְתוֹךְ תְּמִימוּת וּפְשִׁיטוּת בֶּאֱמֶת וְלֹא אַחְשֹׁב שׁוּם מַחֲשָׁבוֹת חִיצוֹנִיּוֹת וְלֹא שׁוּם מַחֲשָׁבוֹת יְתֵרוֹת (שֶׁקּוֹרִין אִיבֶּער טְרַאכְטִין), רַק אֶעֱשֶׂה עַצְמִי כְּאֵינִי יוֹדֵעַ.

כִּי בֶּאֱמֶת [אֵין אֲנִי יוֹדֵעַ] אֵינוֹ יָדוּעַ לִי כְּלָל מַה נַּעֲשֶׂה עִמִּי, מִכָּל שֶׁכֵּן מַה שֶׁנַּעֲשֶׂה בָּעוֹלָם כִּי מְאֹד עָמְקוּ מַחְשְׁבוֹתֶיךָ.

רַחֵם עָלַי מָלֵא רַחֲמִים, וְזַכֵּנִי לְהִתְנַהֵג בִּתְמִימוּת בֶּאֱמֶת בְּכָל עֵת, בְּאֹפֶן שֶׁאָשׁוּב עַל יְדֵי זֶה אֵלֶיךָ בֶּאֱמֶת מְהֵרָה.

זַכֵּנִי לִבְכּוֹת הַרְבֵּה בְּרֹאשׁ הַשָּׁנָה וְיוֹם הַכִּפּוּרִים וְהוֹשַׁעֲנָא רַבָּה וּבְכָל יְמֵי אֱלוּל וַעֲשֶׂרֶת יְמֵי תְּשׁוּבָה, בְּאֹפֶן שֶׁיִּתְעוֹרְרוּ רַחֲמֶיךָ עָלַי, וְתַחְמֹל עָלַי וְעַל כָּל יִשְׂרָאֵל בְּחֶמְלָה גְּדוֹלָה וְאַהֲבָה יְתֵרָה.

words with which to appease You from where I am right now, so that I will truly return to You from now on.

You Who are filled with compassion, help me. You Who are filled with salvation, save me. Bring me to true wholeheartedness and simplicity. May I not indulge in any extraneous or unproductive thoughts. Instead, may I realize that I do not know anything.

In truth, [I do not know;] it is not known to me at all what is occurring in my life and, how much more, what is occurring in the world—because Your thoughts are extremely deep.

You Who are filled with compassion, have compassion on me. Help me truly act with simplicity at every moment, so that as a result, I will truly return to You quickly.

Help me cry a great deal on Rosh HaShanah, Yom Kippur and Hoshana Rabbah, as well as throughout the days of Elul and the Ten Days of Repentance, so that Your compassion for me will be aroused, and You will have mercy on me and on the entire Jewish people with great mercy and immeasurable love.

לאתרוג וארבעת המינים

וְזַכֵּנוּ לְאֶתְרוֹג נָאֶה בְּחַג הַסֻּכּוֹת הַקָּדוֹשׁ, שֶׁיִּהְיֶה לָנוּ אֶתְרוֹג נָאֶה וְכָשֵׁר בֶּאֱמֶת וּמְהֻדָּר בְּכָל מִינֵי הִדּוּר, וְלוּלָב וַהֲדַס וַעֲרָבָה כְּשֵׁרִים וְנָאִים וּמְהֻדָּרִים.

וְנִזְכֶּה לְקַיֵּם מִצְוַת נְטִילַת אַרְבַּע מִינִים בִּזְמַנּוֹ בְּתַכְלִית הַשְּׁלֵמוּת בִּקְדֻשָּׁה וּבְטָהֳרָה גְּדוֹלָה, בְּאַהֲבָה וּבְיִרְאָה בְּשִׂמְחָה וְחֶדְוָה רַבָּה וַעֲצוּמָה.

וְאֶזְכֶּה לוֹמַר הַלֵּל שָׁלֵם בְּכַוָּנָה גְדוֹלָה בֶּאֱמֶת עִם כָּל הָאַרְבָּעָה מִינִים וְהוֹשַׁעְנוֹת, וּלְנַעֲנֵעַ כָּל הַנִּעְנוּעִים הַקְּדוֹשִׁים וּלְהַקִּיף הַהַקָּפוֹת הַנּוֹרָאוֹת.

וְהַכֹּל בְּאַהֲבָה וּבְיִרְאָה וּבְשִׂמְחָה רַבָּה וַעֲצוּמָה, בְּכַוָּנַת הַלֵּב בֶּאֱמֶת וּבִדְבֵקוּת נִפְלָא וּבְהִתְלַהֲבוּת גָּדוֹל לְשִׁמְךָ הַגָּדוֹל וְהַקָּדוֹשׁ וְהַנּוֹרָא בֶּאֱמֶת וּבִתְמִים, כִּרְצוֹנְךָ וְכִרְצוֹן צַדִּיקֶיךָ הָאֲמִתִּיִּים.

וְאֶזְכֶּה עַל יְדֵי הַנִּעְנוּעִים לְהַמְשִׁיךְ הֶאָרָה מֵהַמֹּחִין שֶׁבָּרֹאשׁ

For the Etrog and the Four Species

The Waving of the Four Species

Help us attain a handsome *etrog* on the holy festival of Sukkot. May we possess a truly handsome, kosher and beautiful *etrog* that possesses every type of beauty, and palm, myrtle and willow branches that are kosher, handsome and beautiful.

Help me fulfill the mitzvah of taking the Four Species in its time, with ultimate perfection, in great holiness and purity, with vast and intense love and fear, joy and gladness.

May I recite the complete Hallel with truly great intensity as I hold the Four Species and the *hoshanot*, perform all of the holy movements [of the waving of the Four Species], and engage in the circuits of the awesome *hakafot*.

May I do all of this with vast and intense love, fear and joy; with truly heartfelt intention, wondrous attachment and great fervor for Your great, holy and awesome Name; and with simplicity, in accordance with Your will and with the will of Your true Tzaddikim.

Through the waving of the Four Species, may I draw illumination from the awareness

לְתוֹךְ הַשִּׁשָּׁה קְצָווֹת, וּמִשָּׁם יִהְיוּ נִמְשָׁכִין הַמֹּחִין לִבְחִינַת מַלְכוּת, וְיִתְגַּלֶּה מַלְכוּתְךָ לְעֵין כֹּל.

וְנִזְכֶּה לְהוֹדִיעַ לִבְנֵי הָאָדָם גְּבוּרוֹתֶךָ וּכְבוֹד הֲדַר מַלְכוּתֶךָ, וְיֵדַע כָּל פָּעוּל כִּי אַתָּה פְעַלְתּוֹ וְיָבִין כָּל יְצוּר כִּי אַתָּה יְצַרְתּוֹ, וְכָל אֲשֶׁר נִשְׁמַת רוּחַ חַיִּים בְּאַפָּיו יִתְּנוּ כָבוֹד וְהָדָר לְמַלְכוּתֶךָ.

לסוכות

וְתַעַזְרֵנוּ וְתוֹשִׁיעֵנוּ וּתְזַכֵּנוּ לְקַיֵּם מִצְוַת סֻכָּה בִּזְמַנָּהּ בְּכָל פְּרָטֶיהָ וְדִקְדּוּקֶיהָ וְכַוָּנוֹתֶיהָ וְתַרְיַ"ג מִצְוֹת הַתְּלוּיִים בָּהּ וּבְלֵב טוֹב וּבְשִׂמְחָה גְדוֹלָה.

וּתְדַבְּקֵנוּ בְּמִצְוֹתֶיךָ הַקְּדוֹשִׁים וּתְחַבְּקֵנוּ בִּימִינְךָ הַקָּדוֹשׁ

in the head to the six points. From there, may awareness be drawn to the level of Malkhut, and may Your sovereignty be revealed to all.[19]

May we inform people of Your might and the glorious splendor of Your sovereignty. May every being know that You brought him about, may every creature understand that You created him, and may everyone who has a soul of the spirit of life in his nostrils offer honor and splendor to Your sovereignty.

For Sukkot

The Mitzvah of Sukkah

Help us and save us so that we will fulfill the mitzvah of sukkah in its time, with all of its details, particulars, intentions and the 613 commandments that are dependent on it, with a good heart and great joy.

Cause us to cling to Your holy mitzvot. Embrace us in Your holy right hand with great

---

19 This description alludes to the schema of the Ten Sefirot as it corresponds to the human body. Divine light devolves from the higher *sefirot*—representing the "head"—to the six lower *sefirot*—representing the "torso," "hands" and "legs"—down to the *sefirah* of Malkhut, from which it devolves to our world.

בְּאַהֲבָה וּבְחֶמְלָה גְדוֹלָה, וְתִפְרֹס עָלֵינוּ סֻכַּת שְׁלוֹמֶךָ וּבְצֵל כְּנָפֶיךָ תַּסְתִּירֵנוּ.

וְנִזְכֶּה עַל־יְדֵי מִצְוַת סֻכָּה הַקְּדוֹשָׁה וְהַנּוֹרָאָה לֵישֵׁב בְּצִלְּךָ בְּצִלָּא קַדִּישָׁא צִלָּא דִמְהֵמְנוּתָא.

וְיִתְגַּלֶּה וְיִתְוַדַּע לְעֵין כֹּל עֹצֶם אַהֲבָתְךָ וְחֶמְלָתְךָ עָלֵינוּ, וְיוֹדוּ הַכֹּל וְיֹאמְרוּ "כִּי יַעֲקֹב בָּחַר לוֹ יָהּ, יִשְׂרָאֵל לִסְגֻלָּתוֹ. כִּי חֵלֶק יְהֹוָה עַמּוֹ, יַעֲקֹב חֶבֶל נַחֲלָתוֹ".

וְנִתְפָּאֵר אֲנַחְנוּ בְּךָ וְאַתָּה בָּנוּ תָּמִיד, כְּמוֹ שֶׁנֶּאֱמַר: "אֶת יְהֹוָה הֶאֱמַרְתָּ הַיּוֹם לִהְיוֹת לְךָ לֵאלֹהִים וְלָלֶכֶת בִּדְרָכָיו וְלִשְׁמֹר חֻקָּיו וּמִצְוֹתָיו וּמִשְׁפָּטָיו וְלִשְׁמֹעַ בְּקֹלוֹ.

וַיהֹוָה הֶאֱמִירְךָ הַיּוֹם לִהְיוֹת לוֹ לְעַם סְגֻלָּה כַּאֲשֶׁר דִּבֶּר לָךְ, וְלִשְׁמֹר כָּל מִצְווֹתָיו, וּלְתִתְּךָ עֶלְיוֹן עַל כָּל הַגּוֹיִם אֲשֶׁר עָשָׂה לִתְהִלָּה וּלְשֵׁם וּלְתִפְאָרֶת, וְלִהְיֹתְךָ עַם קָדוֹשׁ לַיהֹוָה אֱלֹהֶיךָ כַּאֲשֶׁר דִּבֵּר".

וְנִזְכֶּה לַעֲבוֹד אוֹתְךָ תָּמִיד בֶּאֱמֶת וּבִתְמִים וּלְגַלּוֹת אֱלָהוּתְךָ

love and mercy. Spread the sukkah of Your peace over us and conceal us in the shadow of Your wings.

As a result of the holy and awesome mitzvah of sukkah, may we sit in Your shade—the holy shade, the shade of faith.

May Your powerful love and mercy toward us be revealed and known to all. May all acknowledge, "God chose Jacob, Israel as His special nation," "for the portion of HaShem is His people, Jacob the lot of His inheritance."

May we take pride in You, and may You take pride in us always. As the verse states, "You have selected HaShem today to be your God, and to go in His ways, guard His laws and His commandments and His judgments, and listen to His voice.

"And HaShem has selected you today to be His special nation, as He spoke to you, so that you will guard all of His commandments. He will make you supreme over all of the nations that He made, so that you will have praise, fame and beauty, and so you will be a nation holy to HaShem Your God, as He has spoken."

May we always truly and simply serve You. May we reveal Your Godliness and Your

וּמַלְכוּתְךָ לְעֵין כֹּל, וְתַטֶּה לֵב הַמֶּלֶךְ וְהַשָּׂרִים וְהַיּוֹעֲצִים עָלֵינוּ לְטוֹבָה, וּתְבַטֵּל מֵעָלֵינוּ כָּל הַגְּזֵרוֹת קָשׁוֹת.

וִיקֻיַּם מִקְרָא שֶׁכָּתוּב: "כִּי יִצְפְּנֵנִי בְּסֻכֹּה בְּיוֹם רָעָה, יַסְתִּירֵנִי בְּסֵתֶר אָהֳלוֹ בְּצוּר יְרוֹמְמֵנִי".

מָרָא דְעָלְמָא כֹּלָּא, מָלֵא רַחֲמִים חֲדָשִׁים בְּכָל עֵת, "שִׁטַּחְתִּי אֵלֶיךָ כַּפַּי פֵּרַשְׂתִּי יָדַי אֵלֶיךָ נַפְשִׁי כְּאֶרֶץ עֲיֵפָה לְךָ סֶלָה".

עָזְרֵנוּ וְהוֹשִׁיעֵנוּ אוֹתִי וְאֶת כָּל עַמְּךָ בֵּית יִשְׂרָאֵל, בִּזְכוּת וְכֹחַ הַדְּמָעוֹת וְהַבְּכִיּוֹת שֶׁל הַצַּדִּיקִים הָאֲמִתִּיִּים וְשֶׁל כְּלָל יִשְׂרָאֵל.

עָזְרֵנוּ שֶׁיִּגְמְרוּ הַצַּדִּיקִים הָאֲמִתִּיִּים עִמָּנוּ מַה שֶּׁרָצוּ, שֶׁיְּתַקְּנוּ אוֹתָנוּ כֻּלָּנוּ מְהֵרָה בִּשְׁלֵמוּת כִּרְצוֹנָם הַטּוֹב וְהַקָּדוֹשׁ, לֹא כְּמַעֲשֵׂינוּ הָרָעִים.

עָזְרֵנוּ לְמַעַנְךָ וּלְמַעֲנָם, וְהַחֲזִירֵנוּ בִּתְשׁוּבָה שְׁלֵמָה לְפָנֶיךָ מְהֵרָה. "הַדְרִיכֵנִי בַאֲמִתֶּךָ וְלַמְּדֵנִי כִּי אַתָּה אֱלֹהֵי יִשְׁעִי אוֹתְךָ קִוִּיתִי כָּל הַיּוֹם".

sovereignty to all. May we bend the hearts of the king, his princes and advisors to us for the good, and nullify all harsh decrees against us.

May the verse be realized, "He will hide me in His sukkah on the day of evil. He will conceal me in the concealment of His tent. On the rock, He will lift me up."

Master of the entire world, filled with new compassion at every moment, "I stretch my hands out to You. My soul turns to You like a weary land."

Help me and save me and Your entire nation, the House of Israel, in the merit and power of the tears and weeping of all of the true Tzaddikim and of all Israel.

Help us so that the true Tzaddikim will complete what they want with us, rectifying all of us quickly and fully, in accordance with their good and holy will, and not in accordance with our evil deeds.

Help us for Your sake and for their sake. Bring us back to You in complete repentance. "Guide me in Your truth and teach me, for You are the God of my salvation; it is for You that I have hoped all the day."

זַכֵּנוּ לִתְמִימוּת וּפְשִׁיטוּת בֶּאֱמֶת, עֲשֵׂה לְמַעַן שְׁמֶךָ עֲשֵׂה לְמַעַן תּוֹרָתֶךָ. "עָזְרֵנוּ אֱלֹהֵי יִשְׁעֵנוּ עַל דְּבַר כְּבוֹד שְׁמֶךָ וְהַצִּילֵנוּ וְכַפֵּר עַל חַטֹּאתֵנוּ לְמַעַן שְׁמֶךָ.

בָּרוּךְ יְהֹוָה אֱלֹהִים אֱלֹהֵי יִשְׂרָאֵל עוֹשֵׂה נִפְלָאוֹת לְבַדּוֹ, וּבָרוּךְ שֵׁם כְּבוֹדוֹ לְעוֹלָם וְיִמָּלֵא כְבוֹדוֹ אֶת כָּל הָאָרֶץ אָמֵן וְאָמֵן":

Help me attain true wholeheartedness and simplicity. Act with me for the sake of Your Name. Act with me for the sake of Your Torah. "Help us, God of our salvation, regarding the honor of Your Name. Rescue us and grant atonement for our transgressions for the sake of Your Name."

"Blessed is HaShem, God, God of Israel, Who alone does wonders. And blessed is the Name of His glory forever, and may His glory fill the entire earth. Amen and amen."

58 (Sichot HaRan 12)

The Effort One Makes to Serve God, Even if He is Frustrated, is Counted as a Sacrificial Offering / One Should Do What He Can, and God Will Do What is Best in His Eyes

There are people who wish to be worthy Jews and to begin serving God sincerely. Yet they experience great confusion and face tremendous challenges. The more they want to serve God, the more difficulty they encounter. And so, although they fervently wish to serve God and sanctify themselves, they do not know what to do.

All of the enthusiasm that people have when they are trying to do good is very precious. Even if they cannot attain the object of their yearning, their fervent striving itself constitutes a type of sacrificial offering to God, which corresponds to prayer.

One who wishes to pray also encounters many distractions. Still, he should make every effort to pray properly. Even if his prayer is not perfect, every effort that he makes is like bringing a sacrifice.

This applies to every type of Divine service. Even if one's efforts to perfect and sanctify himself are in vain, his forceful endeavor with toil and desire, with suffering and confusion, itself constitutes a sacrificial offering.

Therefore, a person should always strive to serve God as much as he can, even if it is difficult for him and even if he imagines that Heaven is casting him away. He should do what he can, and God will do what is best in His eyes.

סוֹמֵךְ נוֹפְלִים עֲנֵנוּ בְּיוֹם קָרְאֵנוּ, סוֹמֵךְ נוֹפְלִים הוֹשִׁיעֵנוּ, סוֹמֵךְ נוֹפְלִים הוֹשִׁיעֵנוּ מִכָּל צָרוֹתֵינוּ, רְאֵה נָא בְעָנְיֵנוּ וְרִיבָה רִיבֵנוּ "כִּי עָלֶיךָ הֹרַגְנוּ כָל הַיּוֹם נֶחְשַׁבְנוּ כְּצֹאן טִבְחָה".

עֲזוֹר עֲזוֹר עֶזְרַת יִשְׂרָאֵל, הוֹשִׁיעָה הוֹשִׁיעָה גוֹאֵל יִשְׂרָאֵל, עֲנֵנוּ עֲנֵנוּ עוֹנֶה לְעַמּוֹ יִשְׂרָאֵל. רִבּוֹנוֹ שֶׁל עוֹלָם, מֶלֶךְ עוֹזֵר וּמוֹשִׁיעַ וּמָגֵן.

אַתָּה יָדַעְתָּ כַּמָּה וְכַמָּה הִכְבִּיד עָלֵינוּ הַבַּעַל דָּבָר עֲבוֹדָתְךָ הַתְּמִימָה, אֲשֶׁר בֶּאֱמֶת "דְּרָכֶיהָ דַרְכֵי נֹעַם".

אַךְ בַּעֲווֹנוֹתַי הָרַבִּים בִּלְבַּלְתִּי אֶת דַּעְתִּי כָּל כַּךְ כָּל כַּךְ, עַד אֲשֶׁר קָשֶׁה וְכָבֵד עָלַי כָּל דָּבָר שֶׁבִּקְדֻשָּׁה שֶׁאֲנִי רוֹצֶה לַעֲשׂוֹת, עַד אֲשֶׁר "כָּשַׁל כֹּחַ הַסַּבָּל".

וְרַק אַתָּה יוֹדֵעַ בְּכַמָּה וְכַמָּה מִינֵי כְבֵדוּת וְקַשְׁיוּת וּמְנִיעוֹת וְעִכּוּבִים הוּא מַכְבִּיד וּמוֹנֵעַ וּמְעַכֵּב אוֹתִי מִכָּל דָּבָר שֶׁבִּקְדֻשָּׁה שֶׁאֲנִי רוֹצֶה לַעֲשׂוֹת דָּבָר גָּדוֹל וְדָבָר קָטָן.

Extraneous Thoughts During Prayer

You Who support the fallen, answer us on the day we call. You Who support the fallen, save us. You Who support the fallen, save us from all of our troubles. Please look upon our poverty and take up our battles, because "for Your sake we are killed all the day; we are considered as sheep for the slaughter."

Help us, help us, Helper of Israel! Save us, save us, Redeemer of Israel! Answer us, answer us, You Who answer Your nation, the Jewish people!

Master of the world, King, Helper, Savior and Shield, You know how difficult the Side of Evil has made our simple service of God, Whose ways are truly the "ways of pleasantness."

Because of my many sins, I have bespattered my mind so that anything holy I wish to do is so difficult and onerous for me, to the point that "the strength of the porter has collapsed."

Only You know how much heaviness and difficulty, how many obstacles and interruptions, the Side of Evil applies—making matters troublesome, setting up obstacles and impediments so that I will not engage in any of the holy matters, great or small, that I wish to undertake.

וּבִפְרָט לְהִתְפַּלֵּל, שֶׁזֶּה קָשֶׁה וְכָבֵד עָלַי מִן הַכֹּל, כִּי בַּעֲווֹנוֹתַי הָרַבִּים אֵינִי יָכוֹל לִפְתּוֹחַ פִּי בִּתְפִלָּתִי, וְאֵינִי מִתְגַּבֵּר לִתְפֹּס אֶת מַחֲשַׁבְתִּי.

וּמַחֲשַׁבְתִּי מְשׁוֹטֶטֶת בַּמֶּה שֶׁמְּשׁוֹטֶטֶת בְּדִבְרֵי הֶבֶל וְרַעְיוֹנוֹת רָעוֹת וְזָרוֹת וְתַאֲווֹת וְהִרְהוּרִים, וְכַמָּה וְכַמָּה מִינֵי מַחֲשָׁבוֹת חוּץ שֶׁאֵינָם שַׁיָּכִים לְדִבּוּרֵי הַתְּפִלָּה כְּלָל.

עַד אֲשֶׁר מַחֲשַׁבְתִּי חֲלוּקָה מִדִּבּוּרֵי מְאֹד מְאֹד, עַד שֶׁעַל פִּי רֹב אֵינִי יוֹדֵעַ כְּלָל מַה שֶּׁאֲנִי מְדַבֵּר בִּתְפִלָּה. אוֹי לִי וַי לִי, אוֹי לִי וַי לִי מְאֹד מְאֹד, מָה אוֹמַר, מָה אֲדַבֵּר, מָה אֶצְטַדָּק.

וְאִם אָמְנָם אֲנִי בְּעַצְמִי הַחַיָּב בְּכָל זֶה, אַךְ עִם כָּל זֶה "לְךָ יְהֹוָה הַצְּדָקָה", לְדִינֵנִי גַם עַתָּה לְכַף זְכוּת.

כִּי נִתְפַּס נִתְפַּסְתִּי כָּל כַּךְ בְּמַחְשְׁבוֹת חוּץ, עַד שֶׁקָּשֶׁה עָלַי לַעֲמֹד כְּנֶגְדָּם אֲפִלּוּ בְּכָל הַיּוֹם, וּבִפְרָט בְּעֵת הַתְּפִלָּה, שֶׁאָז הֵם מִשְׁתַּטְּחִים וּמִתְפַּשְּׁטִים כְּנֶגְדִּי לְאֹרֶךְ וּלְרֹחַב.

וְכָל מִינֵי בִּלְבּוּלִים וּשְׁטוּתִים וְעִרְבּוּב הַדַּעַת שֶׁיֵּשׁ לִי בְּכָל פַּעַם, כֻּלָּם בָּאִים וְנִשְׁמָעִים לְלִבִּי וְדַעְתִּי בְּעֵת הַתְּפִלָּה דַּיְקָא.

This is particularly hard and difficult regarding prayer, because, due to my many sins, I cannot open my mouth in prayer and I cannot gather the strength to control my thoughts.

My thoughts wander into words of vanity, into evil, foreign ideas, into desires and fantasies, into so many extraneous types of thought not at all related to my words of prayer.

My thoughts are deeply separated from my words, so that for the most part I have no idea what I am saying. Woe to me! Woe to me! What shall I say? How shall I speak? How can I justify myself?

Indeed, I myself am guilty in all this. But despite that, "You, HaShem, possess the generosity" to judge me favorably even now.

I have been seized so strongly by extraneous thoughts that it is hard for me to resist them throughout the day—and, in particular, during prayer, when they rise against me to the length and breadth.

All types of confusion, foolishness and turmoil come constantly into my mind, and my heart and mind hear them particularly at the time of prayer.

וּמַה יַּעֲשֶׂה אֵזוֹב קִיר כָּמוֹנִי, חָלוּשׁ כָּמוֹנִי מְבֻלְבָּל יוֹתֵר מִשִּׁכּוֹר כָּמוֹנִי, אוֹי אוֹי אוֹי, אוֹי אוֹי, אוֹי וַאֲבוֹי, מָה אוֹמַר, מָה אֲדַבֵּר, מָה אֶצְטַדָּק, הָאֱלֹהִים מָצָא אֶת עֲוֹנִי.

רַחֵם עָלַי בְּרַחֲמֶיךָ הָעֲצוּמִים בְּכֹחַ וּזְכוּת הַצַּדִּיקִים הָאֲמִתִּיִּים שֶׁאָנוּ נִשְׁעָנִים רַק עֲלֵיהֶם וּבִזְכוּתָם אָנוּ קַיָּמִים [בִּמְרִירוּת הַגָּלוּת] בְּגָלוּת הַמַּר הַזֶּה בְּגוּף וָנֶפֶשׁ.

וְעָזְרֵנוּ מֵעַתָּה עַל כָּל פָּנִים שֶׁאֶזְכֶּה לְהִתְגַּבֵּר בְּכָל הַיּוֹם וּבִפְרָט בִּשְׁעַת הַתְּפִלָּה עַל כָּל הַמַּחֲשָׁבוֹת זָרוֹת הַבָּאִים לְבַלְבֵּל, שֶׁלֹּא אַטֶּה לְבָבִי אֲלֵיהֶם כְּלָל.

רַק אַכְנִיס כָּל מַחְשְׁבוֹת לִבִּי וְדַעְתִּי בְּתוֹךְ דִּבּוּרֵי הַתְּפִלָּה, וַאֲקַשֵּׁר מַחֲשַׁבְתִּי אֶל דִּבּוּרֵי הַתְּפִלָּה בְּקֶשֶׁר אַמִּיץ וְחָזָק.

וְתַעַזְרֵנִי מָלֵא רַחֲמִים שֶׁאַכְנִיס כָּל כֹּחוֹתַי בְּדִבּוּרֵי הַתְּפִלָּה וְאֶמְסֹר נַפְשִׁי וְגוּפִי בִּשְׁעַת הַתְּפִלָּה, וְלֹא תְהֵא הַתְּפִלָּה עָלַי כְּמַשָּׂא חַס וְשָׁלוֹם.

What shall a creature as lowly as myself, as weak as I am, more confused than a drunkard, do? Woe! Woe! Woe! Woe! Woe! Woe! What shall I say? How shall I speak? How can I justify myself? God has discovered my sin.

Praying with Full Intent

In Your mighty compassion, have compassion on me—in the power and merit of the true Tzaddikim on whom we solely rely and in whose merit we exist [in the bitterness of the exile] in this bitter exile of body and soul.

Help me—from now on, at any rate—so that throughout the day and, in particular, at times of prayer, I will overcome all of the foreign thoughts that come to confuse me. May I not turn my heart to them at all.

Instead, may I invest all of the thoughts in my heart and mind into my words of prayer. May I connect my thoughts to the words of prayer with a firm and strong bond.

You Who are filled with compassion, help me so that I will invest all of my powers into the words of prayer and totally dedicate my soul and body when I pray. May my prayer not be like a burden on me, Heaven forbid.

וְאֶתְיַגֵּעַ בְּכָל כֹּחוֹתַי וּבְכָל מִינֵי עֵצוֹת אֲמִתִּיּוֹת לְהִתְפַּלֵּל לְפָנֶיךָ בֶּאֱמֶת. וְאַתָּה בְּרַחֲמֶיךָ וַחֲסָדֶיךָ הָעֲצוּמִים תְּקַבֵּל תְּשׁוּקוֹתַי וְטִרְחוֹתַי וִיגִיעוֹתַי עַל הַתְּפִלָּה כְּאִלּוּ הִקְרַבְתִּי לְפָנֶיךָ קָרְבָּנוֹת וּקְטֹרֶת לְרָצוֹן.

וְתַעַזְרֵנִי וְתוֹשִׁיעֵנִי וּתְחַזְּקֵנִי וּתְאַמְּצֵנִי בְּכָל עֵת לְהִתְפַּלֵּל בְּכַוָּנַת לִבִּי בֶּאֱמֶת לְפָנֶיךָ בְּשִׂמְחָה וּבְטוּב לֵבָב בְּלִי שׁוּם עַקְמִימִיּוּת שֶׁבַּלֵּב כְּלָל.

רַחֵם עָלַי מָלֵא רַחֲמִים וְאַל יִמְעֲטוּ לְפָנֶיךָ תְּלָאוֹתַי, "רְאֵה עָנְיִי וַעֲמָלִי וְשָׂא לְכָל חַטֹּאתָי, כִּי דִכִּיתָנוּ בִּמְקוֹם תַּנִּים וַתְּכַס עָלֵינוּ בְצַלְמָוֶת.

אִם שָׁכַחְנוּ שֵׁם אֱלֹהֵינוּ וַנִּפְרֹשׂ כַּפֵּינוּ לְאֵל זָר, הֲלֹא אֱלֹהִים יַחֲקָר זֹאת כִּי הוּא יוֹדֵעַ תַּעֲלוּמוֹת לֵב, כִּי עָלֶיךָ הֹרַגְנוּ כָל הַיּוֹם נֶחְשַׁבְנוּ כְּצֹאן טִבְחָה."

חוּסָה עָלַי כְּרוֹב רַחֲמֶיךָ וְקַבֵּל מְעַט יְגִיעוֹתַי וְטִרְחוֹתַי

May I toil with all of my strength and with every sort of true counsel to truly pray to You. In Your mighty compassion and kindness, accept my yearning, my efforts and my travails as I pray, as if I had brought You sacrifices and incense-offerings to solicit Your favor.

Help me and save me. Strengthen me and bolster me constantly, so that I will pray to You with the true intent of my heart, with the joy and goodness of my heart, and without any crooked-ness in my heart at all.

You who are filled with compassion, have compassion on me. May my hardships not be unimportant to You. "See my affliction and my toil, and forgive all my transgressions," "for You crushed us in a place of serpents and covered us with the shadow of death."

"If we forgot the Name of our God and spread our hands out to a foreign god, will God not investigate? He knows the secrets of the heart. For Your sake, we are killed all the day; we are considered as sheep for the slaughter."

In Your vast compassion, have pity on me and accept my few difficulties, efforts and hardships

וּתְלָאוֹתַי מַה שֶּׁאֲנִי חוֹתֵר כְּדֵי לִהְיוֹת כִּרְצוֹנֶךָ, כְּאִלּוּ הָיִיתִי מִתְיַגֵּעַ וְטוֹרֵחַ כָּרָאוּי.

מַהֵר יְקַדְּמוּנִי רַחֲמֶיךָ כִּי דַלּוֹתִי מְאֹד, פְּנֵה נָא אֶל הַתְּלָאוֹת וְאַל לַחֲטָאוֹת, פְּנֵה נָא בְּעִצְּבוֹן רוּחַ צְפֵה בְּשִׁבְרוֹן לֵב.

קַבֵּל מְעַט יְגִיעוֹתַי [וְטִרְחוֹתַי] וְטִרְדּוֹתַי לַעֲשׂוֹת רְצוֹנֶךָ כְּאִלּוּ הִקְרַבְתִּי קָרְבָּנוֹת עַל מִזְבַּחֲךָ לְרָצוֹן, כִּי בָּשָׂר וָדָם אֲנִי, וּמֵחֹמֶר קֹרַצְתִּי וְיִצְרִי רוֹדֵף אַחֲרַי מֵעוֹדִי "כַּאֲשֶׁר יִרְדֹּף הַקֹּרֵא בֶּהָרִים".

אוֹי לִי מִיִּצְרִי אוֹי לִי מִיּוֹצְרִי אִם לֹא לְמַעַנְךָ תַּעַשׂ, וְתָסִיר מִמֶּנִּי חֲרוֹן אַף וָכַעַס, אֵין לְבַקֵּשׁ וְלִמְצֹא מַעַשׂ.

אוֹחִילָה לָאֵל אֲחַלֶּה פָנָיו אֶשְׁאֲלָה מִמֶּנּוּ מַעֲנֵה לָשׁוֹן, שֶׁאֶזְכֶּה מֵעַתָּה לְהִתְפַּלֵּל תְּפִלּוֹתַי כָּרָאוּי בְּכַוָּנָה שְׁלֵמָה, שֶׁאֶזְכֶּה לִתְפֹּס אֶת מַחֲשַׁבְתִּי, בִּפְרָט בְּעֵת הַתְּפִלָּה לְבַל תֵּצֵא חוּצָה כְּלָל.

as I strive to be in accordance with Your will, as though I were wearing myself out and troubling myself properly.

Quickly bring Your compassion to the fore on my behalf, because I am deeply impoverished. Please look at my hardships and not my transgressions. Please turn to my depressed spirit and gaze at my brokenheartedness.

Accept my few difficulties [and my efforts] and troubles in doing Your will as though I had offered sacrifices on Your altar to gain Your favor. For I am flesh and blood and quarried from clay, and my evil inclination pursues me from my birth "as the partridge hunts in the mountains."

Woe to me because of my evil inclination! Woe to me before my Maker if You do not act for Your sake! Unless You take Your wrath and anger away from me, there is no point in my attempting any deeds.

I will hope in God. I will address His countenance. I will ask Him for a response that will make it possible for me to begin to pray properly, with complete focus, to control my thoughts, particularly when I pray, so that my prayer will not go astray.

וְלֹא אֶחֱשֹׁב שׁוּם מַחֲשָׁבוֹת חוּץ שֶׁאֵינָם שַׁיָּכִים לְדִבּוּרֵי הַתְּפִלָּה, רַק תִּהְיֶה מַחֲשַׁבְתִּי קְשׁוּרָה בְּדִבּוּרֵי הַתְּפִלָּה בְּקֶשֶׁר אַמִּיץ וְחָזָק, וּתְקַבֵּל תְּפִלָּתִי בְּרָצוֹן.

"אֲדֹנָי שְׂפָתַי תִּפְתָּח וּפִי יַגִּיד תְּהִלָּתֶךָ, כִּי לֹא תַחְפּוֹץ זֶבַח וְאֶתֵּנָה עוֹלָה לֹא תִרְצֶה, זִבְחֵי אֱלֹהִים רוּחַ נִשְׁבָּרָה, לֵב נִשְׁבָּר וְנִדְכֶּה אֱלֹהִים לֹא תִבְזֶה".

וְנֶאֱמַר: "כִּי לֹא בָזָה וְלֹא שִׁקַּץ עֱנוּת עָנִי וְלֹא הִסְתִּיר פָּנָיו מִמֶּנּוּ וּבְשַׁוְּעוֹ אֵלָיו שָׁמֵעַ.

יִהְיוּ לְרָצוֹן אִמְרֵי פִי וְהֶגְיוֹן לִבִּי לְפָנֶיךָ יְהֹוָה צוּרִי וְגוֹאֲלִי", אָמֵן:

May I not experience any extraneous thoughts that are unrelated to my words of prayer. Instead, may my thoughts be connected to my words of prayer with a firm and strong bond. And may You accept my prayer favorably.

"My God, open my lips and my mouth will speak Your praise." "For You do not desire an offering, or I would give it; You do not wish a burnt-offering. The sacrifices of God are a broken spirit. God, You will not despise a broken and crushed heart."

"He has neither despised nor abhorred the cry of the poor, nor has He hidden His countenance from him; and when he cried out to Him, He listened."

"May the words of my mouth and the meditation of my heart be pleasing before You, HaShem, my Rock and my Redeemer." Amen.

59

When We Recite the Names of Tzaddikim, We Gain Tremendous Spiritual Resources

When we recite the names of Tzaddikim, the light of their holiness is drawn onto us and inspires us to walk in their footsteps.

Then these Tzaddikim shield us and speak well on our behalf before God's throne of glory, so that God will have compassion on us and inspire our hearts to return to Him.

God then nullifies nature and oversees us with His providence for good and for blessing, for life and for peace. All of the rules of Heaven and earth then change for the good on our behalf.

תפלה לאמרה אחר הזכרת שמות הצדיקים

יְהִי רָצוֹן מִלְפָנֶיךָ יְהֹוָה אֱלֹהֵינוּ וֵאלֹהֵי אֲבוֹתֵינוּ, שֶׁבִּזְכוּת כָּל הַצַּדִּיקִים הָאֵלּוּ שֶׁהִזְכַּרְתִּי לְפָנֶיךָ, חֲסִידִים, גִּבּוֹרִים, מָאֲרֵי תוֹרָה, חוֹזִים, נְבִיאִים, צַדִּיקִים. בִּזְכוּת שְׁמוֹתָם הַקְּדוֹשִׁים, וּבִזְכוּת תּוֹרָתָם וּמַעֲשֵׂיהֶם הַטּוֹבִים שֶׁעָשׂוּ לְפָנֶיךָ.

שֶׁתְּרַחֵם עָלֵינוּ בְּרַחֲמֶיךָ הָרַבִּים, וּתְזַכֵּנוּ שֶׁיִּמְשַׁךְ עָלֵינוּ אוֹר קְדֻשָּׁתָם, שֶׁנִּזְכֶּה לֵילֵךְ בְּעִקְבוֹתָם וְלִדְרֹךְ בִּנְתִיבוֹתָם.

A prayer to be said after reciting *Shemot HaTzaddikim* (Names of the Tzaddikim)[20]

May the Light of the Great Tzaddikim Shine upon Us

May it be Your will, HaShem our God and God of our fathers, that in the merit of all of these Tzaddikim whom I have mentioned before You— these pious, mighty masters of Torah, these prophets and pious men—in the merit of their holy names, and in the merit of their Torah and good deeds that they performed before You, that You will have compassion on us in Your vast compassion.

May the light of their holiness be drawn onto us, so that we will walk in their footsteps and travel upon their paths. From now on, aided by

---

20 *Shemot HaTzaddikim* (Names of the Tzaddikim) is a small book of remembrance containing the names of all of the Tzaddikim from Adam until the present day, including all of the Tzaddikim mentioned in the Bible, Mishnah, Gemara, Talmudic commentaries, Midrashim, Zohar, and Tikkuney Zohar. It also contains all of the names of the Savoraim, Geonim, and many of the Tzaddikim who came after them. Compiled by Reb Noson, these names can be recited in whole or in part for any particular need, such as *shiddukhim*, children, etc., or just for the sake of saying them. The full Hebrew text of *Shemot HaTzaddikim* can be found in *Rebbe Nachman's Tikkun*, published by the Breslov Research Institute.

וְנִזְכֶּה מֵעַתָּה בְּכֹחָם הַגָּדוֹל לָשׁוּב אֵלֶיךָ בֶּאֱמֶת וְלָלֶכֶת בְּדַרְכֵי יְשָׁרִים לְפָנֶיךָ.

וְתִתֵּן בְּלֵב כָּל הַצַּדִּיקִים, הֵן אוֹתָם שֶׁהִזְכַּרְתִּי לְפָנֶיךָ, הֵן אוֹתָם הַצַּדִּיקִים הַגְּנוּזִים שֶׁהָיוּ בְּכָל דּוֹר וָדוֹר שֶׁלֹּא זָכִיתִי לֵידַע מִשְּׁמוֹתָם. שֶׁכֻּלָּם כְּאֶחָד יָגֵנּוּ עָלֵינוּ וְיַמְלִיצוּ טוֹב בַּעֲדֵנוּ לִפְנֵי כִּסֵּא כְבוֹדֶךָ, שֶׁתָּחוּס וּתְרַחֵם עָלֵינוּ, וְתִתֵּן בְּלִבֵּנוּ לָשׁוּב אֵלֶיךָ בֶּאֱמֶת.

וְתָסִיר מִמֶּנּוּ לֵב הָאֶבֶן וְתִתֶּן לָנוּ לֵב בָּשָׂר, וְתַחֲזִירֵנוּ בִּתְשׁוּבָה שְׁלֵמָה לְפָנֶיךָ, וְנִזְכֶּה לֵילֵךְ בְּאֹרַח צַדִּיקִים, וְיִהְיֶה חֶלְקֵנוּ עִמָּהֶם לָעוֹלָם הַבָּא בְּגַן עֵדֶן וְלֹא נֵעוֹל בְּכִסּוּפָא קַמָּךְ.

וְתַעֲזוֹר לָנוּ בִּזְכוּת הַזְכָּרַת שְׁמוֹת הַצַּדִּיקִים, שֶׁנִּזְכֶּה לִפְעֹל כָּל בַּקָּשָׁתֵנוּ לְפָנֶיךָ, בְּכָל מַה שֶּׁאָנוּ צְרִיכִים בְּגַשְׁמִיּוּת וְרוּחָנִיּוּת.

וּתְבַטֵּל הַטֶּבַע וְתַשְׁגִּיחַ עָלֵינוּ בְּהַשְׁגָּחָתְךָ לְטוֹבָה וְלִבְרָכָה לְחַיִּים וּלְשָׁלוֹם. וְיִמְשַׁךְ עָלֵינוּ שֶׁפַע טוֹבָה בְּרָכָה וְחַיִּים וּרְפוּאָה וּפַרְנָסָה וּבְרִיאוּת הַגּוּף וְכָל טוֹב, שֶׁלֹּא כְּדֶרֶךְ הַטֶּבַע כְּלָל.

their great power, may we truly return to You and walk before You in the ways of righteousness.

May all of the Tzaddikim—whether those whom I have mentioned before You, or those hidden Tzaddikim of every generation whose names I was not privileged to know—all of them, in unison, shield us and speak well on our behalf before the throne of Your glory, so that You will have pity and compassion on us, and inspire our heart to truly return to You.

Remove our heart of stone and give us a heart of flesh. Bring us back to You in compete repentance. May we walk in the way of the Tzaddikim. May our portion be with them in the World to Come, in the Garden of Eden. And may we not be ashamed before You.

In the merit of our having recited the names of the Tzaddikim, help us attain all of our requests of You regarding everything we need in both the physical and spiritual realms.

Nullify nature and oversee us with Your providence for the good and for blessing, for life and for peace. May an abundance of goodness, blessing, life, healing, income, physical health and everything good, completely beyond nature, be drawn onto us.

וְכָל הַנְהָגַת תּוֹלְדוֹת הַשָּׁמַיִם וְהָאָרֶץ, כֻּלָּם יִשְׁתַּנּוּ לְטוֹבָה עָלֵינוּ בִּזְכוּת שְׁמוֹת הַצַּדִּיקִים הַנּוֹרָאִים הַלָּלוּ שֶׁהִזְכַּרְתִּי לְפָנֶיךָ.

כַּאֲשֶׁר הוֹדַעְתָּנוּ עַל יְדֵי צַדִּיקֶיךָ הָאֲמִתִּיִּים, שֶׁהַזְכָּרַת שְׁמוֹת הַצַּדִּיקִים יֵשׁ לָהֶם כֹּחַ לְהָבִיא שִׁנּוּי בְּמַעֲשֵׂה בְרֵאשִׁית, לְשַׁנּוֹת הַטֶּבַע לְטוֹבָה.

כִּי אֵין לָנוּ עַל מִי לְהִשָּׁעֵן עַתָּה, כִּי אִם עַל זְכוּת הַצַּדִּיקִים הַקְּדוֹשִׁים שׁוֹכְנֵי עָפָר, "לִקְדוֹשִׁים אֲשֶׁר בָּאָרֶץ הֵמָּה, וְאַדִּירֵי כָּל חֶפְצִי בָם".

מָלֵא רַחֲמִים, זָכְרֵנוּ בְּזִכָּרוֹן טוֹב לְפָנֶיךָ וּפָקְדֵנוּ בִּפְקֻדַּת יְשׁוּעָה וְרַחֲמִים מִשְּׁמֵי שְׁמֵי קֶדֶם, וּזְכָר לָנוּ יְהוָה אֱלֹהֵינוּ אַהֲבַת הַקַּדְמוֹנִים, זְכוּת כָּל הַצַּדִּיקִים וְהַחֲסִידִים וְהַקְּדוֹשִׁים הָאֵלּוּ שֶׁהִזְכַּרְתִּי לְפָנֶיךָ.

בִּזְכוּתָם תּוֹשִׁיעֵנוּ בְּכָל מַה שֶּׁאָנוּ צְרִיכִים לְהִוָּשַׁע, בְּגוּף וָנֶפֶשׁ וּמָמוֹן בְּגַשְׁמִיּוּת וּבְרוּחָנִיּוּת, וְתַחֲזִירֵנוּ בִּתְשׁוּבָה שְׁלֵמָה לְפָנֶיךָ.

May all of the rules of Heaven and earth change for the good on our behalf, in the merit of the names of these awesome Tzaddikim that I have mentioned before You.

For You informed us by means of Your true Tzaddikim that mentioning the names of the Tzaddikim has the power to bring about a change in Creation itself, transforming nature for the good.

For now we have nothing on which to rely except the merit of the holy Tzaddikim who sleep in the dust—"all of the holy ones who are in the earth, and the mighty ones in whom is all of my delight."

You Who are filled with compassion, remember us for the good before You. Send us salvation and compassion from the highest supernal heavens. HaShem our God, recall for us the love of the early ones, the merit of all of these Tzaddikim and pious, holy men whom I have mentioned before You.

In their merit, save us in every way that we need to be saved—in body, soul and financial matters, in the material and spiritual realms. Bring us back to You in complete repentance.

וְתָשִׂים חֶלְקֵנוּ עִם [כָּל] הַצַּדִּיקִים לְעוֹלָם וָעֶד. וּלְעוֹלָם לֹא נֵבוֹשׁ כִּי בְךָ בָּטָחְנוּ, וְעַל חַסְדְּךָ הַגָּדוֹל בֶּאֱמֶת נִשְׁעָנְנוּ, בָּרוּךְ אַתָּה מִשְׁעָן וּמִבְטָח לַצַּדִּיקִים:

חזק חזק חזק ונתחזק

Place our portion with the Tzaddikim forever. May we never be ashamed, for we have trusted in You, and we have truly relied on Your great kindness. Blessed are You, Support and Trust of the Tzaddikim.

Be strong! Be strong!
Be strong and we will be strengthened!

About Reb Noson

When Rebbe Nachman passed away in 1810, the most logical person to succeed him as Rebbe was his closest disciple and scribe, Reb Noson Sternhartz (1780-1844). Reb Noson had spent the last eight years attending the Rebbe, imbibing his wisdom and transcribing his lessons. Yet in his characteristic modesty, Reb Noson declined to assume the mantle of leadership for one simple reason: there was only one Rebbe Nachman. Reb Noson wanted every Jew in every generation to develop a personal relationship with Rebbe Nachman through the latter's teachings, and to consider him his Rebbe, too.

Reb Noson faced much opposition from other Chassidic groups for his decision to have the dynasty stop with Rebbe Nachman, but he withstood it. He devoted the rest of his life to publicizing and explaining the Rebbe's wisdom to new generations of followers. He exerted himself to finance the publication of all of the Rebbe's writings. Gifted with a phenomenal memory, he also compiled several biographical books detailing Rebbe Nachman's life experiences, conversations, and advice. He began expanding the corpus of Breslov literature with the writing of his own magnum opus (*Likutey Halakhot*), prayers based on the Rebbe's lessons (*Likutey Tefilot*), and the *Shemot HaTzaddikim* (Names of the Tzaddikim), and sent hundreds of letters to his children and followers explaining the Rebbe's teachings.

If you have ever joined the 35,000-strong Rosh HaShanah *kibutz* in Uman, you have Reb Noson to thank for that, too. He was the one who initiated this annual gathering in 1811, and built the first Breslov *kloiz* (synagogue) in Uman to accommodate the hundreds of Chassidim who flocked there each year. After Reb Noson's passing, his main student, Reb Nachman Chazan of Tulchin, moved from Breslov to Uman, making Rebbe Nachman's burial site the new focal point of the Breslov movement.

By the time of Reb Noson's passing in 1844, the Breslov movement was on a firm footing that would help it survive the tumultuous events of the twentieth century and, with the fall of the Iron Curtain, expand and flourish around the world. From our vantage point in the twenty-first century, we can testify to the success of Reb Noson's efforts. In every place, people are studying Rebbe Nachman's words and finding in them personal messages for joy and fulfillment. Thanks to Reb Noson, the devoted disciple and scribe, the path that Rebbe Nachman forged will continue to inspire until the coming of the *Mashiach*, may he come speedily in our days. Amen.

Reb Noson's Prayers

Rebbe Nachman emphasized prayer—both structured and spontaneous—as the main way to come close to God. Reb Noson took Rebbe Nachman's advice to heart by composing over 200 moving and beautiful supplications based on the Rebbe's teachings. In addition to our seven-volume translation of Reb Noson's prayers, we have compiled smaller, thematic volumes featuring selected prayers that you can use to enhance your own relationship with God.

THE FIFTIETH GATE:
Likutey Tefilot—**Reb Noson's Prayers**
Translated by Avraham Greenbaum (Vols. 1-2)
Translated by Yaacov Dovid Shulman (Vols. 3-7)

There are times when we yearn to communicate with God but don't know what to say. We can find ourselves in the expressive and eloquent prayers of Reb Noson, which are based on the enduring lessons in Rebbe Nachman's *Likutey Moharan*. Unique in Jewish spiritual literature, *Likutey Tefilot* includes prayers and supplications on every topic, suiting all moods and needs. Volume 1 includes a full introduction to the concept of prayer and its centrality in Jewish life. The prayers are printed with Reb Noson's original Hebrew facing the English translation.

ENTERING THE LIGHT:
Prayers to Experience the Joy & Wonder of Shabbat and Yom Tov
Translated and annotated by Dovid Sears

The powerful, heartfelt prayers composed by Reb Noson bring us closer to the essence of Shabbat and other Jewish holy days as few others can. Through Reb Noson's words, we begin to fathom the incredible light that emanates from these days—and how to channel it into our own lives. This collection of 80 prayers for all major days on the Jewish calendar is fully referenced with the wide range of scriptural, rabbinic and liturgical citations that Reb Noson weaves into his prayers.

BETWEEN ME & YOU:
Heartfelt Prayers for Each Jewish Woman
Compiled by Yitzchok Leib Bell

Everyone wants a good life, a happy home, meaningful relationships, joyous celebrations—but do we know the way to make those blessings materialize? How often do we feel our deepest desires bottled up in our hearts, hoping that God hears our silent yearning? This precious volume of prayers based on Reb Noson's *Likutey Tefilot* gives expression to the hopes and dreams of each Jewish woman. Organized by topic, here are prayers to sing with, to cry over, to believe in and to soar with. Let them open your heart to receive the greatest blessing: a new closeness to the Provider of all.

THE FLAME OF THE HEART
Translated by Dovid Sears

Here are translations of selected prayers from *Likutey Tefilot* on a variety of topics, including: Finding God in Everything, Awakening the Soul, Midnight Meditation, Simplicity, Grasping the Infinite, Unity in Diversity, Beginning Anew, Love of Humanity, Hospitality, and Spiritual Ups and Downs.

More Breslov Works on Prayer

THE SWEETEST HOUR:
Tikkun Chatzot
Compiled and translated by Avraham Greenbaum

In Jewish tradition, the wee hours of the night are especially propitious for contemplation of the Jewish exile and yearning for redemption, both collective and personal. This book explains the meaning and purpose of *Tikkun Chatzot* (the Midnight Lament) and contains the first complete English translation of this inspiring prayer service, together with detailed instructions for when and how to say it.

THE GENTLE WEAPON:
Prayers for Everyday and Not-So-Everyday Moments
Adapted by Moshe Mykoff and S. C. Mizrahi

Life makes warriors of us all. To emerge victorious, we must arm ourselves with the most potent of weapons: prayer. These soul-stirring prayers, based on Rebbe Nachman's teachings in *Likutey Moharan*, strengthen the heart while bringing us closer to God and a deeper understanding of ourselves.

OUTPOURING OF THE SOUL
Translated by Rabbi Aryeh Kaplan

"When the summer begins to approach, go out to meditate in the meadows. When every bush of the field begins to return to life and grow, they all yearn to be included in your prayer." With these words, Rebbe Nachman gave pride of place to the spontaneous, improvised prayer uttered in one's own language and words: *hitbodedut*. This handbook of the Rebbe's teachings on prayer includes Rabbi Kaplan's scholarly introduction placing *hitbodedut* in the context of the history of Jewish prayer and meditation.

WHERE EARTH AND HEAVEN KISS:
A Guide to Rebbe Nachman's Path of Meditation
By Ozer Bergman

This easy-to-follow, how-to guide walks the reader through the practice of *hitbodedut* in all times and situations, offering encouragement and advice for each step of the process. Learn how to use *hitbodedut* to improve yourself and your relationship with God; to think about and plan for the future; to experience the delight of loving God for no reason; and to gain the ultimate awareness of God's presence. You'll also find many ideas and scripts that can enhance any *hitbodedut* session, including the original "One-Minute *Hitbodedut*."

About the Breslov Research Institute

The Breslov Research Institute, founded in 1979, publishes authoritative translations, commentaries, and general works on Breslov *Chassidut* in the major languages spoken by modern-day Jewish communities: English, Hebrew, Spanish, and Russian. Our extensive library of titles includes all of Rebbe Nachman's works; selected writings of Reb Noson, the Rebbe's closest disciple; in-depth presentations of the Rebbe's teachings on joy, prayer, Jewish holidays, the Land of Israel, *Mashiach*, and more; self-help and how-to books for applying the Rebbe's wisdom to daily life; children's stories based on Rebbe Nachman's parables; and recordings of traditional Breslov songs and melodies.

Visit our website at **www.breslov.org** for Breslov FAQs, weekly Torah teachings, a virtual library, free audio lectures, online bookstore, and more.

May the light of Rebbe Nachman's lessons
and Reb Noson's prayers
fill all worlds

With love to my mother
Eva Drum Driscoll

may her light shine

and to my grandmother
Charlotte Stein Drum Linde

may her neshamah have an aliyah

**Diamond Driscoll
(Sima Vardiya)**